Eisenberg, Ludwig; Gro

Das geistige Wien

Eisenberg, Ludwig; Groner, Richard

Das geistige Wien

Inktank publishing, 2018

www.inktank-publishing.com

ISBN/EAN: 9783747796658

All rights reserved

Das geistige Wien.

Mittheilungen

über die

in Wien lebenden Architekten, Bildhauer, Bühnenkünstler, Graphiker, Journalisten, Maler, Musiker und Schriftsteller.

Herausgegeben

von

Ludw. Eisenberg und **Richard Groner.**

Mit einem Sachregister.

Wien 1889.

Brockhausen und Bräuer.

Vorrede.

Als wir vor Jahresfrist der Idee Ausdruck verliehen, über die in Wien lebenden Künstler und Schriftsteller eine in lexikographische Form gekleidete Zusammenstellung zu verfassen, begegneten wir in den betreffenden Kreisen einer sehr getheilten Aufnahme.

Wenngleich ausnahmslos das Bedürfnis anerkannt wurde, ein derartiges Werk zu schaffen, so machte man uns doch auf die unüberwinblichen oder wenigstens unüberwinblich scheinenden Schwierigkeiten aufmerksam, welche sich einer gedeihlichen, zweckentsprechenden Ausarbeitung eines solchen Compenbiums entgegenstellen, Schwierigkeiten, welche einerseits in dem Fehlen bio=, bezw. bibliographischer Daten bei weit mehr als der Hälfte der in den Rahmen des Buches fallenden Persönlichkeiten zu suchen sind, andererseits durch den Umstand hervorgerufen werden, daß ein derartiges Lexikon nur dann Anspruch auf Erfolg hat, wenn es thunlichst complet ist, und wenn die Auswahl der betreffenden geistigen Arbeiter in streng objectiver Weise vorgenommen wird.

Nach reiflicher Beurtheilung dieser beiden Momente drängte sich uns die Ueberzeugung auf, daß die Gelehrten, die Fachschriftsteller, bezw. alle jene geistigen Arbeiter, deren Leistungen sich auf ein specielles fachwissenschaftliches Gebiet erstrecken, vorweg ausgeschieden und in einem selbständigen II. Banbe eingereiht werden müssen. Hiezu bewog uns vor allem der Umstand,

*

daß allein schon die Eruierung der in Wien lebenden Privat-Gelehrten und ihrer meist im Auslande verlegten Werke einen derartigen Zeitaufwand erfordert, daß hiedurch die rücksichtlich der rascher producirenden Belletristiker und theilweise auch Künstler ꝛc. gebotenen Daten veraltet erscheinen müßten.

Und so entschlossen wir uns denn, diese Trennung vorzunehmen, indem wir uns vorbehalten, nach Ausarbeitung des II. Bandes denselben in einen der folgenden Jahrgänge des I. Bandes mit einzubeziehen.

Mit einer gewissen Befriedigung können wir es aussprechen, daß von allen ähnlichen für einzelne Länder oder für einzelne Disciplinen gearbeiteten Compendien, das vorliegende unseres Wissens das erste ist, bei welchem als oberster Grundsatz für die Auswahl der in das Buch aufzunehmenden Persönlichkeiten nach einem System vorgegangen wurde, und daß die von uns diesbezüglich aufgestellten und gewiß nicht enggesteckten Grenzen es ermöglichen, auch alle Jene aufzunehmen, deren Thätigkeit vorwiegend von localem Interesse ist.

Von diesem Grundsatze ausgehend, haben wir, jede kritische Beurtheilung bei Seite lassend, uns bei Zusammenstellung der einzelnen Persönlichkeiten von folgenden Principien leiten lassen: für die Aufnahme der

Architekten

war uns eine im Jahre 1888 erflossene Enunciation des Ingenieur- und Architektenvereines maßgebend. Der Vorstand desselben entwickelte nämlich gelegentlich eines ihm vorgelegenen, concreten Falles folgende Gesichtspunkte:

„Nach den Gesetzen Oesterreich-Ungarns kann der Titel „Architekt" weder durch Jemanden verliehen, noch von Jemandem aberkannt werden. In gewöhnlichen Verhältnissen wird derjenige als Architekt im strengen Sinne des Titels anerkannt, welcher als absolvierter Schüler der Akademie der bildenden Künste oder

der Fachschule für Architektur an einer technischen Hochschule sich die höchste theoretische Bildung in seinem Fache angeeignet hat, welche ihn — künstlerische Begabung vorausgesetzt — befähigt, den Aufgaben gerecht zu werden, welche die Architektur stellt. Diese Regel schließt aber nicht aus, daß begabte und strebsame Naturen auch ohne diese planmäßige Schulung das gleiche Ziel erreichen, und daß ihnen demgemäß selbst vom rigorosen Standpunkte aus gleichfalls der Titel „Architekt" zuerkannt werden muß."

Wenngleich wir bestrebt waren, hienach vorzugehen, so mußten wir doch zu unserem Bedauern auf die Namhaftmachung der in den zahlreichen Architekten-Ateliers Wiens beschäftigten, künstlerischen Mit-, beziehungsweise Hilfsarbeiter verzichten, da uns die vollständige Nominierung dieser oft unter anderen Namen schaffenden Künstler, selbst wenn dieselben sich vielfach selbständig an öffentlichen Concurrenz-Arbeiten betheiligten, nicht gelang; wir hoffen jedoch, daß durch ein entsprechenderes Entgegenkommen der betheiligten Kreise diese Lücke in künftigen Jahrgängen des Buches ausgefüllt werde. Wir beschränkten uns somit darauf, jene Architekten zu verzeichnen, welche durch ihre Leistungen öffentlich bekannt, selbständig und unter eigenem Namen Pläne für durchgeführte Hochbauten entworfen haben.

Unbekümmert um obige leitende Bestimmung haben wir jedoch auch alle wirklichen Mitglieder der Genossenschaft der bildenden Künstler eingereiht.

Von den Bildhauern, Graphikern und Malern haben wir jene Künstler verzeichnet, welche seit dem Jahre der Fertigstellung des Wiener Künstlerhauses, in Wien ausgestellt, welche an der decorativen Ausschmückung hervorragender öffentlicher oder privater Bauten wesentlich Antheil genommen haben, und jene, welche der Künstlergenossenschaft als wirkliche Mitglieder angehören.

Unserer Ansicht nach sollten in die Reihe der

1

Musiker

(Tonkünstler) sowohl die selbst schaffenden, als auch die aus=
übenden Aufnahme finden.

Wir waren daher bestrebt, von den Ersteren alle Ton=
setzer anzuführen, deren Originalarbeiten entweder durch Drucklegung
oder Aufführung Eingang in die Oeffentlichkeit gefunden haben,
somit die Componisten von Opern, Operetten, symphonischen
Werken, Ouverturen, Concerten, von Kammermusik (Duos,
Trios ꝛc.), von Vocal= und Clavier = Musik edlen Stiles, die
Componisten von Singspielen, Couplets und anderer leichter
Bühnenmusik, wenn diese Werke sich dauernd oder doch für län=
gere Zeit einen Platz auf Wiener Boden eroberten.

Von den Autoren der überaus zahlreichen Werke auf dem
Gebiete der Salon=, Tanz= und Militär=Musik haben wir jedoch
nur jene aufzunehmen gesucht, deren Werke sich einer anerkannten
Popularität erfreuen.

Von den ausübenden Musikern waren wir bestrebt, alle
jene einzureihen, welche entweder als Virtuosen, Concertsänger ꝛc.
thätig sind, oder die als Dirigenten oder Mitglieder berufsmäßig
einer Verbindung angehören, welche höhere künstlerische Interessen
zum Ziele hat (z. B. Philharmoniker).

Von den Schauspielern, beziehungsweise Bühnen-
künstlern
haben wir die an Wiener Theatern befindlichen Mitglieder,
insoferne dieselben für ein bestimmtes Fach engagirt sind,
sowie jene, die — wenngleich schon außerhalb des Bühnen=
Verbandes stehend — noch immer anderweitig künstlerisch thätig
sind oder ein diesbezügliches Lehrfach ausüben, ferner die k. k.
Kammerkünstler aufgenommen.

Bei der Aufnahme der
Schriftsteller, beziehungsweise Journalisten
ließen wir uns in Anbetracht der Schwierigkeit, ohne Kritik zu
üben, eine Grenze zu ziehen, von folgenden Grundsätzen leiten:

Aufnahme fanden:

Alle jene, welche mit Buchpublicationen, nicht ausschließlich fachwissenschaftlichen Inhaltes, vor die Oeffentlichkeit traten;

jene Schriftsteller — inclusive der Fachgelehrten, welche feuilletonistische Mitarbeiter der Wiener Tagesblätter sind —, die erfahrungsgemäß für belletristische Blätter des In= und Aus= landes Beiträge liefern;

sämmtliche dem Redactions = Verbande der Wiener Tages= blätter angehörigen Journalisten, sowie die ständigen, externen (jedoch nicht fachwissenschaftlichen) Mitarbeiter dieser Journale, die redactionellen Leiter, beziehungsweise Redacteure und stän= digen Mitarbeiter jener Zeitschriften, welche sich ausschließlich oder hauptsächlich mit Belletristik, Politik, Theater und Kunst befassen, auf diesem Gebiete Anerkennung und dadurch Eingang in weitere Kreise gefunden haben;

schließlich die Mitarbeiter und Correspondenten größerer auswärtiger Tages=Journale.

An dieser Stelle sei bemerkt, daß wir bestrebt waren, von den Wiener Zeitungen, beziehungsweise Zeitschriften, welche sich vorwiegend mit Belletristik und Humor befassen, auch die

Zeichner,

soweit uns dieselben seitens der betreffenden Redactionen auf unsere Bitte hin bekannt gegeben wurden, aufzunehmen.

Was die Registrierung der Werke der den einzelnen Dis= ciplinen Angehörigen anbelangt, so sind wir auch hier nach vorher erwogenen und festgestellten Grundsätzen vorgegangen.

Bei den Architekten haben wir die nach ihren Plänen, von ihnen oder von Anderen ausgeführten Hochbauten (Neu=, Um= und Zubauten) — mit besonderer Berücksichtigung der Wiener Gebäude — verzeichnet.

Bei den Bildhauern, Graphikern, Malern wurden theils jene Werke angeführt, deren Schaffung, der Kritik zufolge, die Eigenart des Künstlers am Besten charakterisiert, theils solche,

I*

welche mit einem Preise ausgezeichnet wurden, diejenigen, welche sich in Wiener Sammlungen, Gallerien 2c. befinden, sowie solche, die den öffentlichen — oder hervorragenden privaten — Bauten Wiens zur inneren oder äußeren Ausschmückung dienen.

Die Unmöglichkeit, alle Werke, zum Beispiel der Maler, von welchen F. Alt allein über 2000 vollendet hat, anzuführen, und die Tendenz, uns jeder Kritik zu enthalten, welchem Bestreben wir bei irgend einer Auswahl nicht hätten nachkommen können, zwang uns zu dieser die Uebersichtlichkeit etwas einschränkenden, jedoch uns nothwendig erscheinenden Bestimmung.

Auch von den Musikern konnten wir nicht alle jene Opera namhaft machen, welche von den einzelnen Componisten in Druck gegeben wurden. Wir mußten uns allein schon aus räumlichen Gründen darauf beschränken, nur jene Werke zu berücksichtigen, welche theils durch ihren von der Kritik bereits anerkannten Werth, theils durch ihre locale Färbung Eingang in weitere Kreise gefunden haben.

War es uns schon schwer, für die Schriftsteller und Journalisten selbst einen Rahmen zu finden, der wie bei den anderen Disciplinen die Aufnahme nicht in das Buch gehöriger Individuen erschwert, so wollte es uns noch schwieriger erscheinen, Bestimmungen bezüglich der Anführung ihrer Werke zu treffen.

Es ist möglich, den architektonischen Bau oder die plastische Figur und das Bild, mit welch' letzteren öffentliche oder private Gebäude geschmückt sind, zu sehen, das populäre Lied, die in's Volk gedrungene musikalische Weise zu hören; aber sehr schwierig ist es, zu erforschen, welcher Roman, welche Jugend= schrift, welches Buchdrama geeignet war oder ist, weitere Kreise zu interessieren.

Deshalb sahen wir uns denn veranlaßt, getreu der wieder= holt betonten Tendenz, uns jeder Kritik thunlichst zu enthalten alle von uns in Erfahrung gebrachten Buch=Publi=

cationen der betreffenden Schriftsteller zu verzeichnen, wobei wir nur die Vorsicht anzuwenden für nöthig hielten, jene Publicationen, deren Verlagsort uns nicht bekannt war, und bezüglich welcher der Autor, auch nach unsererseits erfolgtem Ersuchen nicht in der Lage war, den Verleger namhaft zu machen, ganz einfach nicht zu berücksichtigen. Die Anführung der Namen von lediglich in Zeitungen und Zeitschriften veröffentlichten Arbeiten haben wir mit verschwindend geringen Ausnahmen — Fälle, in welchen diese oder jene Publication ein besonderes locales oder publicistisches Interesse erregte — unterlassen.

Es sei hier besonders erwähnt, daß die größere oder geringere Ausführlichkeit der einzelnen bio= und bibliographischen Skizzen sich keineswegs nach der Bedeutung der betreffenden Persönlichkeiten richtet und etwa als Maßstab einer, uns ganz fernestehenden Beurtheilung künstlerischen oder schriftstellerischen Schaffens zu gelten habe, sondern vor allem in dem vorhandenen größeren oder geringeren Materiale seine Begründung findet. Wir geben jedoch der zuversichtlichen Hoffnung Raum, durch Benützung der uns gewiß künftig zukommenden, ausführlicheren Daten auch in dieser Beziehung anläßlich der zu veranstaltenden nächsten Ausgaben dieses Jahrbuches dem uns gesteckten Ziele näher zu kommen.

Wir können nicht umhin, an dieser Stelle darauf hinzuweisen, daß wir v o r Aufstellung der oberwähnten Rahmen uns an s ä m m t l i c h e in Wien domicilierenden Architekten, Bildhauer, Graphiker, Maler, Musiker, Bühnenkünstler, Schriftsteller und Journalisten, soweit dieselben als solche polizeilich gemeldet sind, schriftlich mit dem Ersuchen gewendet haben, uns bei der Ausarbeitung dieses Buches durch Angabe von Daten zu unterstützen.

Diesem unserem Ansuchen wurde trotz wiederholter Erinnerungen leider nur von einer geringen Anzahl entsprochen (ihre Namen wurden mit keinem * versehen), und waren wir somit angewiesen, außer der Benützung der wenigen Daten, welche wir

aus den unten angeführten Quellenwerken *) schöpfen konnten,
unsere persönlichen Beziehungen in Anspruch zu nehmen und auf
Grund der uns gütigst zur Verfügung gestellten amtlichen Daten
und vieler privater Mittheilungen, an die Ausarbeitung des
Buches zu schreiten.

Zu unso größerem Danke sind wir daher dem Secretär der
Genossenschaft der bildenden Künstler, kais. Rath Herrn Karl Walz,
dem Official der k. k. Akademie der bildenden Künste Herrn Heinrich
Thomke für die bereitwillige Unterstützung und die Gestattung
der Einsichtnahme in das reiche Quellen-Materiale dieser Institute,
der Direction des Wiener Kunstvereines für die Ueberlassung
von Katalogen, sowie den Architekten Herren Professor Julius

*) „Allgemeine Kunstchronik", Die.
Bodenstein, Dr. C. 100 Jahre Kunstgeschichte in Wien.
Bornmüller, Fr. Biographisches Schriftsteller-Lexikon.
Brümmer, Franz. Lexikon der deutschen Dichter und Prosaisten.
Brockhaus' Conversations-Lexikon.
Dekamerone des Burgtheaters.
Franzos, Karl Emil. Deutsches Dichterbuch aus Oesterreich.
Fromme's Kalender für die musikalische Welt.
Hinrichsen, Adolf. Das literarische Deutschland.
Hofmeister Fr. Handbuch der musik. Literatur (1868—1888).
Hof- und Staatshandbuch.
Jahrbuch des k. k. Hofburgtheater.
Jahrbuch der k. k. Hofoper.
Jahrbuch der „Allgemeinen Kunst-Chronik".
Kataloge (bis 1888) des Wiener Künstlerhauses.
Kataloge (bis 1888) des Wiener Kunstvereines.
Kataloge der Gemälde-Gallerie des allerh. Kaiserhauses.
Kataloge der graphischen Ausstellung.
Kataloge der Wiener Weltausstellung.
Kürschner's Literatur-Lexikon (1880 bis 1888).
Laube, Heinrich, Dr. Das Burgtheater.
Lehmann's „Allgemeiner Wohnungsanzeiger" (1889).
Mendel. Musikalisches Conversations-Lexikon.
Meyer's Conversations-Lexikon.
Müller, H. A., Dr. Künstler-Lexikon (Zeitgenossen).
Seubert's Künstler-Lexikon.
Wechsler, Ernst. Wiener Autoren.
Wien 1848 bis 1888. Festschrift.
Wiener Neubauten von Lützow & Tischler.
Wlassak, Eduard, Dr. Chronik des k. k. Hofburgtheaters.
Wurzbach, Constantin von, Dr. Biographisches Lexikon.

Deininger, Julius Dörfel und Anton Weber und den Mufikern
Herren Richard v. Perger und Professor Karl Übel für die
freundschaftlichen Rathschläge und schließlich jenen Wenigen
verpflichtet, welche — gleich den oben Erwähnten — vom Be-
ginne diefer von uns gemeinfam begonnenen und gemeinfam
durchgeführten Arbeit an, dieselbe als das erkannten, was sie
werden sollte und was sie hoffentlich geworden ist: eine unpar-
teiifche Zusammenstellung der in Wien lebenden, geistig Schaffenden,
deren Werke in dem zum Schluffe folgenden Sachregister noch
besonders verzeichnet erscheinen.

So empfehlen wir denn diesen bescheidenen Behelf, das
Resultat unseres Mühens und Wollens, der Nachsicht der bethei-
ligten Kreise und glauben unserer Empfindung den wärmsten
Ausdruck durch Goethe's Worte zu geben:

„Ein Werbender wird immer dankbar sein."

Wien, am Palmsonntage 1889.

Ludw. Eisenberg.   Richard Groner.

Bitte.

Im Interesse der zu erzielenden Vollständigkeit des Werkes richten wir an alle Jene, welche in Ermangelung näherer Daten nicht erwähnt erscheinen und an jene Freunde unseres Werkes, welche die Namen von Künstlern und Schriftstellern vermissen, die nach den von uns aufgestellten Rahmen in dem Buche Aufnahme zu finden hätten, die Bitte, nähere Mittheilungen gütigst an unsere Verlagsbuchhandlung

Brockhausen und Bräuer, Mariahilferstraße 18,

richten zu wollen.

Die Redigierung des vorliegenden Jahrbuches wurde Ende Januar 1889 geschlossen; doch waren wir bestrebt, nothwendige Aenderungen, soweit dies der fortschreitende Druck zuließ, vorzunehmen, und werden die von uns selbst erkannten Lücken und Mängel des Buches, sowie die höflichst erbetenen Mittheilungen und die im Laufe dieses Jahres vorgekommenen Veränderungen im nächsten Jahrgange 1890 berücksichtigt werden.

Die Herausgeber.

Kürzungs-Erklärungen.

Das * bedeutet, daß die betreffenden Persönlichkeiten, trotz wiederholter Erinnerungen, die erbetenen Daten nicht eingesendet haben. — Durch **G.** werden die wirklichen Mitglieder der Genossenschaft bildender Künstler gezeichnet.

*Abel, Franziska, geb. in Heves (Ungarn) 1845, ist als Modeschriftstellerin Mitarbeiterin des „Wiener Tagblatt" und anderer Zeitschriften. V., Griesgasse 2.

Abel, Katharine, Tänzerin und Mimikerin, geb. in Wien im Jahre 1858; kam 1868 als Elevin in's alte Kärntnerthor-Theater und wurde am 4. October 1879 zum erstenmal in „Dyellah" als Anführerin der Amazonen hervorragend beschäftigt, worauf ihre Ernennung zur k. k. Hofopern-Solotänzerin erfolgte. Einer Fußverletzung wegen mußte sie jedoch aus den Reihen der Solodamen scheiden, und wurde 1883 als erste Mimikerin an unserer Hofbühne engagirt. In dieser Eigenschaft ist sie die Trägerin der meisten zur Aufführung gelangten Pantomimen. I., Nibelungengasse 10.

Abel, Lothar, Architekt, Specialist in Garten-Architekturen, geb. zu Wien am 15. Februar 1841, ist Schüler der Wiener Akademie. Die Regulirung des k. k. Praters und vieler anderer öffentlicher und privater Gärten ist sein Werk. A., welcher Docent an der k. k. Hochschule für Bodencultur ist, war auch fachschriftstellerisch thätig. (Siehe: Das geistige Wien, II. Band.) Oesterr. u. ausl. decor. G. I., Kautgasse 10.

Abendroth, Irene, geb. in Wien 1872, ist Opern- und Concert-Sängerin. III., Pfefferhofgasse 5.

d'Abrest, Paul (Frederic Kohn Abrest), Schriftsteller, geb. in Prag am 4. Januar 1850, kam als Knabe nach Paris, woselbst er erzogen und 1877 franzöf. Staatsbürger wurde. Er ist Mitarbeiter div. Zeitschriften, darunter: „Le Temps", „L'Indépendance belge", „Neues Wiener Tagblatt" (Feuilleton), „Pester Lloyd", „Matinées Espagnoles" und Herausgeber der „Expansion coloniale". Auch im Buchhandel veröffentlichte er in deutscher sowohl, wie in französischer Sprache größere Abhandlungen, 2c.; einige davon in Gemeinschaft mit Victor Tissot. Sein bisher letztes, 1888 erschienenes Werk betitelt sich: „Vienne sous François Joseph". I., Hotel Oesterr. Hof.

Adam, Engelbert, Schauspieler, geb. zu N.-Erbersdorf am 1. Juni 1850. ist seit 1. September 1887 im Engagement des Theaters a. d. Wien. VI., Laimgrubengasse 5.

*Adam, Ferdinand, Schauspieler, geb. in Wien 1860, ist für kleine Rollen und Comparserie seit 1878 am k. k. Hofburgtheater engagirt. VI. Füllgrabergasse 5.

Adam, Heinrich, Architekt, Gemeinderath der Stadt Wien, geb. in Tierbach (baier. Pfalz) am 18. März 1839. Schüler von Lange, ist u. A. Erbauer des Schlosses des Herzogs von Württemberg in Gmunden, des Hotel Imperial in Wien (das Aeußere als Bauleiter, das Innere selbständig) und vieler Zinshäuser und Villen. A. bereiste in den Jahren 1867/68 Italien und Frankreich. Ausl. decor. F. IV., Alleegasse 36.

Adler, Moriz, Schriftsteller, geboren in Verpelét (Ungarn) am

2. August 1839. Redacteur d. „Wiener Wespen", der „Nationalökonomischen Revue" (Fachreferat: Humoristik, Feuilleton) u. Mitarbeiter verschiedener ausländischer Zeitschriften. A. war vom Jahre 1867 bis 1878 Herausgeber des in Budapest erschienenen Witzblattes „Der Kobold" und ist Verfasser mehrerer, an Bühnen zur Aufführung gelangter Lustspiele und Possen. II., Streffleurgasse 9.

*Adler, Victor, Dr., geb. am 24. Juni 1852, ist Herausgeber der „Gleichheit" und Mitarbeiter verschiedener socialpolit. Zeitschriften. IX., Berggasse 19.

*Adlersflügel, Josef, Musiker, geboren in Wilstein am 16. April 1825, ist Mitglied des k. k. Hofopern-Orchesters (große Trommel) und seit 1. März 1857 im Engagement des genannten Kunstinstitutes. IV., Heumühlgasse 9.

Adolfi, Heinrich, Sänger, geb. in Komotau am 19. Jänner 1850, war an hervorragenden deutschen Bühnen engagirt (Bariton) und ist gegenwärtig als Concertsänger künstlerisch thätig. Als solcher unternimmt er Kunstreisen im In= und Auslande. I., Rothenthurmstraße.

Ajbukiewicz, Thaddeus, Maler, geb. in Krakau im September 1852, Schüler der Akademie in München unter Wagner und Brandt, hat Frankreich, England, Deutschland, Italien und den Orient bereist. A. malt vorzugsweise Sport=, Militär=, Genre= und Portraitbilder (Erzherzog Wilhelm zu Pferd, Graf Pejacsevics auf der Parforce=Jagd, Prinz Cron zu Pferd, die Manöver in Galizien 2c.) Sein Bild „Markt in Cairo" befindet sich im Prager Nationalmuseum. A. hat unter Anderem das letzte Porträt des Kronprinzen Rudolf, zu welchem derselbe noch drei Tage vor seinem Ableben gesessen, ausgeführt und die

Todtenmaske des Verblichenen abgenommen. IV., Gußhausstraße 7.

Albrecht, Hermine, Schauspielerin, geb. zu Wien am 24. December 1860, Schülerin des Hofschauspielers Meixner, debutirte als „Louise" in „Kabale und Liebe" an dem Brünner Stadttheater (7. April 1875), war hierauf im Wiener Stadt= und im Carltheater engagirt und gehört seit 1. October 1887 dem Verbande des k. k. Hofburgtheaters an. IV., Fleischmannsgasse.

*Alex, Friz, Musiker, geb. zu Cunig am 27. October 1853, ist Mitglied des k. k. Hofopernorchesters, (Posaune), und seit 1. März 1883 im Engagement genannten k. k. Institutes. V., Leibenfrostgasse 4.

*L'Allemand, Sigmund, Schlachten= und Portraitmaler, Professor der k. k. Akademie der bild. Künste, geb. in Wien am 8. März 1840. Schüler seines Onkels Friz l'Allemand und der k. k. Akademie der bildenden Künste in Wien, unter Prof. Ruben, lieferte schon 1864 Bilder aus dem schleswig-holstein. Kriege, machte den ital. Feldzug (1866) im Hauptquartiere mit, welcher ihm Gelegenheit zu werthvollen Studien bot. Seither verließen ein: bedeutende Anzahl von Schlachtenbildern, welche sich der Kritik zufolge durch geistreiche Schärfe und feine Charakteristik auszeichnen, sein Atelier. Für sein Bild: „Sieg des österreich. Armeecorps, unter Josias Coburg, über die Türken" erhielt l'A. im Jahre 1879 die Carl Ludwig-Medaille und für seine Gesammtwerke 1876 den Reichel=Preis. Sein Gemälde „Feldmarschall Freiherr v. Laudon zu Pferde" (1878) befindet sich im Besitze der Gemälde-Gallerie des allerh. Kaiserhauses in Wien. Seine Bilder: „Scene aus der Schlacht bei Kolin", „Gefecht bei Oeversee", „Gefecht bei Veile", „Erzherzog Albrecht und sein

Stab — Custozza 1866", "Schlacht bei Custozza", "Ankunft der Dampierre-Küraffiere in der Wiener Hofburg, 1619" sind im Besitze unseres Kaisers, Die Portraits: "General Uchatius", "Freiherr v. Moller" und "Freiherr v. Conrad-Eybesfeld" im Herrenhause, "Kaiser Franz Josef I." in der orient. Akademie. Oesterr. und ausl. decor. G. III., Salmgasse 8.

Allerhand, Arnold, Publicist, geb. in Jaroslau am 8. Juni 1848, ist seit 1870 journalistisch thätig, seit 1879 Mitarbeiter (sogenannter Nachtredacteur) der "Neuen Freien Presse". Er war mehrere Jahre Mitarbeiter der "Deutschen Zeitung" und Redacteur des "Mährischen Correspondenten" in Brünn. III., Plattgasse 15.

*Allesch, Emma, Tänzerin, geb. in Wien im Jahre 1858, ist als Solotänzerin im Verbande des k. k. Hofoperntheaters, welchem Kunstinstitute sie seit 1869 angehört. IV., Karlsgasse 5.

Allram, Josef (Pseudonym Franz Mar, Chiffre f. m.), Schriftsteller, geb. zu Krems am 22. Februar 1860, ist Verfasser von "Aus der Schule geschwätzt", Leiter des Organes des öster. Gastwirthe-Verbandes "Gastrea" und Mitarbeiter einiger Jugendzeitungen, sowie mehrerer Wiener Tagesblätter (Schulangelegenheiten). A. ist auch als Volksschullehrer thätig. II., Taborstraße 17.

*Alphons, Theodor, Landschaftsmaler und Radierer, geb. zu Krakau am 28. October 1860. Schüler der k. k. Akademie der bildenden Künste in Wien. IV., Theresianumgasse 13.

*Alt, David, Publicist, geb. zu Wien am 8. November 1856, ist Herausgeb. der "Allgemeinen Presse". II., Rembrandtstraße 28.

Alt, Franz, Landschaftsmaler, geb. zu Wien am 16. August 1821. Schüler seines Vaters Jacob und der k. k. Akademie der bildenden Künste in Wien. A. besuchte, nachdem er schon früher Italien kennen gelernt hatte, in der Begleitung des Erzherzogs Ludwig Victor Paris, London, Petersburg, Moskau, den größten Theil von Deutschland, Belgien, Holland, Spanien und die Schweiz und unternahm im Jahre 1887 nochmals eine Reise nach Italien, wo selbst er sich in Venedig, Florenz, Rom und Neapel längere Zeit aufhielt. Von seinen Aquarellen und Studien, welche die Zahl von 2000 übersteigen, befindet sich auch eine große Anzahl an den Höfen von London, Berlin, Dresden, Petersburg und Madrid. Seine "Partie am Canal grande in Venedig" (1850) fand Aufnahme in die Gemälde-Gallerie des allerh. Kaiserhauses in Wien. Ausl. u. inl. decor. G. VIII., Skodagasse 18.

*Alt, Rudolf, Maler, geb. zu Wien, am 28. August 1812. Schüler seines Vaters Jacob und der k. k. Akademie der bildenden Künste in Wien, durchwanderte wiederholt Oesterreich, Italien, Deutschland, die Schweiz und die Krim, von wo er eine große Anzahl von Landschafts- und Städte-Ansichten mitbrachte. Obwohl sich A. auch der Oelmalerei, wie die Kritik sagt, mit Erfolg zugewendet, so ist doch das Aquarell als seine Domaine zu betrachten. Im Jahre 1874 erhielt A. von der österr. Regierung den Auftrag, die bedeutendsten Bauwerke des Kaiserstaates in Aquarell zu malen. Für seine "Ansicht von Taufers" erhielt A. im Jahre 1877 die Carl Ludwig-Medaille und für seine Gesammtwerke 1875 den Reichel-Preis. Zwei Bilder von ihm ("Ansicht des Stefansdomes" [1832] und "Ausicht von der Strada nuova in Venedig" [1834]) befinden sich in der Gemälde-Gallerie des allerh. Kaiserhauses in

1*

Wien. In der Akademie d. bild. Künste befinden sich seine Aquarelle: Die Prager Moldaubrücke, die Theinkirche in Prag, Straße in Luzern, Trient, Straße in Sterzing, der Petersfriedhof in Salzburg, Ansicht vom Mönchsberg bei Salzburg, Ansicht von Klosterneuburg, Kirche und Karner zu Deutsch-Altenburg, der Römerbogen bei Petronell, das Belvedere in Prag, Inneres vom Presbyterium der Stephanskirche, Belvedere in Wien, der Mailänder Dom, Schloß Taufers in Tirol, Hof im Castell zu Trient, Mausoleum Kaiser Ferdinands in Graz, Halle im Wallenstein'schen Palaste in Prag, die alte Burg zu Eger, Hof des Jagellonischen Collegiums in Krakau, Eröffnung des neuen Akademiegebäudes, Schloß Pozia in Kärnten, Marktplatz in Friesach. A. ist österr. decor. ℀. VIII., Skobagasse 18.

Altmann, Josef, Schauspieler, geb. zu Rzeszow (Galizien) am 25. December 1844, trat zum erstenmale als „Hofrath Wörliz" in „Liebe kann Alles" auf (Theater zu Apolda in Thüringen am 29. September 1862), war sodann in Halle, Pest und Breslau im Engagement und ist seit 1866 im Verbande des k. k. Hofburgtheaters. A. ist auch Lehrer an der Schauspielschule in Wien. I., Stadiongasse 4.

Altschul, Jacob, Dr., Schriftsteller, geb. zu Böhm.-Leipa am 14. Februar 1843, veröffentlichte — nebst verschiedenen Feuilletons und Essays in Tages- und Wochenblättern — in Buchform: „Der Geist des hohen Liedes" (Geschichte, Kritik und Uebersetzung 1874) und die Dichtung: „Nicht um eine Krone" (1876). A. ist Hof- und Gerichts-Advocat und seit 1881 mit der früheren k. k. Hofopernsängerin Bertha Steinher vermält. I., Göttweihergasse 1.

Amadai, Albert Graf, Musiker, geb. in Ofen am 4. August 1851, stuidrte bei Nottebohm und componirte Lieder und Gesänge (op. 1—15). Er ist Hofsecretär im Ministerium des kaiserl. Hauses und des Aeußern. Oesterr. und ausländ. decor. I., Singerstraße 7.

Amalia, Creszenzia, siehe Hardt-Stummer.

Amster, Moriz, Schriftsteller, geb. am 13. Februar 1831 zu Czernowitz, Chefredacteur des „Zirkel" (seit 1875) war vielfach literarisch thätig. Er betheiligte sich an der seinerzeit von Bäuerle redigirten „Theaterzeitung", arbeitete am „Wiener Modeispiegel" mit, veröffentlichte in vielen Literaturblättern Poesien und prosaische Aufsätze und gab 1875 das „poetische Gedenkbuch" heraus. Seiner ersten Bühnenarbeit, eine dramatisirte Novelle „Die verkaufte Leibrente" (1865 aufgeführt), folgten noch mehrere andere dramatische Werke. A. war durch 8 Jahre Leiter und Redacteur der „Heimat". IV., Belvederegasse 18.

Andréé, Melanie, Schauspielerin, ist Mitglied des Theaters a. d. Wien.

*Angeli, Heinrich von, Maler, k. k. Professor, geb. am 8. Juli 1840 zu Oedenburg in Ungarn. Schüler der Wiener Akademie, Leutzes in Düsseldorf, bildete sich in München und Paris weiter aus, übersiedelte im Jahre 1862 nach Wien, woselbst er bald der bis dahin gepflegten Historienmalerei entsagte und sich ausschließlich dem Portrait widmete. Fast alle gekrönten Häupter Europas und viele Persönlichkeiten der österreichischen Aristokratie wurden von ihm gemalt. Für sein „Portrait" erhielt er im Jahre 1876 die Carl Ludwig-Medaille. Seine Gemälde „Jugendliebe" befindet sich im Besitze der Gemälde-Gallerie des allerh. Kaiserhauses in Wien, und das Brustbild des Dombaumeisters Freiherrn v. Schmidt in der

Gallerie der k. k. Akademie der b. K. A. hat u. A. im Auftrage der Kronprinzessin-Witwe die Zeichnung: „Kronprinz Rudolf auf dem Todtenbette" ausgeführt. Oesterr. u. ausländ. decor. G. IV., Igelgasse 7.

*Anschütz, Roderich, Schriftsteller, geb. zu Breslau am 24. Juli 1818, Sohn des bekannten Hofschauspielers Heinrich Anschütz, trat in Kinderrollen am Burgtheater auf, widmete sich jedoch berufsmäßig nicht der Bühne, sondern wurde Staatsbeamter. Neben seiner amtlichen Thätigkeit wirkte A. auch als dramatischer Schriftsteller und Lyriker. Von seinen Bühnenwerken wurden aufgeführt: „Brutus und sein Haus" (Trsp., 1857) „Johanna Gray" (1861), „Kunz v. Kaufungen" (Drama, 1863) „Die Ehestifterin" (Lustsp., 1878). A. ist Sectionsrath a. D. VII., Spittelberggasse 38.

Anzengruber, Ludwig, (L. Gruber), Schriftsteller, geb. zu Wien am 29. November 1839, war zuerst Praktikant in einer Buchhandlung, wurde hierauf 1860 Schauspieler, welchem Stande er sieben Jahre angehörte und später Kanzleibeamter der Polizeidirection. Seine Vorliebe zur literarischen, besonders dramatischen Thätigkeit machte sich jedoch schon frühzeitig geltend und bereits als achtzehnjähriger Jüngling schrieb er Theaterstücke. A.'s erstes größeres Stück „Der Pfarrer von Kirchfeld" erzielte auf allen deutschen Bühnen einen durchschlagenden Erfolg und veranlaßte ihn, sich ganz der Schriftstellerei zu widmen und dem Staatsdienste zu entsagen. Seither entstanden eine große Anzahl Bühnenwerke, meist Volksstücke, welche im In- und Auslande mit ungetheiltem Beifalle aufgenommen wurden, und zwar „Der Meineidbauer" (Volksstück, 1872), „Die Kreuzelschreiber" (Komödie, 1872), „Elfriede" (Schauspiel, 1873),

„Die Tochter des Wucherers" (Schauspiel, 1874), „Der G'wissenswurm" (Komödie, 1874), „Hand und Herz" (Trauerspiel 1875), „Doppelselbstmord" (Bauernposse, 1876), „Der ledige Hof" (Schauspiel, 1877), „Das vierte Gebot" (Volksstück, 1878), „Ein Faustschlag" (Schauspiel, 1878), „'s Jungferngift" (Komödie, 1878), „Alte Wiener" (Volksstück, 1878), „Die Trutzige" (Komödie, 1878), sowie „Die umg'kehrte Freit", „Aus g'wohntem G'leis", „Heim'gfunden" und „Stahl und Stein". A. hat sich nicht nur als Dramatiker vielfach hervorgethan, sondern ist auch als erzählender Dichter erfolgreich thätig gewesen. Er schrieb: „Dorfgänge" (Bauerngeschichten in 2 Bänd u, 1879), „Bekannte von der Straße" (Genrebilder, 1881), „Launiger Zuspruch und ernste Red" (Kalendergeschichten, 1882), „Kleiner Markt" (Studien, Erzählungen, Märchen und Gedichte, 1883), „Allerhand Humore", 1883, „Feldrain und Waldweg", (1882), „Die Kameradin" (Erzählung, 1883), „Wolken und Sunn'schein" und vier Bände Dorfromane: I. und II. Bd.: „Der Schandfleck", III. u. IV. Bd.: „Der Sternsteinhof". Für sein literarisches Wirken erhielt A. 1878 (mit Nissel und Wilbrandt) vom deutschen Kaiser den großen Schillerpreis. Er wirkt auch publicistisch: redigirte 1882—1885 die Zeitschrift „Die Heimat" und ist seit letzterem Jahre Redacteur des „Figaro". Penzing, Maiergasse 10.

*Appelrath, Ludwig, Maler und Zeichner (humoristisches Genre), geb. zu Aachen im Jahre 1834, ist für verschied. illustr. Zeitschriften thätig. IX., Michelbeuerngasse 4.

Arbesser-Körner, Anton, Musiker, geb. zu Wien im Jahre 1819, war ursprünglich für die Oper ausgebildet, verlegte sich auf das Studium der Composition, war Chormeister mehrerer Gesangsvereine und hat bis jetzt über 200 Piecen verschiedensten Genres componirt. Penzing, Bäckergasse 3.

Arnau, Karl, Schauspieler, geb. in Ungarn am 16. November 1843, widmete sich zuerst der Bildhauerkunst, wendete sich dann dem Theater zu, begann seine Laufbahn als „Ferdinand" in „Kabale und Liebe" am Meidlinger Theater (4. September 1863) und war sodann in Leipzig, Prag, am Wiener Stadttheater und in Hamburg in Engagement. Seit 1. September 1879 ist A., welcher auch als dramatischer Lehrer der Schauspielschule (Conservatorium) wirkt, im Verbande des k. k. Hofburgtheaters. IX., Schwarzspanierstraße 22.

Arnold, Anton, Schriftsteller, geb. zu Dreihacken (Böhmen), ist Verfasser mehrerer im „Prager Tagblatt", in der „Brünner Morgenpost" rc. erschienenen Novellen, war früher Mitarbeiter des „Mähr. Schles. Correspondent" und ist jetzt Herausgeber und ver. Redacteur der kaufm. Zeitschrift, „Oesterr.-ungar. Mercur", sowie verschiedener Fachkalender. II., Scholzgasse 16.

Arnsburg, Louis, Schauspieler, geb. zu Dresden im Jahre 1820, begann seine theatr. Laufbahn im Jahre 1839 in Brünn, war hierauf in Danzig, Braunschweig, Köln, Riga und Königsberg in Engagement, gastirte im Februar 1848 als Dr. Wespe am k. k. Hofburgtheater, welchem Institute er seit dieser Zeit angehört. A. ist auch an der Theaterschule des Conservatoriums als Professor thätig. Oesterr. decor. I., Wipplingerstraße 2.

Arrocker, Franz, Musiker, geb. in Wien am 10. Februar 1850, ist Mitglied des k. k. Hofopern-Orchesters (2. Violine) und seit 1. September 1869 im Engagement genannten k. k. Institutes. VII., Hermannsgasse 31.

Arter, Emil, Siehe Reitler M. A.

Asztalos, Bertha von, geb. in Varko (Ungarn) im Jahre 1855, wirkt als Concertsängerin und Gesangslehrerin. III., Heumarkt 9.

Auerbach, Julius, geb. in Budapest am 6. März 1836, ist Chefredacteur der „Wiener Sonntags-Zeitung". II., Volkertstraße 16.

Augustin-Weiß, Leopoldine, geb. zu Wien am 9. Februar 1863, bereiste im Jahre 1879 als Concertsängerin Deutschland, Frankreich, Spanien und Portugal, debutirte im Juli 1881 als „Mar" in „Mannschaft a. Bord" im Mödlinger Theater und gehört seit 1887 dem Verbande des Carltheaters an. II., Praterstraße 21.

Auspitzer, Johann, Dr., Publicist, geboren zu Lomnitz (Mähren) am 22. September 1857, trat nach Absolvirung der rechtswissenschaftl. Studien 1883 in den Verband der „Volkswirthschaftl. Wochenschrift" und im April 1886 in den der „Deutschen Zeitung" (Fachreferat Volkswirthsch.) als deren Redacteur A. bis heute thätig ist. IX., Pramergasse 3.

Auspitzer, Siegfried, Musiker, geb. in Lomnitz am 8. October 1858, ist Mitglied des k. k. Hofopern-Orchesters (1. Violine), und seit 1. Dezember 1880 im Engagement genannten k. k. Institutes. I., Eschenbachgasse 11.

Auspitzer, Sigmund, geb. in Wien am 24. Juni 1840, war seit Gründung des „Extrablatt" bis 1881 Chef-Administrator dieser Zeitung mit Singer, Herausgeber der 5 Kreuzer-Bibliothek, und gründete 1882 das „Interessante Blatt", dessen Herausgeber und redactioneller Leiter er ist. III., Marxergasse 16a.

Avanzo, Dominik, Architekt und
k. k. Professor am technolog. Gewerbe-Museum in Wien, geb. in
Köln den 4. Jänner 1845, unternahm Reisen durch Deutschland,
Belgien, Italien und Oesterreich und
erbaute im Vereine mit Paul Lange
(seinem Compagnon) u. A. die k. k.
Unterrichts-Anstalten in der Hegelgasse, das k. k. anatom. Institut im
IX. Bezirke (Wien), das Wirthshaus
„Zur güldenen Waldschnepfe" in
Dornbach und führte mit dem Genannten auch die Restaurations-
arbeiten an der Stiftskirche in Heiligenkreuz, der Brunnen-Capelle in
Lilienfeld 2c. aus. VII., Neubaugasse 7.

*Agmann, Ferdinand, Historienmaler, Professor der k. k. Staats-
Oberrealschule in Wien, geb. zu Wien
am 3. November 1838, Schüler der
k. k. Akademie der bildenden Künste
in Wien, Schüler Kupelwieser's und
C. Rahl's, wurde 1869 Professor an
der Staats-Oberrealschule in Salzburg, bereiste mit Benützung eines
ihm seitens der Unterrichtsbehörde
ertheilten Urlaubes Italien, Belgien,
Frankreich und Holland und folgte
im Jahre 1876 einem Rufe als Professor nach Wien. Sein Porträt
„Franz Grillparzer", das letzte Porträt, zu dem der Dichter gesessen,
befindet sich im Besitze des Kaufm.
Vereines in Wien. IV., Favoritenstraße 18.

Baccioco, Friedrich Albert,
Schriftsteller, geb. zu Aachen am
10. Octob. 1834, schrieb 20 Jahre hindurch in deutsche Blätter (für die An-
näherung Preußens, resp. Deutschlands
an Oesterreich) und ist gegenwärtig
Mitarbeiter der „Münchener Allgem.
Zeitung", des „Stuttgarter Tagblatt" und Herausgeber der „Eleganten Welt". Im Druck erschien:
„Die neuen Schreckenstage in Paris".
VII., Lindengasse 14.

*Bach, Otto, Dr., Musiker, geb.
zu Wien am 9. Februar 1833, Schüler
von Sechter (Wien), Marx (Berlin),
Hauptmann (Leipzig), war 12 Jahre
(bis 1880) Domcapellmeister und
Director des Mozarteums in Salzburg. Gegenwärtig ist derselbe artistischer Director des Orchestervereines
der Gesellschaft der Kunstfreunde,
Capellmeister an der Votivkirche und
Lehrer an der Horak'schen Clavierschulen. Er ist vielfach tonkünstlerisch
thätig und componirte u. A. Symphonien, Messen, Quartette, Chöre
und Lieder, die Opern „Leonore",
„Die Argonauten" und „Sardanapal" sowie die Musik zu Hebbel's
„Nibelungen" und die Ouverture
„Elektra". II., Praterstraße 55.

*Bacher, Eduard, Dr., Publicist, geb. zu Postelberg am 7. März
1846. Er absolvirte die juridischen
Studien und war, bevor er sich der
publicistischen Laufbahn widmete,
Gerichtspraktikant und später Reichs-
rathsstenograph. Im Jahre 1872
kam er als Parlamentsberichterstatter
zur „Neuen Fr. Presse" und ist seit
1. Mai 1879 Chefredacteur dieser
Zeitung. B. schreibt vornehmlich Leitartikel (auswärtige Politik). III.,
Traungasse 4.

*Bacher, Rudolf, Maler, geb.
zu Wien am 20. Jänner 1862. Schüler
der k. k. Akademie der bildenden
Künste in Wien unter Prof. L. C.
Müller. III., Matthäusgasse 6.

Bachmann, Hermann, Publicist, geb. zu Elbogen (Deutschböhmen)
am 21. December 1856, ist Redacteur
der „Deutschen Zeitung", Fachreferat:
Volkswirthschaft, und war früher
Redacteur der „Pilsener Zeitung".
Hernals, Hauptstraße 2 a.

Bachrich, Sigmund, Musiker
und Professor am Conservatorium,
geb. zu Zsambokreth am 23. Jänner
1841, ist Mitglied des k. k. Hofopern-
Orchesters (Viola) seit 1. September

1869. Nebst mehreren Liedern, Violin-Orchesterstücken und Kammermusik componirte B. die Oper „Muzzedin" und „Heini von Steyer", sowie das Ballet „Sakuntala". Demnächst gelangt auch eine Operette (Text von Otto Weiß und Fr. Mamroth) vermuthlich im Prager Landestheater, zur ersten Aufführung. Er ist auch Mitglied des „Quartettvereines Rosé". I., Opernring 21.

Baber, Fr. Wilhelm, Holzschneider, geb. am 3. Juli 1828 zu Brackenheim in Württemberg, Schüler von Deiß in Stuttgart, besuchte in den Jahren 1848/9 die besten Institute für Holzschneidekunst und wurde 1850 in das Atelier Gaber's nach Dresden berufen. Im Jahre 1851 ließ sich B. in Wien nieder und gründete 1855 mit Waldheim, 1869 sein eigenes Kunstinstitut, aus welchem u. A. auch die Trachtenbilder nach Zeichnungen Dürer's in der Albertina zu Wien, die große Ausicht Wiens aus dem Jahre 1873, das Gedenkblatt für das Jubiläum unseres Kaisers ꝛc. hervorgingen. B. ist auch Mitarbeiter an dem Kronprinzen-Werke „Die österr.-ung. Monarchie in Wort und Bild". G. IX., Währingerstraße 61.

*Bahr, Erich Hermann, Schriftsteller, geb. zu Linz am 19. Juli 1863, verfaßte nebst mehreren Bühnenwerken („Die Wunderkur", Lustspiel, „Die neuen Menschen", Drama und „La marchesa d'Amaögni", Lustspiel) Essays, volkswirthschaftliche, wie politische Artikel und Abhandlungen verschiedenen Inhaltes. VIII., Schlösselgasse 9.

Baier, Anna, Sängerin, geb. zu Wien am 28. April 1861, erhielt ihre Ausbildung am Wiener Conservatorium und war Schülerin der Marchesi und Dustmann; im Jahre 1880 trat sie als „Page" in den „Hugenotten" im Dresdener Hoftheater auf, war in Brünn und Prag längere Zeit engagirt und ist seit 1884 im Verbande des k. k. Hofoperntheaters. (Antrittsrolle: „Isabella" in „Robert der Teufel"). I., Friedrichstraße 2.

*Baier-Liebhardt, Ida, Sängerin, geb. zu Wien im Jahre 1856, ist seit 1880 im Verbande des k. k. Hofoperntheaters. IV., Hechtengasse 1.

*Baitz, Paula, Tänzerin, geb. zu Wien im Jahre 1870, ist als Solotänzerin im Verbande des k. k. Hofoperntheaters, welchem Institute sie seit 1881 angehört. V., Hartmanngasse 17.

*Balbo, Lucia Marietta, Tänzerin, geb. zu Turin im Jahre 1869, ist als Solotänzerin im Verbande des k. k. Hofoperntheaters, welchem sie seit 1885 als Mitglied angehört. VII., Mariahilferstraße 12.

*Balbo, Marie, Tänzerin, geb. zu Turin im Jahre 1868, ist ebenfalls als Solotänzerin Mitglied des k. k. Hofoperntheaters, welchem Institute sie seit 1885 angehört. IV., Karlsgasse 11.

Balder, Erwin, siehe Dessauer Adolf.

Band, Moriz, Schriftsteller, geb. zu Wien am 6. October 1864, ist Mitarbeiter verschiedener meist ausl. Zeitschriften (Musik, Theater und Kunst), veröffentlichte Feuilletons, Novellen, Humoristica, sowie in Buchform: „Encyklopädie des buchhändlerischen Wissens" (1887,88), „Rosl" (Operette, 1888), „Der letzte Bombardier" (Lustspiel 1888) und mehrere Reisewerke. III., Kolonitzgasse 6.

Barach, Rosa, Schriftstellerin, geb. zu Neu-Raußnitz am 15. Mai 1841. Sie gründete in Rudolfsheim eine höhere Töchterschule und ist schriftstellerisch thätig. Von ihr erschienen „Aus eigener Kraft" (Novelle, 1880),

„Soldatenfritz" (Novelle, 1881), „Gefesselt" (Dichtung, 1881), „Aus österr. Herzen" (Liederbuch, 1882) und „Liebesopfer" (1884). Im Jahre 1882 hat B. als Recitatrice eigener Dichtungen eine Tournée nach Deutschland unternommen. Rudolfsheim, Kirchengasse 30.

Baranow, siehe Barber.

Barbarini, Gustav, Landschafts-Maler, geb. zu Wien am 17. Juni 1840. V., Margarethenstraße 62.

Barber, Ida, Schriftstellerin (Pseudonym: Iwan Baranow), geb. zu Berlin am 9. Juli 1842, schreibt vornehmlich Modeberichte (in die verschiedensten Zeitschriften), sowie Novellen und Romane. Es erschienen: „Gebrochene Herzen" (1878), „Lebensbilder" (1881), „Russische Mysterien" (1881), „Gerächt, doch nicht gerichtet" (1884), „Verkaufte Frauen" (1885), „Versöhnt" (1885) und „Der Mann zweier Frauen" (1886). II., Wasnergasse 7.

Barensfeld, Arthur, Musiker, geb. zu Hessen-Cassel am 16. Mai 1861, Schüler des Conservatoriums (unter Prof. Epstein). Er ist Gesangscorrepetitor an der k. k. Hofoper und wirkt in den beliebtesten Concerten als Lieberaccompagneur; auch componirte derselbe eine Anzahl Clavierstücke (verschiedenen Inhaltes) und Lieder. I., Reichsrathsstraße 21.

Barontsch, P. Raphael (Josef Marcus), Schriftsteller, geb. zu Suczawa am 25. April 1847, ist Herausgeber und Redacteur der „Hantes amsorya", Monatsrevue in armenischer Sprache und veröffentlichte Aphorismen, Sinngedichte und Parabeln. B. ist Mechitaristen-Ordensmitglied. VII., Mechitaristengasse 4.

Barsch, L., Dr., Publicist, ist Redacteur des „Illustr. Wr. Extrablattes".

Barsescu, Agathe geb. zu Bukarest am 9. September 1863, debutirte als „Hero" in „Des Meeres und der Liebe Wellen" am k. k. Hofburgtheater (22. November 1883) und gehört seit 1. December des genannten Jahres diesem Institute als Mitglied an. Am 22. Jänner 1889 erhielt dieselbe das Decret als k. k. Hofschauspielerin. I., Dobelhofgasse 3.

Bartelmus, L. Architekt, geb. zu Lemberg im Jahre 1841, Schüler der k. k. Akademie der bildenden Künste, österr. decor. G. I., Maximilianstraße 7.

Basch, Moritz Eduard, Dr., Publicist, geb. zu Topolna (Ungarn) am 29. August 1842, Redacteur des „Parlamentär". I., Franz Josefs-Quai 31.

***Basch-Mahler,** Fanny, geb. im Jahre 1854, Schülerin des Prof. Epstein, wirkt als Concertpianistin u. Lehrerin. IX., Grünethorgasse 10.

***Batsche,** Anton, Graveur, G. VII., Westbahnstraße 6.

***Bauduin,** Ernestine Baronin von, geb. zu Arad im Jahre 1848, befaßt sich ausschließlich mit Compositionen von Kirchenmusik. VII., Breitegasse 9.

***Bauer,** Anna, Schauspielerin, ist seit 1883 Mitglied des k. k. Hofburgtheaters. VIII., Trautsohngasse 8.

Bauer, Julius, Schriftsteller, geb. zu Raab-Sziget am 15. October 1853, ist Redacteur des „Illustrirten Wr. Extrablatt" (Feuilleton und Theaterreferat) und Verfasser der Operettentexte: „Der Hofnarr" (Musik von Adolf Müller), „Die sieben Schwaben" mit Hugo Wittmann (Musik von Millöcker), ferner der Possen „Die Wienerstadt in Wort und Bild" mit Fuchs und Zell, „Zur Hebung des Fremdenverkehrs" und „Im Zeitungsverschleiß". Im Theater an der Wien ist von B. und Hugo Wittmann die parodistische

Komödie „Adam und Eva" in Vorbereitung. IX., Porzellangasse 13.

Bauer, Michael, Musiker, geb. in Reisbach (Baiern) am 22. November 1842. Er componirte eine Anzahl Messen, Männerchöre, gemischte Chöre, Kirchenlieder und Clavierstücke verschiedenen Inhaltes; auch veröffentlichte derselbe eine „Liedersammlung", eine „Männerchor-Gesangschule", „Der Elementargesangunterricht in Schule und Haus" und „Der taktfeste Geiger" (dreistimmige Uebungen). B. ist Gesangslehrer, Capellmeister an der Franziskanerkirche und des Stiftes Schotten. VI., Gumpendorferstraße 67.

Bauernfeld, Eduard von, Dr., Schriftsteller, geb. zu Wien am 13. Jänner 1802, absolvirte die juridischen Studien wurde 1826 Conceptspraktikant bei der n.-ö. Statthalterei, 1846 Director des k. k. Lottogefälls; er begehrte 1848 seine Entlassung und bemühte sich in den Märztagen desselben Jahres die aufgeregte Menge zu besänftigen und bei dem Erzherzog-Palatin seinen Einfluß geltend zu machen, um die Bewegung in ruhigere Bahnen zu lenken und die erhitzten Gemüther zu beschwichtigen. Seit jener Zeit lebt B. ausschließlich der Schriftstellerei in stiller Zurückgezogenheit in Wien. Seine „Gesammelten Schriften" erschienen 1871—73 in 12 Bänden und enthalten: „Leichtsinn aus Liebe" (Lustspiel), „Das Liebesprotokoll" (Lustspiel), „Der Musikus von Augsburg" (Lustspiel), „Das letzte Abenteuer" (Lustspiel), „Helene" (Drama), „Die Bekenntnisse" (Lustspiel), „Fortunat" (Schauspiel), „Bürgerlich und romantisch" (Lustspiel), „Der literarische Salon" (Lustspiel), „Das Tagebuch" (Lustspiel), „Der Vater" (Lustspiel), „Der Selbstquäler" (Drama), „Die Geschwister von Nürnberg" (Lustspiel), „Ein deutscher Krieger" (Schauspiel), „Großjährig" (Lustspiel), „Die Republik der Thiere" (Drama), „Aus Versailles", „Franz von Sickingen" (Schauspiel), „Der kategorische Imperativ" (Lustspiel), „Zu Hause" (Lustspiel), „Krisen" (Drama), „Fata Morgana" (Lustspiel), „Die Zugvögel" (Lustspiel), „Die Virtuosen" (Lustspiel), „Ein Beispiel" (Lustspiel), „Frauenfreundschaft" (Lustspiel), „Excellenz" (Lustspiel), „Aus der Gesellschaft" (Schauspiel), „Moderne Jugend" (Schauspiel), „Der Landfrieden" (Schauspiel), „Die Prinzessin von Ahlden" (Drama), „Die Vögel", „Reime und Rhythmen", „Aus Alt- und Neu-Wien". Später sind noch hinzugekommen die Lustspiele: „Die Verlassenen" und „Mädchenrache", die Tragikomödie „Des Alcibiades Ausgang", der Roman „Die Freigelassenen" und die satirische Dichtung „Aus der Mappe des alten Fabulisten". Er veröffentlichte ferner „Gedichte", „Ein Buch von einer Wienerin in lustig gemüthlichen Reimlein", „Wiener Ein- und Ausfälle" (Humoristisches), „Poetisches Tagebuch", „Novellenkranz", „Ein Buch von uns Wienern" und noch vieles Andere. B. wurde anläßlich seines 70. Geburtstages Ehrenbürger von Wien, ist Ehrendoctor der Wiener Universität und österr. decor. I, Weihburggasse 4.

*****Baumayer,** Marie, geb. zu Cilli am 12. Juli 1851, ist als Claviervirtuosin thätig und wirkt auch als Lehrerin. VII., Breitegasse 4.

Baumeister, Bernhard, Schauspieler, geb. am 28. September 1828 zu Posen; betrat 1849 in Schwerin, und zwar als Chorsänger zum erstenmale die Bühne, kam später nach Hannover, 1850 nach Oldenburg und debutirte 1852 als „Rudolf" im „Sandwirth", als „Heinrich von Flavigneul" in „Der Damenkrieg", als „Eugen von Felsen" in „Magnetische Curen" und als „Benno" in „Mutter und Sohn" am Hofburgtheater; am 1. Mai des g nannten Jahres trat er in den Verband dieses Kunstinstitutes, erhielt 1857 das Decret als k. k. Hofschauspieler und wurde später auch Regisseur. B. spielte früher Naturburschen und Bonvivants, später ältere humoristische Partien; zu seinen beliebtesten Rollen gehören „Götz", „Falstaff", „Der Richter von Zalamea". Nebst seiner hervorragenden künstlerischen Thätigkeit wirkt B. auch als Professor am Wiener Conservatorium. Oesterr. decor. IX., Schwarzpanierstraße 3.

Baumgärtel, Richard, Musiker, geb. zu Schleiz am 31. Jänner 1858 ist Mitglied des k. k. Hofopern-Orchesters (Oboe), und seit 15. August 1880 im Engagement genannten Kunstinstitutes. B. ist Lehrer am Conservatorium und Mitglied der k. k. Hofmusikcapelle. VIII., Auersperstraße 15.

Bayer, Friedrich W., Schauspieler, geb. zu Budapest am 12. Juni 1833, betrat am 8. Jänner 1854 zum erstenmale im Ofener Festungstheater die Bühne, war einige Zeit an den Theatern zu Troppau und Kaschau und ist seit 1. Juni 1857 im Engagement des k. k. Hofburgtheaters. V., Kettenbrückengasse 23.

Bayer, Josef, Musiker, geb. zu Wien am 6. März 1852 war vielfach als Componist thätig u. wirkt gegenwärtig als Balletmusik-Dirigent der k. k. Hofoper, welchem Kunstinstitute er seit 1870 angehört. Von seinen Bühnenwerken gelangten bisher zur Aufführung: „Der Chevalier von St. Marco" (Operette, Text von Bohrmann und Riegen, zum erstenmal 1882 am New-Yorker Thaliatheater aufgeführt), „Deutsche Märsche" (Ballet von Holzbock und

Frappart 1886), „Wiener Walzer" (Ballet von Frappart und Gaul 1885), „Im Puppenladen" (Ballet von Haßreiter 1888) und „Die Puppenfee" (Ballet von Haßreiter und Gaul 1888). VIII., Florianigasse 46.

Bayerl, Franz, Musiker, geb. in Ottakring am 30. Juni 1870. Schüler von Theodor Schwend und des Conservatoriums (unter Josef Helmesberger jun.) ist seit 1888 Mitglied des k. k. Hofopern-Orchesters. Ottakringerstraße 64.

***Becher,** Carl, Bildhauer, betheiligte sich u. A. an der Ausschmückung des naturhistor. Museums (Sculpturen in den Nischen der Längenfaçaden des I. Stockes). G. Prater, Pavillon des Amateurs.

Bechhöfer, Norbert, Publicist, geb. zu Schwabach (Mittelfranken) am 31. März 1833, ist Redacteur des „Wiener Tagblatt", Fachreferat: Leitartikel und daran sich reihende Arbeiten politischen und ökonomischen Inhaltes, letztere namentlich mit Bezug auf die sociale Frage. Mitarbeiter in- und ausländischer Blätter. I., Kärntnerring.

Beck, Friedrich, Schriftsteller, geb. in Wien am 25. Juni 1864, ist Mitarbeiter einiger belletr. Zeitschriften und Verfasser von „Lieder einer Verwaisten" (1881), „Ernste Weisen" (1888). IX., Wasagasse 25.

***Beck,** Johann Nep., Sänger, geb. in Pest am 5. Mai 1828, debutirte 1846 in Pest, kam bald darauf an das k. k. Hofopernteater u. feierte hier als Sprecher in der „Zauberflöte" seinen ersten Erfolg, begann später ein Gastspiel in den verschiedensten Städten Deutschlands, wurde 1851 in Frankfurt a. Main engagirt, verblieb daselbst bis 1853 und kehrte in diesem Jahre an das Hofoperntheater zurück, welchem er bis zu seiner Pensionirung als erste Kraft angehörte. Zu seinen bedeutendsten Rollen zählten: „Tell", „Belisar", „Carlos" in „Ernani", der „Jäger" in „Nachtlager" u. v. a. B. ist k. k. Kammersänger, österr. decorirt und lebt gegenwärtig in Baden bei Wien.

Beck, Norbert, Dr., Publicist, geboren zu Leipnik am 1. Mai 1842, begann seine journ. Laufbahn 1867 als Mitarbeiter der von Landsteiner geleiteten „Morgenpost", gründete (1871) den „Sonn= und Feiertags= Courier", (1873) das „Wiener Blatt" und trat am 31. März 1875 zur „Oesterr. Volkszeitung" über, bei welcher er als Redacteur (polit. Mit= arbeiter und Referent über das Burg= und Operntheater) thätig ist. I., Steyrerhof 3.

Beckmann, Josef, Publicist, geb. zu Spalato (Dalmatien) am 9. Juli 1859. Redacteur der „Poli= tischen Correspondenz", veröffentlichte Arbeiten belletristischen und wissen= schaftlichen Inhaltes (Orientalistik) in mehreren in= und ausländischen Zeitschriften. VII., Neustiftgasse 12.

Beer, Max, Josef, Musiker, geb. zu Wien am 25. August 1851. Nebst seiner Thätigkeit als Componist ist derselbe Beamter der k. k. n.=ö. Statthalterei und Musikschriftsteller. Sein Compositionstalent wurde wiederholt vom Cultus=Ministerium durch Verleihung von Tonkünstler= Stipendien gewürdigt. Er componirte u. A. eine große Anzahl Lieder, Clavierwerke, Chöre, Melodramen, einen Cyklus von Gesängen nach Gedichten mittelalterlicher Dichter (für Frauenchor, Soli und Clavier), ein größeres Liederspiel, die preis= gekrönte parodistische Operette „Das Stelldichein auf der Pfahlbrücke" die Opern: „Otto, der Schütz" und „Der Pfeiferkönig" ꝛc. IV., Kleine Neugasse 20.

Beeth, Lola, Sängerin, geb. zu Krakau im Jahre 1863, trat schon frühzeitig in ihrer Vaterstadt, u. zw. als Pianistin in Concerten auf, wendete sich jedoch später ganz der Gesangskunst zu, wurde Schülerin der Frau Professor Dustmann debutirte am königl. preuß. Hofopern= theater zu Berlin als „Elsa" in „Lohengrin" (25. März 1882) und war dortselbst im Engagement bis zu ihrer am 1. Mai 1888 vollzogenen Aufnahme in den Verband der k. k. Wiener Hofoper. I., Babenberger= straße 5.

*****Behr,** Franz, Musiker, com= ponirte vierhändige Klavierstücke (leichteren Inhaltes), Salonmusik u. verschiedene Lieder ꝛc.

*****Beyling,** A., Prof., ist Correspon= dent ausl. Blätter ꝛc. IV., Mühlg. 13.

*****Belolawek,** Morgan Ca= millo, Schriftsteller, geb. zu Wien am 28. October 1860, studirte Philo= sophie und veröffentlichte 1876 seine lyrischen Dichtungen „Meine Blumen, kleine Blätter", ferner Feuilletons und Novellen (1883), „Hawaiische, Idyllen (Gedichte 1884), „Lieder der Liebe"(Gedichte,1881),„Erinnerungen aus Serbien" und „30 Tage in Kleinasien". Sein erstes Bühnenwerk das Schauspiel „Waldveischen", ge= langte 1885 zur Aufführung. Ausländ. decor. I., Albrechtsplatz 1.

Benedict, Josef, Kupferstecher, geb. zu Wien am 1. Juli 1816, hat u. A. über 300 Heiligenbilder, nach Haßlwander sen., größtentheils für Gebetbücher, in Stahl gestochen. Von ihm sind viele Vignetten der öffentlichen Creditpapiere, sowie mehrere österr., ungar. und persische Stempelmarken. VII., Sigmundsgasse 8.

Benedikt, Moriz, Publicist, geb. zu Quatschitz (Mähren) am 27. Mai 1849, war früher Mitarbeiter ver= schiedener hervorragender, volkswirth= schaftlicher Zeitschriften und Jahr=

bücher in Deutschland, wurde im Jahre 1872 Mitarbeiter der „Neuen Freien Presse", im Jahre 1879 Redacteur des volkswirthschaftl. Theiles dieses Blattes, widmete sich jedoch auch bald der Politik und veröffentlichte im Laufe der Jahre eine Reihe von Artikeln, welche sich größtentheils auf die inneren Zustände unseres Vaterlandes beziehen. Seit dem Jahre 1887 Herausgeber der „Neuen Freien Presse", nimmt B. einen hervorragenden Antheil an der Gesammtleitung dieses Blattes. IV., Wohllebengasse 6.

Benedix, Hugo, Schauspieler, geb. zu Solingen am 5. April 1836, debutirte am 8. Juni 1858 im Theater zu Halle a. d. Saale, ist seit dem Jahre 1866 ununterbrochen an Wiener Bühnen — darunter 14 Jahre am Carltheater unter den Directoren Ascher, Janner und Tewele — als Regisseur thätig und befindet sich seit 1. September 1884 als Ober-Regisseur im Verbande des Theaters a. d. Wien. VI., Gumpendorferstraße 55.

*Benesch, Georg, Musiker, geb. zu Wien am 17. September 1863, ist Mitglied des k. k. Hofopern-Orchesters (Contrabaß) und seit 1. October 1880 im Engagement genannten Kunst-Institutes. V., Amtshausgasse 6.

Benk, Johannes, Bildhauer, geb. zu Wien am 29. Juli 1844, Schüler der k. k. Wiener Akademie und des Professors Hähnel in Dresden, bildete sich in Rom und Florenz weiter aus und errichtete, 1871 nach Wien zurückgekehrt, ein Atelier, aus welchem eine sehr bedeutende Anzahl von Statuen, Figuren ꝛc. hervorging. Folgende Arbeiten B.'s, welcher für seine in der Wiener Akademie befindliche Gips-Gruppe „Genovesa, den Schmerzenreich beten lehrend" im Jahre 1868 den Reichel-Preis und für seine Giebelgruppe „Innere

Verwaltung" im Jahre 1884 die Carl Ludwig-Medaille erhielt, dürften von besonders localem Interesse sein: obige Marmor-Giebelgruppe, 4 Doppel-Karyatiden (Parlaments-Gebäude), „Helios" und „Pallas Athene", Colossalfiguren aus Bronze (kunsthistor., bezw. naturhistor. Museum), die Steingruppen „Amor und Psyche" und „Plastik" (Hauptfaçade des kunsthistor. Museums), 2 Geniengruppen zur Bekrönung des Bühnendaches, 4 Centauren an der Stirnfaçade des Treppenhauses, 6 Gruppen für die Nischen des 1. Stockwerkes, 4 Marmorfiguren „Schönheit", „Weisheit", „Wahrheit" und „Dichtung" in den Treppenhäusern, die Marmor- und Bronzestatue „Klythia" im Kaisergang (Hofburgtheater), die Statuen „Bürgermeister Trau und Vorlauf" (Festsaal des Rathhauses), „Austriagruppe" (Stiegenhaus des Arsenal-Museums), das Ehrendenkmal für den Maler Amerling (Centralfriedhof), der Brunnen auf dem Währinger Hauptplatz. Oesterr. decor. ꝓ. VII., Kaiserstraße 11.

*Benkendorf, Ignaz, Publicist, geb. zu Wien am 21. September 1838, ist Mitarbeiter der Wiener Tagesblätter für die Sitzungsberichte des Künstlerhauses und anderer Institute. IX., Wasagasse 25.

*Bensa, Alexander Ritter von, Maler, geb. im Jahre 1821 zu Wien. Penzing, Hauptstraße 32.

Benzion, Eugen, Publicist, geb. zu Wien, Redacteur der „Wiener Allgemeinen Zeitung", Fachreferat: Volkswirthschaftliche Angelegenheiten. I., Bäckerstraße 18.

*Beran, Arnold, Schriftsteller, ist mit Edmund Loew und Max Blau Verfasser des Lebensbildes „Gallmeyer & Matras" (für das Josefstädtertheater geschrieben) und der einactigen Operette „Der Türken-Franzl".

Beraton, Ferry, Porträt- und Genre-Maler, ist Autodidact, wendete sich zuerst der Schauspielkunst, dann dem Studium der Medicin zu, versuchte sich in den kaufmännischen Fächern und trat schließlich zur Malerei über, hielt sich in Venedig und Paris auf und lebt seit 1885 in Wien. I., Ebendorferstraße 7.

Berg, Leopoldine, Schauspielerin, debütirte in der Winter-Saison 1862—1863 im Theater an der Wien, war hierauf von 1866 bis 1873 bei Strampfer, 1874—1876 an dem Wallner-Theater, 3 Jahre am Wiener Stadttheater in Engagement und gehört seit 1885 dem Verbande des Carltheaters an. III., Rasumofskygasse 14.

*****Bergamenter,**Gottfried, geb. zu Wien am 11. Juni 1820, schreibt Gedichte und ist namentlich als Uebersetzer deutscher Liedertexte in fremde Sprachen thätig. So hat derselbe als Mitglied des Männergesangvereins gelegentlich der Fahrten desselben nach Venedig, Brüssel und London die Texte der gesungenen Chöre metrisch in die betreffenden Sprachen übersetzt. B. wirkt auch als öffentlicher Lehrer der französischen und englischen Sprache. VI., Schottenfeldgasse 44

*****Berger,** A., Publicist, Mitarbeiter der „Extrapost".

Berger, Alfred Freiherr von, Dr., Schriftsteller, geb zu Wien am 30. April 1853, seit 1885 Privatdocent für Philosophie an der Wiener Universität, seit Herbst 1887 Secretär des Hofburgtheaters, vornehmlich für literar. Agenden, ist Verfasser des Trauerspieles „Oenone", eines Bandes „Gedichte" 2c. sowie einiger fachwissenschaftlicher Werke. (Siehe: „Das geistige Wien", Band II.) I., Tuchlauben 7.

*****Berger,** Julius, Musiker, geb. zu Arad im Jahre 1848, ist Concertmeister des Orchestervereines der Gesellschaft der Musikfreunde, Lehrer für Violine und wirkt auch als Balletcorrepetitor an der k. k. Hofoper. I., Riemergasse 9.

*****Berger,** Julius V., Maler und k. k. Professor. Schüler der Wiener Akademie und der Specialschule Engerth's, bildete sich auf Grund des „Rom-Preises", welchen er 1874 erhielt, drei Jahre in Italien weiter aus. B. hat eine große Anzahl Entwürfe zu Zimmerdecorationen und Deckengemälde ausgeführt, sich jedoch, nach Wien zurückgekehrt, mehr dem Porträt und Genre zugewendet. Seine Skizzen für die Ausschmückung des k. k. Justizpalastes in Wien, nach welchen er die Fresken daselbst anfertigte, befinden sich in der Gallerie der k. k. Akademie der bild. Künste. S. I., Schillerplatz 3.

Berggruen, Oscar, Dr., Schriftsteller, geb. zu Tarnopol, war Redact. d. Zeitschrift „Die graphischen Künste" (v. 1879—1887), in welcher er kunsthist. Aufsätze erscheinen ließ, bereiste zum Studium der Kunstsammlungen Egypten, den Orient, die Vereinigten Staaten von Amerika u. s. w., ist Mitarbeiter der Pariser Zeitschriften „L'art", der „Gazette des beaux arts", Musikreferent der „Le Ménestral" (Paris), der „Gazette musicale" (Mailand), des „Wiener Tagblatt", der „Wiener Zeitung" und anderer in- und ausländischer Zeitschriften. Im Druck erschienen bisher: „Die Justizreform in Egypten", „Das Bühnenfestspiel in Bayreuth und die bildende Kunst", „L'oeuvre de Rubens en Antriche" und mehreres Andere. Nebst seinem schriftstellerischen Wirken ist B. als Advocat thätig. I., Schottenring 23.

Bergl, I., Musiker, geb. zu Totis (Ungarn) am 2. December 1848. componirte unter Anderem Clavierstücke verschiedenen Inhaltes, die auch im Drucke erschienen. Früher am Nationaltheater in Pest engagirt, ist derselbe gegenwärtig Mitglied des k. k. Hofoperntheaters. II., Fugbachgasse 7.

Bergler, Hans, Schriftsteller, geb. zu Wien am 15. Juni 1859, ist Autor der „Wiener Guckkastenbilder" (1888), war Mitarbeiter der „Presse", „Wiener Tagblatt" ꝛc. und Redacteur der „Wiener Allg. Zeitung", aus deren Verbande er im Herbste 1888 schied. Liesing.

Bergmann, Marie, geb. zu Linz, ist Schriftstellerin für das Fach weiblicher Handarbeiten und als solche Redactrice der „Wiener Mode"; sie übt auch das Lehramt aus und wirkt als Leiterin des Stickateliers des „Wiener Frauenerwerb-Vereines". VI, Rahlgasse.

Bergner, Rudolf, Schriftsteller, geb. zu Leipzig am 24. September 1860. Verfasser von: „Eine Fahrt durch's Land der Rastelbinder" (1883), „Siebenbürgen" (1884), „In der Marmaros" (1885), „Das Wächterhaus von Suliguli" (1885), „Die deutschen Colonien in Ungarn" (1886), „Rumänien" (1887) und „Ungarn" (1888), Darstellungen des Landes und der Leute dortselbst. Dermalen in Josefsthal, Post Tribuswinkel.

Bergstein, Josef, Publicist, geb. zu Wien, ist Redacteur der „Oesterr. Volks-Zeitung" (Polizei-Referat). II., Ferdinandstraße 15.

Berla, Alois (recte Scheichel), Schriftsteller, geb. zu Wien am 7. März 1826, widmete sich den musikalischen Studien, wurde Schauspieler und Sänger. Im Jahre 1848 schrieb er sein erstes Theaterstück: „Der letzte Zopf" (im Deutschen Theater zu Pest aufgeführt) und fand im Herbst desselben Jahres Engagement am Theater a. d. Wien; seit dieser Zeit hat er über 80 den Abend füllende und über 50 einactige Theaterstücke: Possen, Character-

bilder, Schau- und Lustspiele, sowie Operetten-Librettis verfaßt und eine große Anzahl fremdländischer und norddeutscher Bühnen-Werke bearbeitet, von denen viele, u. A. „Drei Paar Schuhe", allgemein bekannt wurden. B. war in früheren Jahren auch vielfach für Tages- und Wochenschriften thätig. VI., Fillgrabergasse 1.

*Berlepsch, Goswina von, Schriftstellerin, geb. zu Erfurt am 25. September 1855, ist seit 1883 literarisch thätig. Sie veröffentlichte Novellen, Aufsätze und Gedichte in verschiedenen Zeitschriften und in Buchform: „Ledige Lente" (Novellen 1886). Währing, Stefaniestraße 11.

Bermann, Moriz, Schriftsteller, (Pseudonym: Bert. Mormann, B. Zimmermann, Louis Mühlfeld), geb. zu Wien am 16. März 1823, befaßte sich von frühester Jugend an mit dem specialistischen Studium der allgemeinen Städte- und Personengeschichte, vornehmlich aber Wiens und ist Verfasser von: „Oesterr. biograph. Lexikon" (1851), „Geschichte der Wienerstadt und Vorstädte" (1863), „Alt-Wien in Geschichten und Sagen" (1865 und 1882), der Novellen: „Ein Minister in der Kutte", „Dunkle Geschichten" (1868), „Hof- und Adelsgeschichten", „Coulissengeheimnisse aus der Künstlerwelt", „Galante Geschichten", der Romane: „Maria Theresia und der schwarze Papst" (1870), „Prinz Eugen und der Geisterseher", „Geheimnisse des Praters", „Das graue Haus", „Schöne Sünderin", „Das schwarze Cabinet", „Mysterien eines Palastes", „Das Testament des Freimaurers", „Der Goldteufel", „Der stumme Bettler", „Illustrirte Geschichte d.s orient. Krieges 1876—1878", „Der Stefansdom und seine Denkwürdigkeiten" (1878), „Alt- und Neu-Wien" (1880), „Alt und Neu, Vergangenheit und Gegenwart" (1881), „Maria Theresia und Josef II." (1881), „Das Geschichtenbuch vom Kaiser Josef", „Illustrirter Führer durch Wien u. Umgebung", „Illustrirte Geschichte der k. k. Armee" (1887), „Kaiserin Maria Theresia" (1888). Außer diesen Publicationen hat B. eine große Anzahl von Romanen, Novellen und historischen Essays in Wiener Journalen veröffentlicht. I., Mölkerbastei 12.

*Bernard, Hans, Bildhauer, geb. zu Wilton bei Innsbruck, im Jahre 1861, Schüler Mundtmann's. X., Lareuburgerstraße 40.

*Bernazik, Wilhelm, Maler, geb. in Mistelbach, am 18. Mai 1853, Schüler der k. k. Akademie der bild. Künste in Wien und des Léou Bonnat in Paris. Sein Gemälde „Vision des heil. Bernard" befindet sich im Besitze der Gemälde-Gallerie des allerh. Kaiserhauses in Wien, seine Bilder: „Goldbergbau bei Bözösvatal", „Hydrauling Goldmining" sind im naturhistor. Museum. G. IV., Alleegasse 31.

Berut, Rudolf, Architekt und Zeichner, geb. zu Reunkirchen in Niederösterreich, am 21. Februar 1844. Schüler der technischen Hochschule und der k. k. Akademie der bildenden Künste in Wien (Mösner und Van der Rüll), ist besonders als Zeichner (Darstellung und Composition), als Architektur-Maler und Ornamentist thätig, arbeitet seit 1870 im Atelier O. Wagner's und ist an dessen sämmtlichen Arbeiten betheiligt. B. hat verschiedene Bauten in der Provinz selbstständig entworfen und durchgeführt. G. VII., Schottenfeldgasse 83.

*Berres, Josef, Edler von Peres, Maler, geb. zu Lemberg am 30. Mai 1821. Schüler der Akademie in München unter Professor Piloty, bereiste studienhalber Ungarn und den Kaukasus, von wo er mit reichem Materiale zurückkehrte

und sich in Wien niederließ. Sein Fach ist das Genre. Er malt hauptsächlich Jagd- und Reise-Abenteuer und hat der Darstellung von Hunden und Pferden seine besondere Vorliebe zugewendet. Von seinen Bildern befindet sich „Ungarischer Pferdemarkt" im Besitze der Gemälde-Galerie des allerhöchsten Kaiserhauses in Wien. Oesterr. decor. G. III., Laudstraße, Hauptstraße 114.

Berté, Harry, Musiker, geb. zu Galgocz (Ungarn) am 8. Mai 1858. Er componirte mehrere Märsche und Lieder und die wiederholt aufgeführte dreiactige Operette „Bureau Malicorne" (Text von F. W. Schmiedell). I., Cauovagasse 5.

*Berthold, Otto, Musiker, geb. zu Taucha (Sachsen) am 5. Mai 1857, ist Mitglied des k. k. Hof-Opern-Orchesters (Posaune) und seit 1. März 1883 im Engagement genannten k. k. Kunst-Institutes. V., Hundsthurmerstraße 14.

Beruth, Hans, Publicist, geb. zu Wellhoten (Böhmen) am 25. Mai 1843, war früher Bankbeamter, ist seit 1873 journalistisch thätig und Gründer, Herausgeber und verantwortlicher Redacteur der Wochenschrift „Politische Fragmente". VIII., Anersgerstraße 5.

Bettelheim, Anton, Dr., Schriftsteller, geb. zu Wien am 18. November 1851, gab nach mehrjähriger Praxis bei Gericht und der Advocatie die juridische Laufbahn auf, um sich ganz der literarischen Thätigkeit widmen zu können. Er veröffentlichte u. A. „Beaumarchais" (eine Biographie, 1886), Uebersetzung (Littré's) „Wie ich mein Wörterbuch der französischen Sprache zu Staude gebracht habe" und „Volkstheater und Localbühne 1867". Währing, Feldgasse 35.

*Beyer, Josef, Bildhauer, geb. zu Wien, am 28. Februar 1843, studierte unter Prof. Fernkorn in der k. k. Erzgießerei, dann an der k. k. Akademie der bildenden Künste in Wien unter Prof. Kundmann, betheiligte sich u. A. an der figuralen Ausschmückung des Rathhauses, (bild. Figuren an dem Thurme, an den Aufbauten der Seitenfaçaden, Standbilder Herzog Heinrich I. und Leopold VI., im Hofe) und des k. k. Universitätsgebäudes (Nischenfiguren „Empedokles" und „Demokritos", die Figuren „Proceß", „Civilrecht", „Strafrecht" und „Völkerrecht". S. IV., Heugasse 66.

Beyfus, Hermann, Genre- und Portraitmaler, geb. zu Wien 1857. Schüler der Akademien in Wien und München. Eine größere Arbeit desselben, das Portrait des Dichters Bauernfeld, befindet sich im Wiener Rathhaus. S. I., Mölkerbastei 5.

Biberhofer, Franz, Xylograph, geb. zu Wien am 19. Jänner 1845. Schüler der Wiener Akademie unter Professor J. N. Geiger, war eine Zeit lang Leiter der xylogr. Anstalt der „Heimat", wurde sodann zum Leiter der xylogr. Abtheilung der k. k. Hof- und Staatsdruckerei ernannt, welche Stellung er bis zur Auflassung dieser Abtheilung inne hatte. B., welcher seit 1876 den größten Theil Deutschlands bereiste, hat sich mit Vorliebe der Ausarbeitung von Portraits in Miniaturform zugewendet. I., Adlergasse 4.

Bibl, Rudolf, Musiker, geb. zu Wien am 6. Jänner 1832, Schüler seines Vaters Andreas Bibl (erster Unterricht im Clavier- und Orgelspiel) und Sechter's (Contrapunkt und Composition). Er wurde 1850 Organist in der Peterskirche, später in der Domkirche zu St. Stefan und ist in derselben Eigenschaft seit 1863 in der k. k. Hofkapelle. Er veranstaltete eine große Anzahl Orgelconcerte, sowie er auch als Orgel- und

Harmoniumspieler bei verschiedenen Concerten mitwirkte. Er componirte viele große Messen (in der k. k. Hofkapelle aufgeführt), Gradualien, Offertorien, Präludien und Fugen für die Orgel, einzelne Stücke und zahlreiche Arrangements, Clavierwerke verschiedenen Inhaltes, Streichquartette, Lieder (zumeist Kirchenlieder für Orgel, welche in den meisten Kirchen Oesterreichs zur Aufführung gelangten) u. v. A. B. gibt auch eine kleine und eine große Schule für Harmonium heraus, ist Professor der Harmonielehre und als Organist Mitglied der k. k. Hof-Musikcapelle. Ausl. decorirt. I., Domgasse 4.

Bibus, Ottilie, Schriftstellerin, geb. zu Neuhaus (Böhmen) im Mai 1859, ist Verfasserin mehrerer Novellen, Gedichte und ist Mitarbeiterin der Wiener Hausfrauen-Zeitung, Danziger Zeitung ꝛc. VI., Wickenburggasse 4.

Biedermann, Therese, Schauspielerin, geb. zu Wien am 24. April 1865, debütirte im September 1884 im Brünner Stadttheater als „Näherin" in dem gleichnamigen Stücke, war später in Graz engagirt und befindet sich seit 1. September 1886 im Verbande des Theaters an der Wien, woselbst sie als Soubrette (in Possen und Operetten) thätig ist. IV., Franzensgasse 18.

*****Bihan**, Angelika (A. Jäger), Schriftstellerin, geb. zu Seibersdorf (N.-Oesterr.) 1838. Veröffentlicht Novellen und Feuilletons in verschiedenen Zeitschriften. IV., Mozartgasse 9.

Birk, Alfred, Schriftsteller (Pseudonym F. A. Bürde), geb. zu Steinbrück (Steiermark) am 26. Sept. 1855, veröffentlichte Feuilletons und Erzählungen — größtentheils Episoden und Erlebnisse aus dem Eisenbahnwesen — in der „Neuen Freien Presse", „Presse", „Illustr. Extra-

Das geistige Wien.　　　　2

blatt", sowie in diversen Zeitschrif en,
resp. Fachblättern und ist seit 1884
als Ingenieur im Verbande der
Südbahn-Gesellschaft. (Seine fachwissenschaftl. Werke siehe „D. geist.
Wien", II. Band) Südbahnhof.

Birkinger, J. X., Maler,
Zeichner, geb. zu Augsburg am
18. Mai 1833. B. ist auch Mittelschulprofessor. 6. VI., Mariahilferstraße 93.

Bischoff, Johanna von,
Schriftstellerin, IX., Wasagasse 2.

Bitterlich, Hans, Bildhauer,
geb. zu Wien, im Jahre 1860,
Schüler der k. k. Akademie der bild.
Künste in Wien. Für seine Gypsgruppe
„Mutterliebe", welche sich im k. k.
Akademie-Gebäude befindet, erhielt er
1888 den Reichel-Preis. IV., Wohl-
lebengasse 12.

Bitterlich, Richard, Maler,
geboren zu Wien im Jahre 1862,
Schüler der Wiener Akademie. IV.,
Hauptstraße 65.

Bizo, Alexander, Publicist,
geb. zu Wien am 10. Februar 1868,
ist Redacteur der „Wiener Com-
munal-Presse", Mitarbeiter der
„Preßburger-Zeitung" und auf dem
Gebiete der Politik und des Feuilletons schriftstellerisch thätig. III., Ungargasse 33.

Blaas, Julius, Ritter von,
Maler, geb. zu Albano bei Rom
am 22. August 1846, Schüler seines
Vaters Karl, hat sich vornehmlich
der Thiermalerei zugewendet, worin
er, der Kritik zufolge, namentlich in
der Darstellung der Pferde Vor-
zügliches leistet. Sein Aufenthalt in
Rom, woselbst er Bilder aus der
römischen Campagna malte, führte
ihn auch dem Genre zu. Für sein
Bild „Puppen heater im Kloster"
erhielt B. 1888 die Carl Ludwig-
Medaille. Im Besitze der Gemälde-
Gallerie des allerh. Kaiserh. in Wien

befindet sich sein Bild „Wettfahrt
betrunkener slovakischer Bauern"
(1860). im naturhistor. Museum sind
von ihm die Bilder: „Brasilianischer
Urwald", „Lager der Sioux-In
dianer", „Bisonjagd". 6. II., Untere
Augartenstraße 5.

Blaas, Karl, Ritter von,
Maler, geboren zu Nauders in
Tirol am 28. April 1815, Schüler
der Akademien in Venedig, Florenz
und Rom. B. wurde 1850 Professor
der Historien = Malerei an der
Wiener Akademie und hat sich
neben der Historie, auch der Bearbeitung mytholog. Stoffe und dem
Portrait zugewendet. Mehr als 11
Jahre verwendete er zur Ausführung
der ihm übertragenen Fresken in der
Ruhmeshalle des Waffenmuseums
(k. k. Arsenal) in Wien. Seine Bilder
„Heimkehr Jacob's" (Rom 1841)
und „Karl der Große tadelt die
nachlässigen Schüler (Wien 1855)
befinden sich im Besitze der Gemälde-
Gallerie des allerh. Kaiserhauses in
Wien, das lebensgroße Bildnis
unseres Kaisers im Toison-Ordens-
gewande und das Portrait (Brust-
bild) des Landschaftsmalers Josef
Holzer sind in der Gallerie der k. k.
Akademie der bild. Künste. B. ist jub.
Professor und k. k. Regierungsrath.
Oesterr. und ausländ. decor. 6. III.,
Strohgasse 16.

Blaha, Franz, Musiker, geb.
zu Liboz am 24. October 1828, ist
Mitglied der k. k. Hofmusik-Capelle und
des k. k. Hofopern-Orchesters (Trompete) seit 1. April 1852. B. ist
Professor am Conservatorium. III.,
Heumarkt 7.

Blamauer, Adolf Albin,
Maler u. Zeichner, Schüler des Malers
Ignaz Dorn, geb. zu Wien am
15. August 1847, malt Genre (Be-
butten, Hochgebirgslandschaften, Pa-
noramen) ist als Illustrator verschiedener Zeitungen und schriftstellerisch thätig. III., Strohgasse 3.

Blankenburg, Pauline, geborene Rösler, Portrait-Malerin, geb. zu Nürnberg am 21. März 1838, studierte in Berlin an der dortigen Akademie für Damen und dann unter Professor Graef daselbst. III., Münzgasse 1.

Blasel, Johanna, Schauspielerin, geb. am 19. December 1840, trat zum erstenmale in Lemberg am 2. September 1858 auf, absolvierte Engagements in Temesvar, Hermannstadt, Linz und Wien und gehört gegenwärtig dem Verbande des Josefstädtertheaters an. B. ist die Gattin Karl Blasels. VIII., Josefstädterstraße 26.

Blasel, Karl, Schauspieler und Theaterdirector, geb. zu Wien am 10. October 1831; er besuchte die Gesangs- und Violinschule von Leitermann und wurde schon frühzeitig an der Hofoper als Sängerknabe verwendet; sein erstes Auftreten erfolgte in der „Zauberflöte". B. sang durch einige Jahre in allen Kirchen Wiens, bei zahllosen Concerten, lernte Generalbaß und empfand alsbald eine unüberwindliche Vorliebe für das Theater; zum erstenmale trat er in einem Haustheater in der Josefstädter Gesangschule (1849) auf, und faßte in jener Zeit den Entschluß, sich ganz der Kunst zu widmen. Schon im nächsten Herbste war er in Laibach als Chorist engagirt und debutirte in der Posse „Die Reise nach Graz". Zuerst für Naturburschen und jugendliche Liebhaber engagirt, ging er später auf dringendes Anrathen des Director Lippert für alle Zukunft in das komische Fach über und wurde als Wiener Komiker eine Specialität. Nach verschiedenen Engamments an den meisten Bühnen Oesterreichs kam er 1863 wieder nach Wien. Seine Wiener Carrière, die er mit dem „Eterzl" in der „leichten Person" begann, und die sich in ungezählten Possen, sowie Operetten fortsetzte, eröffnete er im Theater an der Wien, wo er in der parodistischen Posse „Die falsche Charlotte Patti" als „Kellner" die Aufmerksamkeit des Publicums auf sich lenkte und durch Operettenfiguren, wie „König Bobeché" in „Blaubart", „Prinz Paul" in „Herzogin von Gerolstein" und „König Menelaus" in „schöne Helena" bald der Liebling der Wiener wurde. Vom Wiedener Theater kam er an das Carltheater, bildete daselbst mit Knaak und Matras das beliebte Komiker-Trio, trat nach vieljähriger Wirksamkeit an dieser Bühne für kurze Zeit nochmals in den Verband des Wiedener Theaters und übernahm im Jahre 1885 die Direction des Josefstädter Theaters. VIII., Josefstädterstraße 26.

*Blasel, Leopold, Schauspieler, geb. zu Wien am 18. Mai 1866; debutirte 1887 im Josefstädtertheater und ist seither Mitglied der genannten Bühne. B. ist ein Sohn Karl Blasels. VIII., Josefstädterstraße 26.

Blasser, Gustav, Musiker, geb. zu Wien am 12. April 1857, Schüler der Prof. Jos. Chladek (erster Musikunterricht), Rich. Genée (Instrumentation) und Franz Krenn (Contrapunkt). Er ist von Jugend auf als Componist thätig und componirte Messen, Graduales und Offertorien, Liederchen, heitere und ernste Männerchöre, Clavierstücke verschiedenen Inhaltes, größere Orchesterstücke, sowie zwei Operetten und ein fünfactiges, seriöses Ballet, im Ganzen 70 Tonwerke. B. ist auch Bearbeiter Lanner'scher Tänze, und wurden seine Compositionen vielfach in Concerten zur Aufführung gebracht. Er ist Dirigent des Wiener Orchesterbundes und ausl. decorirt. II., Große Pfarrgasse 25.

*Blau, Max, Schriftsteller, ist mit Edmund Loew und Arnold Beran

Verfasser des Lebensbildes „Gall-meyer und Matras" (für das Josef-städtertheater geschrieben) und der einactigen Operette „Der Türken-Franzl".

*Blau, Tina, Malerin, geb. zu Wien 1847, erhielt ihre erste Aus-bildung in Wien durch Aug. Schäffer und ab 1869 durch W. Lindenschmit in München. Zahlreiche Reisen durch Böhmen, Ungarn, Siebenbürgen, Hol-land und Italien boten ihr Stoff zu einer Reihe, wie die Kritik sagt, vor-trefflicher Landschaftsbilder. II., k. k. Prater (Ausstellungsgebäude).

Blechner, Heinrich, Schriftsteller, geboren zu Wien am 25. December 1845, ist Chef-Redacteur der „Wiener Sonn- und Montagszeitung", Heraus-geber der „Wiener Revue" Re-dacteur des „Fremden-Blatt". B. ist Eigenthümer der „Allg. Zeitschrift für Spiritus und Preßhefe-Industrie" und Mitarbeiter des „Pester Lloyd", der „Berliner Gegenwart" ꝛc. Im Drucke erschienen: „Wiener Novellen", „Der Sohn des Staatskanzlers" (pol. historischer Roman) und „Ge-dichte". IX., Liechtensteinstraße 114.

*Bleibtreu, Sigmund, Schau-spieler, geb. zu Friesach (Kärnthen) am 12. Jänner 1829, diente früher in der k. k. Armee und ist seit 1882 Mitglied des k. k. Hofburgtheaters. Oesterreichisch decorirt. VIII., Koch-gasse 27.

*Bloch, Josef Samuel, Dr., Publicist, geb. zu Dukla (Galicien) 1850, ist Herausgeber und Redacteur der „Oesterreichischen Wochenschrift" und Mitglied des österreichischen Reichsrathes. I. Rothenthurmstraße 39.

Blum Josef, Schauspieler, geb. zu Wien am 19. Februar 1861, ist seit 1879 bei der Bühne, war am Carl- und Fürsttheater engagirt und ist seit 1885 Mitglied des Theaters in der Josefstadt. Neubaugürtel 44.

Blume, Ludwig, geb. zu Wien am 31. Jänner 1846, ist als Schrift-steller, sowohl belletristisch als lite-rar-historisch (siehe „Das geistige Wien", II. Band) thätig und wirkt als Professor am k. k. akademischen Gymnasium. VII., Myrthengasse 10.

Blume, Sylvester, Schriftsteller, geb. zu Preußen 1855, schreibt haupt-sächlich Sport- und Jagdartikel, so-wie Feuilletons in die Zeitschriften „Presse", „Salonblatt", „Neue illu-strierte Zeitung" und „Ueber Land und Meer". II., Lackierergasse 4.

Blumenkron, Leopold, Ritter von, Publicist, geb. zu Wien am 21. Februar 1804, ist Redacteur des „Fremdenblatt". III., Salesianer-gasse 10.

Bock, Anna, Schauspielerin, geb. zu Wien am 26. November 1869 ist Schülerin Arnsburg's, debutirte als „Martha" in „Ein Schwabenstreich" am Möblinger Theater, war hierauf am Carltheater und an dem deutschen Theater in Berlin in Engagement und gehört seit 1882 dem Verbande des k. k. Hofburgtheaters an. VI., Getreidemarkt 13.

*Bock, Johann, Bildhauer, geb. zu Wien im Jahre 1861. IX., Spital-gasse 25.

Böck, Josef, Schriftsteller, geb. zu Wien am 16. Februar 1859, wid-mete sich ursprünglich der Buchdrucker-kunst und veröffentlichte mehrere fach-wissenschaftliche Werke über Buch-druckerkunst und verwandte graphische Zweige. (Siehe „Das geistige Wien", II. Band.) B. ist auch publicistisch und literarisch thätig, als solcher Mit-arbeiter in- und ausländischer Zei-tungen, betreibt auch Beethoven-forschung und ist Secretär bei dem Kronprinzen-Werke „Die österreichisch-ungarische Monarchie in Wort und Bild". IV., Theresianumgasse 6.

Bocklet, Heinrich, von, Musiker,

geb. zu Wien am 17. November 1850, ist Schüler seines Vaters, des Tonkünstlers Carl Maria von Bocklet und Franz Krenn, war 1878 bis 1887 an den k. k. Lehrer- und Lehrerinnen-Bildungsanstalten als Professor für Orgel, Piano und Theorie thätig und beschäftigt sich dermalen mit Privatunterricht im Clavierspiel. Er ist Verfasser des Unterrichtswerkes „Clavierrichter". I., Elisabethstraße 8.

Bodenstein, Cyriak, Dr., Schriftsteller, geb. zu Wien am 27. Juli 1848, ist Mitarbeiter der „Neuen Freien Presse" und Autor verschiedener kleinerer in Zeitschriften des In- und Auslandes veröffentlichter Studien und u. A. auch Verfasser von „Hundert Jahre Kunstgeschichte Wiens". (Siehe „D. geist. Wien", II. Band.) B. ist Staats-Eisenbahnbeamter. Oesterr. u. ausländ. decorirt. IV., Alleegasse 36.

Boguslawski, Ladislaus von, Architekt, geboren zu Czernowitz am 24. Mai 1847, hat u. A. die Arcadengruppe in Wien (Rathhausstraße 9, Landesgerichtsstraße 10, Magistratsstraße 10 u. 12,) aufgeführt. 6. VI., Windmühlgasse 14.

*Böhm, C., Maler, geb. zu Wien, am 11. Juni 1830. VI., Kaserngasse 5.

Böhm, Ernst, Publicist, Herausgeber und Redacteur der Zeitschrift „Der g'rade Michl". VI., Millergasse 26.

*Böhm, Johann, Musiker, geb. zu Wien am 7. October 1860, ist Mitglied des k. k. Hofopern-Orchesters (Fagott) und seit 15. August 1880 im Engagement genannten Kunst-Institutes. IV., Preßgasse 26.

Böhm, Max, Publicist, geb. zu Wien am 1. Mai 1851, war in den Jahren 1873—1875 Redacteur des „Wiener Blatt" und ist seit 1878 Mitredacteur des „Illustr. Wiener Extrablatt" (Local-Rubrik). IX., b'Orsaygasse 11.

*Bohrmann, Heinrich, Schriftsteller, geb. zu Saarbrücken (Rheinprovinz), war unter Laube Generalsecretär des Wiener Stadttheaters, später Director der Komischen Oper und des Theaters in Preßburg. Er veröffentlichte eine große Anzahl von Bühnenwerken sowie Libretti zu Operetten und Opern. Er ist Verfasser von: „Der letzte Babenberger" (Tragödie), „Ein Sohn seiner Zeit" (Schauspiel), „Lady Esther" (Schauspiel), „Verlorene Ehre" (Schauspiel), „Majestät" (Lustspiel), „Ein Löwenritt" (Lustspiel), „Bellerophon" (Lustspiel), „Der Seeleufänger" (Lustspiel), „Der Verwalter von Niederhof" (Schauspiel), „Fürstin Nariskin" (Schauspiel), „Das Spitzentuch der Königin" (Musik von Johann Strauß), „Der Chevalier von San Marco" (Musik von Josef Bayer), „Der Prinzgemal" (Musik von L. Engländer), „Der schöne Kurfürst" (Musik von Josef Hellmesberger), „Iduna" (lyrische Oper, Musik von J. P. Gotthardt), „Der Sklavenhändler" (mit P. von Schönthan, Musik von Franz Soucoup). Einen großen Theil dieser Bühnenwerke arbeitete B. gemeinschaftlich mit J. Riegen, unter dem Namen „Bohrmann-Riegen". Von demselben erschienen auch in verschiedenen Zeitschriften Novellen und Erzählungen. Hetzendorf, Hauptstraße 30.

*Bohru, Hermann, Bildhauer, geb. zu Wien am 26. October 1856, Schüler der k. k. Akademie der bild. Künste in Wien unter Professor Zumbusch. Von ihm ist u. A. auch das Grabdenkmal der Hofschauspielerin Wessely (Centralfriedhof). III., Krummgasse 14.

*Bombelles, Karl Albert, Graf, Musiker und Schriftsteller, geb. am 17. August 1832, war Kammerherr bei Erzherzog Max, begleitete denselben nach Meriko, war daselbst des Kaisers Gefährte, kehrte nach dessen tragischem Tode nach Wien zurück, wurde dem Hofstaate des Erzherzog Franz Carl beigegeben und später zum Obersthofmeister weiland Sr. k. k. Hoheit des Kronprinzen Rudolf ernannt, schreibt Lieder, Clavierstücke und Gesangsquartette, Gedichte, Liederterte und versuchte sich auch auf dramatischem Gebiete. Sein Lustspiel „Ein Aprilscherz" wurde seinerzeit am Carltheater wiederholt gegeben. B. ist geh. Rath, Vice-Admiral ꝛc. ꝛc. Oesterr. u. ausländ. decor. K. k. Hofbmg.

*Pommel, Elias, van, Maler, geb. zu Amsterdam im Jahre 1826, Schüler der dortigen Akademie, ließ sich nach Studienreisen, die er durch Frankreich, Belgien, Italien, Deutschland und Oesterreich-Ungarn unternommen, in Wien nieder, woselbst er sich hauptsächlich mit Architekturbildern, der Darstellung von Marine- und Hafen-Ansichten beschäftigt. IV., Waaggasse 13.

Bondy, Ottilie, Schriftstellerin, geb. zu Brünn am 26. Juli 1832, Mitarbeiterin der „Wiener Hausfrauen-Zeitung" ꝛc., ist größtentheils auf frauenwirthschaftlichem Gebiete thätig, Präsidentin des Wiener Hausfrauen-Vereines und Verfasserin von „Haus- und Familienbuch"(1886) „Zehn Gebote des Hauswesens (1887). II., Praterstraße 58.

Borkowsky, Karl, Ritter von, Architekt, geb. zu Czernowitz am 14. Juni 1836. Von localem Interesse ist, daß wir dem Genannten die Mitbegründung und Leitung des Wiener Cottage-Vereines und die Erbauung des sogenannten Cottage-

Viertels (150 Villen) verdanken. Währing (Cottage), Stefaniegasse 27.

Bors, August, Baron v., Schriftsteller, geb. zu Wien am 9. December 1851, verfaßte die Bühnenwerke „Zwischen zwei Frauen" (Sittenbild), „Der Zwillingsbruder" (Schwank) und die Possen „Senior und Junior", sowie „Bengalo Bengaline"; unter dem Pseudonym Paul Sziglávy veröffentlichte er „Fata Morgana" (1876) und unter den Namen Borsod „Henriette" (1889). II., Aspergasse 5.

Borzer, Oswald, Publicist, geb. zu Wien, am 29. Mai 1860, ist Redacteur der „Presse".

Braga-Jaff, Hermine, Sängerin, debütirte am 1. September 1877 als „Margarethe" in der k. k. Hofoper, wurde Mitglied dieses Institutes u. verblieb im Verbande desselben bis 1888. Sie wirkt gegenwärtig ohne festes Engagement an den hervorragenden Bühnen Deutschlands und ist auch als Concertsängerin thätig. II., Pragerstraße 64.

*Brahms, Johannes, Dr. der Tonkunst, Musiker, geb. zu Hamburg am 7. März 1833, Schüler Ed. Marren's zu Altona, machte Kunstreisen und trat als Componist und Pianist vor die Oeffentlichkeit. Eifrig schaffend lebte er bis 1863 in Hamburg, übersiedelte aber dann nach Wien. Ohne öffentliche Stellung, lebt B. einzig und allein der Composition; seine Werke sind heute in der ganzen gebildeten Welt verbreitet. Zu den bedeutendsten und berühmtesten derselben zählen die beiden großen Chorwerke „Ein deutsches Requiem" und „Triumphlied", vier Symphonien, mehrere Serenaden und Ouverturen für Orchester, zwei Clavierconcerte, ein Violinconcert, ein Concert für Violine und Violoncell, Sonaten, drei Trios, drei Clavierquartette, drei Streichquartette, zwei Sertette und ein Quintett für Streichinstrumente, das berühmt: Clavierquintett in F-moll, zahlreiche Clavierstücke, Chöre und Lieder. Ausl. decorirt. IV., Carls= gasse 4.

Brand=Vrabély, S., siehe Wurmbrand=Stuppach.

Brandl, Johann, Musiker. geb. zu Böhmen am 30. August 1855, ist seit 1866 am Carltheater als Capell= meister thätig. Er schrieb die Musik zu einer sehr großen Anzahl Possen, sowie zu der komischen Oper „Die Töchter des Dionysos" (Text von Max Waldstein) und zu den Operetten „Der Hanswurst" (Text von Jul. Rosen), „Des Löwen Erwachen", „Die Mormonen" und „Der liebe Augustin" (Text von Hugo Klein. Ausl. decorirt. II., Aloisgasse 3.

*Brandstetter, Hans, Bild= hauer, geb. zu Hitzendorf bei Graz am 25. Jänner 1854. Schüler der k. k. Akademie der bild. Künste in Wien, hat u. A. die „Waldlilie" im Grazer Stadtpark ausgeführt. 6. IV., Theresianumgasse. (Derzeit in Rom.)

*Braun, Emma. Tänzerin, geb. zu Wien am 17. September 1867, ist als Solo=Tänzerin im Verbande der k. k. Hofoper, welchem Kunst= institute sie seit 1881 angehört. IV., Floragasse 9.

*Braun, Franz. Musiker, geb. zu Wien am 19. December 1845, ist Mitglied der k. k. Hofmusik=Capelle und des k. k. Hofopernorchesters (Contrabaß); ist seit 1. September 1869 im Engagement der Hofoper. II., Kneppgasse 13.

Braun, Josef, Schriftsteller, geb. zu Budapest im Jahre 1840, ist Eigen= thümer und Chefredacteur der „Wiener Caricaturen" und Verfasser der Li= bretti von. „Die flotten Bursche" (Operette) „Carneval in Rom" (Oper= ette) „Indigo" (Operette) ꝛc. I., Woll= zeile 33.

*Braunmüller, Gustav, Schrift=

steller, geb. zu Wien am 2. September 1849, ist der Sohn des verstorbenen bekannten Schauspielers B. und ver= öffentlichte in Buchform Gedicht= Sammlungen(in österreichischer Mund= art), die unter dem Titel: „Nehmt's mi mit" erschienen. I., Reichsraths= straße 19.

Breden, von, siehe Christen Ada.

*Breidwiser, Theodor, (Genre= und Schlachtenmaler, geb. zu Wien 1847, Schüler der Akademie unter Prof. E. v. Engerth, ist Mitarbeiter des Journals „Ueber Land und Meer", „Neue illustrirte Zeitung", war zwei Jahre in Amerika, woselbst er mit der Ausführung von großen Pano= ramabildern (Szenen aus dem Krieg der Nordstaaten) betraut war. 6. Fünfhaus, Märzstraße 24.

Breitenstein, Max, Dr., Schrift= steller, geb. zu Zalau am 10. No= vember 1855, ist seit 18 6 publicistisch thätig. Er gründete die akademische Wochenschrift „Alma mater" (1877— 81) und redigirte den „Akademischen Kalender der österreichischen Hoch= schulen," verfaßte 1880 das „Commers= buch der Wiener Studenten" und gab eine „Sammlung der bedeutendsten Reden des österreichischen Parla= mentes", sowie mehrere Brochüren, Abhandlungen, Uebersetzungen aus dem Englischen, Humoristisches ꝛc. heraus. B. ist gegenwärtig Heraus= geber der „Wiener Correspondenz". IX., Hörlgasse 4.

*Brenek, Anton, Bildhauer, geb. zu Brünn am 23. October 1848, Schüler der k. k. Akademie der bil= denden Künste in Wien unter Prof. Zumbusch. B. ist Professor der k. k. Staatsgewerbeschule. 6. IV., Haupt= straße 59.

Brenner, Adam, Maler, geb. zu Wien am 21. December 1800, Schüler der k. k. Akademie der bildenden Künste in Wien. Derselbe hat sich der

Historie, dem Genre und dem Still=leben gewidmet. Im Besitze der Ge=mälde=Gallerie des allerh. Kaiserhauses in Wien befinden sich zwei Bilder von ihm: „Drahtbinder und Mädchen" und „Todtes Federwild" (1833). G. IV., Hauptstraße 27.

Bresnitz, Heinrich, Schrift=steller, geb. zu Czernowitz 1844, gründete 1867 die Zeitschrift „Osten", gab 1869 das politische Journal „Der Patriot" heraus, erwarb im Jahre 1879 die „Morgenpost", als deren Eigenthümer und Chefredacteur er bis zum Jahre 1886 fungirte. B. ist Verfasser der Brochüren: „Die Verfassungspartei und das Mini=sterium Hohenwarth", sowie „Betrach=tungen über den Ausgleich" (Manz). Währing, Herrengasse 12.

Bresnitz, Heinrich Karl, Pu=blicist, Sohn des Vorigen, geb. zu Wien 1868, ist ständiger Wiener Correspondent des „Agramer Tag=blatt" und Redacteur der Zeitschrift „Schwarzgelb". Währing, Herren=gasse 12.

Breßler, Emil, Architekt, geb. zu Wien am 3. December 1847, studierte an den technischen Hoch=schulen in Wien und Stuttgart und an der Ecole des Beaux Arts in Paris (Atelier Pascal). Zu den größeren Bauten, welche wir B. ver=danken, ist die Pfarrkirche zu Preß=burg=Blumenthal, das Sparcassa=gebäude in Preßburg, das Adm= und Redactionshaus der „Presse und des „Extrablatt" zu zählen. Von localem Interesse ist es auch, daß er die Adaptirung des Schlosses Liechten=stein bei Mödling bewerkstelligte. B. war 1888 Director der Jubiläum=Gewerbe=Ausstellung. Oesterreichisch und ausländ. decorirt. G. I., Gold=schmidgasse 12.

Bretschneider, Ludwig Au=gust, geb. zu Wien am 22. August 1860, hat sich ursprünglich der Bild=hauerei zugewendet, ist Herausgeber der „Zeitschrift für Plastik" und anderweitig publicistisch thätig. VI., Gumpendorferstraße 79.

*****Bricht,** Balduin, Publicist, geb. zu Verbó (Ungarn) 1852, ist Redacteur der „Wiener Allg. Zeitung" I., Schenkenstraße 2.

*****Brinsley=Richards,** James, Publicist, ist Correspondent der „Times" 2c. I., Schenkenstraße 10.

*****Brioschi,** Anton, k. k. Hof=theater=Maler, geb. zu Wien am 30. November 1855, Schüler seines Vaters Carlo, rücksichtlich der Land=schaftsmalerei, und der Kunstgewerbe=schule unter den Professoren Hauser, Rieser, Storck und Teirich. B. bildete sich im Atelier seines Vaters zum Decorationsmaler aus, wurde 1883 an das Hoftheater in Hannover be=rufen und ist seit 1884 als k. k. Hoftheatermaler im Verbande der Wiener Hofoper. Für dasselbe hat B. Decorationen zu „Märchen vom Untersberg", „Trompeter von Säk=kingen", „Die verwandelte Katze", „Märchen aus der Champagne", „Maffa". „Cid", „Belizar", „Don Juan", und für das neue Hofburg=theater sämmtliche Decorationen zu „Othello", „Kaufmann von Venedig", „Fiesko", „Romeo und Julie", „Donna Diana", „Torquato Tasso", „Viel Lärm um Nichts", „Die Widerspänstige", „Was Ihr wollt", „Nathan der Weise" und „Makka=bäer" ausgeführt. IV. Frankenbergg. 3.

*****Brioschi,** Carlo sen., k. k. Hoftheater=Maler, geb. zu Mailand am 24. Juni 1826, Schüler seines Vaters und der k. k. Akademie der bild. Künste in Wien unter Thomas Ender, war eine Zeit lang Zeichnen=lehrer im Stifte Melk, wurde dann im Jahre 1854 als k. k. Hof=theater=Maler nach Wien berufen und trat im Jahre 1885 auf eigenes Verlangen aus dem Verbande der

Wiener Hofoper. B. hat für einheimische und auswärtige Bühnen eine bedeutende Anzahl Werke geschaffen, darunter besonders zahlreiche Vorhänge. Sein Gemälde „Façade der Kirche zu Bergamo" 1850) befindet sich im Besitze der Gemälde=Gallerie des allerh. Kaiserh. in Wien. Oesterr. u. ausländ. decor. S. IV., Frankenberggasse 3.

Brig, Laura, Schriftstellerin, geb. zu Krakau am 28. Februar 1844. Dieselbe übersetzte die Werke „Meier Ezofowicz", „Ein Frauenschicksal" und „Der Kampf um die Scholle" von Elise Orzeszko aus dem Polnischen in's Deutsche und ist Mitarbeiterin der Zeitschrift „Die gute Stunde". VIII., Langegasse 15.

Brigen, Leonhardt, siehe Brix Laura.

Brociner, Marco, Dr., Schriftsteller, geb. zu Jassy am 2. December 1853, ist Redacteur des „Wiener Tagblatt", (Politik und Feuilleton), Mitarbeiter von „Ueber Land und Meer", „Humoristisches Deutschland" rc. und Verfasser von: „Aus zwei Zonen", (Rumänische Culturbilder, und Novellen (1883, II. Aufl.) „Jonel fortunat' (1889). IX., Rögergasse 36.

Broda, Moriz, Schauspieler, geb. zu Dresden am 23. März 1850, war Schüler Jaffe's in Dresden und theilweise auch Emil Devrient's, debutirte am 30. December 1866 als „Dietrich" in „Die lustigen Verwandten" am Dresdener Hoftheater und wurde 1882 von Ascher für das Fach der Naturburschen und jugendlichen Liebhaber an das Carltheater berufen, welchem Institute er seit dieser Zeit angehört. II., Ferdinandstraße 17.

*Bromeisl, Rosa, geb. im Jahre 1848, ist als Concertsängerin und Lehrerin thätig. III., Löweng. 6.

Bruch=Sinn, Caroline (Pseudonym Adele v. Drachenfels), Schriftstellerin, geb. zu Olmütz am 13. Jänner 1853, ist Mitarbeiterin zahlreicher in= und ausl. Zeitschriften, und Mitredactrice der belletr. Miniaturzeitschrift „Das Hausbuch". Ihre Novellen, Skizzen, Poesien sind zerstreut in Wiener und auswärtigen Blättern. Währing, Maynollogasse 9.

*Bruckner, Anton, Musiker, geb. zu Ansfelden (Oberösterr.) am 4. September 1824, wurde in frühester Kindheit als Sängerknabe in das Stift St Florian aufgenommen; er widmete sich dem Clavier=, Violin= und Orgelspiel, welche letztere Kunst sein eigentlicher Lebensberuf blieb. Er wurde nach jahrelanger theoretischer und praktischer Vorbildung auf diesem Gebiete 1867 Organist an der Wiener Hofcapelle und Professor des Orgelspieles, der Harmonielehre u. des Contrapunktes am Conservatorium, welche beide Stellungen er, sowie das Amt eines Lectors an der Wiener Universität noch gegenwärtig inne hat. Seine Orchesterwerke gelangten trotz ihren zahlreichen Gegner in den ersten Concertinstituten Deutschlands zur Aufführung, und auch er selbst trat zu wiederholten Malen als Concertorganist in die Oeffentlichkeit. Er schrieb acht Symphonien, ein Tedeum (für Soli, Chor und Orchester), drei große Messen, ein Requiem, Psalmen und nebst anderer Musik kirchlicher Richtung, Quartette, Quintette, Chöre und Lieder. B. ist auch Mitglied der k. k. Hof=Musikcapelle. Oesterr. decorirt. I., Heßgasse 7.

Bruckner, Karl, Musiker und Schriftsteller, geb. zu Wien am 13. October 1848. Er ist k. k. Hofcapellensänger, Dom=Subcantor von St. Stefan, Mitglied der k. k. Hofoper, Mitarbeiter mehrerer belletristischer Zeitschriften und Verfasser der Gedichtsammlung „Flüchtige Lieder" (1878). VIII., Burggasse 24.

Brüll, Ignaz, Musiker, geb. zu Proßnitz am 7. September 1846, war für den Kaufmannsstand bestimmt, wandte sich bald der Musik zu, wurde Schüler von Epstein (Clavier), Rufinatscha (Composition) und Dessoff (Instrumentation). Er unternahm als Claviervirtuose Kunstreisen nach England und concertirte in Oesterreich und Deutschland mit dem Sänger Georg Hentschel. B. componirte viele Lieder, Serenaden, Ouverturen, zwei Clavierconcerte, eine Symphonie, Sonaten, Chöre, zahlreiche Clavierstücke, ein Violinconcert, sowie die Opern „Der Bettler von Samarkand" (mit 19 Jahren), „Das goldene Kreuz", „Der Landfriede", „Bianca", „Königin Marietta" und die Ballette „Das steinerne Herz", „Ein Märchen aus der Champagne". B. ist Mitdirector u Professor der Horak'schen Clavierschulen. Angl. decor. IX., Liechtensteinstr. 4.

Brunn, Eduard Johann, von, Holzbildhauer, geb. zu Wien am 8. Februar 1842, Schüler von M. v. Waldheim, beschäftigt sich mit Landschaften, Genre-Bildern, Portraits und Architecturen. Bilder nach Scaffai, Mantegazza, J. N. Geiger, Laufberger, Grottger ꝛc. ꝛc. VI., Brückengasse 2.

Brunner, Josef, Maler, geb. zu Wien am 14. März 1826, war Anfangs Koch. Seinen Bemühungen, in der Kunst wirken zu können, dankte er ein Unterkommen beim Maler Feid, bei welchem er die Anfangsgründe in der Malerei erlernte. Er bildete sich auf Studienreisen in Teutschland, in den Balkanländern, Italien und der Schweiz weiter aus und trat, nachdem er sich in Wien niedergelassen, bald mit Landschaften, deren Stoffe er sich größtentheils in Oesterreich holte, in die Oeffentlichkeit. Sein Oelgemälde „Rothföhren" befindet sich in der Gallerie der k. k. Akademie in Wien. Im naturhistor. Museum sind von ihm die Bilder: „Mahnschlucht bei Meran", „Gypsbruch im Buchbergthale". K. I., Franz Josef-Quai 31.

*****Brunner,** Sebastian, Dr., Schriftsteller, geb. zu Wien am 10. December 1814, wurde 1838 zum Priester geweiht, 1842 Pfarrer in Alt-Lerchenfeld, 1853 Prediger und Operar an der Universitätskirche, 1865 Hausprälat und 1875 erzbischöflicher Consitorialrath. B. entfaltete eine vielseitige literarische Thätigkeit. Von demselben erschienen: „Genies, Malheur und Glück" (1843), „Fremde und Heim" (1845), „Die Welt, ein Epos" (1845), „Der deutsche Hiob" (Gedichte 1846), „Der Nebeljungen Lied" (1845), „Blöde Ritter" (1848), „Schreiberknechte" (1848), „Gesammelte Erzählungen und poetische Schriften" (1864—1868), „Hau- und Bausteine zu einer deutschen Literaturgeschichte" (1884) und zahlreiche andere Schriften, theils theologischen, theils polemischen Inhaltes, erstere in Prosa, letztere zum Theil in gebundener Rede. B. ist apostolischer Protonotar, inful. Prälat, Großmeister-Procurator und Gr. Krz. des päpstl. Ordens vom heil. Grabe ꝛc. I., Postgasse 4.

Buchbinder, Bernhard, Schriftsteller, geb. zu Budapest am 6. Juli 1854, ist Verfasser der Romane: „Väter und Sohne" (2 Bände), „Der Todtengräber" (3 Bände), „Ein Vergessener" (3 Bände), „Ein Polizeiweib" (2 Bände), „Die Zauberin vom Blocksberg" (3 Bände) und folgender zur Aufführung gelangter Bühnenstücke: „Vater Deak", „Colombian", „Gefunder im Irrenhaus", „Der Sänger von Palermo", Operette (Musik von Alfr. Zamara), „General Bem", „Unser Schwiegersohn". IV., Mauerhofgasse 10.

*Buchta, Aloïs Alexander, Musiker, geb. zu Proßnitz am 10. Juni 1841, ist Mitglied des k. k. Hofopern-Orchesters (Viola) seit 1. Jänner 1863. Ausk. bec. I., Walsischgasse 5.

*Buchta, Wenzel, Bildhauer, geb. 1844 zu Praschat, Schüler des Wiener Polytechn., ist an d. dec. Ausschmückung einer großen Anzahl öffentl. Anstalten (z. B. Hofmuseen, Parlament Hofburgtheater, Akademie d. b. K. 2c.) und vieler Hotels, Paläste und Villen betheiligt. X., Humboldtgasse 22.

*Budinska, Minna v., Malerin studierte in Düsseldorf, malt Landschafts- und Genre-Bilder. IV., Hengasse 14.

Bukovcits, Adolf (A. Just.), Schriftsteller, geb. zu Wien am 15. September 1842, schrieb Feuilletons, Humoristica u. Erzählungen in die verschiedensten Zeitschriften; er ist seit 16 Jahren Redacteur des Witzblattes „Floh", Mitarbeiter (Feuilletonist) des „Neuen Wiener Tagblattes", „Extrapost" 2c. und Verfasser folgender aufgeführter dramatischer Werke: „Ein Terno", „Die Landpomeranze", Hoch hinauf" (Posse), „Der gefährliche Patient" (Schwank), „Der Graf von Gleichen" (Opere te, Musik von Hellmesberger) u. m. A. II., Nordbahnstraße 30.

*Bültemeyer, Heinrich, Kupferstecher, geb. zu Hameln a. d. Weser am 10. October 1826, Schüler des Prof. Ludwig Förster, studierte dann bei Hausen architektonische Schattenlehre und Perspective, kam 1851 nach Wien, radierte ursprünglich f. Förster's Bauzeitung, arbeitet seit 1857 selbstständig, besonders für die Mittheilungen der k. k. Central-Commission zur Erhaltung der Baudenkmäler. Sein specielles Fach ist der Architekturstich. Seine Hauptblätter sind: der Vorhang des Wiener Opernhauses (nach Laufberger), der Stefans-

dom (nach Fr. Schmidt) und der Stich der Votivkirche und des Wiener Rathhauses. Oesterreichisch decorirt. K. II., Obere Augartenstraße 50.

*Bürger, Michael, Schriftsteller, geb. zu Scheibbs am 28. August 1831, schreibt Romane, lyrische Gedichte und Jugendschriften. Im Buchhandel veröffentlichte er „Patriotische Anklänge" (Gedichte, 1854), „Faustin", „Schutt und Epheu", „Feldblumen", „Josi, der Findling", Marcellin, „Dorfgeheimnisse" (1864) u. m. A. IX., Maroligasse 9.

*Bunzl, Arthur, Dr., Publicist, geb. zu Prag 1850, ist Mitarbeiter der „Extrapost" 2c. Grinzing, Wienerstraße 10.

Bürcke, F. A., siehe Birk A.

*Bürde, Emil, Schriftsteller, geb. zu Berlin am 6. März 1827, war lange Jahre hindurch schauspielerisch an den ersten Theatern Deutschlands thätig, hat jedoch dem Bühnenleben vollständig entsagt, und wirkt ausschließlich als Lehrer und Schriftsteller. Er ist ständiger Burgtheater-Referent der „Allgemeinen Kunst-Chronik", Mitarbeiter ausländischer Zeitschriften und Professor am Conservatorium. IV., Schwindgasse 3.

Burger, Fritz, siehe Nessel G. A.

Burger, Leopold, Maler, geb. zu Wien am 9. October 1861, Schüler der k. k. Wiener Akademie, widmete sich anfänglich der Darstellung Wiener Straßenbilder („Arretirung", im Besitze unseres Kaisers), gelangte durch seine Mitwirkung an dem Hauptvorhange für das neue k. k. Hofburgtheater zur decorativen Malerei, welcher er sich jetzt ausschließlich zuwendet. B hat u. A. im Vereine mit A. Schram die decorative Ausschmückung des Palais Fränkel (IV., Wohllebengasse) ausgeführt. Hernals, Herrengasse 38.

Burger, L. W., siehe Wasserburger Lina.

Burghart, Hermann, k. k. Hoftheater-Maler, geb. zu Türmitz bei Aussig am 9. April 1835, Schüler des Polytechnicums und der k. k. Akademie in Wien, wandte sich bald der Decorationsmalerei zu, war im k. k. Hofburgtheater unter Laube thätig, wurde hierauf im Carltheater und Quaitheater selbstständig, kam 1866 an die Hofoper, woselbst er sich mit Brioschi zu gleichem künstlerischen Streben verband. B. bereiste den deutschen Norden, Ungarn, die Balkanländer, Italien und hielt sich auch in Paris auf. Die Decorationen unter der Direction Tingelstedt in der k. k. Hofoper sind sein Werk, ebenso die Bilder im Nordwestbahnhofe. Im Musikvereinsgebäude stellte er seinerzeit „die blaue Grotte von Capri", im Gréytheater „Die Adelsberger-Grotte" und die „Italienischen Bilder" aus. B. hat auch die Landschaft auf der eisernen Courtine des k. k. Hofburgtheaters — ein gemaltes Eisengitter, hinter dem sich Wien zeigt — ausgeführt. G. V., Zentagasse 7a.

*Burian,** Josef, Musiker, geb. zu Wien am 24. Februar 1847, ist Mitglied des k. k. Hofopernorchesters (2. Violine) seit 16. October 1866. V., Wehrgasse 19.

Burstein, Jenny, Schauspielerin, geb. zu Bielitz am 25. December 1864, trat zum erstenmale als „Bronislawa" (Bettelstudent) am Carl Schultze-Theater in Hamburg auf (20. September 1885), ging nach zweijährigem Engagement dortselbst an das Brünner Stadttheater und gehört seit September 1888 dem Verbande des Carltheaters an. II., Czerningasse 23.

Bury, Betty, Sängerin, geb. zu Wien 1827, war in früheren Jahren als Gesanglehrerin besonders geschätzt und trat wiederholt in eigenen und fremden Concerten als beliebte Sängerin vor die Oeffentlichkeit. Das letzte Mal sang sie in einem Concerte im Jahre 1870. Ihre Specialität waren Kirchengesänge, Oratorien und Lieder. I., Zedlitzgasse 4.

Buschmann, Gotthard, Freiherr von, Dr., Schriftsteller, (Pseudonym Eginhard), geb. zu Ragendorf (N.-Oe.) am 10. November 1810, ist Verfasser vieler fachwissenschaftlicher Arbeiten (siehe: „Das geistige Wien", II. Band) und folgender poetischer Werke: „Marienkranz", „Auf nach Norden!" „König Ragnar's Hort", „Lied vom Herzog Friedel und Sänger Ozly", „Graf Rudolf vor Basel" 2c. B. ist k. k. Ministerialrath a. D. und österr. und ausländ. decor. I., Schottenhof.

Byk, Moriz, Publicist, geb. zu Lemberg am 6. Juli 1845, Redacteur des „Neuen Wiener Tagblatt", Fachreferat: Volkswirthschaft und Börse. II., Nordpolstraße 2.

*Cappilleri,** Hermine, Schriftstellerin, geb. zu Pest am 13. Jänner 1840. Sie war Redactrice der belletristischen Wochenschrift „Fata Morgana" und ist literarisch thätig. Sie veröffentlichte: „Jugendträume" (1858), „Liederkranz" (1859), „Poesiegestalten" (1863), „Aus der Tiefe" (1873) und „Streifzüge auf dem Gebiete des Culturlebens" (1885). II., Untere Donaustraße 49.

*Cappilleri,** Wilhelm, Schriftsteller, geb. zu Salzburg am 21. November 1834, absolvirte das Wiener Conservatorium und widmete sich 1856 der Bühne. Er war an den verschiedensten Theatern Oesterreichs künstlerisch thätig, übernahm 1864 die Direction des Deutschen Theaters in Brody, gab diese Stellung jedoch bald auf, wurde in Hamburg als Schauspieler und Dramaturg engagirt und widmete sich später ausschließlich der Schriftstellerei, nachdem er der

Bühne für immer entsagt hatte. Im Buchhandel erschienen: „Blätter und Blüthen" (Gedichte, 1858), „Dichtergrüße" (1862), „Ultimo" (Schwank, 1867), „Die weiblichen Recruten" (Posse, 1867), „Der Fuchs in der Schlinge" (Lustspiel, 1870), „Eine Frauengrille" (1873), „Zeitlichtln" (Gedichte in oberösterreichischer Mundart, 1875), „Brennesseln" (Gedichte, 1879), „Thauperlen" (Gedichte, 1881) :c II., Untere Donaustraße 49.

Cappy, Marie Cresc., Gräfin, (Pseud. Rhön-Werra), Schriftstellerin, geb. zu Munnersdorf (Schlesien) am 15. Februar 1859, ist novellistische Mitarbeiterin verschiedener Zeitschriften. Penzing, Parkgasse 28.

Caron, Alfred, Tänzer und Mimiker, geb. zu Ham (Frankreich) am 19. September 1838; trat zum ersten Male im Ballet „L'esclave" in Lissabon am königl. Theater St. Carlos am 14. December 1856 öffentlich auf; war später in Paris, London, Barcelona, Pest, Bukarest, Odessa und Klausenburg engagirt, gastirte im Juli 1862 als „Prinz Albert" in „Gisela" am Hofoperntheater, und erfolgte im October desselben Jahres seine Ernennung zum k. k. Hofoperntheater-Solo-Tänzer. C. ist Tanzlehrer an der k. k. Theresianischen Akademie und österr. decor. I., Schellinggasse 3.

Carneri, Bartholomäus Ritter von, Schriftsteller, geb. zu Trient am 3. November 1821, gehört dem steiermärk. Landtage seit dessen Bestand an und ist seit 1870 Reichsraths-Abgeordneter. C. ist Verfasser eines Bandes „Gedichte" (1848, II. Aufl. 1850), „Pflug und Schwert" (Sonette 1862), verschiedener philosophischer Schriften, meist ethischen Inhaltes. (Siehe „Das geist. Wien", II. Band.) Von seinen zahlreichen politischen Broschüren erwähnen wir „Das moderne Faustrecht (1860), „Oesterreich und die Encyklica" (1865) und „Oesterreich nach der Schlacht bei Königgrätz" (1866).

*****Cerale,** Luigia, Tänzerin, geb. zu Verolenzo in Italien im Jahre 1859, ist als erste Solotänzerin im Verbande des k. k. Hofoperntheaters, welchem Kunstinstitute sie seit 1879 als Mitglied angehört. C. componirte auch ein kleines Ballet, welches an der Grazer Bühne zur Aufführung gelangte. I., Elisabethstraße 8.

Cerri, Cajetan, Schriftsteller, geb. zu Bagnolo bei Brescia am 26. März 1826, veröffentlichte 1845 sein erstes deutsches Gedicht in Bäuerle's Theater-Zeitung. Er wurde Ministerialbeamter und Professor der italienischen Sprache am Wiener Conservatorium. Neben seiner Beamten- und Lehrthätigkeit wirkte er auch publicistisch, redigirte mehrere Jahre die Grazer Damenzeitung „Iris" und 1854 das Feuilleton des „Corriere italiano". Er veröffentlichte in Buchform „Politische Liebeslieder" (1848), „An Hermine" (1849), „Glühende Liebe" (Gedichte, 1850), „Ispirazione del cuore" (Sonetten, 1854), „Inneres Leben" (Gedichte, 1860), „Aus einsamer Stube" (Dichtung, 1867), „Aretino" (1871), „Gottlieb, ein Stillleben" (Idylle, 1871), „Sturm und Rosenblatt (Dramatische Dichtung, 1872), „Ein Glaubensbekenntniß" (Zeitstrophen, 1872). C. ist Sectionsrath im Ministerium d. A., österreichisch und ausländisch decor. Ober-Döbling, Herrengasse 24.

Charlemont, Hugo, Maler und Radierer, geb. zu Jamnitz in Mähren am 18. März 1850, Schüler der k. k. Akademie der bildenden Künste in Wien, hatte sich ursprünglich der Beamtenlaufbahn gewidmet, trat jedoch, für die Kunst begeistert, 1873 in die Wiener Akademie, studierte unter Lichtenfels und wurde von seinem Bruder

Eduard und von Makart ausgebildet. Seit 1874 hat sich Ch. auch der Radierung zugewendet. Von ihm sind Deckenbilder, die sich auf die Gaben und Früchte der Erde beziehen, in den Buffets des k. k. Hofburgtheaters. Im naturhistor. Museum befinden sich von ihm die Bilder: „Salzbergwerk von Wieliczka", „Marmorbruch von Carrara". S. IV., Starhemberggasse 17.

Charlemont, Theodor, Bildhauer, geb. zu Znaim am 1. Jänner 1859, Schüler der k. k. Akademie der bildenden Künste in Wien. Neulerchenfeld, Grundsteingasse 45.

Chatelain, C. von, siehe Scheidlein, Cäsar von.

Chiavacci, Vinzenz, Schriftsteller, geb. zu Wien am 15. Juni 1847, wirkte schon während seiner Thätigkeit als Eisenbahnbeamter literarisch, widmete sich seit 1887 vollständig der Schriftstellerei, ist Redacteur des „Wiener Tagblatt" und Verfasser von „Aus dem Kleinleben der Großstadt" (1886), „Wiener vom Grund" (1887), „Bei uns z'Haus" (1889). Ch., welcher hauptsächlich die Malerei Wiener Genrebilder pflegt und in der „Frau Sopherl vom Naschmarkt" und „Hartriegel" zwei typische Figuren geschaffen, ist auch dramatisch thätig und hat, im Vereine mit C. Karlweis, das Wiener Volksstück „Einer vom alten Schlag" (1886) geschrieben Ch. ist Präsident des Vereines der Literaturfreunde in Wien. IV., Preßgasse 3 .

Chovan, Koloman, Musiker, geb. zu Szarvas (Ungarn) am 18. Jänner 1852, studierte ursprünglich Philosophie an der Wiener Universität, widmete sich jedoch (seit 1871) gänzlich der Musik. Er ist Pianist, Vorstand der Horak'schen Stadtclavierschule und componirte an 20 Tonwerke (Etuden, Sonaten, großes Trio für Clavier, Violin und Cello, ungarische Tänze, Clavierstücke verschiedenen Inhaltes 2c.). IV., Karolinengasse 4.

Christel, Franz, Schriftsteller, geb. zu Mährisch-Ostrau am 9. März 1865, schreibt Feuilletons sowie lyrische Gedichte und veröffentlichte: „Junge Reiser" (1885) und „Auf bunten Schwingen" (1887). IX., Brünnlgasse 6.

Christen, Ada (verehel. von Breden), Schriftstellerin, geb. zu Wien am 6. März 1844, widmete sich frühzeitig dem Theater, und spielte namentlich auf mehreren deutschen Bühnen in Ungarn. Nach Wien zurückgekehrt, wendete sie sich gänzlich der Schriftstellerei zu und wurde hiezu von Ferdinand v. Saar ermuthigt und bei ihrer ersten Veröffentlichung lebhaft gefördert. Von ihr erschienen: „Lieder einer Verlorenen" (1868), „Aus der Asche" (1870), „Schatten" (1873, Gedichte), die lyrische Sammlung „Aus der Tiefe" (1878), „Ella" (Erzählung), die Novelle: „Vom Wege" (1873), die Skizzen: „Aus dem Leben" (1876), „Unsere Nachbarn" (1884) und „Als sie starb" (1888), sowie das Drama „Faustina". Ch. ist auch Mitarbeiterin von: „Neues Wr. Tagblatt", „Deutsche Zeitung", „Grenzboten" 2c. IV., Rainergasse 22.

Chwala, Adolf, Maler, geb. zu Prag am 4 April 1836, Schüler der Akademie in Prag, ist seit 1864 in Wien thätig und hat sich fast ausschließlich der Landschaft gewidmet. S. IV., Hauptstraße 31.

Claus, Heinrich, Architekt, geb. zu Halberstadt am 3. Mai 1835. Wir verdanken ihm u. A. folgende Bauten: Das Grand-Hotel (mit E. Tietz) und diverse Gebäude wie: das Römische Bad (mit I. Groß), Hotel Donau und Hotel Britannia (jetzt oberster Gerichtshof). S. Atelier: IV., Heugasse 18.

*****Cohn,** Moriz (Conimor), Schriftsteller, geb. zu Kreuzberg am

8. Jänner 1844, widmete sich dem Handelsstande, gab denselben jedoch bald auf und beschäftigt sich ausschließlich mit der Schriftstellerei. Er ist Mitarbeiter vieler Zeitschriften und veröffentlichte: „Der Improvisator" (Drama, 1874), „Vor der Ehe" (Drama, 1876), „Ein Ritt durch Wien" (1876), „Eine Visitenkarte" (Drama, 1877), „Der goldene Reif" (Drama, 1878), „In eigener Falle" (Drama, 1881), „Im Lichte der Wahrheit" (Drama, 1882), „Lieder und Gedichte" (1883) und „Wie gefällt Ihnen meine Frau?" (Novelle, 1886). I., Sterugasse 3.

*Colbert, Karl, geb. zu Wien 1858, gibt in Gemeinschaft mit Ernst Ziegler die illustrirte Zeitschrift „Wiener Mode" heraus.

Collin, Ottilie, Schauspielerin, geb. zu Wien, am 19. Mai 1864, absolvirte ihr erstes Debut am 10. Sept. 1881 als „Galathe" am Teplitzer Theater und ist seit 13. Sept. 1884 Mitglied des Theaters a. d. Wien als erste Operettensängerin. I., Opernring 8.

Collins, Eduard, Dr., Schriftsteller. Nebst einem Lehrbuch der englischen Sprache und einem Lehrbuch der deutschen Sprache für Engländer schrieb derselbe die Lustspiele „Strohfeuer" (1852) und „Ein Sprung in's Leben" (1885). C. ist Professor am k. k. Officierstöchter-Institut. VIII, Auerspergstraße 5.

Concelli, Richard, siehe Koncelik Richard.

Conimor, siehe Cohn Moriz

Corelli, Blanche, Schauspielerin, geb. zu Odessa am 4. Februar 1858, debutirte in New-York (5. Avenue-Theater) im März 1879, war vor ihrer Bühnen-Carrière 2 Jahre hindurch Mitglied der „Salsbury's Troubadours", bereiste mit dieser Truppe Mexico, Havanna, Californien, Au-

stralien, Neu-Seeland und die Sandwichs-Inseln und trat in den Jahren 1880—1886 in verschiedenen Rollen in den größeren Städten der Vereinigten Staaten auf. C, welche u. A. das Libretto von „Olivette" aus dem Französischen in's Englische übertrug, ist seit 1. September 1888 Mitglied des Carltheaters.

*Costa, Karl, Schriftsteller, ist Redacteur des „Hans Jörgel von Gumpoldskirchen" und Verfasser zahlreicher Bühnenwerke, von denen einige allgemein bekannt wurden, darunter: „Ein Blitzmädl", „Ihr Corporal", „Ein Mann der Oeffentlichkeit", „Die Türken v. Wien", „Der Reservist", „Himmelsschlüssel" ꝛc ꝛc. C. leitete auch längere Zeit als Director das Theater i. d. Josefstadt. II., Floßgasse 1.

*Costenoble, Karl, Bildhauer, geb. zu Wien 1837, Schüler Professor Bauer's, bildete sich in München, London und Italien noch weiter aus. Außer vielen Genre-Gruppen, Porträtbüsten und Porträtstatuetten führte C. auch 3 Marmorstatuen für das k. k. Arsenal in Wien, die Büsten Karl V. und Maximilian I. (Treppenhaus des Palais Erzherzog Karl Ludwig) die Statuen „Thespis", „Kallipedes", „Qu. Roscius und „R. Brabage" (k. k. Hofburgtheater) und „Leibnitz", „Tournefort", „Buffon", „Linné und „Jacquin" (Balustrade des naturhist. Museums) aus. Oest. decor. C. IV., Heugasse 42.

*Cramolini, Heinrich, Architekt, geb. zu Wien im Jahre 1837, Schüler der k. k. Akademie der bild. Künste in Wien. C. II., Franzensbrückenstraße 11.

*Crepaz, Adele, Schriftstellerin, geb. zu Brünn am 24. October 1849. Sie schreibt lyrische Gedichte, Feuilletons, Novellen und übersetzt aus dem Französischen, Englischen und Italienischen. I., Bauernmarkt 3.

*Czapauschek, Johann, Mufiter, geb. zu Wien am 27. Jänner 1852, ist Mitglied des k. k. Hofopern-Orchesters (2. Violine. VI., Stiegengasse 10.

Czedik, Emil (Hugo Schalk), Schriftsteller, geb. zu Mattsee am 13. October 1853. Neben seiner amtlichen Thätigkeit (er ist Postbeamter) wirkt derselbe auch literarisch, besonders als Lyriker. Von ihm erschienen: „Lieder" (3 Bände 1876—1878), „Gedichte" (1878), „Vom Trinken und Lieben" (Gedichte, 1879), „Was mir blieb" (Gedichte 1880), „Marie" (1880) und „Lieder" (1881), sowie die Prosaschriften „Kleinigkeiten" (1875), „Mit flüchtiger Feder" (1877. IX., Hörlgasse 15.

*Czibulka, Alfons, Musiker, geb. zu Szepes Várállya (Zipser Comitat in Ungarn) am 14. Mai 1842. Schüler des Componisten Frajmann v. Kochlow. Er concertirte bereits mit 15 Jahren, wurde sobann Musiklehrer und später Capellmeister an der französischen Oper in Odessa. Nach Absolvirung größerer Kunstreisen wurde er zuerst Capellmeister am Carltheater und später Militär-Capellmeister bei verschiedenen Regimentern. Als solcher erhielt er anläßlich der im Jahre 1880 in Brüssel abgehaltenen internationalen Militärmusik-Concurrenz mit seiner Capelle den ersten Preis. Er componirte eine Anzahl allgemein bekannt gewordener Tanzpiècen (u. A. „Stephanie-(Gavotte)", die Operetten: „Pfingsten in Florenz" (1884 im Wiedener Theater), „Der Jagdjunker" (1886 im Carltheater) und „Der Glücksritter" (1888 im Carltheater zum ersten Male aufgeführt. Oesterr. und ausländ. decor. VII., Apollogasse 8.

Czillag, Roja, Sängerin, geb. zu Irsa (Pester Comitat) am 23. October 1834. Sie war Schülerin Broch's, betrat mit 11 Jahren zum ersten Mal die Bühne am Nationaltheater in Pest, debutirte 1849 als „Fides" in Berlin, gastirte wiederholt in London (Coventgardentheater), in Paris (große Oper), in Mailand (Scalatheater), Madrid ꝛc. ꝛc. und absolvirte Kunstreisen in Amerika, Rußland und der Türkei, wurde später Mitglied des k. k. Hofoperntheaters, hat sich jedoch vom künstlerischen Leben bereits zurückgezogen und lebt als Private. I., Habsburgergasse 1.

Czernitz, Franz, Schauspieler, geb. zu Fünfkirchen am 6. Jänner 1845, debutirte 1864 am Grazer Thaliatheater und ist dermalen am Theater an der Wien in Engagement. VI., Gumpendorferstraße 17.

Czerny, Rudolf, Schriftsteller, geb. zu Wien am 3. Mai 1859, wurde 1882 Beamter im Reichs-Finanz-Ministerium, ist seit 1885 Hofbeamter und hat verschiedene Novellen und Erzählungen veröffentlicht (i. b. „Leipziger Illustr. Zeit.", „An der blauen Donau" ꝛc.). Anläßlich eines Preisausschreibens der „Allg. Kunstchronik" wurde Cz. ehrenvoll erwähnt. VIII., Buchfeldgasse 11.

*Dachs, Josef, Musiker, geb. zu Regensburg am 30. September 1827, wirkt als Pianist und Musikpädagoge, sowie als Prof. des Conservatoriums. D., der seit Jahren nicht mehr öffentlich spielt, war früher ein gesuchter Concertist. I., Maximilianstraße 6.

Darewski, Eduard, Musiker, geb. im Jahre 1845, ist als Componist und Gesangspädagoge (nach altitalienischer Schule) thätig. Schüler (Everardis. I., Kärntnerstraße 21.

*Darnaut, Hugo, Maler, geb. zu Dessau (Anhalt) am 28. November 1850, Schüler der k. k. Akademie der bildenden Künste in Wien, malt vorzugsweise stimmungsvolle Landschaften in Oel und Aquarell. Im naturhift. Museum befinden sich von ihm die Bilder: „Idealbild aus der Steinzeit", „Hansberg", „Pfahlbauten von Neu-Guinea", „Löß". D. befindet sich dermalen in Karlsruhe.

Darvas, Aládár, Schriftsteller, geb. zu Veszprim am 18. Mai 1857, ist Mitarbeiter verschiedener ungarischer Zeitungen (Theater und Kritik), Verfasser der ungarischen Erzählungen „Rózsabokor" (1883), zweier in Budapest und Miskolz aufgeführter Volksstücke und Redacteur der „Ung.-DeutschenWiener-Zeitung". II.,Kaiser-Josefstraße 23.

Dafch, Anton, Musiker, geb. zu Feldsberg (N.-Oe. am 9. Juni 1837, Schüler von Salzmann und Pichler (Harmonielehre), Jacob Dont (Violin), Stegmaier (Gesang). Er ist Regenschori bei St. Peter und Paul in Erdberg (seit 1865) und Gründer des Schubertbundes, war Chormeister bei mehreren Wiener Gesangsvereinen und componirte Lieder, Graduale, Offertorien, Chöre, viele Kirchenwerke 2c., welche zumeist zur Aufführung gelangten. D. ist auch Mitarbeiter mehrerer musikalischer Zeitschriften. III., Erdbergerstraße 88.

*Dauthage, Max, Musiker, geb. zu Wien am 7. Juli 1862, ist Mitglied des k. k. Hofopern-Orchesters (Contrabaß) seit 15. October 1884. IV., Mühlgasse 1.

David, Jacob Julius, Schriftsteller, geb. zu Weißkirchen (Mähren) am 6. Februar 1859. Er studierte an der Wiener Universität deutsche Philologie und widmete sich ganz der Schriftstellerei. Seine ersten Gedichte erschienen in „Deutschen Dichterbuch aus Oesterreich", sowie später größere und kleinere Erzählungen, zahlreiche Gedichte und Essays (von denen bisher jedoch noch keine Sammlung veranstaltet wurde) in den verschiedensten Zei-

tungen und Zeitschriften des In- und Auslandes. IV., Kl. Neugasse 13.

David, Werner, Bildhauer, geb. zu Hannover am 16. October 1836, Schüler von Fischer in Berlin, hat außer für das Parlamentsgebäude (Statuen „Handel" und „Gewerbe", auch für das k. k. naturhist. Museum (Statue „Conrad Geßner" auf der Balustrade), für das Rathaus, für das Universitätsgebäude (die Figuren „Kirchenrecht" und „Kirchengeschichte", „Bibelstudium" und „Mündl. Ueberlieferung") äußeren Schmuck geliefert. 6. I., Rosengasse 4.

*Davis, Gustav, Schriftsteller, hat u. A. in Gemeinschaft mit Heinrich Osten den Meilhac-Halevy'schen Schwank „Fifi" für die deutsche Bühne bearbeitet.

Debrois van Bruyck, Carl, Musiker, geb. zu Brünn am 14. März 1828, componirte Cantaten, Instrumentalwerke und zahlreiche Lieder und Gesänge. Kunstschriftstellerisch war D. ebenfalls thätig und veröffentlichte ein Buch über Bach's „wohltemperirtes Clavier", eine Selbstbiographie, und ist überdies noch Mitarbeiter ausländischer Zeitschriften.

Decker, Georg, Maler, geb. zu Budapest am 7. December 1818, hat sich vornehmlich dem Genre (in Oel und Pastell) zugewendet. Seine Pastellbilder „Ein Mädchen, Hühner fütternd" und „Genrebild" befinden sich im Besitze der Gemälde-Gallerie des allerh. Kaiserhauses in Wien. Oesterr. decor. 6. I., Postgasse 6.

Deckert, Josef, Dr., Schriftsteller, geb. zu Dröfing am 7. November 1843, seit 1874 Pfarrer, ist Redacteur des „Sendboten des heil. Joseph" (Monatsschrift) und Verfasser von „Märzveilchen", „Papst Pius IX", „Liberalismus" und diverser religiöser Erbauungsbücher. Weinhaus, Hauptstraße 30.

*Décsey, Alexander, Architekt, geb. zu Budapest im Jahre 1852, war u. A. auch architektonischer Leiter der baulichen Adaptirungen anläßlich der elektrischen Ausstellung (1884). Oesterr. und ausländisch decorirt. K. III., Kegelgasse 11.

Dehm, Ferdinand, Architekt, geb. zu Wien 1846, machte sich schon frühzeitig durch seine Entwürfe von kleinen, praktisch eingetheilten Zinshäusern bemerkbar, trat zur Zeit des volkswirthschaftlichen Aufschwunges in das technische Bureau der Wiener Bau-Gesellschaft, vollendete unter der Leitung Ludwig Tischler's seine architekton. Studien und führte gemeinsam mit ihm eine große Anzahl von Bauten aus. D. hat nebst mehreren Villen in Weidling u. A. die Häusergruppe an der Währingerlinie, „das kleinste Haus in Wien" (in der Bognergasse), das „Karolinenkinderspital" (IX. Bezirk), den Häuser-Complex in der Porzellangasse („Roßauerhof"), sowie in letzterer Zeit die Häusergruppen Kolin-Wasavörlgasse und Weißgärber-Prager-Löwengasse ausgeführt. D. ist auch als Baumeister thätig und wirkt in Firma Dehm und Olbricht. K. IX. Porzellangasse 58.

Deininger, Julius, Architekt, geb. zu Wien am 23. Mai 1852, Schüler der k. k. Akademie der bildenden Künste in Wien unter Prof. Friedrich Freiherr v. Schmidt, war als Architekt beim Cottage-Verein, dann am Rathhausbaue thätig und wurde 1883 zum Professor an der k. k. Staatsgewerbeschule ernannt. D., welcher viele kunstgewerbliche Entwürfe gemacht, hat mehrere Villen in der Umgebung von Wien, diverse Zinshäuser, eine Schule (in Mähren) erbaut, und den Umbau, resp. Erweiterungsbau des Künstlerhauses anläßlich der Jubiläums-Ausstellung entworfen und ausgeführt. Er erhielt für sein Concurrenzproject (Monument zur Erinnerung an die zweite Türkenbelagerung) den II. Preis und ist dermalen in der Ausführung eines großen Hochaltars für die Troppauer Minoritenkirche begriffen. D., welcher als Professor an der Staatsgewerbeschule wirkt, ist auch literarisch thätig und Mitarbeiter der „Allg. Kunst-Chronik", der „österr.-ungar. Revue", der Flugschriften-Sammlung „Gegen den Strom" (Broschüre „Unsere Kunstpflege"), des „Wiener Tagblatt" und diverser fachwissenschaftlicher Zeitschriften. Oesterr. decor. K. IV., Schleifmühlgasse 15.

Demski, Georg, Architekt, geb. zu Biala am 22. October 1844; von ihm wurden verschiedene Zinshäuser, darunter einige Ringstraßen-Gebäude am Schottenring, nach seinen Plänen erbaut. D. wirkt auch als Baumeister. IX. Günthergasse 3.

Dery, Julie, Schriftstellerin, geb. in Ungarn im Jahr 1864, ist in Wien erzogen und war bald schriftstellerisch thätig. Sie ist Verfasserin von: „Hoch oben" (Novellen) und der Lustspiele „Das Amulet" und „Verlobung bei Piguerols". D. ist Mitarbeiterin der Zeitschriften „Deutsche Dichtung" und „Deutsche Wochenschrift". I., Doblhoffgasse 9.

*Desing, Julius, Musiker, geb. zu Wien am 16. März 1854, ist Mitglied der k. k. Hofopern-Orchesters (Viola) seit 1. Oct. 1884. VI., Mollardgasse 34.

*Dessauer, Adolf, geb. zu Frankfurt a. M. am 12. September 1849. Derselbe ließ als Schriftsteller unter dem Namen „Erwin Balder" den Roman „Leonie" erscheinen. D. ist mit Antonie Link, der ehemals beliebten Operettensängerin vermält. VI., Getreidemarkt 2.

Déscháu, Ludwig, Edler von Hannsen (Pseudonym Ludwig Senbach), Schriftsteller, geb. zu Zalotna in Siebenbürgen am 3. April 1848, widmete sich Anfangs der Malerei, trat hierauf in den Staatsdienst und ist dermalen k. k. Polizei-Commissär. Von ihm erschienen verschiedene Beiträge (Lyrica, Feuilletons, Erzählungen) in hiesigen und auswärtigen Blättern und Anthologien, dann „Deutsche Worte", (Anthologie, redigirt in Gemeinschaft mit Erwin Thurn 1884), D. ist Verfasser des Librettos zu der vom deutschen Landestheater in Prag zur Aufführung acceptirten Operette „Bonifaciusnacht". 6. Währing, Schulgasse 10.

*Detter, R., Architekt, hat verschiedene hervorragende Bauten in New-York ausgeführt. 6. VIII., Trautsohngasse 10.

Deutsch, Gustav, Publicist, geb. zu Prag am 28. April 1849, ist seit 1870 journalistisch thätig (vorwiegend als Feuilletonist). Er ist Redacteur der „Illustrirten Wiener Wespen", Mitarbeiter der „Wiener Presse" und Correspondent auswärtiger deutscher Blätter.

Deutsch, Josef (J. D. Germanicus), Schriftsteller, geb. zu Polna (Böhmen) am 14. April 1852, ist Redacteur der „Wiener Mode" und Mitarbeiter der Zeitschriften: „An der schönen blauen Donau", „Neue illustrirte Zeitung", „Wiener Hausfrauenzeitung" ꝛc. Unter der Presse befindet sich eine Sammlung von Gedichten und Räthseln, die bereits in den angeführten Zeitschriften einzeln erschienen sind. D. ist seit zwanzig Jahren Privatbeamter. III., Geologengasse 4.

Deutsch, Moriz, Publicist, geb. zu Janošás am 23. October 1837. Redacteur des „Illustrirten österreichischen Journal", Fachreferat: Volkswirthschaft und Belletristik. Ausländ. decor. IX., Hörlgasse 13.

Devidé, Thaddäus, Schrift-

steller, geb. zu Reichenberg am 11. Juni 1830, Verfechter der Volapük (1 Vereins-Vicepräsident), Redacteur d. „Wiener Allg. Zeitung", Mitarbeiter verschiedener pädagog. Blätter und Verfasser fachwissenschaftl. Arbeiten (siehe: „Das geist. Wien", II. Band). I., Schottenring 4

Devrient, Max, Schauspieler, geb. zu Hannover am 12. December 1858 (Sohn Carl Devrient's), debutirte als „Bertrand" in „Jungfrau von Orleans" am Dresdener Hoftheater (20. November 1878) verblieb dortselbst drei Jahre im Engagement und gehört seit 1. Jänner 1882 dem Verbande des k. k. Hofburgtheaters an. D. erhielt am 23. Jänner 1889 das Decret als k. k. Hofschauspieler. I., Giselastraße.

Dewald, Friedrich Vincenz Edler von, Schriftsteller, geb. zu Seibersdorf (N.-Oe.) am 24. Juli 1840, ist Verfasser von „Compendium der Geschichte der Kalligraphie", „Orientalische Trachten u. Sitten" (2 Bde. 1880), „System der Nationalökonomie", war Herausgeber des „Triester Kunst- und Literaturblatt", des „Triester Journal international" und der Zeitschrift „Der Exporteur". Ottakring, Payergasse 10.

*Diamantidi, Demeter, Maler, geb. zu Wien am 20. März 1839, ist Gemeinderath der Stadt Wien. IV., Technikerstraße 1.

Diet, Léo, Maler, geboren zu Prag am 12. September 1857, Schüler der Maler-Akademie in Prag, von Canon, Huber u. Fallenböck sen., war 1881—1882 in Paris, 1883—1887 in Egypten und malt vornehmlich orientalische Landschaften und Porträts. D. recte Leop. Dietmann) ist k. k. Artillerie-Lieutenant. K. k. Arsenal.

*Tillmann, Emil, Musiker, geb. zu Wels am 20. Jänner 1847, ist Pianist und Concertsänger, in dieser

3*

Eigenſchaft Mitglied des Quartetts Übel. III., Ungargaſſe 4.

Dittmarſch, Karl, Schriftſteller, geb. zu Stuttgart am 27. Mai 1819, iſt Chefredacteur der „öſterr.=ungar. Buchdrucker = Zeitung" und Verfaſſer von „Morondanya" (Geſammelte Novellen, 1838), „Der neue Meſſias und ſeine Propheten" (1839), „Sagen und Geſchichten von der Moſel" (1840), „Das Flußgebiet des Mains" (1841), „Die Herzogin von der Liebe Gnaden" (1865), „Die Adoptiv= tochter" (Roman, 1867). Oeſterr. decor. VI., Magdalenenſtraße 16.

Dittrich, Adolf, Schriftſteller, geb. zu Prag am 4. Jänner 1829, war von 1844—1858 in der k. k. Armee, fand dann eine Civil= Anſtellung, welche ihm die nöthige Muße zur Ausführung verſchiedener schriftſtell. Arbeiten bot. D. hat eine große Anzahl von Romanen, hiſtor. Erzählungen und Novellen in der „Heimat", „Prager Zeitung", „Neue Illuſtr. Zeitung" ꝛc., veröffentlicht. Rückſichtlich ſeines fachschriftſtelle= riſchen Wirkens ſiehe „D. geiſt. Wien", Bd. II. D. iſt k. k. Landwehrhaupt= mann. Währing, Thereſiengaſſe 45.

*****Dobihal**, Franz, Muſiker, geb. zu Wien am 14. October 1817, iſt als Violiniſt thätig, und war Orcheſter=Director des k. k. Hofopern= Theaters. IV., Kettenbrückengaſſe 21.

Dobrawsky, Robert, Redacteur der Zeitſchrift „Jung Oeſterreich". X., Simmeringerſtraße 136.

*****Dóczi**, Ludwig von, Schrift= ſteller, geb. zu Deutſchkreuz (Ungarn) 1845, wurde 1866 Correſpondent der „Preſſe" in Budapeſt, und unter An= dráſſy Concipiſt im Preßbureau des Miniſter = Präſidiums. D., ſeit dem Jahre 1871 im Miniſterium des Neußern und des kaiſerl. Hauſes in Wien ꝛc. Verwendung, iſt auch auf dem Felde der poetiſchen Literatur thätig. Er überſetzte Schaufert's Luſt=

ſpiel „Schach dem König", ſowie den erſten Theil von Göthe's „Fauſt" in's Ungariſche, ſchrieb die Bühnen= werke „Der Kuß", „Der letzte Proſet", „Die letzte Liebe" und eine große Anzahl Novellen und lyriſche Gedichte, welche bisher geſammelt noch nicht erſchienen. D. ſchreibt meiſt ungariſch, lieferte jedoch ſpäter ſelbſt deutſche Bearbeitungen ſeiner Werke. Er iſt k. k. Hof= und Miniſterialrath und öſterreichiſch und ausländ. decoriert. I., Wallnerſtraße 6.

Doderer, Wilhelm, Ritter v., Architekt, geb. zu Heilbronn am Neckar am 2. Jänner 1825, ſtudierte in Stuttgart und Berlin, war längere Zeit im Atelier van der Nüll's und Siccardsburg's (Arſenalbau), ſodann Profeſſor an der Genie=Akademie in Kloſterbruck und iſt ſeit dem Jahre 1866 Profeſſor an der techniſchen Hoch= schule in Wien ꝛc., ſowie Staats= prüfungs = Commiſſär. Obwohl die Lehrthätigkeit ſeinen Hauptberuf bildet, ſo iſt D. doch auch praktiſcher Architekt und hat als ſolcher u. A. das Gebäude des General = Com= mando in Wien und die Neubauten in Herkulesbad nächſt Mehadia ꝛc. ausgeführt. 6. III., Ungargaſſe 9.-

*****Dohnal**, Carl Leopold, Bild= hauer, geb. zu Buchlowitz (Mähren) 1861. V., Margarethenhof, Stiege 3.

Doll, Franz (Pſeudonym Joh. v. Kreuzen), Schriftſteller, geb. zu Atzgersdorf am 6. März 1851, iſt Mitarbeiter des „Vaterland", „Wiener Volksblatt für Stadt und Land", des „Pilger" und Verfaſſer des hi= ſtoriſchen Sammelwerkes: „Ein Buch der Weltgeſchichte für Freunde der Wahrheit — Populäre Darſtellung der wichtigſten Weltereigniſſe mit Richtigſtellung der gangbarſten Irr= thümer". II., Halmgaſſe 1.

Domanig, Carl, Dr., Schrift= ſteller, geb. zu Sterzing in Tirol am 3. April 1851. Er veröffentlichte

Novellen und kleine lyrische Gedichte in Kalendern und Jahrbüchern, sowie "Josef Straub, der Kronenwirth von Hall" (Historisches Drama, 1886), "Der Abt von Fiecht" (poetische Erzählung, 1887) und verschiedene wissenschaftliche Abhandlungen in Fachzeitschriften. D. ist Custos der kunsthistor. Sammlungen des allerh. Kaiserhauses. IV., Apfelgasse 4.

Dombrowski, Raoul, Ritter von, zu Paprosch und Pruschwitz, Schriftsteller, geb. zu Prag am 3. Juni 1835, ist Verfasser von "Harmlose Lieder und Gedanken", "Splitter" (Aphorismen), "Tagebuch eines Wildtödters", Herausgeber eines "Jagdkalenders" und Autor verschiedener jagdzoolog.-physiolog. und anatom. Werke und Essays in forst- und jagdwissenschaftl. Zeitungen. (Siehe "Das geistige Wien", II. Band.) III., Wassergasse 36.

Door, Anton, Musiker, geb. zu Wien am 20. Juni 1813, Schüler von Czerny und S. Sechter. Derselbe trat bereits 1850 als Concertpianist in die Oeffentlichkeit, bereiste Skandinavien, Italien und Deutschland, machte mit Sarasate eine Concerttournée durch Oesterreich-Ungarn und brachte bei seinen Kunstreisen mit Vorliebe Novitäten zur Aufführung. Er war 10 Jahre Professor am Conservatorium zu Moskau, ist in derselben Eigenschaft seit 1869 am Wiener Conservatorium tonkünstlerisch thätig und veranstaltet alljährlich historische Concerte. I., Sonnenfelsgasse 1.

Doppler, Josef, Schriftsteller, geb. zu Wien am 18. September 1818, hat über 450 Theaterstücke, meistens Einacter geschrieben, deren größte Anzahl in Wien zur Aufführung gelangten. Von diesen erschienen im Drucke die Operetten: "Des Löwen Erwachen". "Cannebas, die schöne Spanierin", die Possen: "Müllers Vaterfreuden", "Bruder Wenzel", "O Susi", "Wenzel Hocke". D.'s erstes Stück wurde unter Director Carl im Jahre 1852 aufgeführt.

Dörfel, Julius, Architekt, geb. zu Warnsdorf am 16. Februar 1834, Schüler der Polytechnik und der k. k. Akademie in Wien, besuchte später die Bau-Akademie in Berlin und machte nach siebenjähriger Praxis im Hochbau, Eisenbahn- und Brückenbau eine 1½jährige Kunst- und Studienreise durch alle Staaten Europas. Nebst einer ausgebreiteten Bauthätigkeit während der Periode der Stadterweiterung widmete D. auch gemeinnützigen Zwecken seine Mithilfe, dem n.-ö. Gewerbevereine als Verwaltungsrath, dem österr. Ing.- und Archit.-Vereine durch mehrere Jahre als Verwaltungsrath und I. Vereinsvorsteher-Stellvertr. G. I. Nibelungengasse 4.

*Dorn, Alois, Bildhauer, hat u. A. die Statue "Wilhelm von Sens" (Façade des kunsthistor. Museums) ausgeführt. V., Grüngasse 12.

*Dorn, Eduard (Pseudonym für Eduard Kaan), Schriftsteller, geb. zu Wien im Jahre 1826, war bis zum Jahre 1866 an den hervorragendsten Bühnen Deutschlands (auch k. k. Hofburgtheater) als Schauspieler thätig, gab 1867 den schauspielerischen Beruf auf und wirkt seither ausschließlich als dramatischer Schriftsteller. Er veröffentlichte eine große Reihe von Bühnenwerken, und zwar die Schauspiele: "Die beiden Parteien", "Edelmann und Bauer", "Ein Don Juan der modernen Welt", "In Sünden" und das Volksschauspiel: "Aus Cayenne", die Lustspiele: "Director Shakespeare" und "Im Globus", die Possen: "Eine Million" und "Moderne Grafen", sowie "Anno damals" (Volksstück), "Die Schrecken des Krieges" (Melodrama), "Vor der Sündflut" (sat. Dr.), "Kindereien" (Lebensbild), "Das letzte Aufgebot"

(Volksstück), „Die Sündflut" (Dramat. M.), „Vater Radetzky", „Messenhauser", „Ehre für Liebe" (Dramen). Den ersten bedeutenderen Erfolg erzielte er mit dem Stücke „Börse und Arbeit".

*Dorn von Marwald, Alexander, Ritter, Dr., Schriftsteller, geb. zu Wr.-Neustadt am 9. Februar 1838, Herausgeber der „Volkswirthschaftl. Wochenschrift" und Verfasser von Feuilletons, Abhandlungen und Werken, zumeist volkswirthschaftlichen Inhaltes (siehe: „Das geist. Wien, II. Band). I., Wallnerstraße 11.

*Dorn von Marwald, Pauline (Pseudonym Paul Andor), Schriftstellerin, geb. zu Arad am 15. Juni 1842, schreibt Novellen und Feuilletons und ist Mitarbeiterin verschiedener Zeitschriften. I., Wallnerstraße 11.

*Dörr, Wilhelm, Musiker, geb. zu Wien am 25. Mai 1851, ist als Pianist thätig und wirkt als akademischer Musiklehrer am k. k. Theresianum und am Clavier-Institute Horak. VI., Gumpendorferstraße 47.

Trachenfels, Adele v., siehe: Bruch-Sinn.

Drescher, C. W., Musiker, geb. am 13. December 1850, Schüler des Wiener Conservatoriums. Derselbe ist seit vierzehn Jahren selbstständig als Capellmeister und Componist von Tanzweisen, sowie von Concertpiecen, heiteren, seriösen und leichten Genres künstlerisch thätig. V., Kettenbrückengasse 15.

*Dresnandt, Fritz, Architekt, geb. zu Bukarest am 23. Februar 1846, hat u. A. im Auftrage des Deutschen Schulvereines wiederholt mehrere Schulbauten entworfen und ausgeführt. IV., Wohllebengasse 15.

Druskowitz, Helene, Dr., Schriftstellerin, geb. zu Hietzing am 2. Mai 1858, absolvirte 1873 das Wiener Conservatorium (Clavierfach), bestand 1874 am Piaristen-Gymnasium die Abiturienten-Prüfung und promovirte 1878 an der Universität Zürich. Sie hat eine große Reihe von Arbeiten veröffentlicht, u. zwar wissenschaftlichen, zumeist literarhistorischen Inhaltes (siehe: „Das geistige Wien", II. Band) und ist Mitarbeiterin zahlreicher Zeitschriften des In- und Auslandes. D. lebt abwechselnd in Zürich und Wien.

*Dubez, Johann, Musiker, geb. zu Wien 1828, ist Concertist auf Harfe, Zither, Guitarre und Violin, gräfl. Eszterhazy'scher Kammer-Virtuos, Musik-Pädagoge und Präsident des Wiener Zither-Clubs. Ausländ. decor. Währing, Gürtelstraße 79.

Duchek, Johann Karl, Publicist, geb. zu Wien am 2. November 1839; er ist seit 1857 publicistisch thätig, war Mitarbeiter von Bäuerle's „Theater-Zeitung", „Morgen-Post", „Neues Fremden-Blatt", „Gemeinde-Zeitung", (Correspondent des Berliner „Figaro" 2c. und ist gegenwärtig Redacteur des „Illustr. Neuigkeits-Weltblatt" seit dessen Gründung (1874), (für Tages-Neuigkeiten, Vereinswesen, Belletristisches), D. ist auch als Feuerwehr-Fachschriftsteller thätig. Ausländisch decoriert. Fünfhaus, Mariahilfer-Gürtel 35.

Duftschmid, Moriz, Publicist, geb. zu Linz am 11. März 1835. Redacteur der „Oesterreichischen Volkszeitung". Fachreferat: Gerichtshalle. III., Unt. Weißgärberstraße 28.

Düll, Alois Franz Xaver, Bildhauer, geb. zu Wien am 28. Juni 1843, ist Schüler der k. k. Akademie der bild. Künste in Wien unter Prof. Kundmann und Professor Hähnel in Dresden, war drei Jahre in Deutschland und zwei Jahre in Italien, später als supplirender Professor an der allg. Bildhauerschule der Wiener Akademie thätig und ist dermalen Realschul-Professor. U. A. sind die k. k. Hofmuseen (die Statuen „Moses“, „Noah“, „Lysipp“ und „Apoll“), das Parlamentshaus (die Statue „J. M. Cunctator“), das Rathhaus (die Statuen „Bürger= soldat“, „Kunst und Wissenschaft“), die Universität (Figuren „Dogma“, „Apo= logetik“, „Pastoral“ und „Moral“), die Akademie der bild. Künste, das k. k. Hofburgtheater, das k. k. Stiftungshaus, das Börsegebäude („Zeus und Neptun“) 2c. mit Arbeiten dieses Künstlers geschmückt. 6. IV., Belvederegasse 24.

*Dürer, Eduard, Schauspieler, ist für kleine Rollen und Compar= serie seit 1879 am k. k. Hofburg= theater engagirt. Währing, Zimmer= mannsgasse 17.

*Türnbauer, Ludwig, Bild= hauer, geboren im Jahre 1860, ist Schüler Kundmann’s. II., Rothe= sterngasse 31.

Dürnberger, Paula, geb. zu Wien am 31. Jänner 1857, Concert= pianistin, begann in der frühesten Jugend zu concertiren und erhielt ihre musikalische Ausbildung von Prof. Epstein. I., Franz Josefs= Quai 31.

Duschenes, Adolf, Publicist, geb. zu Temesvar am 20. August 1843, ist Herausgeber und Mitarbeiter der Zeitschrift „Das Inland“. II., Praterstraße 13.

*Dustmann=Meyer, Louise, Sängerin, geb. zu Aachen am 22. August 1831, studirte zuerst in Breslau, dann in Wien und trat 1848 im Josefstädter=Theater zum ersten Male in die Oeffentlichkeit, wirkte später als dramatische Sängerin an den Hoftheatern in Kassel und Dresden, sowie in Prag, wurde 1857 Mitglied der k. k. Hofoper, 1860 k. k. Kammersängerin und schied 1875 aus dem Verbande genannten Kunstinstitutes. Sie sang vornehmlich

dramatische Partien in den Opern „Gluck’s“, „Mozart’s“ und „Weber’s“, wie nicht minder in den Musikdramen Wagner’s und ist gegenwärtig Pro= fessorin am Conservatorium. Oesterr. decor. I., Lichtenfelsgasse 1.

*Dux, Sigmund, Maler, geb. zu Preßburg am 11. Mai 1826, Schüler der k. k. Wiener Akademie. 6. IX., Währingerstraße 48.

*Dvorzak, Josef, Musiker, geb. zu Olmütz 1848, ist Mitglied der k. k. Hofoper, und auf den Instru= menten Oboe, Posanne und Tuba künstlerisch thätig. VII., Bernard= gasse 20.

Dyck, Ernest Marie Hubert van, Sänger, geb. zu Antwerpen am 2. April 1861, hat sein erstes De= but im Jahre 1886 in Paris als „Lohengrin“ absolvirt und ist seit 1888 Mitglied des k. k. Hof= operntheaters.

Ebert, Anton, Maler, geb. auf Schloß Kladrau in Böhmen am 29. Juni 1835, ist Schüler des Prof. Waldmüller. Außer dem Genre, in welchem er hauptsächlich die Dar= stellung von Kinder=Scenen liebt, ist es auch das Portrait, dem sich E. zugewendet. Von ihm befindet sich das Portrait „Brustbild des Fürsten A. Windischgrätz“ im Stifterfaale des Wiener Künstlerhauses. 6. IV., There= sianumgasse 6.

Ebner=Eschenbach, Marie, Baronin von (geb. Gräfin Dubsky), Schriftstellerin, geb. zu Zislawetz (Mähren) am 13. September 1830, schuf eine Anzahl Bühnenwerke, Ro= mane, Novellen und Erzählungen, als: „Maria Stuart“ (Drama, 1860), „Marie Roland“ (Drama, 1867), „Die Veilchen“ (Lustspiel, 1878), sowie „Doctor Ritter“ (dra= matisches Gedicht, 1871), „Die Prin= zessin von Banalien“ (dramatisches Märchen, 1872), „Erzählungen“ (1875), ferner noch: „Božena“ (Er=

zählung, 1876), „Aphorismen" (1880)
„Neue Erzählungen" (1881). Dorf=
und Schloßgeschichten" (1884), „Zwei
Countessen" (1885), „Neue Schloß=
geschichten" (1886), „Das Gemeinde=
kind" (1887), „Miterlebtes" (1888)
und „Die Unverstandene auf dem
Dorfe" (1889) 2c. I., Rothenthurm=
straße 27.

Eckhardt, Gustav Adolf, Bild=
hauer, geb. zu Wien, am 7. Jänner
1846, Schüler seines Vaters und der
Münchener Akademie, arbeitete in
seiner freien Zeit in verschiedenen
größeren Ateliers in München, sowie
auch in Breslau, Berlin und Dresden,
übersiedelte sodann nach Wien, wo=
selbst er sich als selbständiger Künst=
ler etablirte und sich auch mit Resta=
rirungen (Dominikanerkirche, k. k. Mi=
nisterium des Innern 2c.) beschäftigt.
IV., Theresianumgasse 31.

Eckstein, Adolf, Publicist, geb.
zu Temesvar (Ungarn) 1845, ist
Herausgeber des „Wiener Lloyd",
des „Parlament", des „Wiener
Künstleralbum" und (mit Julius E.)
des Lieferungswerkes „Ritter=Orden".
V., Hundsthurmerstraße 14.

Eckstein, Julius, Schriftsteller,
geb. zu Temesvar am 15. Juli 1856,
war längere Zeit im Auslande als
Correspondent für Wiener Zeit=
schriften thätig und gab später das
Jahrbuch: „Europäischer Assecuranz=
führer" heraus. E. schrieb eine An=
zahl Novellen, von denen: „Warum
sie weint" erwähnt sein möge. Der=
selbe ist gegenwärtig Redacteur des
„Parlament" und versieht dessen bio=
graphischen Theil. Ausländisch decor.
V., Hundsthurmerstraße 14.

Eder, Fr., Publicist, Verant=
wortlicher Redacteur der „Presse".
IX., Berggasse 31.

Eder, Leopold, Musiker, geb.
zu Salinberg am 18. Mai 1823, war
durch 40 Jahre Chordirigent in der
Pfarrkirche Alservorstadt, seinerzeit

Organist im Stifte Schotten und
während 14 Jahren in gleicher
Eigenschaft in der ital. Nationalkirche.
Er ertheilt Unterricht im Clavier=
und Harmoniumspiel, war in früheren
Jahren in Hofkreisen (namentlich bei
der Erzherzogin Sofie) als Pianist
bei soirées dansantes thätig und
wird heute noch bei Hofe als Tanz=
spieler gesucht. Seine Compositionen
wurden namentlich bei St. Augustin
aufgeführt, an welcher Kirche er seit
dem Jahre 1866 als Hofpfarrcapell=
meister wirkt. IX., Lackierergasse 8.

Edler, Karl, Schriftsteller,
geb. zu Poděbrad am 8. Mai
1844, ist Professor der Literaturge=
schichte, Poetik und Mythologie am
Conservatorium, Mitarbeiter ver=
schiedener in= und ausl. Blätter
(„Allgem. Kunst=Chronik", „Garten=
laube", „Ueber Land und Meer" 2c.)
und Verfasser der Novellen: „Gábor"
(3. Aufl.) „Wilfried", „Coloritostu=
dien", „Baldine", „Ursinia", „Arte=
mis", „Glocknerfahrt", „Nôtre Dame
de flots" (3. Aufl.) „Peire de
Cinqtors" (3. Aufl.) „Die alte Truhe",
„Das rothe Kreuzlein", „Die Tochter
des Nazareners", des Romans „Der
letzte Jude" und der Tragödie „Theo=
dora", (aufgeführt in Hannover 2c. 2c.)
Ausländisch decor. II., Obere Donau=
str. 1—3, k. k. Augarten=Palais.

Egger, Berthold Anton,
Schriftsteller, geb. in Frankenburg
(Ober=Oesterr.) am 15. Nov. 1852, ist
Redacteur des „Correspondenzblattes
für den kathol. Clerus Oesterreichs",
Canonicus von Klosterneuburg und
Verfasser von „St. Leopold" (Ein
Lebensbild und Andachtsbuch), 1885)
und „S. Augustini libri duo" (1888).

Egghard, Julius, Musiker,
geb. zu Wien am 11. November 1858,
ist Mitglied des k. k. Hofopern=
Orchesters (I. Violine) seit 1. Mai 1886
E. ist auch Mitglied der k. k. Hof=
Musikcapelle und des „Quartettes

Hellmesberger". III., Marokkaner=
gasse 5.

Eginhard, siehe Buschmann Gotth.

*Egner, Marie, Landschafts=
und Blumen=Malerin, geb. zu Rad=
kersburg im Jahre 1850, studirte an
der Düsseldorfer Akademie. V. Ziegel=
ofengasse 41.

Ehnn=Sand, Bertha, Sänge=
rin, geb. zu Pest am 30. November
1847, Schülerin des Wiener Conser=
vatoriums und der Gesanglehrerin
Andriesen. Ihr erstes Debut absol=
virte sie am Linzer Theater 1864,
war später an verschiedenen Bühnen
Deutschlands und Oesterreichs im En=
gagement, darunter 1865—1868 am
Hoftheater in Stuttgart, in welchem
Jahre sie in den Verband der k. k.
Hofoper trat. E., welche vorwiegend
dramatische Partien singt, ist k. k.
Kammersängerin. Aschberg, Villa
Sand.

Ehrenfeld, Moriz, Schrift=
steller, geb. zu Suczawa am 24. De=
cember 1858, war sieben Jahre hin=
durch als Redacteur der amtlichen
„Czernowitzer Zeitung" thätig, wäh=
rend welcher Zeit er auch als Corre=
spondent mehrerer Wiener und aus=
wärtiger Journale fungirte. Im
Jahre 1886 wurde er Mitarbeiter der
„Deutschen Zeitung" und 1887
1887 Redacteur der „Wiener Allg.
Zeitung" und gründete im December
1887 das illustr. Wochenblatt „Die
Gesellschaft", deren Chef=Redacteur er
nunmehr ist. Von E. erschien eine
Serie Novellen, Märchen, Erzählungen
und Jugendschriften, sowie „Charlotte
Wolter — Eine Künstlerlaufbahn"
(1887). Ein Volksroman dieses Autors
befindet sich dermalen unter der Presse.
IX., Hörlgasse 6.

*Ehrenzweig, Adolf, Heraus=
geber der „Wiener Presse" und der
„Österreich. Versicherungs=Zeitung".
I., Schottenring 9.

Ehrlich, Josef R., Schriftsteller,
geb. zu Brody am 3. Februar 1842,
ist Mitarbeiter der kaiserl. „Wiener
Zeitung" für literarische Kritik.
Wissenschaft und Geschichte, sowie Ver=
fasser von: „Der Weg meines Lebens",
„Jakobo Ortes" (Tragödie), „Fa=
beln", „Der Humor Shakespeare's",
„Cato der Weise" (Lustspiel) und
vieler astronomischer und naturphilo=
sophischer Aufsätze und Essays. Böslau,
Hochstraße.

*Ehrlich, Sigmund, Dr.,
Publicist, geb. zu Groß=Berauau
(Mähren) am 28. December 1852,
ist für den national=ökonom. Theil
Redacteur der „Neuen Freien Presse".
II., Kaiser Josefstraße 37.

Eichentren, Oscar v., siehe
Weltner, Albert Josef.

*Eichler, Hermann, Historien=
Maler, geb. zu Wien im Jahre 1842,
Schüler der Wr. Akademie, machte 1859
den Feldzug in Italien mit und trat
1864 unter die Leitung Rubens,
welcher sein Talent rasch zu entwickeln
verstand. Sein Gemälde „Rudolf II."
befindet sich im Besitze Sr. Majestät
unseres Kaisers und sein Oelgemälde
„Episode aus dem deutschen Bauern=
kriege" in der Gallerie der k. k. Aka=
demie in Wien. III., Barichgasse 5a.

*Eim, Gustav, Publicist, ist Ver=
treter und Correspondent der „Narodni
Listy". IX., Schwarzspanierstraße 10.

*Eirich, Oscar Fried., Dr.,
geb. zu Peterwardein am 28. Juni
1845. Er ist Herausgeber des
Novitäten=Couriers, schrieb Theater=
stücke, Uebersetzungen aus dem Eng=
lischen und Ungarischen, ist General=
Repräsentant der Société des Auteurs
Compositeurs et Editeurs de mu=
sique in Paris, sowie Hof= und Ge=
richts=Advocat. Von seinen Bearbei=
tungen fremder Stücke seien erwähnt:
„Kaiser Josef und Mariandel" (1869)
und „Ein gutes Geschäft" oder
„Profitäugsten"(1886), von seinen Ori=

ginalwerken: „Knopflochschmerzen", „Ein Adonis", „Eine aus dem Kloster", „Dämon Wein und Teufel Schnaps" 2c. III., Kolonitzgasse 10.

Eisenberg, Ludwig Julius. Dr., geb. zu Berlin am 5. März 1858, widmete sich bald nach Absolvirung der naturwissensch. Studien der Beamtenlaufbahn und ist gegenwärtig (seit 1885) bei der Verkehrs-Direction der österr.-ungar. Staatseisenbahn-Gesellschaft. Er ist Mitredacteur der „Allg. Kunstchronik" (u. zw. Kunstberichterstattung: „Allerlei Denkmäler" u. Literaturbeiprechung), sowie Mitarbeiter ausländischer Zeitungen (Wiener Briefe und Theaterberichterstattung). I., Bellariastraße 12.

*Eisenmenger, August, Maler, geb. zu Wien am 11. Februar 1830, kam 1845 an die Wiener Akademie, 1856 in Rahl's Atelier, wurde 1863 Zeichenlehrer an der protest. Realschule in Wien, fieng jedoch schon damals an selbstständig zu arbeiten. 1872 zum Professor an der Wiener Akademie ernannt, gründete er zur Ausbildung jüngerer Talente in der Monumental-Malerei eine Privatschule. E. führte u. A. aus: Die in Wachs gemalten Deckenbilder im großen Concertsaale des Wiener Musik-Vereines und die Deckenbilder im großen Speisesaale des Grand-Hotel in Wien, die Fresken im österr. Museum (Stubenring) und an der Südfront der Wiener Akademie und zwei Altarbilder (heil. Benedict und Gregor) in der Schottenkirche. Sein Portrait „Johann Strauß" befindet sich im Wiener Rathhause (Adlerzimmer). In der Hoffestlogenstiege des k. k. Hofburgtheaters ist von ihm (E. gewalter Fries „Der Kampf der Naturgewalten und deren Bezähmung durch die Grazien". E. ist k. k. Professor und derzeit Rector der k. k. Akademie der b. Künste. S. I., Gauermanngasse 4.

*Eisenschitz, Sibby, Schriftstellerin, geb. zu Niepolomitze (Galizien) 1859. Sie veröffentlichte unter dem Namen Sibby „Räthsel" (eine moderne Liebesgeschichte in Versen), sowie mehrere Feuilletons im „Wiener Tagblatt". I., Elisabethstraße 15.

*Eisenstein, Rosa von, Stillleben-Malerin, geb. zu Wien am 2. October 1844, Schülerin der Malerin O. Wisinger-Florian, sowie der Maler Schilcher, C. Probst und Prof. Huber. III., Invalidenstraße.

*Eisl, Charlotte von, ist Concertpianistin. I., Teinfaltstraße 6.

Eisler, J. H., Publicist, geb. zu Boskowitz (Mähren) am 18. April 1835, Redacteur der „Presse", Fachreferat: Commercieller Theil. IX., Berggasse 31.

*Eisler, Michael, Publicist, geb. zu Nikolsburg (Mähren) am 26. Februar 1845, Mitredacteur der „Wiener Allg. Zeitung". IX., Kolingasse 20.

Eisner, Justus, Dr., Schriftsteller, geb. zu Triest im Jahre 1830. Er ist sowohl in deutscher, wie italienischer Sprache schriftstellerisch thätig, und erschienen von ihm bisher die Originalwerke: „Die verfluchten Brüder" (1869, Roman in deutscher Sprache) und die Bühnenwerke: „Amore delitto" (Drama) und „Invigilate vostra moglie" (Schwank). Ferner übersetzte E. die Operntexte „Naida" (Musik von Flotow) und „Das goldene Kreuz" (Musik von Brüll) in's Italienische. E. ist Correspondent mehrerer italienischer und deutscher Blätter sowie Mitredacteur der „Mailänder Zeitung" (1856 bis 1859) gewesen und gegenwärtig beeideter Gerichtsdolmetsch der italienischen Sprache. Ausländ. decor. IX., Alserbachstraße 10 a.

Ellminger, Ignaz, Maler, geb. zu Wien am 14. Juni 1843, Schüler der k. k. Akademie der bildenden Künste in Wien, bereiste Ober-Oesterreich, Tirol, Bayern und Italien, woselbst er die Anregung zur Ausführung verschiedener von der Kritik günstig beurtheilter Landschaften erhielt. Seit 1876 ist E. Professor des Zeichnens am Comm.-Real-Gymnasium im II. Bezirke. S. IX., Währingerstraße 52.

Emptmeyer, Clemens, Medailleur, geb. zu Wien am 27. Mai 1856, Schüler der k. k. Akademie der bildenden Künste in Wien unter Prof. R. Radnitzky, besuchte nach seinen Studien England, woselbst er auch im Auftrage der Königin die Jubiläums-Medaille schnitt. VIII., Schlösselgasse 22.

Engel, Alexander, Schriftsteller, ist Mitarbeiter des „Wiener Witzblattes", „Allgemeinen Kunstchronik", „Wiener Tagblatt", „Oesterr. Volkszeitung", „Elegante Welt", „Figaro", „Heimgarten" xc. In diesen Journalen veröffentlicht derselbe zumeist Feuilletons, Kritiken, sowie Humoresken und Satiren. V., Wildemanngasse 1b.

Engel, Moriz, Publicist, geb. zu Budapest im Jahre 1846, Herausgeber des „Wiener Salonblatt". I., Nibelungengasse 4.

*Engelhart, Josef, Maler, geb. zu Wien am 19. Aug. 1864, Schüler der Akademie in München unter Prof. Löfitz, malt mit Vorliebe Wiener Typen. S III., Steingasse 13.

Engelmann, Gabriel, Publicist, geb. zu Zala-Egerszeg am 27. December 1856, ist Redacteur der „Wiener Sonn- und Montags-Zeitung", in welchem Blatte er allwöchentlich Feuilletons veröffentlicht. II., Jägerstraße 2.

*Engelmann, Gustav, Publizist, ist Mitredacteur des „Extrablatt" u. Correspondent auswärtiger Blätter. IX., Hahngasse 30.

Engerth, Eduard Ritter von,

Maler, geb. zu Pleß 1818, Schüler der Akademie unter Prof. Kupelwieser, durchwanderte 1847—1853 Deutschland, Italien, Frankreich, England und den Orient, wurde 1854 als Director der Prager Akademie dahin berufen, woselbst er sich vornehmlich dem Portrait widmete, kam 1865 als Professor an die Wiener Akademie und wurde 1871 zum Director der Gemälde-Gallerie des allerh. Kaiserhauses ernannt. E. betheiligte sich an der Fresken-Ausschmückung der Altlerchenfelder Kirche in Wien, malte u. A. „den Sieg bei Zenta" (Königsburg in Ofen) und führte die Ausschmückung des Kaisersaales (Hochzeit des Figaro) und der Kaisertreppe im Wiener Hofoperntheater aus. Sein Gemälde „Gefangennahme Helenens, der Gemalin des Königs Manfred" (Rom MDCCCLIII) befindet sich im Besitze der Gemälde-Gallerie des allerh. Kaiserh. E. ist Professor an der Akademie der bild. Künste in Wien, Regierungsrath, Director der Gemälde-Gallerie des allerh. Kaiserh. in Wien, österr. und ausl. decor. S. III., Heugasse 3.

Enslein, Carl F., Musiker, geb. zu Wien am 4. Juni 1849, wirkt als Zither-Virtuose, Lehrer und Componist. Seine Compositionen (80 Tonstücke) sind sämmtlich im Druck erschienen, u. zw. nicht nur für Zither, sondern auch für Orchester und Clavier, österr. decor. IX., Grüne Thorgasse 6.

Eppich, F., Schauspieler, geb. zu Graz am 23. März 1835, trat zuerst in „Barbarino Stradella" (Pest 1852) auf, wurde 1866 im Carltheater engagirt, absolvirte einige Gastspiele an der k. k. Hofoper und ist seit 1882 Mitglied des Theaters an der Wien. V., Wienstraße 15.

Epstein, Julius, Musiker, geb. zu Agram am 7. August 1832. Er ist Schüler von Anton Halm und Johann Rußnatscha und seit 1867

Professor am Conservatorium. Im Drucke erschienen: Vierhändige Arrangements (Streichquartette in F-dur von Herbeck und B-dur von Goldmark), sowie instructive Ausgaben von Beethoven und Mendelsohn's Sonaten; auch ist er Revisor der zweihändigen Clavierwerke von Schubert. I., Rudolfsplatz 13a.

Epstein, Moriz, Schriftsteller, geb. zu Trebitsch am 29. März 1844, ist Redacteur der „Presse" und Verfasser der Lustspiele „Im Tanzsaale", „Gestörte Flitterwochen", „Wege zur Ehe" und „Vor der Wahl". I., Salvatorgasse 11.

Erben, Robert, Musiker, geb. zu Troppau am 9. März 1862, ist Operncorrepetitor des Wiener Conservatoriums, Concertbegleiter und Pianist. Seine Studien absolvirte er am Conservatorium unter Prof. Epstein und Franz Krenn. E. wirkt auch als Componist, und wurden mehrere seiner Tonwerke öffentlich aufgeführt. Er schrieb Lieder, Andante für Orchester, eine Symphonie F-dur, Adagio für Streichquartett u. m. A. IV., Hauptstraße 53.

Erhardt, Wilhelm, Landschaftsmaler, geb. zu Leitmeritz (Böhmen) am 8. Mai 1815, schöpfte aus den Eindrücken, welche er auf seinen Studienreisen durch die österr. Alpengegend empfing, den Stoff zu mannigfachen Landschaften welche seinerzeit im Wiener Kunstverein exponirt waren. Meidling, Schulgasse 20.

*****Erich,** Anna, Tänzerin, geb. zu Wien im Jahre 1864, ist als Solotänzerin im Verbande des k. k. Hofoperntheaters, welchem Kunstinstitute sie seit 1881 als Mitglied angehört. VII., Lindengasse 7.

Erich, Marie, Sängerin, geb. zu Wien am 17. October 1865, war vom Jahre 1875—1884 Ballettänzerin der k. k. Hofoper, trat 1884 als erste Brautjungfer im „Freischütz" im Hof-

operntheater auf und ist seit 1887 als Opernsängerin Mitglied dieser Hofbühne. IV., Karlsgasse 16.

Erler, Franz, Bildhauer, geb. zu Kitzbühel in Tirol am 2. October 1829, Schüler der k. k. Akademie der bildenden Künste in Wien, arbeitete u. A. für die Altlerchenfelder-Kirche 20 Statuetten in Holz, für die Votivkirche (Inneres) die 12 Apostelstatuen aus Stein, sämmtliche Statuen für das Innere der Fünfhauser Pfarrkirche, die fünf überlebensgroßen Statuen: Kaiser Friedrich III., Max I., Franz Josef I., Maria von Burgund und Kaiserin Elisabeth, für den St. Stefansdom (Halbthurm) die Statue des Cardinals Rauscher (Inneres der Stefanskirche) die Statuen Niclas Salm und Rüdiger von Starhemberg für den Festsaal des Wiener Rathhauses. **S.** IV. Weyringergasse 10.

Ernst, Hugo, Architekt, geb. zu Wien am 5. Februar 1840, Schüler der k. k. technischen Hochschule in Wien, ist Bauführer am Dombaue zu St. Stefan in Wien und hat außer verschiedenen Privatbauten u. A. auch das Schloß Grafenegg in Niederösterreich erbaut. **S.** IV., Gußhausstraße 16.

Ernst, Wenzel Carl, Schriftsteller geb. zu Röhrsdorf am 26. März 1830, veröffentlichte Novellen und Erzählungen in Zeitschriften und Kalendern und ist Verfasser des Schauspiels „Kaiser Josef in Lobendau". E. wirkt als Professor an der Schottenfelder Oberrealschule und als Bezirksschulrath. VII., Mechitaristengasse 11.

Ertl, Dominik, Musiker, geb. zu Wien am 12. April 1857. Er componirte eine große Anzahl Walzer, Polka, Märsche, Lieder und Couplets. Von den letzteren Tonstücken erfreuen sich einige einer besonderen Beliebtheit, wie: „Der Mensch ist kein

Krowat", „Meine einzige Freud, ist mein Bua" u. m. A. E. ist Schüler der Professoren Heißler, Dont und Bruckner, bereiste als Violinconcertist Deutschland und ist derzeit Capellmeister in „Danzer's Orpheum". IX., Thurngasse 5.

*Eschenburg, Marianne, Baronesse, Malerin, geb. zu Wien am 18. April 1856, Schülerin des Prof. E. Ritter von Blaas in Wien. I., Göttweihergasse 1.

*Essipoff, Annette, verehelichte Leschetitzky, geb. am 31. Jänner 1851, Schülerin des St. Petersburger Conservatoriums, ist als Clavier-Virtuosin künstlerisch thätig. Währing, Karl Ludwigstraße 38.

*Ettel, Conrad, Schriftsteller, geb. zu Neuhof bei Sternberg am 17. Jänner 1847, ist Lyriker, Feuilletonist und Bühnenschriftsteller. Er veröffentlichte „Eisenbahn- und Telegraphen-Lieder" (1881), „Wiener Weis' und Frauen-Preis" (1884), „Ideale und Idole" (1885) und „Grundzüge der natürlichen Weltanschauung" (1888). E. gehört dem Beamtenkörper der Kaiser Ferd.-Nordbahn als Ober-Official an. II., Schüttelstraße 31.

*Etzmansdorfer, Louis, Bildhauer, betheiligte sich u. A. an der Ausschmückung des naturhistorischen Museums (12 Genien als Erfinder verschiedener Instrumente, in den Metopenfeldern über den Bögen der Mittelbaue. Parterre. III., Thongasse 4.

*Exner-Miksch, Marie, geb. 1851, ist als Concertpianistin künstlerisch thätig. IX., Hörlgasse 1.

Fahrbach, Philipp, Musiker, geb. zu Wien im Jahre 1843. Von demselben erschienen im Musikalienverlag 273 Tanzcompositionen, von denen einige sich besonderer Beliebtheit erfreuen. Er schrieb für Clavier, größtentheils jedoch für großes Orchester, unternahm Kunstreisen nach Frankreich, Deutschland, Schweden, Norwegen, sowie nach den größten Städten Oesterreich-Ungarns. Ausländ. decor. VIII., Albertgasse 27.

Fahrnbauer, J. G., graphischer Künstler, geb. zu Wien am 1. März 1841, Autodidact, befaßt sich mit der Wiedergabe von kunsthistor. Gegenständen, Waffen, Goldschmiedarbeiten ꝛc. in jedem Genre der graphischen Kunst. IV., Rasumofskygasse 4.

Faistenberger, Johann, Musiker, geb. zu Wien am 16. October 1840, wandte sich nach absolvirten juristischen Studien gänzlich der Musik zu und ist seit Jahren Gesangsmeister (Stimmbildner). Er war viele Jahre hindurch Correpetitor an der Wiener Hofoper, ist Professor am Conservatorium, sowie Mitglied der Hof-Musikcapelle (welchem Institute er schon als Knabe angehörte) und seit 1. November 1868 Mitglied des k. k. Hofopern-Orchesters (Pauke). I., Giselastraße 5.

Falke, Freiherr von Lilienstein, Johann, Schriftsteller, geb. zu Ofen am 21. Mai 1827, Herausgeber der „Dioskuren", Sectionschef im Ministerium des Aeußern ꝛc., österr. und ausländisch decor. III., Seidlgasse 22.

Falkner, Hugo, siehe Mar von Weißenthurn.

*Fallenböck, Alfred, Maler, geb. zu Wien im Jahre 1849, ist auch k. k. Gymnasial-Professor. VII., Lerchenfelderstraße 13.

Faschingbauer, Hermann, Publicist, geb. im Jahre 1861, ist Redacteur des „Deutschen Volksblatt" (Fachreferat: Gemeinde, Gewerbliches, Land- und Forstwirthschaftl.)

Feigl Josef (Pseudonym Josef Melbourn), Publicist, geb. zu Wien am 2. März 1857, ist Redacteur des

„Illustr. Wiener Extrablatt" und Correspondent verschiedener auswärtiger Journale. IX., Schlickgasse 3.

Fein, Leopold, Publicist, geb. zu Wien am 25. September 1845, war im Jahre 1866 Kriegsreporter, sodann Mitarbeiter von Wiener und Provinz-Journalen und ist jetzt Redacteur der „Oesterr. allg. Correspondenz" und Herausgeber vom „Humoristischen Theaterzettel für die Wiener Theater". Ober = Döbling, Theresiengasse 4.

Fein, Otto, Publicist, geb. zu Falticzeny am 5. März 1858, war Chefredacteur des in Linz erschienenen deutsch-nationalen Tagblattes „Morgenzeitung" und ist seit 1886 als Redacteur der „Deutschen Zeitung" thätig. IX., Spitalgasse 21.

*Feldbaum, Wilhelm, Herausgeber des „Neuen Wiener Volksblattes". Redaction: II., Kaiser Josefstraße 13.

Feldscharek, Rudolf, Architekt und k. k. Professor. Schüler des Wr. Polytechnikums u: d der Wiener Akademie unter den Professoren Van der Nüll und Siccardsburg, war im Jahre 1873 im Baubureau der Wiener Weltausstellung selbstständig thätig und wurde im Jahre 1883 zum Lehrer an der k. k. Staatsgewerbeschule, mit dem Titel „k. k. Professor" ernannt. F. hat eine Anzahl von Villen und Wohnhausbauten ausgeführt und sich vorzüglich auch mit Entwürfen für Wohnungs=Interieurs beschäftigt. Eine große Anzahl Wiener Salons wurden nach seinen Angaben eingerichtet. Oesterreichisch decorirt. K. I., Weihburggasse 4, Atelier: I., Schellinggasse 13.

Felix, Benedict, Sänger, geb. zu Budapest am 28. September 1860, studirte Schauspielkunst bei Director Max Streben und Gesang bei den Professoren Grün und Ruß; im Jahre 1881 debutirte er im Möblinger

Sommertheater, spielte zuerst jugendliche Liebhaberrollen, absolvirte mit der Stubel'schen Operetten = Gesellschaft eine Tournée durch ganz Italien, wurde später am Carltheater engagirt und gastirte im Jahre 1883 als „Nachtwächter" in den „Hugenotten" am Hofoperntheater, welchem Kunstinstitute er seit dieser Zeit als Mitglied angehört. IX., Berggasse 17.

*Felix, Eugen, Maler, geb. zu Wien am 27. April 1837, ist Schüler Waldmüller's, studirte hierauf in Paris und nahm nach größeren Reisen seinen bleibenden Aufenthalt in Wien (1868). Nebst Thierstücken, Kirchen- und Genrebildern malt F. vornehmlich Portraits. Sein Bild „Der erste Freund", wurde in die k. k. Gemälde-Gallerie in Wien aufgenommen. Sein Porträt Schmerling's befindet sich im Wiener Rathhause (Adlerzimmer), für sein „Kinderporträt" erhielt F. 1885 die Carl Ludwigs-Medaille. F. ist dermalen Vorstand der Wiener Künstlergenossenschaft. Oesterreichisch und ausländ. decor. K. IV., Theresianumgasse 4.

*Fellner, Ferdinand, Architekt und k. k. Baurath, ist wie sein Compagnon Helmer, Specialist i. Theaterbaufache und hat im Vereine mit diesem u. A. die Theater in Carlsbad, Brünn, Prag, Totis, Odessa, das Wiener Volkstheater, die Sternwarte in Währing, das Etablissement Ronacher, das Thonethaus, das Palais der Herzogin von Castries, die Waarenhäuser Kranner und Rothberger (Stefansplatz), den Margarethenhof ꝛc. erbaut. K. IX., Servitengasse 7.

*Fellner, Michael Iguaz, Architekt und k. k. Oberingenieur, geb. zu Weinhaus bei Wien am 26. September 1841, war Schüler der k. k. Akademie der bild. Künste in Wien. K. Währing, Schulgasse 19.

Feninger, Karl, Publicist, geb.

zu Theresienstadt am 27. November 1841, war früher Eigenthümer und Herausgeber des „Wanderer", später (bis 1886) Anton Langer's „Hans Jörgel" und ist jetzt Mitarbeiter (humor. Genre) einiger Wiener Zeitschriften. VIII., Lerchenfelderstraße 4.

*Ferrari, Emil, Schauspieler, geb. zu Wien am 15. März 1843, wurde 1861 für das Fach zweiter Liebhaber und Naturburschen au das k. k. Hofburgtheater engagirt und später wirklicher Hofschauspieler. F. bekleidet nebenbei auch den Posten eines Comparserie-Inspectors. IX., Währingerstraße 14.

*Ferstel, Max Freih. v., geb. im Jahre 1859, vollendete den Bau des k. k. Universitätsgebäudes und ist Haus-Architekt der Gräfin Wimpfen. k. I., Bartensteingasse 9.

Feßler, Sigismund, Dr., Schriftsteller, geb. zu Wien am 26. August 1845, ist Mitarbeiter (Feuilleton) der „Neuen Wiener Tagblatt" und der „Wiener Illustr. Zeitg." und Verfasser der Bühnenwerke „Abrabanel" (Schauspiel) und „Die letzten Tage von Carthago" (histor. Trauerspiel). F. ist von Beruf Jurist und als Hof- und Gerichts-Advocat thätig. I., Rothenthurmstraße 24.

*Feszty, Arpád. Maler, Schüler der Wiener Akademie, geb. zu Gnalla im Jahre 1856. IV., Mayerhofgasse 8.

*Fetzmann, August, Pianist, geb. zu Wien am 4. März 1852, Fünfhaus, Blüthengasse 8.

Feyrer, Carl, Publicist, geb. zu Wien am 13. April 1828, ist Redacteur der „Presse". III., Blüthengasse 6.

*Fiala, Franz, Schauspieler, ist seit 1876 für kleine Rollen und Comparserie im k. k. Hofburgtheater engagirt. VII., Hermanngasse 12.

*Fichtner-Eisner, Fritz, Herausgeber der „Internationalen Musik-Zeitung."

Fielt, A. (siehe Filtsch Charlotte).

*Fillion, Georges, Schriftsteller, geb. zu Paris 1856, ist Repräsentant der „Agence Havás". VI., Dreihufeisengasse 1.

*Filtsch, Charlotte, (Pseud. A. Fielt), Schriftstellerin, geb. zu Wien am 24. November 1854, schreibt Romane und Novellen und veröffentlichte bisher: „Schloß Grünwald" (1881) und „Ein Märthrer" (1884). I., Kärntnerstraße 51.

*Fimpel, Alexander, Musiker, geb. zu Wien 1859, ist als Violoncellist und Mitglied des Quartett-Vereines „Winkler" künstlerisch thätig. VII., Neustiftgasse 3.

*Finger, Alfred, Musiker, geb. zu Wien am 25. Februar 1855, ist als Bratschist künstlerisch thätig und Mitglied des Quartett-Vereines Winkler. Ober-Döbling, Hauptstraße 64.

Fink, Hans, Musiker, geb. zu Biedermannsdorf am 4. April 1859, Schüler von A. Klatowsky und des Wiener Conservatoriums. Er componirte eine Serenade für Blasinstrumente, Violin-Sonate, ein Clavierquartett und Silhouetten für Violoncell mit Clavierbegleitung, welche Tonwerke sämmtlich wiederholt öffentlich zur Aufführung gelangten. Derzeit Heiligenkreuz (Stift).

Fischer, Bernhard, Publicist, geb. in Groß-Meseritsch (Mähren), am 4. Februar 1843, ist Redactionsmitglied des „Wiener Tagblatt" (Ressea at:Nationalökonomischer Theil) und Mitarbeiter mehrerer Fachjournale. II., Aloisgasse 6.

Fischer, Blasius, Musiker, geb. zu Platsch bei Pettau (Steiermark) am 28. Jänner 1860, Schüler des Domcapellmeister Peregrin Manych und später des Conservatoriums (Professor Simandl). Sein Hauptinstrument ist der große Contrabaß, auf welchem er vielfach öffentlich concertirte. F. ist auch Musikpädagoge und Autor des Unterrichtswerkes: "Universaltechnik des Violinspiels". VI., Magdalenenstraße 38.

Fischer, Franz, Schauspieler, geb. zu Helenenthal am 25. August 1857, genannt der "kleine Fischer", war Praktikant in einer Farbenfabrik, besuchte jedoch die Theaterschule Conradi und debutirte 1876 in Ischl, war am Fürst- (unter Nippicher und Meßrozii) und Carltheater (unter Tewele und Strampfer) engagirt und ist seit 1885 Mitglied des Theaters in der Josefstadt. VII., Burggasse 74.

Fischer, Jacob, Musiker, geb. zu Pohrlitz (Mähren) am 20. August 1849, war ehemals Lehrer des Chorgesangs und der Harmonielehre und ist gegenwärtig als Gesanglehrer und Componist (er schrieb Lieder, Chöre und eine Claviersonate) thätig. III., Oetzeltgasse 3.

Fischer, Karl (Theatername Frischer), Schauspieler, geb. zu Wien am 11. December 1868, trat 1883 in Temesvar zum ersten Male auf, und ist seit 1884 Mitglied des Theaters in der Josefstadt. (Gaudenzdorf, Hauptstraße 70.

Fischer, Ludwig, Maler, geb. zu Wien am 3. October 1825, Schüler des Prof. Steinfeld, hat sich dem Landschafts- und Blumenfache gewidmet, beschäftigt sich meistens mit Privat-Unterricht. S. IX., Pelikangasse 14.

Fischer, Ludwig Hans, Kupferstecher, Maler und Radierer, geb. zu Salzburg am 2. März 1848, Schüler der k. k. Akademie der bild. Künste in Wien, lernte bei Jakoby Stechen, unter Lichtenfels Malen, und sodann unter Unger's Leitung Radieren, unternahm später eine Kunst- und

Studienreise nach Italien, malte verschiedene Ansichten von Rom und Tunis, radierte außer einer Serie Landschaften aus diesen Gegenden, "Die Donauregulirung" sowie verschiedene italienische Landschaften für die Gesellschaft der vervielfältigenden Künste. Im naturhistor. Museum befinden sich von ihm die Bilder: "Ruine von Böröboedoer", "Statue von der Osterinsel", "Cliffhous von Nordamerika", "Tempelruinen von Thulae", "Tadsch bei Agra", "Strandbild von Jaluit", "Sandwich-Insulaner", "Marquesas-Insulaner", "Dorf der Kitsch-Neger". S. VII., Breitegasse 8.

Fischer, Samuel, Publicist, ist Mitarbeiter verschiedener Wiener Wochenblätter. I., Singerstraße 23.

Fischer, Stefanie, Schauspielerin, geb. zu Brünn am 31. August 1869, debutirte im Jahre 1887 im Fürsttheater und ist gegenwärtig im Josefstädtertheater engagirt. VIII., Skodagasse 17.

*Fischhof, Josef, Musiker, geb. zu Wien am 29. Juni 1850, ist Mitglied des k. k. Hofopern-Orchesters (Violoncell) seit 15. August 1878. I., Volksgartenstraße 3.

Fischhof, Louis, Schriftsteller, geb. zu Wien am 23. April 1850. Als Redacteur der "Volkswirthschaftlichen Correspondenz" versorgt derselbe den nationalökonomischen Theil dieses Blattes. Als Mitarbeiter auswärtiger Blätter schreibt F. über Socialpolitik. Er veröffentlichte auch Novellen und Feuilletons. IV., Heugasse 52.

*Fischhof, Robert, Musiker, geb. zu Wien am 31. October 1856, wirkt als Lieder-Componist und ist Prof. des Conservatoriums. I., Giselastraße 7.

*Fix, Anton, Maler, geb. zu Wien im Jahre 1848, hat sich ausschließlich dem Decorationsfache zugewendet. III., Ungargasse 63.

Flamm. Theodor (recte Anton Krüpl), Schriftsteller, geb. zu Wien am 14. Juli 1822, schrieb mehr als 50 dramatische Werke, theils Possen, theils Volksstücke, von denen die meisten an größeren Bühnen aufgeführt wurden. Sein erstes Bühnenwerk gieng im Jahre 1846 über die Bretter des Josefstädter Theaters, sein bisher letztes, „Der Gigerl vom Land", wurde 1888 am Fürst-Theater im Prater aufgeführt. Von seinen Romanen erschienen im Druck „Das Orakel von Sievering", „Johann Fürst", „Der Pfaff vom Kahlenberg", „Der Volksanwalt", „Unrecht Gut", „Der falsche Baron" und „Der Finanzwolf". F. ist Redacteur von Anton Langer's „Hans Jörgel" und 40 Jahre publicistisch thätig. Altlengbach 57.

Flattich, Wilhelm R. v., Architekt, geb. zu Stuttgart am 2. October 1826, Schüler der polytechnischen Schule in Stuttgart, ehemaliger Bau-Director der Südbahn, hat eine große Anzahl Objecte, Werkstätten, Arbeiterhäuser, Bahnhöfe, u. A. den Südbahnhof in Wien, Graz, Triest und Muststein nach selbstständig entworfenen Plänen gebaut. F., welcher auch ein Project der Wiener Stadtbahn, sowie Pläne für die serbischen Eisenbahnstationen ausgeführt hat, ist auch fachschriftstellerisch thätig (siehe „Das geistige Wien", II. Band). Oesterr. u. ausländ. decor. I., Maximilianstr. 6.

Fleckles. Ferdinand, Dr., siehe Walter Julius.

*****Fleischauderl.** Lothar, Schriftsteller, veröffentlichte lyr. Gedichte. I. Johannesgasse 4.

Fleischer, Max, Architekt, geb. zu Prößnitz in Mähren am 29. März 1841, Schüler der k.k. Akademie der bildenden Künste in Wien, war von 1872–1887 bei der Bauleitung des Wiener Rathhauses beschäftigt. Fl.

hat eine bedeutende Anzahl öffentlicher und privater Bauten ausgeführt, von welchen ob ihres localen Interesses zu erwähnen sind: Der israelitische Tempel im VI. und IX. Wiener Bezirk und die Mausoleen der Familien Ritter v. Gutmann, u. Ritter v. Welten auf dem Wiener Central-Friedhof, österr. decor. G. VII., Burggasse 69.

Fleischer, Siegfried, Schriftsteller, geb. zu Kapuvár (Ungarn) am 18. März 1856. Redacteur des „Wiener Tagblatt". Fachreferat: Politik. Seine „Gedichte" erschienen 1880. IX., Pramergasse 3.

Fleischmann, Moriz, Publicist, geb. zu Malaczka am 2. Februar 1853. Redacteur der „Wiener Allg. Zeitung", I., Börsengasse 1.

Fleischner, Ludwig, Schriftsteller, Mitarbeiter der „Hausfrauenzeitung", Verfasser mehrerer Broschüren ꝛc. VI., Mariahilferstraße 51.

Fockt, K. Th., Schriftsteller, geb. zu Rokitzan (Böhmen) am 9. Juni 1839, war für den geistlichen Stand bestimmt, schloß sich 1859 den Freischärlern in Italien an und widmete sich später ausschließlich schriftstellerischen Arbeiten. F., der eine große Anzahl Dorfgeschichten, Romane (von letzteren in den Jahren 1879—1883 „Der Deserteur", „Der Schmugglerfürst", „Der Postillon", „Wissenschaft und Wahnsinn" i. Buchform) veröffentlichte, war mit Scheibe, Berg u. Singer Mitarbeiter der 5 kr.-Bibliothek, und gründete die Zeitschriften „Humoristicon" und „Chronik der Zeit", für welche er auch schriftstellerisch thätig war. V., Grüngasse 22.

Foglar, Ludwig Stefan, Dr., Schriftsteller, geb. zu Wien am 24. December 1819. Er ist Verfasser der Werke: „Cypressen" (1842, Gedichte), „Strahlen und Schatten" (1846, Gedichte), „Ein Stück Leben" (1846, Gedichte), „Verworfene Schauspiele" (1847), „Freiheitsbrevier"

Das geistige Wien. 4

(1848, Gedichte), „Geschichten und Sagen" (1848), „Clara von Wissegrad" (1848, Epos), „Erzählungen und Novellen" (2 Bände, 1858 und 1863), „Neue Gedichte" (1859), „Schiller-Legenden" (1859), „Donausagen" (1860), „Still und bewegt" (1860, Gedichte), „Reliquien eines Honved" (1861), „Minnehof" (1864, Roman), „Freudvoll und leidvoll" (1867, Gedichte), „St. Velociped" (1869, Satire), „Beethoven-Legenden" (1870), „Gedichte" (Neue Sammlung, 1883) und „Geschichten und Gedenkblätter in Versen" (1881). F. ist auch Mitarbeiter größerer Wiener Zeitungen und Zeitschriften und war außerdem lange Jahre hindurch als Beamter im Dienste der Donau-Dampfschifffahrts = Gesellschaft. IV., Wohllebengasse 12.

*Fontaine, Karoline von, Malerin, geb. zu Prag am 15. November 1841, Schülerin ihres Vaters und der Akademie in Prag, zeichnet größtentheils Köpfe in Pastell. VIII.,Lenaug.7.

Formes, Margaretha, Schauspielerin, geb. zu Berlin am 13. September 1869, debutirte als „Hedwig" in „Durch die Intendanz" am Hamburger Thaliatheater (18. März 1886) und gehört seit 1. Juni 1887 als „jugendliche Liebhaberin" dem Verbande des k. k. Hofburgtheater an. I., Michaelerplatz 4.

Formey, Alfred, Schriftsteller, geb. zu Dessau am 31. Juli 1844, war Lehrer an der höheren Töchterschule in Dessau, trat in's Pfarramt über, war 1873 als evang. Pfarrer in Chile (Puerto, Valparaiso) und ist seit 1874 in Wien (evang. Pfarre) thätig. F. ist Mitarbeiter von „An der schönen blauen Donau" re. und Verfasser der Gedichtsammlungen: „Himmelan", „Nach Hause", „Aus Wald und Wogen", „Auf stillen Höhen", „Strandgut des Herzens". I., Dorotheergasse 18.

Forstenheim, Anna, Schriftstellerin, geb. zu Agram am 21. September 1846, kam 1867 nach Wien, begründete in Gemeinschaft mit Anderen den Verein der Schriftstellerinnen und Künstlerinnen in Wien, als dessen Schatzmeisterin sie noch fungirt. F. ist Mitarbeiterin des „Bazar", der „Gartenlaube", „Neuen Freien Presse", „Wiener Hausfrauen-Zeitung", des „Berner Bund", der „Straßburger Zeitung" re. Verfasserin folgender in Buchform erschienenen Arbeiten: „Caterina Cornaro" (Drama 1875), „Die schöne Melusine" (zu Schwind's Aquarellen-Cyclus, 1883), „Ein neues Fürstenthum in alter Zeit" (1882), „Manoli" (ep. Dichtung, 1883), „Der Wan-Wan" (Lustspiel, 1882), „Der Zauberring des Herzens" (Roman in drei Bänden 1889). I., Hegelgasse 17.

Forster, Ellen, Sängerin, geb. zu Wien am 11. October 1866, erhielt ihre gesangliche Ausbildung bei Frau Dustmann und dramatischen Unterricht von Frau Door; sie debutirte als „Margarethe" (Faust) am Danziger Stadttheater (1885) und ist seit 1887 als jugendliche dramatische Sängerin am Hofoperntheater engagirt. (Antrittsrolle: „Marie" im „Trompeter von Säkkingen.") IV., Hengasse 18a.

Forster, Johann, Musiker, geb. zu Gottschan (Böhmen) am 21. October 1848, ist Mitarbeiter der deutschen Kunst= und Musikzeitung, Componist vierstimmiger Chöre f. Männergesang, kirchlicher Piècen, Schullieder und Bearbeiter einer ausgewählten Sammlung von „Egerländer Volkslieder". F. ist Chormeister des Männergesang = Vereines, „Wiener Liedertranz". VI. Füüergasse 4.

*Förster August, Dr., geb. zu Lauchstädt (Sachsen) am 3. Juni 1828, wandte sich der Theologie zu, betrat jedoch bereits im Jahre 1851 die Bühne, u. zw. in Halle, wo er in „Zopf und Schwert" als „König" debutirte. F. ist auch musikalisch gebildet und wurde wiederholt i. Baritonpartien verwendet. Im Jahre 1858 gastirte er im Burgtheater und gehörte diesem k. k. Kunstinstitute als Schauspieler und Regisseur bis 1876 an, wurde in diesem Jahre Director des Leipziger Stadttheaters, und 1882 Sociétär bei der Gründung des „Deutschen Theaters" in Berlin. Aus diesem Wirkungskreise schied er 1888 anläßlich seiner Ernennung zum Director des k. k. Hofburgtheaters. Schriftstellerisch ist F. zumeist als Uebersetzer und Bearbeiter französischer Bühnenwerke thätig. Er übersetzte Ponsard's „Der verliebte Löwe", Mendi's „Ein hoher Gast", Meilhac's „Ein Attaché", Légouvé's „Miß Suzanne", Reignier's „Umkehr", Sardou's „Flattersucht" und bearbeitete Werner's „Martin Luther". Oesterr. und ausländisch decorirt.

Förster, Emil, Ritter von, Architekt, geb. zu Wien am 18. October 1838, Schüler der Akademie in Berlin. Von seinen vielen Bauten seien hier erwähnt: Komische Oper (Ringtheater) in Wien, die Administrations-Gebäude des Giro- und Cassenvereines, der Boden-Credit-Anstalt, der allg. Baugesellschaft, der Maximilianhof und diverse Hotels in Meran, Marienbad, Bukarest ꝛc. G. IX., Maximilianplatz 15.

*****Förster,** Heinrich, Ritter von, Architekt, geb. zu Wien am 14. Mai 1832, wirkte vielfach als Baumeister und Architekt in- und außerhalb Wiens. Bei der allg. österr. Baugesellschaft und dem Wiener Bauverein bekleidete er längere Zeit das Amt des Chef-Architekten, leitete auch die von seinem Vater gegründete „Wr. Bau-Zeitung". G. I., Freiung 6. F. ist im Februar d. J. gestorben.

Fossati, siehe Schwarzbauer Hans.

Franceschini, Robert, Schriftsteller, geb. zu Tramin (Tirol) am 6. Juni 1852, ist Mitarbeiter (Feuilletonist) des „Neuen Wiener Tagblatt", der „Neuen Freien Presse" (Naturwissenschaften) ꝛc. II., Raimundgasse 6.

*****Frank,** Gustav, Kupferstecher, geb. zu Wlaschin (Böhmen) am 14. September 1859, ist Schüler des Professor Johannes Sonnenleitner. G. IV., Alleegasse 18.

*****Frank,** Therese, Pianistin, geb. am 9. Mai 1852. III., Hörnesgasse 4.

*****Fränkel,** Wilhelm, Architekt, geb. zu Ober-Glogau am 1. April 1844, Schüler der Architekten C. Tietz in Berlin und C. Tietz in Wien, ist als Architekt vielfach künstlerisch thätig und hat eine große Anzahl von Ringpalästen und Privathäusern (über 100 Bauten), das Gebäude der Volksküche im II. Bezirke ꝛc. ausgeführt. Als Erbauer des „Germaniahof" (Schottenring), des k. k. Polizeigebäudes (ebendaselbst), und seines eigenen Palais, als Musterfamilienhaus, wurde der Name dieses Künstlers auch in weiteren Kreisen bekannt. Ausl. decor. G. IV., Wohllebengasse 13.

Frankenstein, Hermine, Schriftstellerin, geb. zu Wien am 22. März 1842. Dieselbe bearbeitete nahezu 100 Romane und Novellen aus dem Englischen, welche seit dem Jahre 1865 sowohl in Wien, als in Deutschland in zahlreichen Tages- und Wochenblättern erschienen. F. ist seit März 1867 ständige Mitarbeiterin des „Neuen Wiener Tagblatt". II., Schöllerhof.

Franker, Heinrich, Schauspieler, geb. zu Wien am 17. Mai 1859; seine dramatische Ausbildung erhielt er vornehmlich in Kirchner's Theater-Akademie (Director Wolf); war am

4*

Deutschen Theater in Pest, Lobe-Theater in Breslau und Josefstädter Theater engagirt und ist seit Februar 1888 Mitglied des Carltheaters. III., Radetzkystraße 4.

*Frankl, Gisela, geb. zu Wien i. Jahre 1860, hat eine Anzahl Tonstücke componirt und ist Inhaberin eines Musikinstitutes. I., Tuchlauben 6.

Frankl, Ludwig August, Ritter von Hochwart, Dr., Schriftsteller, geb. zu Chrast (Böhmen) am 3. Februar 1810. Er studierte zwar Medicin, wendete sich jedoch bald gänzlich der Schriftstellerei zu. 1838 wurde er Secretär der Wiener israelitischen Cultusgemeinde, übernahm 1841 die Redaction der „Oesterreichischen Morgenblätter" und gründete später die Wochenschrift „Sonntagsblätter". F. unternahm eine längere Studienreise nach Jerusalem, gab Anregung zur Errichtung des Schiller-Denkmales in Wien und begründete das Kinderblindeninstitut auf der Hohen Warte. Sein Gedicht: „Die Universität" 1848, bei Beginn der Märzbewegung), war die erste censurfreie Publication und wurde von 19 Componisten in Musik gesetzt. Er veröffentlichte weiters: „Episch-lyrische Dichtungen" (1834), „Sagen aus dem Morgenlande"(1834), „Christoforo Colombo" (romantisches Epos 1836), „Don Juan d'Austria" (Heldenlied 1846), „Ein Magyarenkönig" (1850), „Der Primator" (1861), „Das Helden- und Liederbuch" (1861), „Die Ahnenbilder" (1864), „Libanon", ein poetisches Familienbuch" (1867), „Tragische Könige". Epische Gesänge", „Gusle" (1852, eine Uebersetzung serbischer Nationallieder), die Prosaschriften: „Zur Geschichte der Juden in Wien" (1853), „Nach Jerusalem" (1858) und „Aus Aegypten" (1860, Reiseberichte), ferner eine große Anzahl satirischer Gedichte und biographischer Schilderungen. Seine gesammelten poetischen Werke erschienen 1880. F. ist Ehrenbürger von Wien, sowie mehrerer anderer Städte und österr. und ausländ. decor. I., Opernring 10.

Frankl-Joel, Gabriele, geb. zu Wien am 16. August 1853 unternahm als Concertpianistin Kunstreisen durch fast ganz Deutschland und Oesterreich, wirkte wiederholt mit bei den philharmonischen Concerten, Quartett Hellmesberger, Rosé 2c. und tritt auch selbständig (meist zu wohlthätigen Zwecken) als Clairvirtuosin in die Oeffentlichkeit. Sie ist Schülerin Stahlberg's, Pirckhert's, Brahms', Goldmark's und Hellmesberger's und war selbst 3 Jahre Lehrerin der Königin von Spanien (als Erzherzogin Christine). I., Rothenthurmstraße 15.

Franz, F. G., Schriftsteller, geb. zu Wien am 19. Februar 1861, war früher Redacteur des „Illustr. Wiener Extrablatt" und ist seit 1. Jänner 1889 in gleicher Eigenschaft (localer Theil) beim „Deutschen Volksblatt" thätig. In letzterem veröffentlichte er „Bund der Dreißig", Volksroman aus Alt-Wien in 3 Bänden (1889).

*Fränzel, Wilhelm, Elfenbein-Bildhauer, geb. zu Wien 1826, besuchte die Modellierschule von Bongiovanni, von 1847—1853, die Wiener Akademie, woselbst er den Unterricht des Prof. Kähßmann und des Directors Peter genoß. U. A. führte er Büsten des Kaisers und der Kaiserin von Oesterreich, 1861, während seines Aufenthaltes in Paris, die Büste Napoleon's III. aus. 1864 nach England berufen, fertigte er die Büste des Prinzen Albert, 1868 in St. Petersburg, die des Kaisers Nikolaus aus. VII., Neubaugasse 64.

Frappart, Louis (Louis Anault), Tänzer, geb. zu Bernay (Frankreich) im Jahre 1832. Er war Schüler des Choreographen Saint-Leon an der Großen Oper in Paris, war später unter der Direction Adolf Adams am Theatre lyrique thätig, gastirte am Coventgarden-Theater in London, La Monnaie in Brüssel und in Amsterdam; debutirte am 6. Jänner 1854 am alten Kärntnerthor-Theater in dem Ballet „Die Teufelsgeige" und ist seitdem ununterbrochen als Solo-Tänzer und Mimiker im Wiener Engagement. Er gastirte in den größten Städten Oesterreichs und begleitete Kathi Lanner auf ihren Gastspieltouren. F. wurde bald einer der beliebtesten Mitglieder der Wiener Hofoper, und ist von ihm zu erwähnen, daß er im Jahre 1859 durch seine Geistesgegenwart die Tänzerin Nemeanr auf offener Scene vor sicherem Flammentode rettete. Zu seinen beliebtesten Leistungen zählen „Bertrand" in „Robert und Bertrand", „Flick" in „Flick und Flock", „Sardanapal", „Coppelius" in „Coppelia" und in jüngster Zeit die Rollen „Ritter Raimund" in „Melusine" und die Titelrolle in „Spielmann". Er componirte ferner die Ballete „Margot", „In Versailles" (bei Gelegenheit der Vermälung weiland des Kronprinzen), „Wiener Walzer", „Deutsche Märsche" u. „Oesterreichische Märsche". Oesterr. decor. I. Plankengasse 5.

Frauenfeld, Nelly, geb. zu Wien am 13. Februar 1862, Schülerin des Conservatoriums und der Frau Professor Marchesi, Pianistin, Gesang- und Clavierlehrerin. IV., Wohllebengasse 18.

*Freeskay, Ladislaus von, Zeichner und Maler, geb. zu Budapest am 25. Juni 1844, ist hauptsächlich als Illustrator thätig und u. A. Zeichner der „Bombe". G. IV., Alleegasse 22.

*Frei, Hanns, Sänger, ist im Verbande des k. k. Hofoperntheaters, welchem Institute er seit 1884 als Mitglied (Baßbuffo) angehört. Hotel Erzherzog Karl.

Frei, Julius, Dr., Publicist, ist Correspondent des „Standard". I., Rathhausstraße 20.

*Freundorfer, Anna, Pianistin und Musiklehrerin, geb. am 13. März 1848. Währing, Hauptstraße 18.

Frey, Wilhelm, Publicist, geb. zu Hohenems am 11. December 1833. Er veröffentlichte Volks- und Jugendschriften, ist seit Bestand des „Neuen Wiener Tagblatt" Redacteur dieser Zeitung (Musikkritik und Feuilleton) und Mitarbeiter auswärtiger Zeitschriften. I., Maximilianstraße 9.

Frieberger, Gustav, polit. Publicist, geb. zu Prag am 29. September 1858, ist Redactionsmitglied des „Wiener Tagblatt" und Verfasser mehrerer Novellen. IX., Servitengasse 7.

Fried, Adolf, Publicist, geb. zu Pischelli (Böhmen) am 28. August 1842. Redacteur des „Wiener Intelligenzblatt", der „Wiener Sonntag-Zeitung" und des „Oesterr.-ung. Handel- und Gewerbeblatt". II., Schiffamtsgasse 12.

*Friedel, Theodor, Bildhauer, geb. zu Wien am 13. Februar 1842, Schüler Fernkorn's. Von ihm wurden u. A. die Bildhauer-Arbeiten für den Ziererhof und diverse Sculptur-Arbeiten an der Façade des kunsthistor. Museums ausgeführt. IV., Rainergasse 20.

*Friedenstein, Wilhelm, Schriftsteller, geb. zu Budapest am 30. October 1854, war Baubeamter, Schauspieler und wurde später Publicist; als solcher lebte er längere Zeit in Amerika, war dort Mitarbeiter der „Westlichen Post", kehrte 1876 nach Europa zurück, kam nach Wien, übernahm die „Extrapost" und ist gegenwärtig Herausgeber der „Internationalen Reisezeitung". Im Buchhandel erschienen: „Die Frau des Verwalters" (1879) und „Die Kinder

der Verbannten" (1883). III., Pragerstraße 9.

Friedjung, Heinrich, Dr.,
Schriftsteller, geb. zu Roßtin in Mähren
am 18. Jänner 1851, seinerzeit
Professor an der Wiener Handels-
Akademie, dann Chefredacteur der
„Deutschen Zeitung" und später
Gründer und Eigenthümer der
„Deutschen Wochenschrift", ist Verfasser
von „Kaiser Karl IV. und sein Antheil am geistigen Leben seiner Zeit"
(1876), „Der Ausgleich mit Ungarn"
(1877), „Ein Stück Zeitungsgeschichte"
(1887). IX., Wasagasse 2.

*__Friedl__, Ottilie (geborene
Gröbner), geb. zu Schönbrunn am
8. August 1859. Sie schrieb Novellen
und Erzählungen, welche in verschiedenen Zeitschriften erschienen.
II., Nordpolstraße 1.

*__Friedlaender__, Alfred, Maler,
geb. zu Wien am 21. September
1860, ist Schüler der k. k. Akademie
der bildenden Künste in Wien und
des Prof. W. Diez in München.

Friedlaender, Camilla, Stillleben-Malerin, geb. zu Wien am
10. December 1856, ist Schülerin ihres
Vaters Friedrich. V., Matzleinsdorferstraße 22.

Friedlaender, Friedrich,
Genre-Maler, geb. zu Kohljanowitz
in Böhmen am 10. Jänner 1825,
machte seine ersten Studien an der
Wiener Akademie, dann unter Prof.
Waldmüller, besuchte 1850 Italien,
1852 Düsseldorf, später Paris. F.
hat sich ursprünglich der Historie
gewidmet, wendete sich seit 1854 dem
Genre zu und behandelt mit Vorliebe
Scenen aus dem Wiener Volks- und
aus dem Soldatenleben. Seine Bilder
„Erdbeerenlieferanten" (1872) und
„Invaliden in der Cantine" befinden
sich in der Gemälde-Gallerie des
allerh. Kaiserhauses, die Oelgemälde
„Nach der Lottoziehung" und „Der
neue Kamerad" in der Gallerie der

k. k. Akademie in Wien. Für sein
Gemälde „Die vier Temperamente"
erhielt F. 1888 die Carl Ludwig-
Medaille. Oesterr. und ausl. decor. K.
V., Matzleinsdorferstraße 22.

Friedlaender, Hedwig, Genre-
und Stillleben-Malerin, geb. zu Wien
am 13. Februar 1863, ist Schülerin
der k. k. Kunstgewerbeschule in Wien
unter den Prof. Laufberger und
Jul. Berger. V., Matzleinsdorferstraße 22.

Friedrich, Leo, Schauspieler
und Schriftsteller, geb. zu Wien am
6. Mai 1842, betrat im April 1863
bei einer reisenden Schauspieler-
gesellschaft in Steiermark zum ersten
Male die Bühne, war von dieser
Zeit bis 1868 an verschiedenen Provinz-
bühnen engagirt, kam 1869 an das
Josefstädtertheater, 1870 an das
Theater an der Wien und wurde
am 1. Jänner 1871 Mitglied des
k. k. Hofburgtheaters, woselbst er
als Schauspieler und Comparserie-
Inspector künstlerisch wirkte. Er schied
1883 freiwillig aus dem Verbande
dieses Institutes, um sich ganz dem
Lehrfache zu widmen. F. ist seit 1874
Professor am Wiener Conservatorium
(für mündlichen Vortrag und dram.
Darstellung), sowie Regisseur der
Opernbühne dieses Institutes. In den
Sommermonaten (Schulferien) leitet
F. die Aufführungen im gräfl. Ester-
hazy'schen Theater in Totis. Er ist
auch Verfasser kleinerer Lustspiele und
Schwänke, welche theils Originalwerke,
theils Bearbeitungen, zumeist aus
fremden Sprachen sind, und mehrfach
aufgeführt wurden. Oester. u. ausl.
decor. IV., Alleegasse 31.

Friese, Carl, Adolf, Schauspieler, geb. zu Bamberg am
24. October 1831. Er ist seit dem
12. Jahre bei der Bühne, spielte
Kinderrollen und war auch als Gro-
tesktänzer in Pantomimen beschäftigt.
Er gastirte und fand Engagements

in den größten Städten Deutschlands und absolvirte 1883—1884 mit Marie Geistinger am Thaliatheater zu New-York ein erwähnenswerthes Gastspiel. 1863—1887 war F. Mitglied des Theaters a. d. Wien und ist seit 1. September 1887 als Schauspieler und Regisseur im Verbande des Carltheaters. F. stammt selbst aus einer Schauspieler-Familie und sind auch 5 seiner Kinder (darunter seine Tochter Dora am Centraltheater in Berlin, zwei seiner kleinen Töchter unter dem Namen Bella für Kinderrollen am Hofburgtheater) schauspielerisch thätig. F. gibt auch das humoristische Sammelwerk „Wiener Humor" heraus. I., Nibelungengasse 15.

*Frisch, Josef, Publicist, geb. zu Tysmienitz (Galizien) im Jahre 1848, ist Herausgeber und Begründer des humoristischen Wochenblattes „Floh". Er war früher Redacteur der „Debatte" und der „Tagespresse". I., Wipplingerstraße 39.

Frischauer, Berthold, Dr., Publicist, geb. zu Brünn im Jahre 1851. Redacteur des „Wiener Tagblatt", Stellvertreter des Chefredacteurs. I., Wipplingerstraße 6.

Frischauer, Emil, Dr., Schriftsteller, geb. zu Brünn im Jahre 1854, war früher Mitarbeiter verschiedener Zeitungen, u. ist gegenwärtig Hof- und Gerichts-Advocat. Von demselben erschienen im Druck: „Bilder aus der römischen Gesellschaft" (1879) und „Der Ehebruch" (1884). I., Wipplingerstraße 6.

Frischauer, Otto, Dr., Publicist, geb. zu Brünn am 5. Februar 1863. Redacteur des „Wiener Tagblatt". Versorgt den localen Theil dieser Zeitung. IX., Schwarzspanierstraße 20.

*Fritsch, Josef, Bildhauer, geb. zu Setzdorf in Schlesien im Jahre 1840, hat u. A. die Portraitstatuen „Fleck", „Esslaire", „Devrient" und „Seydelmann" für das k. k. Hof-

burgtheater ausgeführt. II., Valeriestraße 4.

*Fritsch, Melchior, Landschaftsmaler, geb. zu Wien am 5. Jänner 1826, ist Schüler der k. k. Akademie in Wien unter Prof. Mößmer, erwarb seine weitere Ausbildung auf Wanderungen durch Oesterreich, Tirol, Steiermark. Später besuchte er auch Italien, Frankreich, Deutschland und den Orient. Sein Oelgemälde „Sommerlandschaft" befindet sich in der Gallerie der k. k. Akademie der bild. Künste. G. Währing, Alsbachstraße 6.

*Fritz, Otto, Landschaftsmaler, geb. zu Wien am 24. Februar 1852. IV., Hungelbrunngasse 20.

Fritz, E., siehe Singer, Fritz.

Froebe, Ludovika, Genremalerin, geb. zu Wien am 27. Jänner 1847, ist Schülerin der Tina Blau. I., Nibelungengasse 11.

*Fröhlich, Franz, Architekt, hat u. A. das Administrations-Gebäude der Credit-Anstalt am Hof und die Exelt-Gruppe erbaut. G. VII., Breitegasse 10.

Fronz, Oskar, Schauspieler, geb. zu Wien am 13. November 1861, betrat als jugendlicher Liebhaber in Teschen (1879) das erste Mal die Bühne, war u. A. drei Jahre im Carltheater engagirt und ist seit December 1887 im Verbande des Theaters a. d. Wien.

*Fronz, Oskar, Herausgeber u. Redacteur von Ant. Langer's „Hans Jörgel", Red. Postgasse 1.

Fröschl, Josef, Publicist, geb. zu Nikolsburg am 24. April 1861. Nach Absolvirung der naturhistorischen Studien trat derselbe 1883 in die Redaction des „Neuen Wiener Tagblatt" als Parlaments-Berichterstatter ein. I., Rothgasse 13.

*Fröschl, Karl, Maler, geb. zu Wien am 23. August 1848 ist Schüler der k. k. Akademie der bildenden Künste in Wien und des Professors Wilhelm Diez in München, gieng zu seiner Ausbildung nach Italien, von wo er mit Skizzen aus dem italien. Volksleben bereichert, nach Wien zurückkehrte. F. hat sich vornehmlich dem Genre und Portrait zugewendet. Für sein Pastellgemälde Portrait (Prinzessin Cantacuzene erhielt F. im Jahre 1887 die Carl Ludwig-Medaille. 6. III., Hauptstraße 76.

*Frydmann, Marcell, Dr., Schriftsteller, geb. zu Jablo (Galizien) im Jahre 1847, ist Chefredacteur des „Fremdenblatt" und übt außer seiner publicistischen Thätigkeit auch die Advocatie aus. F. ist k. k. Regierungsrath J., Hegelgasse 7.

Fuchs, Isidor, Schriftsteller, geb. im Jahre 1849, ist Redacteur des „Wiener Tagblatt" und Mitverfasser des Bühnenwerkes „Die Wienerstadt in Wort und Bild" sowie des Romanes „Der neue Rubens". II., Vereinsgasse 10.

Fuchs, Johann Nepomuk, Musiker, geb. zu Groß-Florian (Steiermark) am 5. Mai 1842, war ursprünglich für den geistlichen Stand bestimmt, absolvirte jedoch die juridischen Studien und ist seit 16. November 1864 k. k. Hofopern-Capellmeister. Er componirte Lieder, bearbeitete die Opern: „Almira" von Händel, „Betrogene Kadi" von Gluck und „Alphonso und Estrella" von Schubert. 1872 wurde in Brünn seine dreiactige Oper „Zingara, die Gnomenkönigin" und 1876 in Weimar „Der Lenz" (eine Frühlingscantate) aufgeführt. F. redigirt die bei Breitkopf und Härtel erscheinende Gesammtausgabe der Franz Schubert'schen Compositionen. Oesterr. decor. VII., Mariahilferstraße 72.

*Fuchs, Moriz, Publicist, geb. zu Wien im Jahre 1862, ist Mit-Redacteur der „Neuen Freien Presse"

(Fachreferat: Locale Chronik. II, Obere Donaustraße 59.

Fuchs, Otto (Pseudonym Talab), Schriftsteller, geb. zu Hohitz (Böhmen) am 11. Februar 1852, lebte in den Jahren 1875-1881 in Egypten, ist dermalen Redacteur der „Oesterr. Volkszeitung" (Feuilleton u Theater) und Verfasser der „Goerbersdorfer Novellen" (1888) und der Erzählungen aus dem modernen Egypten „Haschisch" (1889). I., Franz Josef-Quai 35.

Fuchs, Robert, Musiker, geb. zu Frauenthal (Steiermark) am 15. Februar 1847, Schüler des Conservatoriums (unter Dessoff) und seit 1875 selbst Professor der Harmonielehre am Conservatorium. Er componirte: zwei Symphonien, ein Clavierconcert, Serenaden, Trio, Sonaten, Clavierquartett und allerlei Claviercompositionen (Variationswerke), Walzer (vierhändig), Lieder und Chöre. IV., Maierhofgasse 9.

*Furig, Ferdinand, Musiker, geb. zu Frankenstein (Preußen) am 6. Juni 1814, ist Mitglied der k. k. Hof-Musikcapelle (Oboe). VI., Gumpendorferstraße 74.

Fürst Herrm., Publicist, geb. zu Alshart (Mähren) am 25. Juli 1849. Redacteur des „Neuen Wiener Tagblatt". Fachreferat: Politische Leitartikel. IX., Maximilianplatz 14.

*Fürst, Jaques, Publicist, geb. zu Budapest 1846, ist als Herausgeber und Chefredacteur des Montagsblattes: „Publicistische Blätter" journalistisch thätig. I., Postgasse 1.

Fürst, J. G., Publicist, geb. zu Preßburg im Jahre 1848, ist Chefredacteur des politischen Journals „Die Donau". VII., Neubangasse 72.

*Fux, Josef, Genre- und Portraitmaler, geb. zu Steinhof (Niederösterreich) 1842, Schüler Ruben's. Nebst anderen ehrenvollen Missionen wurde F. auch die Reorganisation der Portraitgallerie des Burgtheaters übertragen, und wurden die Bildnisse Frau Charlotte Wolter und der Herren Baumeister, Hartmann, Meixner und Gabillon von ihm ausgeführt. Aus Fux' Atelier stammt auch der Hauptvorhang des neuen Burgtheaters, auf welchem er unter Beihilfe Leopold Burger's, seines Schülers, Frau Wolter als tragische und Frau Schratt als komische Muse verewigte. Oesterr. decor. **S.** IV., Wehringergasse 30 a.

*Gabillon, Ludwig, Schauspieler, geb. zu Güstrow am 16 Juli 1828, sollte Mediciner werden, folgte aber seinem Hang für das Theater und trat 1845 in Rostock bei der Bethman'schen Gesellschaft als Liebhaber zum ersten Male auf; er fand bald vortheilhafte Engagements in Schwerin, Cassel und Hannover und gastirte 1853 unter der Leitung Emil Devrient's in London; im October desselben Jahres debutirte er als „Don Carlos", „Franz" in „Götz" und „Ferdinand" in „Kabale und Liebe" im Hofburgtheater; sein Gastspiel führte auch zum Engagement, und wurde er nach kurzer Zeit k. k. Hofburgschauspieler und 1875 Regisseur. Seine Bedeutung liegt vornehmlich im Charakterfach. „Hagen" in Hebbel's „Nibelungen" und „Caligula" in „Fechter von Ravenna", „Ritter Bolesen", „Alba", „Thalbot", „Selbit" zählen zu seinen bekanntesten Leistungen. Oesterr. und ausländ. decor. IX., Nußdorferstraße 12 a.

Gabillon, Zerline, Schauspielerin (geborene Würzburg), geb. am 18. August 1835 zu Güstrow; betrat am 18 August 1850 in Hamburg als „Parthenia" in „Sohn der Wildniß" die Bühne u. wurde bereits drei Jahre später an das k. k. Hofburgtheater engagirt; sie debutirte Anfang October 1853 als „Donna Diana", „Jeanne d'Arc",

„Maria Stuart" und „Gretchen", erhielt bald das Decret als wirkliche Hofschauspielerin. (G. hat ihren Ruf besonders durch die Darstellung intriguanter Frauenrollen und eleganter geistreicher Salondamen begründet. Seit 1856 ist sie mit Ludwig Gabillon verheiratet. IX., Nußdorferstraße 12 a.

*Galena, Silvan, Schriftsteller, veröffentlichte Novellen und Feuilletons in verschiedenen Blättern. IX., Spittelauer Lände 3 a.

Gall, Josef, Publicist, geb. zu Laa an der Thaya am 21. November 1820, war in den Jahren 1841—1873 in österr. Staatsdiensten (zuletzt Staatshauptcassen-Adjunct), erhielt im Jahre 1852 vom Finanzminister Baumgartner die Erlaubnis „sich an der politischen Tagespresse betheiligen zu dürfen", war von 1851 bis 1861 Mitarbeiter der „Presse", gründete in letzterem Jahre die „Correspondenz Gall", als deren Herausgeber und Redacteur er bis jetzt fungirt und führte durch Gründung des „Wiener Communalblatt" (1875) das communale Leben zuerst in ausgedehnterem Maße in die Journalistik ein. II., Taborstraße 14.

Gallini, Fl., siehe Walden Bruno.

*Ganghofer, Ludwig, Dr., Schriftsteller, geb. zu Kaufbeuren (Bayern) am 7. Juli 1855. Nach Absolvirung der Gymnasialstudien trat er 1872 in die Riedinger'sche Maschinenfabrik zu Augsburg ein, um sich der Maschinentechnik zu widmen. Seine ausgesprochene poetische Begabung jedoch duldete ihn nicht lange bei dem technischen Beruf, weshalb er sich nach Beendigung seiner philosophischen und naturwissenschaftlichen Studien gänzlich der Schriftstellerei widmete. 1881 wurde er Dramaturg des Ringtheaters und 1887 Feuilletonredacteur des „Wiener Tagblatt". Er veröffentlichte bereits eine große Anzahl lyrischer, belletristischer und dramatischer Werke und erschienen von demselben bisher „Vom Stamme Asra" (Gedichte, 1879), „Johann Fischart und seine Verdeutschung des Rabelais" (1881), „Bunte Zeit" (Gedichte, 1883), „Der Herrgottschnitzer von Ober-Ammergau" (Volksschauspiel mit Hanns Neuert, 1880), welches Bühnenspiel den Namen (G.'s in kürzester Zeit bekannt machte. „Der Prozeßhansel" (Volksschauspiel mit Hanns Neuert, 1881), „Der Anfang vom Ende", (Lustspiel, 1881) „Wege des Herzens" (Schauspiel, 1882), „Der zweite Schatz" (Schauspiel, 1882), „Der letzte Pappenheimer" (Festspiel, 1881), „Rolla" (Dichtung des Alfred de Musset übersetzt, 1883), „Der Jäger von Fall" (Erzählung, 1883), „Bergluft" (Hochlandsgeschichten, 1883), „Heimkehr" (Neue Gedichte, 1883), „Aus Heimat und Fremde" (Novelle, 1884), „Der Herr von Oben" (Roman, 1884), „Der Geigenmacher von Mittenwald" (Volksschauspiel mit Hanns Neuert 1884), „Die Sünden der Väter" (Roman, 1886), „Rococo" (Gedichte, 1887), „Der Edelweißkönig" (Roman 1887), „Der Unfried" (Roman, 1888). Seine „dramatischen Schriften" erschienen gesammelt im Jahre 1884 und enthalten die für die Bühne der bayrischen Dialectschauspiele in München geschriebenen Volksschauspiele, mit denen (G. seine größten Erfolge errang. Derselbe ist auch als Kunstkritiker thätig und schreibt als solcher vielfach unter dem Namen: Lucas Köhler. IX., Schwarzspanierstraße 6.

*Gangl, Alois, Bildhauer, geb. zu Möttling im Jahre 1860, Schüler Zumbusch's. III., Seidlgasse 19.

Gans, siehe Ludassy Jul. von.

Gänsbacher, Josef, Dr., Musiker, geb. zu Wien am 6. October 1829. Nach Absolvirung der juridischen Studien wendete er sich 1867

ausschließlich der Musik zu und ist seit 1876 Professor des Gesanges am Conservatorium. Er ist auch als Componist künstlerisch thätig, schrieb mehrere Lieder, u. bearbeitete schottische Volkslieder für das Pianoforte. I., Giselastraße 3.

Garleutner, Josef, Publicist, geb. zu Guttenstein am 17. Mai 1849, ist Chefredacteur der „Illustr. Wiener Volkszeitung". VIII., Lenaugasse 11.

Gärtner, Karl, Schauspieler und Schriftsteller, geb. zu Linz, betrat am 14. Juli 1839 in Ischl die Bühne, kam im Jahre 1855 an das Josefstädter Theater (unter Dr. Hoffmann) verblieb daselbst 8 Jahre, dann 20 Jahre im Verbande des Theaters a. d. Wien und kehrte schließlich an das Josefstädter Theater zurück, woselbst er noch heute thätig ist. G. hat auch eine Anzahl Stücke, wie: „Der letzte Fiaker", „Einer aus dem Volke", „Wiens guter Geist", „Nach 100 Jahren", „Ein Stündchen nach dem Theater", „Von Tisch und Bett", „Ein Herz für's Volk" ꝛc. verfaßt, welche sämmtlich an Wiener Bühnen zur Aufführung gelangten. VIII., Auerspergstraße 15.

Gaertner, Louis Richard, Publicist, geb. zu Eilenburg (Preußen) am 26. April 1848, ist Chefredacteur der „Internationalen humoristischen Revue". Hetzendorf, Villa Gaertner.

*Gaßebner, Ida, geb. am 11. Jänner 1849, wirkt als Concertsängerin und Gesanglehrerin, war früher auch als Opernsängerin künstlerisch thätig. Währing, Feldgasse 47.

*Gasser, Josef, R. v. Valhorn, Bildhauer, geb. zu Prägraten in Tirol am 25. December 1816, ist Schüler der k. k. Akademie der bild. Künste i. Wien. Von ihm sind sämmtliche neuen Statuen im St. Stephansdome, die größte Anzahl der in der Votivkirche befindlichen und u. A. auch die auf der Elisabethbrücke stehende: „Rudolf

der Stifter". Oest. u. ansl. bec. Wohl=
lebengasse 15.

*Gaul, Franz, Maler, geb. zu
Wien am 29. Juli 1837, trat als Hi=
storienmaler auf u. ist jetztCostumier
der beiden Hoftheater und Ober=Jn=
spector der Hofoper. Von seinen
größeren Ballet=Compositionen seien
die „Puppenfee" (mit Haßreiter)
„Wiener Walzer" (mit Frappart) be=
sonders erwähnt. I., Kärntnerring 14.

*Gause, Wilhelm, Maler, geb. zu
Crefeld am Rhein am 27. März 1854 ist
Schüler der Akademie in Düsseldorf,
malt Genrebilder, Wiener Typen und
ist Illustrator verschiedener in= und
ausländischer Blätter. Währing, Carl
Ludwigstraße 40.

*Gauß, Johann, Musiker (Pia=
nist), geb. zu Prag am 16. August
1824. I., Färbergasse 8.

Geblef, Ludwig, Genremaler,
geb. zu Krakau am 30. Juni 1847,
absolvirte die Kunstschule zu Krakau,
war 1873—1876 Staatsstipendist an
der Wiener Akademie (Specialschule
des Prof. v. Lichtenfels) und unter=
nahm größere Studienreisen III.,
Negelgasse 10.

*Gehbe, Ed., Maler, geb. zu
Meiningen im Jahre 1845. V., Mag=
dalenenstraße 35.

*Geiger, Carl, Historienmaler,
geb. zu Wien i. Jahre 1824, ist Schüler
der Akademie unter Prof. Führich,
wurde von Kaulbach in günstigster
Weise beeinflußt und widmete sich
größtentheils der Kirchenmalerei.
Viele Kirchen der Monarchie ver=
danken ihre Heiligenbilder seiner
Kunst. Im neuen Hofburgtheater
(Stiegenhaus rechtsseitig) sind die
16 grau in grau gemalten Seiten=
bilder von ihm. Von localem In=
teresse ist es, daß G. zahlreiche
Ehrenbürgerdiplome der Stadt Wien
gemalt hat. IV., Victorgasse 1.

Geiringer, Gustav, Musiker,

geb. zu Wien im December 1856,
Schüler Marchesi's, componirte die
einactige Operette „Die indische Witwe"
(Text von Zell u. Genée) und mehrere
Tanzstücke und Lieder. G. ist auch
als Gesanglehrer thätig. II., Konö=
biengasse 10.

*Geist, Carl, Ritter von, Maler.

Gelber, Adolf, Publicist, geb.
im Jahre 1856, ist Redacteur des
„Neuen Wiener Tagblatt". (Fach=
referat: Politik) u. Correspondent des
„Neuen Pester Journal" ꝛc. II., Große
Mohrengasse 12.

*Geller, Joh. Nep., Maler und
Zeichner, geb. zu Wien am 21. März
1860. Schüler der k. k. Akademie
der bild Künste in Wien.

Genée, Richard, Musiker und
Schriftsteller, geb. zu Danzig am
7. Februar 1823, wurde 1848 bereits
Capellmeister in Reval und war bis
1868 Operndirigent an hervor=
ragenden Theatern Deutschlands und
Oesterreichs, zuletzt fünf Jahre hindurch
am Prager Landestheater. G. schrieb
zumeist mit Camillo Walzel, zahl=
reiche Operetten=Librettis (vielfach
französische Bearbeitungen) der popu=
lärsten Werke von Johann Strauß,
Suppé, Millöcker ꝛc. schrieb gegen
300 Gesangcompositionen, Chöre,
Lieder, Duette, Terzette humoristischen
Inhaltes zumeist eigenen Textes, sowie
größere musikalische Arbeiten, u. zw. die
Bühnenwerke: „Der Geiger aus
Tirol" (romantische Oper), „Am
Runenstein" (Oper in Gemeinschaft
mit Flotow), sowie die Operetten:
„Der Seecadet", „Nanon, die Wirthin
vom goldenen Lamm", „Die letzten
Mohikaner", „Nisida", „Rosina", „Die
Piraten", „Die Zwillinge", „Die
Dreizehn" u. m. A. Preßbaum bei
Wien, Villa Genée.

George=Mayer, A., siehe Mayer
G. M.

*Geppert, Josefine, Malerin,

geb. zu Przemysl am 28. März 1846, Schülerin Durand's in Paris. IV., Hemmühlgasse 9.

*Gerasch, August, Maler, geb. zu Wien am 1. September 1822. V., Margarethenstraße 67.

*Gerasch, Franz, Maler, geb. zu Wien am 22. Juni 1826. VII., Burggasse 116, bei A. Menzl.

Gerisch, Eduard, Maler, geb. zu Gewitsch in Mähren am 14. März 1853, Schüler der Wiener Akademie, hat nach Absolvirung verschiedener Studienreisen durch Deutschland, Italien, Spanien, Belgien, Holland und England sich der Portrait-Malerei und Gemälderestauration zugewendet. Dermalen ist G. Custos der Gemälde-Gallerie an der Wiener Akademie. G. IV., Wienstraße 39.

*Gerl, Heinz, Architekt, geb. zu Wien am 15. October 1852, entstammt einer alten Wiener Baumeisterfamilie (es arbeitete bereits einer seiner Vorfahren im Atelier des Fischer von Erlach). Er entwarf mehrere Pläne zu von ihm selbst ausgeführten Zinshausbauten. Oesterr. und anst. decor. IV., Karlsgasse 13.

Gerl, Peter Rudolf, Architekt, geb. zu Wien am 24. Jänner 1827, wirkt auch als Baumeister, fungirt als Bauschätzmeister und Mitglied der Wiener Bau-Deputation. III., Radetzkystraße 17.

Germanicus, J. D., siehe Dentsch Josef.

*Germonik, Ludwig, Schriftsteller, geb. zu Fiume am 29. November 1823, wendete sich nach Absolvirung der Universitätsstudien der literarischen Thätigkeit zu, wurde 1856 Redacteur der „Klagenfurter Zeitung", wirkte 15 Jahre als Archivar und Bibliothekar in Laibach, kam 1872 nach Wien, redigirte hier die Zeitschriften „Das Inland" und „Der Patriot" und gründete 1874 den

Grillparzer-Verein. Er veröffentlichte mehrere Bühnenwerke, sowie die Dichtungen „Kornblumen", „Alpenglühen", „Blaue Nächte", die poetische Erzählung, „Die Josefscapelle" u. m. A. Oesterr. decor. Fünfhaus, Märzstraße 15.

Gernerth, Franz von, Musiker und Schriftsteller, geb. zu Purkersdorf am 14. December 1821. Derselbe war trotz seiner Berufsthätigkeit (G. ist k. k. Oberlandesgerichtsrath i. P.) vielfach literarisch und musikalisch productiv. Von ihm erschienen außer verschiedenen Aufsätzen in fachwissenschaftlichen und politischen Zeitschriften eine Reihe von Liedern und Chören, welch' letztere wiederholt vom „Wiener Männergesangsverein" aufgeführt wurden. I., Kantgasse 8.

Gerson, Ed., Publicist, geb. zu Prag 1856, wendete sich nach Absolvirung der juridischen Studien der Publicistik zu und ist Correspondent Berliner Zeitungen.

*Gerstenberg, Gustav, Musiker, geb. in Preußen im Jahre 1820, ist als Gesanglehrer und Cantor an der evangelischen Bürgerschule thätig. VI., Getreidemarkt 1.

Gerstgrasser, Eduard, Publicist, war früher Concipient in der Advocatur-Kanzlei des Dr. Klinger und ist seit 1. Jänner 1889 Redacteur (Parlamentsberichterstatter) des „Deutschen Volksblatt".

*Geyer, Georg, Landschafts-Maler, geb. zu Wien am 12. September 1823. Schüler der k. k. Akademie der bild. Künste in Wien unter Mößner, Steinfeld und Ender. Im Besitze der Gemälde-Gallerie des allerh. Kaiserh. befindet sich seine Ansicht „Das Reichenauer-Thal" (1842). G. IV., Hengasse 48.

*Geyling, Rudolf, Historien-Maler, geb. zu Wien am 4. Februar 1839, Schüler der Wiener Akademie

unter Ruben und Burzinger, nahm zu seiner Ausbildung längeren Aufenthalt in Italien, nach deren Beendigung er nach Wien zurückkehrte; hier leitet er gegenwärtig das Atelier für Kunstgewerbe, Maltechniken am Wiener Frauen-Erwerb-Verein und ist artistischer Leiter der Glasmalerei von C. Geyling's Erben in Wien. Ausländ. decor. G. VI., Windmühlg. 22.

Ghon, Moriz S., Schriftsteller, geb. zu Wien am 10. Juni 1824, ist Verfasser des Lustspieles „Der Herzog befiehlt" (1881), der Gesangsposse „Bitt' uns Abendblatt!", einiger Broschüren und verschiedener in Musik gesetzter Lieder. I., Salvatorgasse 8.

*****Giesel**, Hermann, Architekt, geb. zu Bistritz in Siebenbürgen am 4. Juli 1847. Schüler der Akademie der Künste in Bukarest und Semper's, ist auch als Maler und Zeichner thätig und hat u. A. das Titelbild (Umschlag) des kronprinzen Werkes „Oesterr.-Ungarn in Wort und Bild" entworfen. G. I., Maximilianstraße 9.

*****Giller**, Franz, Musiker, geb. zu Wien am 27. April 1845, ist Mitglied des k. k. Hofopern-Orchesters (Violoncell) und seit 1. Juli 1867 im Engagement genannten Kunst-Institutes. VI., Engelgasse 3.

*****Gilsa**, Wilhelm Karl, Freiherr von, Schriftsteller, geb. zu Cassel (Preußen) 1820, ist auch Herausgeber der „Niederösterr. Gemeinde-Revue". VII., Burggasse 35.

Ginzel, Franz, Musiker, geb. zu Grottau (Böhmen) am 11. November 1848, ist Schüler des Conservatoriums, Mitglied der k. k. Hof-Musikcapelle (seit 1874) und Mitglied des k. k. Hofopern-Orchesters (Trompete) seit 1. April 1869. Hernals, Hauptstraße 162.

Girardi, Alexander, Schauspieler, geb. zu Graz am 5. December 1850, erlernte in der Werkstatt seines Vaters die Schlosserei, welches Handwerk er thatsächlich bis zu seinem achtzehnten Lebensjahre ausübte; die Vorliebe zum Theater erwachte schon frühzeitig in G., doch wollte sein Vater unter keiner Bedingung, daß er sich dem Künstlerstande widme. Erst nach dem Tode seines Vaters (1868) konnte er seiner unüberwindlichen Neigung folgen und trat zuerst in einem Haustheater in Graz auf. Nach kurzer Vorbereitung ohne Lehrer (G. genoß überhaupt niemals, weder dramatischen, noch gesanglichen Unterricht, er bildete sich selbständig aus) debutirte er am 12. Juni 1869 als „Tratschmirl" in Nestroy's „Tritsch Tratsch" am Theater in Rohitsch-Sauerbrunn und legte damit den Grundstein zu seiner Carrière. Von dort ging er nach Krems, Karlsbad, Ischl und Salzburg und wurde 1871 an das Strampfer-Theater engagirt. Hier wirkte er mit der Gallmayer und Schweighofer, eroberte sich bald durch die Naturwahrheit seiner Darstellung sowie durch die Consequenz, mit welcher schon damals der junge Künstler seine Rollen durchführte, die Gunst des Wiener Publicums. Er verblieb an dieser Bühne bis 1874, in welchem Jahre er in den Verband des Wiedner Theaters trat, der Stätte seiner größten Erfolge. Hier waren es namentlich Operetten-Figuren, als: Der „Marchese" im „Lustigen Krieg", „Der Bettelstudent", „Plinchard" in „Lili", „Godibert" in „Jungfrau von Belleville", „Zsupan" in „Zigeunerbaron" und zahlreiche andere Rollen, welche seinen Namen auch außerhalb Wiens bekannt machten. Ausländisch decor. IV., Karlsgasse 18.

*****Gisela**, Josef, Genre-Maler, geb. zu Wien am 17. November 1851, Schüler der k. k. Akademie der bildenden Künste in Wien unter Prof. Feuerbach). G. V., Zeinlhofergasse 8.

*Ginguo, Carl (Juin Carl), Schriftsteller, geb. zu Wien am 2. März 1818. Er schrieb eine große Anzahl Bühnenwerke, sowie Bearbeitungen aus dem Englischen und Französischen. Von seinen zahlreichen Schriften, von denen einige allgemein bekannt wurden, seien erwähnt: „Serbus, Herr Stutzerl" (Posse, 1853), „Ein alter Corporal" (1854), „Ein Stillleben auf dem Lande" (Posse, 1866), „Des Teufels Zopf" (Posse, 1867), „Drittes Buch, Erstes Capitel" (Lustspiel, 1867), „Die Ehre des Hauses" (Drama, 1853), „Ein Florentiner Strohhut" (Posse, 1854), „Freundschaftsdienste" (Lustsp., 1864), „E. S. S. oder die Ausstaffirung" (Posse, 1864), „Der dämonische Stiefel" (Posse, 1867), „Ein Zimmerherr"(Posse, 1871). Er schrieb auch die Operetten-Texte „Der Teufel a. Erden", „Prinz u. Maurer", „Der Königspage", „Im Korbe" 2c. II., Leopoldsgasse 49.

*Gläser, Georg, Maler, Oesterr. decor. **G.** IV., Heumühlgasse 9.

*Glinkiewicz, Josef, Publicist, ist Corresp. der „Gazetta Lwowska" (Lemberg) I., Elisabethstraße 13.

*Glinski, Fridolin, Schriftsteller, geb. in der Bukowina im Jahre 1840, war längere Zeit Redacteur der „Vossischen Zeitung" sowie der „Const. Vorstadt-Zeitung" in Wien, und veröffentlichte eine große Anzahl von Romanen, meist in Wiener Journalen. (Vorstadt-Zeitung, Extrablatt, Neues Wiener Tagblatt). VII., Lindengasse 7.

Glogau, Heinrich, Dr., Publicist, geb. zu Wien am 9. September 1855. Redacteur der „Presse" (Fachreferat: Volkswirthschaftlicher Theil) und Correspondent deutscher Finanzblätter. IX., Liechtensteinstraße 63.

Gloß, Ludwig, Bildhauer und Maler, geb. zu Wr.-Neustadt am 30. Jänner 1851. Schüler der k. k. Akademie der bild. Künste in Wien unter den Prof. C. R. Huber und C. Zum-

busch (1870—72), und der Münchener Akademie unter Widman, von wo er im Jahre 1876 nach Wien zurückkehrte und sechs Jahre hindurch als Schüler Zumbusch's verblieb und als solcher sich auch an den Arbeiten des Maria Theresia-Denkmals betheiligte. Inzwischen hat sich G. in Florenz, Rom und Neapel weiter ausgebildet und sich seit 1885 auch der Malerei (Portrait und Sittenbild) zugewendet. (Schüler Huber's.) Von seinen bedeutenderen Arbeiten haben die fünf Statuen für das Wiener Rathhaus (Goldschmied, Musiker, Vorstadt Roßau, Vorstadt Neubau und Wiener Freiwilliger) auch locales Interesse. **G.** IV., Weyringergasse 6.

Glück, Elisabeth, s. Paoli Betti.

Glücksmann, Heinrich, Schriftsteller, geb. zu Rackschitz (Mähren) am 7. Juli 1863, debutirte journalistisch in der „Neuen Illustrirten Zeitung" (1880), war von 1884—86 Redacteur des „Neuen Pester Journals" und ist jetzt externer Feuilleton-Mitarbeiter der „Neuen Freien Presse", „Presse", „Pester Lloyd", „Weser Zeitung" 2c. G., welcher verschiedene in- und ausl. Blätter mit seinen Beiträgen versieht, hat sich besonders der Uebersetzung ungarischer Poesien zugewendet und ist Verfasser von „Therese" (Schauspiel) und des aus dem Ungarischen frei bearbeiteten Lustspieles: „Die Ballkönigin". II., Vereinsgasse 28.

*Goebel, Carl, Maler, geb. zu Wien im Jahre 1824, Schüler der Akademie unter Prof. Klieber und Gsellhofer, wendete sich bald ausschließlich der Aquarellmalerei zu, worin er zuerst das Portrait, später das Genre, Thiere, Jagdscenen und die Landschaft cultivirte. G. hat Studienreisen durch Rußland, Spanien, Frankreich, Italien und Ungarn unternommen. Ausländ. decorirt. IV., Wienstraße 23.

Goldbaum, Wilhelm, Dr., Schriftsteller, geb. zu Kempen (Provinz Posen) am 6. Jänner 1843, begann seine literarische Thätigkeit mit einem Artikel in der „Gartenlaube", wurde nach Absolvirung seiner juridischen Studien 1869 Redacteur der „Posener Zeitung", verblieb in dieser Stellung bis 1872, in welchem Jahre er in die Redaction der „Neuen Freien Presse" berufen wurde. Als Redacteur der „Neuen Freien Presse" schreibt G. vorzugsweise Leitartikel (auswärtige Politik), sowie Feuilletons und Literaturbesprechungen. Er ist ferner Mitarbeiter der „Westermann'schen Monatshefte", „Rundschau", „Gegenwart", „Gartenlaube", „National-Zeitung" rc. Im Buchhandel erschienen von G. „Entlegene Culturen" (1877), „Literarische Physiognomien" (1884) und „Ohne Herz" (Roman von J. J. Kraßewski. Aus dem Polnischen übersetzt). III., Metternichgasse 2.

Goldmann, Paul, Dr., Publicist, geb. zu Breslau am 31. Jänner 1865, ist Redacteur der Zeitschrift „An der schönen blauen Donau". IX., Lichtensteinstraße 65.

*Goldmark, Carl, Musiker, geb. zu Keszthely (Ungarn) am 18. Mai 1832, Schüler des Oedenburger Musikvereines, später Jansa's und des Conservatoriums. Er wurde ursprünglich zum Violinspieler herangebildet, widmete sich jedoch seit 1847 der Composition; er trat 1857 in einem eigenen Concert in die Oeffentlichkeit, verblieb 1858—1860 in Budapest, woselbst er nebst mehreren Compositions-Concerten die Ouverture „Sakuntala" zur Aufführung brachte. 1875 wurde im Wiener Hofoperntheater sein Hauptwerk, seine erste Oper: „Die Königin von Saba" aufgeführt. Weiters componirte G. die romantische Oper „Merlin", die Concertouverture zu „Penthesilea", zwei Symphonien (davon die erste

„Ländliche Hochzeit"), Stücke für Orchester, ein Violinconcert, eine Piano-Violin-Sonate und Suite, Streichquartette und Quintette, Trios und Quintette für Pianoforte mit Begleitung, Lieder und noch viele andere Tonwerke, die alle wiederholt zur Aufführung gelangten und allgemeine Verbreitung fanden. VII., Kirchbberggasse 17.

Goldscheider, Albert, siehe Groller Baldnin.

*Goldschmidt, Adalbert von, Musiker, geb. zu Wien am 5. Mai 1848. Seine Hauptwerke sind: „Die sieben Todsünden" (Oratorium), „Helianthus" (Musikdrama, Text und Musik), eine Symphonische Dichtung, „Faust" (nach Lenau) und „Gea" (eine Trilogie, Text und Musik). I., Opernring 6.

Goldstein, Josef, Musiker, geb. zu Kecskemet am 27. März 1838, ist Obercantor und componirte nebst einem Requiem für Chor, Soli und Orgel und einer Anzahl gottesdienstl. Gesänge, die komische Oper „Studenten am Rhein". II., Tempelgasse 3.

*Göllerich, August, Publicist, Redacteur des „Deutschen Volksblatt" (Musik- und Kunstreferent), war früher Secretär Richard Wagner's und Franz Liszt's.

*Golz, Alexander, D., Maler, geb. zu Wien am 25. Jänner 1857, Schüler der k. k. Akademie der bild. Künste in Wien unter A. Feuerbach, malte ursprünglich Stimmungsbilder, hat sich jedoch jetzt der Historien-Malerei zugewendet, lebte längere Zeit in München und ist vor Kurzem nach Wien übersiedelt. Sein Bild „Christus und die heil. Frauen" befindet sich in der Gemälde-Gallerie des allerh. Kaiserhauses. G. IV., Wehrgasse 1.

*Gömöry, Anton, von Gömör, Schriftsteller, geb. zu Wien am

18. Februar 1852, wirkt neben seiner amtlichen Thätigkeit, er ist Hof- und Ministerialsecretär im Ministerium des Aeußern, publicistisch, schreibt Feuilletons und veröffentlichte u. A. ein Bändchen „Gedichte". (Gömörn ist österr. und ausländ. decor. III., Salesianergasse 8.

Gomperz-Bettelheim, Karoline von, geb. zu Budapest am 1. Juni 1845, genoß ihren musikal. Unterricht als Pianistin bei dem Componisten Goldmark, als Sängerin bei Prof. Laufer, war von ihrem 16. bis 22. Lebensjahre an der Wiener k. k. Hofoper im Engagement. G. hat größere Tournéen durch Deutschland und England unternommen und wurde durch die Ernennung zur k. k. Kammersängerin ausgezeichnet. Oesterr. decor. I., Kärntnerring 3.

Gopčević, Spiridion, Schriftsteller, geb. zu Triest am 9. Juli 1855, veröffentlichte 17 Werke und Broschüren, welche sich zumeist mit Reisebeschreibungen, Kriegsgeschichte, Land- und Völkerkunde, Tactik und strategischen Studien befassen. G. bereiste Kleinasien, Palästina, Syrien, Egypten, Tunis sowie sämmtliche Länder Europas. Er war 1885 als Kriegsberichterstatter des „Berliner Tagblatt" in Bulgarien und veröffentlichte seine daselbst gemachten Erfahrungen in einem größeren Werke. Des Weiteren ist G. Mitarbeiter politischer Tagesblätter und militärischer, nicht politischer und belletristischer Zeitschriften des In- u. Auslandes u. wohnt seit 1887 wieder in Wien, IX., Spittelauerlände 3 B.

Görner, Karl, Ritter von, Dr., Publicist, geb. zu Ludweis am 13. December 1858, wollte sich der akademischen Laufbahn widmen und war auch längere Zeit als Mittelschullehrer thätig, später wendete er sich jedoch gänzlich der Publicistik zu,

war mehrere Jahre Redacteur der „Bohemia" und ist seit 1886 als Redacteur (politischer Theil und Parlament) der „Deutschen Zeitung" thätig (G. ist auch Verfasser von: Der Hannswurststreit in Wien und Josef von Sonnenfels" (1884). IX., Servitengasse 21.

*Göstl, Johann, Maler, geb. zu Wien am 6. Februar 1813. IX., Währingerstraße 46.

Gothov-Grünecke, Ludwig, Musiker, geb. zu Budapest am 6. März 1846, war als 12jähriger Knabe bereits Prim-Violinist i Theater a. d. Wien. Später trat derselbe wiederholt als Concertist in die Oeffentlichkeit und wirkt gegenwärtig als Capellmeister der Wiener Tanz-Sängerinnen, mit denen er Kunstreisen in Deutschland und Oesterreich unternimmt. Als Componist schrieb er die Musik zum Volksstück: „Josef Lanner", zu den Possen: „Ein Böhm in Amerika", „Ein Soldatenjux", „Moderne Weiber", sowie eine große Anzahl verschiedener anderer Tonstücke.

Gotthard, Josef Paul, Musiker, geb. zu Drahanowitz (Mähren) am 19. Jänner 1839, war Kirchenchorknabe in Altwasser und später Solosopranist am Olmützer Dom. Seine höhere musikalische Ausbildung (Contrapunkt und Composition) erhielt er von S. Sechter. Er gründete 1868 eine Musikalienhandlung in Wien (gegenwärtige Firma Wetzler) und ist seit 1882 akademischer Musiklehrer am k. k. Theresianum. Er componirte Lieder, gemischte und Männerchöre, Clavierstücke, Kammermusik, Messen, an 20 Graduale und Offertorien und die Opern: „Editha" und „Iduna". Auch bearbeitete derselbe zahlreiche Volkslieder. Bisher sind von G. an 100 Werke erschienen. IV., Theresianumgasse 2 a.

Gottsleben, Ludwig, Schauspieler und Schriftsteller, geb. zu Wien am 24. November 1836, studierte an der Akademie der bildenden Künste, schrieb 1856 sein erstes Stück „Ein Musikant", später „Pfingsten oder Herr Göd und Jungfer Godl", „Auf der Bühne und hinter den Coulissen", „Wiener Schnipfer", „Nestroy", „Diese Damen", „Wiener Nachtfalter", „Alles um 27 kr." G. dessen erstes Debut im Theater an der Wien 1859 der „Natzl" in Flamm's „Eine Wienerin" gewesen, hat u. A. mit Director Strampfer und Fürst größere Gastspiele absolvirt und ist jetzt (im Sommer) im Fürsttheater, (im Winter) im Theater in der Josefstadt thätig. VIII., Laudongasse 43.

Goutta, Josef, Schriftsteller, geb. zu Wien am 5. Mai 1816. Er übersetzte Balbo's „Sommario della Storia d'Italia", „General Bova's Feldzug 1848 in Italien", sowie über fünfzig große Romane aus dem Englischen, zwölf aus dem Französischen und mehrere Aufsätze und Abhandlungen aus der spanischen und lateinischen Sprache. G. ist auch als Mitredacteur des „Fremdenblattes" publicistisch thätig und k. k. Militäroberbeamter in Pension. Oesterr. decor. VII., Breitegasse 12.

*Gräbener, Hermann Otto Theodor, Musiker, geb. zu Kiel am 8. Mai 1844, Schüler seines Vaters des Componisten und Professors Karl Gräbener und des Conservatoriums, wurde 1862 Organist zu Gumpendorf, 1864 Mitglied des Wiener Hof-Opernorchesters und ist gegenwärtig Professor am Conservatorium (für Harmonielehre). Er componirte Orchester-, Clavier- und Violinmusik, mehrere Ouverturen, Streichoctette, Clavierconcerte, Quintette und Trios, Lieder u. s. w. III., Marxergasse 23.

*Grabt, Julius, Publicist, ist

Mitredacteur der „Wiener Allg. Zeitung". IX., Lazarethgasse 37.

*Graf, Ferdinand, Musiker, geb. zu Wien im Jahre 1846, ist Mitglied der k. k. Hof-Musikcapelle (Bassist) und Directionsadjunct des k. k. Hofoperntheaters. I., Bräunerstraße 9.

*Graf, Ludwig, Portrait-Maler, geb. zu Wien am 30. März 1838, Schüler der k. k. Akademie der bild. Künste in Wien unter Ruben, widmete sich Anfangs der Historie und dem Genre, befaßte sich seit 1873 fast ausschließlich mit dem Portrait. G. I., Johannesgasse 22.

*Granichstätten, Emil, Dr., (Pseudonym Willibald), Schriftsteller, geb. zu Wien am 8. Juli 1847, ist vielfach schriftstellerisch und zwar als Dramatiker, Feuilletonist und Kritiker thätig, Redacteur der „Presse" und Verfasser der Bühnenwerke „Witwe Scarron" (Lustspiel, 1878), „Ein gutes Haus" (Schauspiel, 1886) und „Galante Könige" (Lustspiel, 1887), welche wiederholt an ersten Bühnen zur Aufführung gelangten. IX., Schwarzspanierstraße 6.

Grasberger, Hanns, Schriftsteller, geb. im obersteirischen Marktflecken Obbach am 2. Mai 1836. Er ist absolvirter Jurist und betheiligte sich 1859 an einer vom „Severinus-Verein" veranstalteten Pilgerfahrt nach Jerusalem, schrieb über dieselbe unter Anderem auch Reiseberichte für den „Oesterreichischen Volksfreund" und wurde später Redacteur dieses Blattes. Seit dieser Zeit beginnt seine ununterbrochene literarische Thätigkeit. Er war Redactionsmitglied der „Presse" (Kunstreferent), und ist gegenwärtig in gleicher Eigenschaft im Redactionsverbande der „Deutschen Zeitung". Im Buchhandel erschienen: „Sonette aus dem Orient" (1873), „Singen und Sagen" (Gedichte 1869), „Le Rime di Michel Angelo Buonar-

roti", in Nachdichtungen (1886) „Aus
dem Carneval der Liebe" (Gedichte
1873), - Zan Mitnehm", (Mundart=
liche Gedichte, 1880), „Nix für un=
gnat" (Schnabahüpfeln 1885), „Plo=
dersam, geistli'n G'schichten" (Mund=
artliche Dichtungen 1886), „Aus der
ewigen Stadt" (Novellen 1887) und
„Allerlei Deutsames" (Novellen 1888).
Er veröffentlichte weiters zahlreiche
Erzählungen, Aufsätze, Gedichte und
Kritiken in den Zeitschriften: „An der
blauen Donau", „Wiener Zeitung",
„Zur guten Stunde", „Kunst für
Alle" 2c. und ist Mitarbeiter an dem
Werke weiland unseres Kronprinzen
„Oesterreich=Ungarn in Wort und
Bild". VIII., Laudongasse 33.

Grasselli, Emma (recte Grassel),
Tänzerin, geb. zu Wien im Jahre
1858, ist als Solotänzerin im Ver=
bande des k. k. Hofopern=Theaters,
welchem Kunstinstitute sie seit 1878
als Mitglied angehört. IV., Preß=
gasse 15.

Grasselli, Franz, (recte Grassel),
Schauspieler, geb. zu Wien am
8. Mai 1855, trat im Jahre 1877
in Basel (Schweiz) zum ersten Male
auf, gastirte 1878 mit der Palmer'schen
Negergesellschaft aus Amerika, war
später am Theater an der Wien en=
gagirt und ist seit 1884 Mitglied des
Josefstädter Theater. Sein allererstes
Engagement war beim Ballet der k. k.
Hofoper. VIII., Auerspergstraße 7.

Grasselli=Magnus, Gisella,
Schauspielerin, geb. zu Wien am
4. April 1864, debutirte 1880 im
Carltheater (unter Director Tewele)
war in Marburg und am Theater an
der Wien im Engagement und ist seit
1884 im Verbande des Theaters in
der Josefstadt. VIII., Auersperg=
straße 7.

Grazie, Marie Eugenie, delle,
Schriftstellerin, geb. zu Ung.=Weiß=
kirchen am 14. August 1864, ist Mit=
arbeiterin verschiedener, meist ausl.

Zeitschriften und Verfasserin eines
Bandes „Gedichte", des Epos „Her=
mann", der Novelle „Die Zigennerin"
und der Tragödie „Saul". Währing,
Cottage, Stephaniestraße.

*Grese, Conrad, Maler und
Radierer, geb. zu Wien am 7. Sep=
tember 1823, Schüler der k. k. Aka=
bemie der bild. Künste in Wien, wid=
mete sich, nachdem er Jahre hin=
durch Landschaften gemalt hatte,
der Radierung und übergab Land=
schaften und Naturstudien in Radie=
rungen der Oeffentlichkeit. Eine große
Anzahl mittelalterlicher Kirchenge=
bäude Oesterreich = Ungarns wurde
von ihm in Aquarell reprobucirt. G.
IX., Lazarethgasse 18.

Greif, Alois, Maler, geb. zu
Linz am 27. März 1841, Schüler
der Wiener Akademie, widmet sich als
Illustrator und Aquarellist mit Vor=
liebe den Schilderungen des österr.
Volkslebens. G. IV., Mühlgasse 2.

*Greiml, Hermann, Schrift=
steller, geb. zu Regensburg (Baiern)
am 29. December 1853, veröffentlichte
politische und novellistische Arbeiten,
größtentheils jedoch in ausl. Blättern.
IX., Kolingasse 17.

Greiner, Christine (Pseudo=
nym C. del Negro), Schriftstellerin,
geb. zu München am 24. October
1852, ist Mitarbeiterin verschiedener
(ausl.) Zeitschriften und Verfasserin
des Romanes „Auf ewig gebunden"
(drei Bände 1882). IV., Taub=
stummengasse 6.

*Greipel, Josef sen., Musiker,
geb. zu Gerdorf (Nied.=Oesterr.) am
27. December 1817, Capellmeister bei
St. Peter. I., Sonnenfelsgasse 11.

*Greipel, Josef jun., Musiker,
geb. zu Wien am 26. Juni 1840,
Mitglied des k. k. Hofburgtheater=
Orchesters und der Hofcapelle. I., Tuch=
lauben 19.

*Griepenkerl, Christian, Hi=

storien= und Portrait=Maler, geb. zu
Oldenburg am 17. März 1839,
Schüler C. Rahl's, besuchte in seiner
Vaterstadt das Gymnasium und kam
über Empfehlung des Malers Willers
1855 in Rahl's Privatschule, u. führte
im Verein mit Ed. Bitterlich, nach
Rahl's Tode, eine Serie Compo=
sitionen des verstorbenen Meisters
aus. Die vielen Verdienste, die sich
G., welcher u. A. auch die Fresken
für die Akademie in Athen gemalt,
um die Kunst erwarb, führten zu
seiner Ernennung (1874) als ord.
Professor der Akademie. Für sein
„Portrait" erhielt G. im Jahre
1880 die Carl Ludwig=Medaille.
Seine Oelgemälde „R. von Führich"
und „Portrait Eitelberger's" (Brust=
bilder) befinden sich in der Gallerie der
k. k. Akademie in Wien, sein Por=
trait des „Grafen Morzin" im Wiener
Rathhause (Adlerzimmer). G. ist k. k.
Professor an der Akademie der bild.
Künste. Oesterr. und ausländ. decor.
S. IV., Theresianumgasse 31.

Griez, Josef, Ritter von Ronse,
Dr., Publicist, geb. zu Temesvár am
4. April 1850, ist Herausgeber und
Redacteur der ersten in Oesterreich=
Ungarn erscheinenden englischen
Zeitung der „Vienna Weekly News".
III., Reisnerstraße 38.

*Grizinger, Leo, Sänger, geb.
in der Bukowina im Jahre 1852,
wurde als Chorist in das Hofoper
engagirt, erhielt von August Stoll
Gesangsunterricht und trat bald als
Tenorist in den Verband genannten
Kunstinstitutes, welchem er seit 1879
als Mitglied angehört. VI., Magda=
lenenstraße 11.

Gröbner=Friedl, Ottilie,
Schriftstellerin, geb. zu Schönbrunn
am 8. August 1859, schreibt kleinere
Novellen und Erzählungen für die
„Hausfrauen=Zeitung", „Weltblatt"
rc. II., Nordpolstraße 1.

*Groch, Roman, Dr. (Pseud.

Theobald Marz), Schriftsteller, geb.
zu Szepes=Varalja in Ungarn am
14. Mai 1857, studierte deutsche
Sprache, Literatur und Geschichte,
wurde 1877 Mittelschullehrer in
Budapest und übersiedelte 1880 nach
Wien, wurde Mitarbeiter der „Tri=
büne" und ist als Romanschriftsteller
thätig. Er veröffentlichte nebst klei=
neren Schriften die Romane: „Der
Zigeunerkönig und sein Schützling"
und „Das Vermächtniß der Ama=
zone".

Groh, Jakob, Maler und Ra=
dierer, geb. zu Rumburg am 14. Mai
1855, Schüler der Kunstgewerbe=
schule unter den Professoren Lauf=
berger, Storck und Unger, unternahm
größere Reisen nach Italien, Deutsch=
land, Dänemark, Schweden und
Norwegen und wirkte u. a. als
Illustrator an dem kronprinzlichen
Werke „Oesterreich=Ungarn in Wort
und Bild" mit, ist Mitarbeiter der
Lützow'schen „Zeitschrift für bild.
Kunst", des Engelhorn'schen Werkes
„Kunstschätze in Italien", das von
k. k. Oberstkämmerer=Amte heraus=
gegebenen Jahrbuches (Radierung der
lykischen Funde). Mit kaiserl. Sub=
vention hat G. die große Radierung
„Gluck" (nach dem Gemälde von
Duplessis und „Maria Theresia" nach
dem in Schönbrunn befindlichen be=
rühmten Gemälde von Meytens ge=
schaffen. III., Hauptstraße 51.

*Grohmann, Max, Musiker,
geb. zu Loebau (Sachsen) am 28. Oc=
tober 1847, ist Mitglied des k. k. Hof=
opern=Orchesters (1. Violine) und seit
1. December 1870 im Engagement
genannten Kunstinstitutes. V., Sieben=
brunngasse 13.

*Groll, Andreas, Maler, geb.
zu Wien am 6. September 1850,
Schüler der k. Akademie der bild.
Künste in Wien. Ausl. decor. S.
I., Schottenring 28.

*Groller, Balduin (Albert

5*

Goldscheider), Schriftsteller, geb. zu Arad am 5. September 1848, war schon frühzeitig journalistisch thätig und gründete 1871 die „Allgemeine Kunstzeitung." Er ist Mitarbeiter verschiedener belletristischer Zeitschriften und Chefredacteur der „Neuen illustr. Zeitung". Im Buchhandel erschienen bisher: „Junges Blut" (Geschichten, 1884), „Weltliche Dinge" (Neue Geschichten), „Prinz Klöß" (Novelle, 1885), „Gräfin Aranka" (Roman, 1887) und das bereits mehrfach aufgeführte Bühnenwerk „Kleine Gefälligkeiten" (Lustsp., 1887). IX., Bergg. 31.

*Grouer, Anton, Architekt, geb. zu Wien im Jahre 1823, ist k. k. Hofbau-Controlor in Pension, kaiserl. Rath und österr. und ausl. decor. 6. I., Bartensteingasse 13.

Groner, Auguste, Schriftstellerin, geb. zu Wien am 16. April 1850, Schülerin des österr. Museums unter den Professoren Sturm und Rieser (Malerei), und des Wiener Conservatoriums (Musik), wirkt dermalen als städtische Volksschul-Lehrerin. G. ist Mitarbeiterin vieler in- und ausländischer Zeitungen und Zeitschriften, und Verfasserin der Buchnovellen: „G'schichten aus dem Traunviertel" (II. Aufl., 1888), „Liebesphasen" (1888), der culturgeschichtlichen Werke „Heldenthaten unserer Vorfahren" (1887), „Unter fahrenden Leuten" (1888) und der „Erzählungen aus der Geschichte Oest.llng." (1889). Hietzing, Lainzerstr. 36.

Grouer, Richard, geb. zu Wien am 3. October 1852, ist Beamter im Secretariate der öst.-ung. Staatsbahn, bei welchem Institute er sich seit 1871 befindet. G. war 1875—1879 für das „Fam.-Journal" thätig, ist Mitarbeiter einiger auswärt. Journale, seit 1881 Mitredacteur (Literaturbesp. 2c.) des „Interessanten Blattes" und seit 1887 auch Redacteur des „Interess. Bl.-Kalender" Hietzing, Lainzerstraße 36.

Groß, Ferdinand, Schriftsteller, geb. zu Wien am 8. April 1849, trat bereits mit 15 Jahren als Schriftsteller in die Oeffentlichkeit und errang 1877 anläßlich einer vom „Berliner literarischen Centralbureau" ausgeschriebenen Concurrenz für das beste Feuilleton den ersten Preis. Dasselbe hieß: „Literarische Zukunftsmusik". Im Jahre 1879 wurde G. in die „Frankfurter Zeitung" als Feuilletonredacteur berufen, bekleidete diese Stellung bis 1881 und kehrte in diesem Jahre nach Wien zurück, um in den Redactionsverband der „Wiener Allg. Zeitung" einzutreten. G. gab auch in Wien die Monatschrift „Der Frauenfeind" heraus und ist gegenwärtig Redacteur der literarischen Beilage „Im Boudoir" der Zeitschrift „Wiener Mode", Feuilletonist des „Neuen Wiener Tagblattes", sowie Mitarbeiter der verschiedensten außerösterreichischen Zeitungen und Zeitschriften. Im Buchhandel erschienen: „Kleine Münze" (1878), „Gedichte" (1880), „Richtig und flüchtig" (1880), „Oberammergauer Passionsbriefe" (1880), „Mit dem Bleistift" (1881), „Aus der Bücherei" 1883), „Heute und gestern" (1883), „Blätter im Winde" (1884), „Aus meinem Wiener Winkel" (1884), „Literarische Modelle" (1887), „Drei Geschichten" (1888), „Lieder aus dem Gebirge" (1886), „Goethe's Werther in Frankreich" (1888). Die Uebersetzung: Coquelins l'art et le comédien (1882), sowie die Bühnenwerke: „Geheimnisse" (1877, Lustspiel in einem Act) und „Die neuen Journalisten" (Lustspiel in vier Acten in Gemeinschaft mit Max Nordau.) „Der erste Brief" (1883, Lustspiel in einem Act), Ausl. decor. IX., Währingerstraße 50.

*Groß, Josef, Architekt, geb. zu Hennersdorf am 1. November 1828, Schüler der Wiener Akademie unter Karl Tietz, wirkte als Architekt in Firma Claus & Groß bei sehr vielen

Privatbauten, u. a. „Römisches Bad" und hat sich seit mehreren Jahren in's Privatleben zurückgezogen. **G.** I., Seilerstätte 10.

Groß, Karl, Dr., (Pseud Carlo dolce), Schriftsteller, geb. zu Budapest am 24. Mai 1839, widmete sich nach Absolvirung der juridischen Studien dem Advocatenstande, war 1870—1874 Directions-Secretär der k. ung. Staatsbahnen und wirkt erst seit 1874 als Berufs-Journalist. Von ihm erschienen im Druck als selbständige Werke die Gedicht- und Novellen-Sammlung: „Schwalben", ferner die Bühnenwerke: „Ein Feuilleton" (Lustspiel), „Eine kleine Cur", „Zahnschmerzen", „Ein Lustspiel in 5 Acten", „Der 10 November" (Festspiel in Versen), sowie „König Koloman" (Trauerspiel, frei nach Jokai bearbeitet) und das nach dem Französischen bearbeitete Ausstattungsstück „Der Weihnachtsbaum". G. ist Redacteur der „Wiener Zeitung". IX., Berggasse 17.

Grösz, August, Landschafts-Maler, geb. zu Wien am 17. Juli 1847, widmete sich ursprünglich naturwissenschaftlichen Studien, unternahm größere Reisen durch Deutschland, Italien, Frankreich und Afrika, wendete sich sodann der Malerei zu und studirte zu diesem Behufe an der Wiener Akademie unter den Professoren A. Zimmermann und E. v. Lichtenfels. Im naturhistor. Museum befindet sich von ihm „Idealbild des Laibacher Beckens", „Kaffern kraal" und „Dorf der Niam-Niam". I., Elisabethstraße 3.

Grotthuß, Elisabeth, Baronin von, Schriftstellerin, geb. zu Gut Dürben in Kurland am 29. October 1820, ist Verfasserin von: „Novellen", „Anna Rosenberg" (Roman), „Geschichte der Großmutter" (Erz., 1868), „Erzählungen" (1869), „Die Familie Kunenthal" (Roman, 1870), „Die

Adoptiv-Geschwister" (Roman, 1871), „Die Männer der Loge" (Rom., 1872), „Graf Bruno Degenhart" (Rom. 1873), „Die gemischten Ehen (Rom., 1874), „Das falschverstandene Ehrgefühl" (Nov, 1873), „Die wunderbare Heilung" (Nov, 1875), „Vier Lebensbilder" (Nov), „Gehorsam bis zum Tode"(Nov., „Zwei Onkel aus Amerika" (Lustsp., 1876), „Pastor Freimann" (Rom), „Der Magnetiseur" (Lustsp., 1876), „Wie gefällt Ihnen Clara" (Lustsp., 1878), „Die beiden Vettern" (Rom., 1880), „Gasthaus zum grünen Baum" (Rom., 2 Aufl, 1880), „Die Verwaisten" (Rom.), „Geschichte der Großmutter" (Rom., 2. Aufl., 1881), „Die Leibeigenen" (Rom., 1882), „Das Kind des Nihilisten" (1883), „Die Rache A Dimitrowna's" (Rom, 1884), „Helene Grandpré" (Rom.), „Wilh. Hort" (Rom.), „Ginevra Contarini" (Rom.) und anderer Romane, Novellen, Erzählungen ꝛc. I., Himmelpfortgasse 17.

Gruber, Franz, Ritter von, Architekt, geb. zu Wien am 20. Juli 1837, ist Specialist für hygienisch wichtige Bauanlagen; nach seinen Entwürfen wurden die meisten der seit zehn Jahren in Oesterreich-Ungarn erbauten Kasernen angelegt, für welche Gebäude, sowie für die Militär-Spitäler er die heute bestehenden Vorschriften verfaßte. Von G. wurden u. a. auch das Rudolfiner-Haus in Döbling, die Küche und Badeanstalt des Garnisonsspitales in Wien Nr. 1 und der Bahnhof der Wien-Aspang-Bahn erbaut. Schriftstellerisch machte sich G. durch seine wissenschaftlichen Abhandlungen über Spital- und Kasernen-Anlagen sowie über seinen diesbezüglichen Bericht über die Ausstellungen in Brüssel (1876) und Paris (1878) bekannt. G. organisirte auch den VI. intern. Congreß für Hygiene und Demographie, als dessen

G.-Secretär. G. ist k. k. Professor. österr. u. ausl. dec. I., Tiefer Graben 3.

Gruber, L., siehe Anzengruber.

*****Grün,** J. M., Musiker, geb. zu Budapest am 12. März 1837, ist als Concertmeister Mitglied des k. k. Hofopern-Orchesters und seit 1. October 1868 im Engagement genannten Kunstinstitutes. G. wirkt auch als Professor am Conservatorium. IV., Heugasse 18.

*****Grünau,** Hans von (Grünzweig Heinrich), Schriftsteller, geb. zu Krakau am 25. Februar 1869, ist Herausgeber und Chef-Redacteur des Unterhaltungsblattes „Jung Oesterreich", schreibt Theater- und Kunstberichte, sowie Feuilletons, ist Mitarbeiter der „Heimat", „Deutsches Dichterheim" ꝛc. und veröffentlichte in Buchform „Junge Blüthen" (Gedichte, 1887) und „Ein Veilchenstrauß" (Novellen und Erzählungen, 1888). II., Czerningasse 4.

Gründorf, Karl, Schriftsteller, geb. zu Riegersburg (Steiermark) am 1. Mai 1830, wurde im Jahre 1852 Schauspieler, im Jahre 1853 Theater-Secretär und war in den Jahren 1854—1860 im Carltheater als Schauspieler und Theater-Dichter engagirt. G. trat 1885 nach 25jähriger Thätigkeit, als Bureau-Chef der k. k. Staatsbahnen in den Ruhestand und widmet sich von da ab ausschließlich der Literatur. Seine im Druck erschienenen beziehungsw. aufgeführten Werke sind: „Das Tischrücken", „Ira Aldridge" und „Die Goldgräber"(Preßburger Theater 1853/1854), „Trau, schau, wem"(Theater a. d. Wien 1856), „Ein Guldenzettel" (Theater a. d. Wien 1857), „Ein Wunderdoctor" (Josefstädter Theater 1858), „Ein Freund wie er sein soll" (Varieté-Theater, Neue Welt, 1868) „Opfer der Consuln" (Hofburgtheater 1870), „Noblesse oblige" (Hofburgtheater 1871), „Zu Dreien" (Carltheater 1872), „Er soll sich aus-

toben" und „Eilgut" (Strampfer-Theater 1872), „Ein Nihilist" (Theater a. d. Wien 1873), „Don Quixote" (Ringtheater 1876), „In der Einöd" (Rudolfsheimer Theater 1883), „Modelle und Wasserkuren" (Rudolfsheimer Theater 1886), „Sieben Todsünden" (Fürsttheater 1888). Fünfhaus, Blüthengasse 4.

Grünfeld, Alfred, Musiker, geb. zu Prag am 4. Juli 1852. Er bereist als Clavier-Virtuose ganz Europa und ist auch Componist zahlreicher beliebter Lieder, Clavierstücke ꝛc. G. wurde zum österreichischen Kammer-Virtuosen und preußischen Hofpianisten ernannt. Ausländisch decor. II., Praterstraße 49.

Grünwald-Zerkowitz, Sidonie, Schriftstellerin, geb. zu Tobitschau (Mähren) am 7. Februar 1852, kam als junges Mädchen nach Budapest, woselbst sie in kürzester Zeit die Landessprache erlernte und in derselben Gedichte und Erzählungen schrieb, die wiederholt in Budapester Zeitungen zum Abdrucke gelangten. Nach längerem Aufenthalte in Griechenland (Athen) kehrte sie nach Wien zurück und ist hier schriftstellerisch thätig. Sie veröffentlichte „Die Lieder der Mormonin". VI., Stumpergasse 30.

Grünzweig, Heinrich, siehe Grünau, Hans v.

*****Gruß,** A., Dr. (Pseudonym Erwin Thurn), Schriftsteller, geb. zu Leitmeritz am 8. März 1854, ist neben seinem ärztlichen Berufe schriftstellerisch thätig und schreibt Novellen, Feuilletons, Gedichte, Opern-Libretti, sowie Bearbeitungen aus dem Englischen. Er veröffentlichte „Eine musikalische Familie" (1884) und die Anthologie „Deutsche Worte" (1884). IV., Wiedner Hauptstraße 78.

Guglia, Eugen, Dr., Schriftsteller, geb. zu Wien am 24. August 1857, ist Mitarbeiter der Zeitschriften „Allgemeine Kunst-Chronik", „Allge-

meine Zeitung" (München), „Grenz=
boten" (Leipzig), „Oesterr.=Ung. Re=
vue" 2c., in welchen er Feuilletons,
Essays und Kritiken, zumeist lite=
rar=historischen Inhaltes, veröffent=
licht. G. ist gegenwärtig Professor a.
d. Staatsrealschule in Währing.
Währing, Gürtel 59.

*Gulyas, Gisela, geb. zu Groß=
Kanizsa am 29. December 1869,
Schülerin von Prof. Schmitt, wirkt
als Concert=Pianistin und ist auch
technisch auf der neuen Janko=Clavia=
tur ausgebildet. I., Bäckerstraße 14.

Gundram, Karl (siehe Wagner
Camillo von).

*Gutmann, Bertha, geb. 1858,
ist als Concert=Sängerin thätig. I.,
Elisabethstraße 6.

Gutmann, Ignácz, Maler, geb.
zu Gal=Szecs in Ungarn am 8. De=
cember 1838, Schüler der k. k. Aka=
demie der bildenden Künste in Wien,
besuchte u. A. behufs Anfertigung
von Copien nach alten Meistern, im
Auftrage des Fürsten Liechtenstein
und N. Dumba, Florenz, Rom,
Neapel, Paris und London. VIII.,
Alserstraße 27.

Guttmann, Josef Georg
Julius, Dr., Publicist, geb. zu
Wien am 7. Februar 1854, war
seinerzeit Chefredacteur der „Morgen=
Post" und der „Wiener Allg. Zeitung",
ist Mitarbeiter der „Liberté",
„Pester Lloyd", „Politik" (Berliner=)
„Gegenwart" 2c. und Verfasser einiger
fachwissenschaftlicher Arbeiten, (siehe
„Das geist. Wien", II. Band). I.,
Habsburgergasse 7.

Gyurkovics, Georg v. Rózsa=
Lehota, Schriftsteller, geb. zu
Atlasnitsch in Kroatien am 24. Februar
1845, bereiste 1869—1876 als Mit=
glied der europ. Gradmessung und
als Generalunabsofficier die Balkan=
halbinsel, ist seit 1876 Redacteur der
„Presse" (ausländische, namentlich

orientalische Angelegenheiten) und
seit 1882 Abgeordneter des kroat.=
slav. Landtages und des ungar.
Reichstages. Ueber seine fachwissen=
schaftlichen Werke siehe „Das geist.
Wien", II. Band. IX., Berggasse 31.

*Haanen, Remi van, Maler
und Radierer, geb. zu Oosterhout in
Holland am 5. Jänner 1812, Schüler
seines Vaters und des Jan van
Ravenszway zu Hilversum, über=
siedelte 1836 nach Wien, von wo
aus er fast ganz Europa bereiste.
H. malt Landschaften in Aquarell
und Oel, besonders viele Mond=
scheinbilder, deren Durchführung von
der Kritik größtentheils Lob ent=
gegengebracht wird. Eine große
Sammlung seiner Radierungen wurde
im Jahre 1866 von der britischen
Regierung angekauft. Ausländ. decor.
I., Schellinggasse 1.

Haberlandt, Michael, Dr.,
(Pseudonym Heinrich Schenk), Schrift=
steller, geb. zu Ung.=Altenburg am
29. September 1860, ist Mitarbeiter
der „Neuen Freien Presse" (Feuille=
ton), „Neue Illustr. Zeitung" und
Autor von „Indische Legenden" (1885),
„Der altindische Geist" (1887) 2c., (siehe
„Das geistige Wien", II. Band). H. ist
Assistent am k. k. naturhistor. Mu=
seum. VII., Neubeggergasse 23.

*Hablawetz, August Egon,
geb. zu Wien am 19. Mai 1833,
erlernte das Buchdrucker=Gewerbe und
wu=be Schriftsetzer in der Hof= und
Staatsdruckerei. Im Jahre 1851 gieng
er zum Theater, wurde zuerst Chorist,
dann Sänger und Schauspieler am
Josefstädter Theater (Director Hoff=
mann), hierauf erster Bassist in Linz,
gastirte in gleicher Eigenschaft in
den größten Städten Deutschlands
und Oesterreichs, debutirte 1869 am
Hofoperntheater und ist seit 1870 Mit=
glied dieser Hofbühne. IV., Wiedner
Hauptstraße 8.

Hackenjöllner, Georg, Musiker, geb. zu Wien am 17. Februar 1815, ist seit 53 Jahren Organist und Chordirector (gegenwärtig bei der Pfarre Mariahilf). Er componirte eine sehr große Anzahl öffentlich (in Kirchen und Vereinen) aufgeführter Tonwerke. Ottakring, Pössingergasse 2.

*Hackstock, Carl, Bildhauer, geb. zu Ferring in Steiermark im Jahre 1855. Schüler Kundmann's. VI., Schmalzhofgasse 19.

Haffner, Adalbert, Schriftsteller, geb. zu Wien, Sohn des Dichters Carl Haffner († 29. Februar 1876), ist Autor der Theaterstücke: „Zwei Veteranen", „Millig'schichten", der Gedichtsammlungen: „Indische Gesänge" (1883), „Gesammelte Gedichte" (1884) und der Romane „Die Soubrette vom Theater a. d. Wien", „Höher Peter", „Die Dame mit den rothen Stiefletten", „Die Schwestern der Nacht", „Die Raubvögel von Wien". H. ist Chefredacteur der Zeitung „Der Stammgast". Ottakring, Weyprechtgasse 8.

*Hahn, Ludwig Benedikt, Publicist, geb. zu Mühlhausen (Böhmen), war früher Herausgeber der „Polit. Correspondenz", ist seit Jänner 1889 anläßlich seiner Ernennung zum Leiter des Telegraphen-Correspondenz-Bureaus k. k. Regierungsrath österr. und ausländisch decor. Währing, Feldgasse 39.

Hahn, Sigmund, Publicist, geb. zu Tauba am 21. November 1844, ist Herausgeber des „Reichsraths-Almanach" und verantwortlicher Redacteur des „Neuen Wiener Tagblattes" IV., Hauptstraße 51.

Hallenstein, Konrad Adolf, Schauspieler, geb. zu Frankfurt a. M. am 15. Jänner 1835, debutirte als „Raoul" in der „Jungfrau von Orleans" am Frankfurter Theater (5. December 1854), war dortselbst wie in Hamburg, Königsberg und am Prager Landestheater, in Engagement und folgte 1872 einem Rufe an das k. k. Hofburgtheater, welchem kunstInstitute er seit dieser Zeit angehört. Im Februar 1876 wurde H. zum k. k. Hofschauspieler ernannt. VIII., Landesgerichtsstraße 18.

Haltmayer, Theodor, Zeichner des „Kikeriki", geb. zu Graz am 21. December 1846. VIII., Buchfeldgasse 11.

Hamann, Josef B., ist schriftstellerisch und publicistisch thätig. III., Kegelgasse 11.

*Hammé-Voitus, Eduard von, Tänzer, geb. zu Amsterdam 1856, ist als Solotänzer seit 1884 im Verbande des k. k. Hofoperntheaters. VI., Magdalenenstraße 11.

Hamza, Johann, Maler, geb. zu Teltsch in Mähren am 21. Juni 1850, Schüler der k. k. Akademie der bild. Künste in Wien unter Prof. Ed. v. Engerth. k. VII., Mariahilferstraße 72.

*Hansen, Theophil, Freiherr von, Architekt, geb. zu Kopenhagen am 13. Juli 1813, Schüler der Akademie in Kopenhagen, besuchte auf Grund eines dänischen Stipendiums Italien und Griechenland, war in Athen Lehrer an der technischen Schule, führte die dortige Sternwarte des Baron Sina aus, gieng 1846 nach Wien, baute mit Förster die evangelische Kirche zu Gumpendorf (Wien), die Leopoldstädter Synagoge (Wien), letztere in byzant.-maur. Stil. H. baute hierauf selbstständig das Waffenmuseum des Arsenals, den evangel. Friedhof, die Schule und Kuppelkirche der nichtunirten Griechen. In der Zeit 1860 bis 1861 wurde von ihm die Akademie der Wissenschaften in Athen erbaut, worauf sich H. wieder nach Wien begab und u. A. folgende Bauten aufführte: Das Palais Ephrusi, den Heinrichshof, Palais

des Erzherzogs Wilhelm, das Gebäude der österr. Musikfreunde, die
Börse (mit Tietz) in florent.
Renaissance-Stil, die Akademie der
bild. Künste, das Parlamentsgebäude
2c. H. ist k. k. Ober-Baurath, Ehrenbürger von Wien, Ehren-Mitglied
der k. k. Akademie der bild Künste 2c.
Oesterr. und ausländ. decor. I.,
Amalienstraße 3.

Hanslick, Eduard, Dr. jur.,
Schriftsteller, geb. zu Prag am
11. September 1825, widmete sich
schon frühzeitig dem Studium der
Musik, war Schüler Tomaschek's
und wurde bereits 1861 Professor der
Aesthetik und Geschichte der Tonkunst
an der Wiener Universität. Er war
in den Jahren 1848—1849 ständiger
Musikreferent der „Wiener Zeitung",
später (ab 1855) der „Presse", veröffentlichte Aufsätze in den österreichischen „Literaturblättern", den
„Sonntagsblättern" und verschiedenen
„Musik-Zeitungen" und ist gegenwärtig als Musikberichterstatter und
Kritiker, Mitredacteur der „Neuen
Freien Presse" (seit 1864), Mitarbeiter der „Deutschen Rundschau"
von Rodenberg, sowie musikalischer
Fachreferent bei dem Werke weiland
unseres Kronprinzen „Die österr.-
ung. Monarchie in Wort und Bild".
Bei den Weltausstellungen Paris
(1867, 1878), u. Wien (1873) bekleidete
er das Amt eines Jurors der musikalischen Abtheilung. Im Buchhandel
erschienen von ihm bisher folgende
Werke: „Vom musikalisch Schönen"
(1885, übersetzt in's Französische,
Italienische, Spanische, Russische und
Dänische), „Geschichte des Wiener
Concertwesens" 2 Bände (1869),
„Aus dem Concertsaal" (eine Sammlung seiner 1848—1868 geschriebenen
Kritiken und Aufsätze, 1870), „Suite"
(Aufsätze über Musik und Musiker
1885), „Die moderne Oper" (Kritiken
und Studien, 1885 mit den 3 Bänden:
„Musikalische Stationen", „Aus dem

Opernleben der Gegenwart", „Musi-
kalisches Skizzenbuch" als Fort-
setzungen; und schließlich „Concerte,
Virtuosen und Componisten" (1886).
Aus seiner Feder stammt auch der
Artikel „Musik" in der vom Wiener
Gemeinderath anläßlich des 40jähr.
Jubiläums des Kaisers herausgege-
benen Festschrift „Wien 1848—1888".
H. ist k. k. Hofrath und österr. decor.
IV., Wohllebengasse 1.

*Hansmann, Richard, Musiker,
geb zu Domstadl (Mähren) im Jahre
1845, ist gegenwärtig der einzige
Musiker, der in Wien auf der Zauko-
Claviatur concertirt und unterrichtet.
IV., Heugasse 7.

*Harach, Professor, ist u. a.
Musikreferent des „Pesti Naplo".

Hardt-Stummer, Amalie,
Creszenzia, Baronin (Pseudonym
Amalia Creszenzia), Schriftstellerin,
geb. zu Oslavan (Mähren) am
27. Juni 1863, ist Autorin von:
„Eine kleine Geschichte", „24 Stunden"
„Liebeslegenden", „Eine Feuerprobe"
und „Milian". IV., Theresianumgasse 4.

Haerdtl, Hugo, Bildhauer, geb.
zu Hof (Krain) am 23. November
1846, Schüler der Wiener Akademie,
hat mit verschiedenen decorativen
Arbeiten die Hofmuseen, das neue
Hofburgtheater, das Universitätsgebäude, die restaurirte Schottenkirche
in Wien geziert. Auch das im Stiegenhause des neuen anatom. Institutes
in Wien aufgestellte Standbild „Galenus", die Giebelgruppe „Justiz" im
Parlamentsgebäude, für welche er
1885 die Carl Ludwig-Medaille erhielt, die Zwickelfiguren in der Loggia
und die Portraits-Medaillons in dem
k. k. Universitätsgebäude, sowie sechs
geflügelte Wappenhalter (Façade des
Hofburgtheaters) stammen von diesem
Künstler. S. IV., Klagbaumgasse 11.

*Haerdtl, Josef, Bildhauer,
geb. zu Losensteinleiten (Ober-Oesterr.)
im Jahre 1857. IV., Alleegasse 25.

*Harna, A., ist als Contra-Baß-Concertist thätig. Hernals, Mitterberggasse 17.

*Hartinger, Anton, Blumenmaler und Lithograph, geb. zu Wien am 13. Juni 1806, hat u. A. im Auftrage des Unterrichtsministeriums größere botanische Werke illustriert. Oesterr. decor. VI., Mariahilferstraße 49.

Hartmann, A., Schauspielerin, geb. zu Wien am 24. Juli 1863, Schülerin der Frau Prof. Pruckner, war vom 6.—11. Lebensjahre Elevin des Burgtheaters, hatte ihr allererstes Debut als „Elvira" (Don Juan) im Troppauer Theater im Jahre 1884, trat dann zur Operette über und debutirte als „Orlofsky" in „Fledermaus" am Theater an der Wien, an welcher Bühne sie seither thätig ist. IV., Getreidemarkt 5.

Hartmann, Emil, Ritter v., Schriftsteller, geb. zu Ried (Oberöster.) am 19. August 1853, ist Redacteur der „Musikalischen Rundschau" und Mitarbeiter der „Neuen Zeitung für Musik" (Leipzig). H. war früher Redacteur der „Deutschen Kunst- und Musikzeitung". I., Friedrichstraße 2.

Hartmann, Ernst, Schauspieler, geb. zu Hamburg am 8. Jänner 1844, betrat am 10. September 1861 als „Müllerbursche" in „Die schöne Müllerin" am Stadttheater in Reval zum erstenmale die Bühne; bereiste dann mit einer kleinen Gesellschaft die Ostseeprovinzen, war später an größeren Bühnen engagirt, debutirte am 8. Februar 1864 im Hofburgtheater als „Graf Paul" in „Der Majoratserbe", wurde in demselben Jahre Mitglied unserer Hofbühne, später durch Ernennung zum wirklichen Hofschauspieler für das Burgtheater gewonnen und im weiteren Verlaufe seiner künstlerischen Thätigkeit Regisseur. Zu seinen bemerkenswerthesten Rollen zählen: „König

Heinrich V.", sowie „Ludwig XIV.", in „Prinz Montpensier", „Leon" in „Weh' dem, der lügt", „Benedict" in „Viel Lärm um Nichts" ꝛc. und die große Anzahl Liebhaber-Darstellungen in deutschen und französischen Lustspielen. Seit 1868 ist er mit Helene H. geborne Schneeberger vermält. Oesterr. und ausl. decor. Währing, Sternwartestraße 55.

Hartmann, Helene (geborne Schneeberger), Schauspielerin, geb. zu Mannheim am 14. September 1848, debutirte bereits am 28. November 1860 am Mannheimer Hoftheater, gehörte dem Nationaltheater ihrer Vaterstadt als jugendliche Liebhaberin bis 1864 an, gieng in diesem Jahre an das Hamburger Thalia-Theater und wurde 1865 von Laube zu einem Gastspiele am Burgtheater eingeladen; sie gastirte als „Lorle" in „Dorf und Stadt" (eine bekannte Glanzrolle H.'s), als „Jeanne" in „Lady Tartuffe" und als „Aline" in „Fesseln". Das Debut hatte das sofortige Engagement der Künstlerin als Naive zur Folge, und gehört dieselbe seit 10. Juni 1867 als Mitglied und seit 1870 als wirkliche Hofschauspielerin dem Burgtheater an. Sie spielte jahrelang alle naiven Rollen, hat jedoch auch schon mit der Darstellung komischer Partien begonnen. Ausl. decor. Währing, Sternwartestraße 55.

Hartmann, Moriz, geb. zu Wien am 10. Juni 1866, Herausgeber der „Oesterr.-ung. Volkspresse". II., Blumauergasse 18.

*Hasch, Karl, Landschaftsmaler, geb. zu Wien am 8. November 1835. Schüler der k. k. Akademie der bild. Künste in Wien. Im naturhistor. Museum befinden sich von ihm die Bilder: „Calvarienberg in der Adelsberger-Grotte", „Smaragdgruben im Habachthale", „Opalgruben bei Czernicza", „Gräberfeld bei Hallstadt". S. IX., Frankgasse 1.

Hasenauer, Karl, Freih. von, Architekt und k. k. Oberbaurath, geb. zu Wien am 20. Juli 1833, erhielt seinen ersten Unterricht im Collegium Carolinum zu Braunschweig, worauf er die Wiener Akademie besuchte und sich daselbst unter Van der Nüll und Siccardsburg ausbildete. Er bereiste Oberitalien, Deutschland, Frankreich, England, die Niederlande, Schottland und wendete sich bald der praktischen Baukunst zu. Er war von 1867—1871 Gemeinderath der Stadt Wien, wurde wegen seiner erfolgreichen Durchführung der Wiener Weltausstellungsbauten in den österr. Freiherrnstand erhoben, 1884 nach Abgang Hansen's an dessen Stelle zum Professor der Architektur an der k. k. Wiener Akademie ernannt und erhielt aus Anlass der Vollendung des Baues und der Einrichtung des k. k. Hofburgtheaters das Ehrenzeichen für Kunst und Wissenschaft. Außer vielen Landhäusern, Villen ꝛc. verdanken wir H., welcher sich mit Vorliebe in den monumentalen und decorativen Formen der Hochrenaissance bewegt, u. a. den Aziendahof am Graben, das Palais des Grafen Lützow, die gesammten Bauten für die Wiener Weltausstellung (1873), die beiden k. k. Hofmuseen, das k. k. Hofburgtheater, das große Theaterdepot in der Dreihufeisengasse, das kaiserliche Schloß nebst Nebengebäuden im k. k. Thiergarten nächst Lainz und die Architekturen zum Tegetthof-, Maria Theresien- und Grillparzer-Monument. Oeuer. und ausländ. decor. G. l., Parkring 18.

*Haßlwander, Friedrich, Maler und Schriftsteller, geb. zu Wien am 4. October 1840, wurde 1860 Schüler der Akademie der bild. Künste und ist seit 1866 k. k. OberRealschul-Professor. Als Schriftsteller veröffentlichte er zahlreiche Gedichte, Novellen, Feuilletons, sowie kunst- und literaturgeschichtliche Artikel in den verschiedensten österreichischen und deutschen Zeitschriften. Nebenbei pflegt er auch die Historienmalerei und ist seit 1877 Secretär der Pensions-Genossenschaft der bild. Künstler in Wien. V., Pilgramgasse 7.

Haßreiter, Josef, Tänzer, geb. zu Wien am 30. December 1845, ist als Solotänzer im Verbande des. k. k. Hofoperntheaters, welchem Institute derselbe seit 1870 als Mitglied angehört. Sein erstes Debut absolvirte er im Münchener Hoftheater im September 1864, verblieb daselbst bis 1868, gieng dann als erster Tänzer an die Stuttgarter Bühne, und gastirte im September 1870 in Wien in „Satanella". H. wirkt auch als Lehrer und ist Inhaber eines Tanz-Institutes. Er beschäftigt sich auch mit der Ausarbeitung größerer Ballette und componirte u. a. mit Franz Gaul) das Ballett „Die Puppenfee" (Musik v Jos. Bayer). Breitensee, Hauptstraße 88.

Hauenthal, Louise von, Schauspielerin, geb. zu Wien, ist seit 1872 Mitglied des k. k. Hofburgtheaters, ohne früher in einem anderen Engagement gewesen zu sein. VII., Stiftgasse 5.

Hauer, Hans Georg, Schriftsteller, geb. zu Sieding am 9. November 1853, ist Verfasser der Gedichte (Edelweiß" (1885), Mitarbeiter von Schlinkert's Bauernkalender und des Vogl-Kalender, und seit 1. September 1886 als Beamter im UnterrichtsMinisterium thätig. IV., Floragasse 4.

*Haufe, Adolfine, Tänzerin, geb. zu Wien im Jahre 1858, ist als Solotänzerin im Verbande des k. k. Hofopern-Theaters, welchem Institute sie seit 1871 als Mitglied angehört. IV., Margarethenstraße 25.

*Hannold, Karl, Fr. Em., Landschaftsmaler, geb. zu Wien am

29. März 1832. Schüler Hansch's. IV.,
Floragasse 7.

Hauser, Alois, Architekt, geb. zu
Wien am 16. Nov. 1841, betheiligte sich
an archäologischen Expeditionen nach
Samothrake, Athen, bereiste Griechenland, Kleinasien, die Türkei, Italien
und Dalmatien, führte die Restaurirung des Domes zu Spalato durch
und machte eine große Anzahl von
Entwürfen für das Kunstgewerbe,
entwarf u. a. auch den Plan für
den Brunnen am Margarethenplatz
in Wien 2c., leitet seit Jahren die
Ausgrabungen in Carnuntum als
Director des gleichnamigen Vereines
und ist als k. k. Professor an der
Kunstgewerbeschule des österr. Museums in Wien thätig. H. ist noch
Dombaumeister in Spalato, k.k. Con-
servator für Wien und Niederösterreich, Correspondent des deutsch-
archäolog. Institutes, Mitglied der
k. k. Central-Commission für Erfor-
schung und Erhaltung der Kunst- und
historischen Denkmale und k. k. Baurath. Auch schriftstellerisch ist H. vielfach thätig. Er ist Mitarbeiter von
„Alt-Wien in Wort und Bild",
„Histor. Landschaften aus Oesterreich", des Kronprinzen-Werkes
„Oesterreich-Ungarn in Wort und
Bild" 2c., Verfasser von „Archäolo-
gische Untersuchungen auf Samothrake" (zwei Bände), Stillehre der
architektonischen und kunstgewerblichen
Form (drei Bände) und verschiedener
anderer fachwissensch. Werke. (Siehe
„Das geistige Wien", II. Band).
Oesterr. decor. **G.** I., Teinfaltstraße 5.

*Hauser, Anna, Sängerin, geb.
zu Wien im Jahre 1858, ist seit
1880 Mitglied des k. k. Hofoperntheaters. I., Schottenbastei 3.

*Hauser, Ferdinand, Architekt,
geb. zu Wien am 24. Mai 1835, beschäftigte sich vielfach auch als Baumeister und führte als solcher u. a.
den von Flattich entworfenen Wiener

Südbahnhof aus. **G.** IX., Nußdorferstraße 12.

*Hausleithner, Karl, Dr.,
Musiker, geb. zu Mannswörth an
der Donau im Jahre 1843, wirkt
als Orgelspieler und Vorstand-Stell-
vertreter des Cäcilien-Vereines und
ist Hof- und Gerichtsadvocat. IX.,
Währingerstraße 14.

Hausleithner, Rudolf, Maler,
geb. zu Mannswörth a. d. Donau
am 10. März 1840. Schüler der k. k.
Akademie der bild. Künste in Wien,
hat sich ausschließlich dem Genre und
Portrait zugewendet. **G.** II., Robert-
gasse 1.

*Hausmann, Friedrich, Bildhauer, geb. zu Wien am 23 Juni
1860, Schüler der k. k. Akademie
der bild. Künste in Wien. IV.,
Weyringergasse 24.

*Hawle, Franz Xaver Ru-
dolf, Publicist, geb. zu Wien im
Jahre 1848, Herausgeber des polit.
Journals „Das Echo". Währing,
Kreuzgasse 44.

*Hayek, Gustav, Edler von, Dr.,
ist k. k. Regierungsrath, Gymnasial-
professor u. Mitarbeiter ausländischer
Zeitungen. Oesterr. und ausländ.
decor. III., Marokkanergasse 3.

Hayek, Katharina, Edle von,
Schriftstellerin, geb. zu Budapest am
28. December 1847, veröffentlichte
einige Novellen in hiesigen und auswärtigen Zeitschriften. IV., Schaumburggasse 3.

Haymerle, Franz, Ritter von,
Dr., Schriftsteller, geb. zu Preßburg
am 3. December 1850, ist Redacteur
des „Centralblatt für das gewerbl.
Unterrichtswesen i. Oesterr.", Verfasser
eines Bandes „Gedichte" (1887) und
Autor verschiedener fachwissenschaftl.
Werke (siehe „Das geist. Wien,
II. Band). H. ist Ministerialsecretär
im Ministerium für Cultus und

Unterricht. IX., Schwarzspanierstraße 6.

*Hecht, Wilhelm, Kupferstecher
und Xylograph, geb. im Jahre 1843,
hat u. A. die Oberaufsicht über die
Herstellung sämmtlicher Holzstöcke für
des weiland Kronprinzen Werk
„Oesterreich-Ungarn in Wort und
Bild" und ist Professor an der Kunstgewerbeschule des österr. Museums.
S. I., Universitätsplatz 1.

Hefft, Anton, Architekt, geb. zu
Wien am 15. December 1815, ist
Schüler der Wiener Akademie. Von
seinen größeren Bauten seien hier
erwähnt: Das Nationaltheater in
Bukarest, die Schloßcapellen in der
Weilburg und in Weikersdorf (bei
Baden), das neue Landhaus in
Brünn (mit R. Raschka), die Kalt-
wasseranstalt in Reichenau für Ge-
brüder Waisnix, der Umbau der Villa
des Erzherzogs Albrecht in Arco.
III., Lagergasse 1.

*Heidenreich, F. S., Architekt,
IV., Wienstraße 7.

*Heidrich, Franz, Schriftsteller,
geb. zu Wien am 3. Juni 1843,
schrieb mehrere Bühnenwerke, darunter
„Passionen" (Schwank), „Für die
Mobilisirten" (Schwank), „Herbst-
manöver" (Posse). u. m. a. H. ist
Redacteur des „Novitäten-Courier".
II., Prater 31.

· Heidt, Karl Maria, Schriftsteller, geb. zu Genf am 15. Jänner
1866, studiert derzeit Jus, ist Mitarbeiter mehrerer ausl. Zeitschriften
und Verfasser von „Die Blutrache"
(Schauspiel, 1885), „Das Buch Kassandra — ein Sonettenkranz" (3. Auflage, 1886). VII., Siebensterngasse 27.

Heilmann, Anton, Landschafts-
und Decorations-Maler, geb. zu
Neumarkt bei Salzburg am 1. Juni
1850, Schüler der Kunstgewerbeschule
unter Professor Sturm und der
Specialschule des Professors Lichten-

fels, war einige Jahre hindurch im
Atelier der Hoftheatermaler Brioschi,
Burghardt und Kautzky thätig. H.
ist auch Illustrator einiger illustrirter Zeitschriften (wie z. B.
der „Leipziger illustr. Zeit.", „Ueber
Land und Meer" 2c.) und widmet
sich hauptsächlich Motiven aus dem
Hochgebirge. IV., Kettenbrückengasse 4.

Hein, Alois Raimund, Histo-
rien- und Genre-Maler, geb. zu Wien
am 1. Juni 1852, Schüler der
Wiener Akademie unter Trenkwald
und Jakoby. hat in den Jahren 1880
und 1884 Studienreisen durch Italien unternommen, woselbst er die
Anregung zu einigen seiner größeren
Bilder (Atelier-Szene, Andromeda,
Dissonanz 2c.) erhielt. H. ist auch als
Kunstschriftsteller vielfach thätig und
k. k. Professor. VI., Dürergasse 22.

Hein, Markus, Schriftsteller,
geb. zu Hotzenplotz am 1. Jänner
1831, war Leiter des volkswirthschaftl.
Theiles der „Presse" unter Zang,
bis 1860 Mitherausgeber des „Volkswirth", Mitredacteur des „Fortschritt"
und der „Neuesten Nachrichten",
1869—1874 Chefredacteur der „Tagespresse", ist seit 30 Jahren Wiener
Correspondent des „Frankfurter
Actionär", mehrjähriger Correspondent der „Frankfurter-Zeitung" und
des „Pester Lloyd" und seit 1882
Herausgeber und Chefredacteur der
„Woche". I., Salvatorgasse 8.

*Heine-Geldern, Max Freiherr
von, Schriftsteller, schreibt unter dem
Namen „Heldern" Liedertexte und
Gedichte, von denen eine große An-
zahl Franz von Suppé in Musik
setzte; er ist u. A. auch Verfasser
des Operetten-Librettos „Mirolan"
(Musik vom Militär-Capellmeister
M. Fall). Ausländ. decor. III.,
Kegelgasse 17.

*Heinrich, Franz, Architektur-
Maler, geb. zu Nachod in Böhmen
im Jahre 1803, Schüler der k. k. Aka-

demie der bild. Künste in Wien unter den Prof. Lampi, Redl, Cancig, Ender und Kupelwieser, bildete sich auf Reisen in Italien weiter aus und wählte zu den Motiven seiner Aquarelle namentlich Innen-Ansichten von Kirchen und Palästen.

*Heinrich, Franz, Musiker, geb. zu Wien am 8. October 1868, ist Mitglied des k. k. Hofopernorchesters (2. Violine) und seit 16. October 1886 im Engagement genannten Kunstinstitutes. VI., Engelgasse 5.

Held, Ludwig, Schriftsteller, geb. zu Regensburg am 14. April 1837, Redacteur des „Neuen Wiener Tagblatt" (Theaterreferat). Aufgeführte Bühnenwerke: „Hausse und Baisse" (Lustspiel), „Die Näherin" (Posse), „Der Vagabund" (Operette mit M. Wohl), „Bollmann" (Operette mit M. Wohl) und „Der Schlosserkönig" (Operette, mit Benjamin Schier). I., Kärntnerring 12.

Heldern, siehe Heine-Geldern, Max, Freih. v.

*Helfert, Johann Alex., Freih. von, Schriftsteller, geb. zu Prag am 8. November 1820, wurde 1843 Privatsupplent seines Vaters des Kirchenschriftstellers Josef H., 1847 Assistent am Theresianum und 1848 Unterstaatssecretär im Unterrichtsministerium, welchen Posten er bis 1863 inne hatte. 1881 erfolgte seine Ernennung zum Herrenhausmitglied. Er schrieb zumeist historische Werke (siehe „Das geistige Wien", II. Band), gab den „Wiener Parnaß" heraus und ist redactioneller Leiter des „Oesterreich. literarischen Centralblattes". H. ist wirklicher geheimer Rath, Präsident des österr. Volksschriftenvereines 2c. 2c. Oesterr. decor. III., Rennweg 3.

Heller, Seligmann, Schriftsteller, geb. zu Raudnitz am 8. Juli 1831, nach Absolvirung der philosophischen und juridischen Studien

in Wien übernahm er von seinem Vater in Leitmeritz die Pachtung des Stadtbrauhauses und errichtete 1863 daselbst ein Pensionat; wurde 1866 in Prag Professor für deutsche Sprache und Literatur an der Handelsakademie und Theaterreferent der „Bohemia", übersiedelte 1872 nach Wien, wurde Feuilletonist der „Deutschen Zeitung", später Professor an der Handelsakademie, lebt jedoch gegenwärtig als Privatmann ausschließlich der Schriftstellerei. H. veröffentlichte im Buchhandel, „Ahasverus" (Heldengedicht, 1866), „Die letzten Hasmonäer" (Tragödie, 1870), „Gedichte" (1872) und mehrere philosophische Abhandlungen. V., Krongasse 16.

*Hellin, Heinrich, Architekt, war früher in Firma Milch & Hellin thätig. I., Rathhausstraße 7.

*Hellmer, Edmund, Bildhauer, geb. zu Wien am 17. November 1850, Schüler des Polytechnicums und der Akademie in Wien, unter F. Bauer und H. Gasser. Nach einer Studienreise durch Italien und längerem Aufenthalte in Rom betheiligte sich H. an den decorativen Arbeiten für das Gebäude der Wiener Weltausstellung, bereiste Deutschland und Frankreich, wurde 1879 zum suppl. Professor, 1882 zum ord. Professor an der Wiener Akademie ernannt. H. betheiligte sich auch an der plastischen Ausschmückung des Justizpalastes („Austria"), der beiden Hofmuseen, des Rathhauses und des neuen Universitäts-Gebäudes (Gruppen „Philosophie", „Theologie"). Das Hauptwerk H.'s ist die Darstellung: „Kaiser Franz Josef I. verleiht die Verfassung", welches den Hauptgiebel des Parlamentsgebäudes schmückt (überlebensgroße Figuren in Laaser Marmor). Gegenwärtig ist H. mit der Ausführung des Grabdenkmales für Makart und mit der des sogenannten Türken-Monument

— für deſſen Entwurf er den 1. Preis erhielt — beſchäftigt. H. iſt k. k. Prof. an der Akademie (allgem. Bild= hauerſchule). 6. V., Franzensgaſſe 18.

*Hellmesberger, Ferdinand, Muſiker, geb. zu Wien am 24. Jänner 1863, iſt Mitglied des k. k. Hofopern= Orcheſters (Violoncell) und ſeit 1. Mai 1886 im Engagement genannten Kunſtinſtitutes. Ferner Mitglied der k. k. Hofmuſik=Capelle, des Quar= tettvereines Hellmesberger und Pro= feſſor am Conſervatorium. IV., Hauptſtraße 31.

*Hellmesberger, Joſef sen., Muſiker, geb. am 3. November 1829, erhielt die vollſtändige künſtleriſche Ausbildung von ſeinem Vater, dem Orcheſterdirector und berühmten Vio= linpädagogen Georg H. Im Jahre 1847 machte er ſeine erſte Kunſtreiſe, wurde ſchon 1850 Profeſſor des Violinſpieles am Wiener Conſer= vatorium, dann 1860 erſter Concert= meiſter der Hofoper. Gegenwärtig bekleidet H. die Stelle des erſten Hof=Capellmeiſters und wirkt als Director des Conſervatoriums. Be= ſondere Verdienſte hat H. um die Pflege der Kammermuſik, vornehmlich des Streichquartetts; er ſelbſt hatte ſchon 1849 einen ſtändigen Quartett= verein gegründet und die regelmäßigen Productionen desſelben bis 1887 fortgeſetzt, in welchem Jahre er die Führung der erſten Geige ſeinem Sohne Joſef übergab. Oeſterr. und ausländ. decor. IV., Hauptſtraße 31.

Hellmesberger, Joſef, jun., Muſiker, geb. zu Wien am 9. April 1855, Sohn des Vorigen, trat bereits im 6. Lebensjahre öffentlich auf, war bei der Militärkapelle des Inf.=Rgts. „Hoch= und Deutſchmeiſter“ als Diri= gent thätig, wurde 1874 Concert= meiſter der Komiſchen Oper, 1875 Mitglied des Quartett Hellmesberger, 1878 Soloviolinist und ſpäter Ballet= muſik=Director des k. k. Hofopern=

Orcheſters, und wirkt gegenwärtig als k. k. Hofopern=Capellmeiſter, Mitglied der k. k. Hofmuſik=Capelle und Pro= feſſor am Conſervatorium. Er com= ponirte nebſt einer großen Anzahl von Tanzweiſen die Operetten: „Der Graf von Gleichen“, „Capitain Ahl= ſtröm“, „Der große Kurfürſt“, „Rikiki“ und „Die beiden Mazzi“, die Oper „Fata morgana“ und die Muſik zu den Ballets „Harlekin als Elektriker“, „Die verwandelte Katze“, ſowie zu dem Ausſtattungsſtück: „Der Rattenfänger von Hameln“. Aus= länd. decor. I., Lothringerſtraße 1.

*Hellmesberger, Roſita, k. k. Sängerin, geb. zu Wien im Jahre 1862, war Schülerin des Wiener Conſervatoriums (unter Duſt= mann=Mayer), iſt ſeit 1883 Mitglied des k. k. Hofoperntheaters und vom Herbſt 1889 an für Soubretten= partien an's Deutſche Volkstheater engagirt I., Volksgartenſtraße 5.

Hellwig, Leo, Schauſpieler, geb. am 11. April 1853, iſt ſeit 1. Sep= tember 1884 im Theater an der Wien engagirt. II., Schreygaſſe 9.

Helm, Theodor, Dr., Muſik= ſchriftſteller, geb. zu Wien am 9. April 1843, iſt ſeit 1874 Docent für Aeſthe= tik, ſeit 1882 auch für Geſchichte der Muſik an dem Inſtitute Horak, Verfaſſer von „Beethoven's Streich= quartette — Verſuche einer techniſchen Analyſe dieſer Werke im Zuſammen= hange mit ihrem geiſtigen Gehalt“ (1885), redigirt ſeit 1876 den Notiz= kalender „Muſikaliſche Welt“, den muſikaliſchen Theil der „Deutſchen Zeitung“ und iſt Correſpondent des „Peſter Lloyd“ und verſchiedener anderer Zeitſchriften. III., Haupt= ſtraße 51.

*Helmer, Hermann, Architekt, geb. zu Harburg am 13. Juli 1849, iſt Specialiſt im Theaterbaufache, wirkt in Firma Fellner & Helmer und hat u. A. die Theater in Carls=

bad, Brünn. Prag. Totis, Odessa, das deutsche Volkstheater in Wien, die Sternwarte in Währing und das Etablissement Ronacher geschaffen. Von seinen vielen Privat-Bauten nennen wir: das Thonet-Haus i. der Kärntnerstraße (das sogenannte eiserne Haus), das Palais der Herzogin be Castries, die Waarenhäuser Kranner und Rothberger (Stefansplatz), den Margarethenhof. (Oesterr. decor. S. IX., Servitengasse 7.

*Helmsky, Josef, Musiker, geb. zu Wien am 13. Mai 1844, ist Mitglied des k. k. Hofopern-Orchesters (Horn) und seit 1. Juli 1866 im Engagement genannten Kunstinstitutes. IX., Alserstraße 34.

*Helou, Emil (Wislobocka Helene), Malerin, pflegt das Genre und Portrait. IX., Hörlgasse 15.

Hembo, Apollonius (Pseudonym für Josef Böhm jun.), Schriftsteller, geb. zu Wien am 16. November 1868, veröffentlichte: „Lyrik auf stillen Stätten", „Lieder einer Koketten" und „Die Maske des Königs" (Lustspiel in fünf Aufzügen). Beschäftigt sich mit Kunstkritik, Cultur- und Localgeschichte von Wien, auch mit Toilettenliteratur, und ist Mitarbeiter der Zeitschriften: „Lyra" (Wien), „Art. Revue" (New-York), „Neue poetische Blätter" (Frankfurt a. M.), „Deutsches Blätter" (Eger), „Deutsches Dichterheim" (Dresden) u. A. I., Wollzeile 9.

*Hemsen, Theodor, Schriftsteller, geb. zu Göttingen 1826. Er widmete sich dem Buchhandel, gab diesen Beruf jedoch bald auf und wurde 1852 Privatlehrer in Venedig. 1856 übersiedelte er nach Wien, wurde Mitarbeiter verschiedener Zeitschriften und trat 1857 in die Redaction der damaligen „Constitutionellen Vorstadt-Zeitung", deren Mitglied er noch heute ist. Im Buchhandel erschienen von H. „Des Königs Beichtvater"

(Hist. Roman, 1863), „Des Ministers Sündenbuch" (Roman, 1864), „Die Czarentochter oder Kerker und Krone" (Roman, 1866), „Die Prinzessin von Ahlden" (Histor. Roman, 1869), „Hazard" (Lustspiel, 1869), „Venus in Versailles" (Hist. Roman, 1874) ꝛc. I., Hoher Markt 7.

*Hengg, Willibald, Musiker, geb. zu Kesselwengle (Tirol) am 12. Mai 1837, ist Mitglied des k. k. Hofopernorchesters (2. Violine) und seit 1. October 1864 im Engagement genannten Kunstinstitutes. III., Radetzkystraße 1.

*Herberth, Carl, Maler und Photograph, geb. zu Wien im Jahre 1822. S. IV., Mayerhofgasse 8.

Herdlicka, Theodor, Schriftsteller (Pseudonym Theodor Taube), geb. zu Wien am 23. Februar 1840, ist seit 1869 Mitarbeiter, seit 1874 verantwortlicher und seit dem Tode Berg's Chefredacteur des „Kikeriki". H. ist Verfasser von: „Miß Flora Welton" (Posse, 1875), „Die schöne Helene"(Schauspiel, 1877), „Die Gypsfigur" (Posse, 1879), „Seine Wirthschafterin"(Posse 1878),„Vaterfreuden" (Posse, 1879), „Auf der Nar" (Posse, 1883), „Die Urwienerin" (Singspiel, 1886), welche Stücke sämmtlich zur Aufführung gelangten. VIII., Neudeggergasse 5.

*Herdtle, Hermann, Architekt, geb. in Württemberg, unternahm eine größere Studienreise nach Italien und war im Atelier des Architekten Bäumer längere Zeit thätig. Er befaßt sich vornehmlich mit dem Kunstgewerbe und hat auch kunstgewerbliche Fachwerke, sowie derartige Entwürfe veröffentlicht. H. ist Professor an der k. k. Kunstgewerbeschule. S. I., Stubenring.

*Hermann, Hermine von, Malerin, geb. zu Komorn am 30. December 1857, Schülerin Darnauts, malt Stimmungsbilder und Landschaften in Aquarell und Oel. IV., Schäffergasse.

*Hermann, S., Schriftsteller. Ist u. a. auch Mitarbeiter der „Neuen fliegenden Blätter".

Hermann, Wilhelm, Publicist, geb. zu Alt-Kanizsa am 22. September 1844, schreibt für verschiedene Blätter Novellen und Essays und ist u. a. Correspondent des „Berliner Tagblatt", für Politik, Kunst und Wissenschaft aus Oesterreich-Ungarn. Oberdöbling, Neugasse 5.

Herold von Stoda, Max, Musiker, geb. zu Wien am 26. Februar 1870, ist Violin-Concertist. Seine Compositionen sind noch Manuscripte. VI., Windmühlgasse 39.

Herrnfeld, Friedrich, Publicist, geb. zu Wien am 12. April 1853, ist als Redacteur der „Oesterreichischen Volkszeitung" (Fachreferat: Locale Angelegenheiten) thätig. II., Obere Donaustraße 45.

*Herrnfeld, Heinrich, Dr., Publicist, geb. zu Nikolsburg am 26. April 1837, ist Chefredacteur der „Wiener Allgem. Zeitung". II., Obere Donaustraße 45.

Hertzka, Friederike, Schriftstellerin, geb. zu Wien, hat „Ueber Land und Meer", „Illustrirte Welt" ꝛc. mit verschiedenen belletristischen Beiträgen versehen und ist Verfasserin des Romanes „Die Trostburg" (1889).

Hertzka, Theodor, Dr., Schriftsteller, geb. zu Budapest am 13. Juli 1845, war in den Jahren 1872—1879 Redacteur des wirthschaftl. und naturwissenschaftl. Ressorts der „Neuen Freien Presse", gründete hierauf die „Wiener Allg. Zeitung", als deren Herausgeber er von 1880—1886 fungirte. Ueber die fachschriftstellerische Thätigkeit H.'s siehe „Das geistige Wien", II. Band. Börsegasse 1a.

Herz, Max Constantin, Schriftsteller, geb. zu Mühlhausen (Böhmen)

am 10. März 1846, ist seit 1886 Eigenthümer und Herausgeber der Cur- und Badezeitung „Hygiea", Mitarbeiter des „Salonblatt", Verfasser der „Edelweiß, Rhododendron und Enzian", „Sommertage in den böhmischen Bädern" „Oesterreichs Berge und Thäler" und verschiedener balneolog. und touristischer Broschüren. II., Praterstraße 45.

*Herzka, Pauline, Malerin. I., Riemergasse 9.

Herzl, Sigmund, Schriftsteller, geb. zu Wien am 26. Mai 1830, war Kaufmann, später Beamter und hat sich 1885 gänzlich in's Privatleben zurückgezogen. Er schrieb „Liederbuch eines Dorfpoeten" (1853), „Lieder eines Gefangenen" (1874), „Prager Elegien" (1880). (Gestorben am 11. Februar 1889.)

Herzl, Theodor, Dr., Schriftsteller, geb. zu Pest am 2. Mai 1860, veröffentlichte eine Sammlung von Novelletten unter dem Namen: „Neues von der Venus" und gesammelte Feuilletons als „Buch der Narrheit". Seine Bühnenwerke sind: „Muttersöhnchen", „Der Flüchtling", „causa Hirschkorn" und das Lustspiel „Seine Hoheit". H. ist Mitarbeiter (Feuilletonist) der „Neuen Freien Presse" und des „Wiener Tagblattes". II., Stefanienstraße 1.

Herzog, Jacob, Schriftsteller, geb. zu Mieslitz (Mähren) am 17. Juni 1842, trat 1862 in die Redaction der „Ostdeutschen Post" (bis 1866), ist Herausgeber und Chefredacteur der „Montags-Revue" und Mitarbeiter der „Gegenwart" (Berlin), „Unsere Zeit" (Leipzig) ꝛc. und Verfasser des einactigen Schauspiels „Die Rose" u. m. a. Bühnenwerke III., Veithgasse 9.

*Herzog, Katharina, Schauspielerin, geb. zu Wien im Jahre 1826, war unter Nestroy im Carltheater engagirt zu ihren beliebtesten Rollen zählte die „Juno" in „Orpheus in der Unterwelt") und trat nach Auflösung der Direction Lehmann für das Fach der komischen Alten in den Verband des Theaters a. d. Wien, welchem Institute sie noch heute als das älteste Mitglied angehört. VI., Engelgasse 10.

*Heßl, Gustav, Maler, geb. zu Wien im Jahre 1849, Schüler der Akademie unter Professor von Engerth. **6.** IV., Heugasse 52.

Heuberger, Richard, Musiker, geb. am 18. Juni 1850 in Graz, war für den technischen Beruf bestimmt und stand auch als Ingenieur beim Baue der Giselabahn in Verwendung. 1876 jedoch wendete er sich gänzlich der Musik zu, wurde Chormeister des Akademischen Gesangvereines und 1878—1880 Dirigent der Wiener Singakademie. Von seinen Compositionen erschienen bisher circa 50 Lieder und 2 Liederspiele im Druck. Er schrieb ferner eine große Anzahl Männer- und gemischte Chöre mit Orchester- und mit Clavierbegleitung, Duette, Orchestervariationen und Orchesterbearbeitungen (dentsche Tänze von Schubert, Walzer von Robert Fuchs), 1 Ouverture, zu Byron's „Kain" eine Symphonie, und die Oper: „Die Abenteuer einer Neujahrsnacht", welch' letztere Tonwerke wiederholt öffentlich aufgeführt wurden. IV., Klagbaumgasse 11.

*Heveſi, Ludwig, Schriftsteller, (Pseud. Onkel Tom), geb. zu Heves (Ungarn), am 20. December 1843, studirte Medicin und classische Philologie, wendete sich jedoch bald der schriftstellerischen Laufbahn zu und ist seit 1865 ununterbrochen literarisch und publicistisch thätig. Er ist Mitarbeiter des „Pester Lloyd" (seit 1866) der „Breslauer Zeitung" 2c., welche Journale H. mit Feuilletons zumeist humoristischen Genres versorgt, und

seit 1875 als Burgtheater-Referent und Kunst-Kritiker Mitredacteur des „Fremdenblattes". Von 1871 - 1874 gab H. die Jugendzeitschrift „Kleine Leute" heraus, dessen sieben erste Bände gänzlich aus seiner Feder stammen. Im Buchhandel erschienen: „Sie sollen ihn nicht haben" (Heiteres aus ernster Zeit, 1871, „Des Schneidergesellen Andreas Jelky Abenteuer in vier Welttheilen" (1875), „Auf der Schneide", Novellen (1884), „Neues Geschichtenbuch" (1885) „Auf der Sonnenseite" (Ein Geschichtenbuch, 1886), „Almanacando" (1888) und „Buch der Laune" (Neue Geschichten, 1889). I., Wallfischgasse 8.

Heyret, Marie, Schriftstellerin, geb. zu Wien am 6. Jänner 1856, schreibt meist Feuilletons für auswärtige Blätter und Erzählungen vornehml. religiöser Tendenz, sowie Kritiken, Arbeiten nach Quellenforschungen, und lit.-historische Essays. I., Postgasse 2.

Hieron, siehe Kohn Sigmund

Hieser, Otto, Architekt geb. zu Wien am 24. Mai 1850, Schüler der Académie des beaux arts in Paris und später Carl Tit's, hat verschiedene Villen, Schlößchen 2c. u. A. das des Grafen Harnoncour im Prater), Mausoleen (Familie Hanſchka von Flesch), sowie im Vereine mit dem Ingenieur Dow. Süß die über den Donaucanal führende Stephaniebrücke ausgeführt. VI., Kanalgasse 5.

*Hilbert, Alois, Musiker, geb. zu Wien am 26. Jänner 1840, ist Mitglied der k. k Hof-Musikcapelle und des k. k. Hof-Opernorchesters (1. Violine) seit 1. November 1859. III., Rennweg 57.

*Hillardt, Gabriele, Schriftstellerin (Pseud. G. Eichelberg), geb. zu Prag am 20. September 1840, war Herausgeberin der Vierteljahrsschrift „Jahreszeiten", ist Redactrice von Fromme's „Mädchenkalender" und Verfasserin einer Anthologie 2c. H. ist Lehrerin an der k. k. Lehrerinnen-Bildungsanstalt. III., Beatrixgasse 24.

Hille, Franz, Schriftsteller, geb. zu Heimpach in Böhmen am 12. Mai 1832, ist Chefredacteur des „Sonn- und Feiertags-Courier" (Fachreferat: Politik, Feuilleton und Kunstkritik). War bis 1879 Chefredacteur des Wiener „politischen Tagesjournals" und der „Tagespresse". I., Elisabethstraße 3.

Himmelberger, Hans, Baron, Publicist, geb. zu Wien am 30. November 1842, Redacteur der „Oesterr. Gemeindepost". Fünfhaus, Goldschlaggasse 23.

Hinträger, Karl, Architekt, geb. zu Miskolcz am 2. December 1859, Schüler Ferstl's, war 1883—1887 Assistent an der Wiener technischen Hochschule, ist Mitarbeiter verschiedener technischer Zeitschriften, hatte sich zum Zwecke des Studiums der Unterrichtsanstalten, längere Zeit in Italien, der Schweiz und Süddeutschland aufgehalten. Außer verschiedenen Wohngebäuden hat H. u. a. Schulbauten in Oberdöbling, Penzing, Trient, Mähr.-Schönberg 2c. und das Theater in Szathmar ausgeführt. IV., Heugasse 66.

Hinträger, Moriz, Architekt, geb. zu Schenkau (Böhmen) im Jahre 1831, Redacteur des „Civil-Techniker" und Mitarbeiter der „Allg. Bauzeitung" 2c., war viele Jahre beim Hochbau diverser Eisenbahnen thätig, wurde dann Baudirector der Unionbaugesellschaft und hat, 1874 selbständig geworden, u. a. die Festbauten des III. deutschen Bundesschießens in Wien, den Triumphbogen in Fünfhaus und die Triumphpforte in Meidling aus Anlaß des Empfanges der Prinzessin Stephanie ausgeführt. S. IV., Heugasse 66.

*Hippauf, Otto, geb. zu Wien im Jahre 1862, ist als Violinist künstlerisch thätig. H. ist von Beruf Magistratsbeamter. VIII., Josefstädterstraße 26.

Hirsch, Albert, Musiker, geb. zu Wien am 29. Juni 1841, war ursprünglich Volksschullehrer, gieng hierauf zur Bühne, war u. A. auch im Theater an der Josefstadt im Engagement, und ist dermalen als Volkssänger thätig, als welcher er gegen 200 Volks-Scenen vornehmlich solche aus dem jüdischen Volksleben geschrieben und aufgeführt hat. II., Scholzgasse 9.

*Hirsch, Emanuel, Publicist, ist Correspondent ausl. Zeitungen. I., Rothenthurmstraße 18.

*Hirschfeld, Robert, Dr., Musik-Schriftsteller, geb. zu Groß-Meseritsch am 17. Februar 1857, ist Lehrer für Aesthetik am Conservatorium, Musik-Referent der „Neuen Berliner Musik-Zeitung" 2c. und als Mitglied der literarisch-künstlerischen Gesellschaft „Gegen den Strom" Verfasser der Broschüre „Das Zeitalter der Deutlichkeit". I., Universitätsstraße 11.

*Hirschfeld-Stepanoff, Barette, wirkt als Clavier-Virtuosin und Lehrerin. I., Universitätsstraße 11.

*Hirschl, Adolf, Maler, geb. zu Temesvár in Ungarn am 31. Jänner 1860, Schüler der k. k. Akademie der bild. Künste in Wien unter den Prof. A. Eisenmenger und L. C. Müller. S. VII., Mariahilferstraße 114.

*Hlaváček, Anton, Landschafts-Maler, geb. zu Wien im Jahre 1842, Schüler der Akademie unter Professor Alb. Zimmermann, bereiste das bayerische Alpenland, den Rhein u. s. w., nahm in Cöln und Worms längeren Aufenthalt, malte dort unter anderem das im Besitze der Gemälde-Gallerie des allerh. Kaiserhauses be-

6*

findliche „Aus der Rheinpfalz", zog hierauf nach Wien, woselbst er u. a. auch das Colossalgemälde: „Die Kaiserstadt an der Donau" anfertigte. Im naturhistor. Museum befinden sich von ihm die Bilder: „Steinbruch von Margarethen" und „Gräberfeld bei St. Lucia". VI., Esterhazygasse 27.

Hlávka, Josef, Architekt, geb. zu Prestic am 15. Februar 1831, Schüler der Wiener Akademie, bereiste ganz Italien, Griechenland, Frankreich, Belgien und Deutschland und hat verschiedene öffentliche und private Bauten ausgeführt. Nach seinen Entwürfen wurden u. a. die Gebäranstalt in Prag, die Residenz des griech.-orientalisch. Metropoliten, das griech.-orient. Seminar- und Priestergebäude u. d. c. kathol.-armen. Kirche in Czernowitz gebaut. H. ist k. k. Oberbaurath, Mitglied der k. k. Central-Commission, Reichsraths-Abgeordneter 2c. u. österr. decor. G. III., Löwengasse 28.

*****Hofer**, Otto, Architekt, ist Schüler Hasenauer's, in dessen Atelier er thätig ist. G. I., Reichsrathstraße 5.

Hoffmann, Josef, Maler, geb. zu Wien am 22. Juli 1831, Schüler des Prof. C. Rahl, gab schon in seinem 15. Jahre eigene Praterstudien in einer Sammlung von Lithographien heraus, machte 1849 Studienreisen durch Steiermark, Croatien, Serbien, Syrmien, trat in das Atelier Rahl's, in welchem er von 1852–1856 unausgesetzt arbeitete, bereiste sodann Südtirol, Oberitalien und Griechenland und gieng 1858 nach Rom, woselbst er 6 Jahre verblieb. In den Jahren 1883 und 1885 machte er Reisen nach Norwegen, Dalmatien, nach den österreichischen Occupationsländern und im Jahre 1887 nach Tunis, Algier und nach den Balearen. H. hat eine sehr bedeutende Anzahl von Werken geschaffen. U. a. verdanken wir seiner Kunst: Die Decorationen zur „Zauberflöte", „Romeo

und Julie", zum „Freischütz", den Eröffnungs-Vorhang des neuen Opernhauses (im Verein mit Löffler), die Skizzen für die Decorationen und Costüme zum „Ring des Nibelungen", für R. Wagner's Bayreuther Festspielhaus, die Decorationen zur „Walküre" für das Wiener Opernhaus. Seine Oelgemälde „Reste des Heiligthums der Venus" und „Anakreon" befinden sich in der Gallerie der k. k. Akademie in Wien. Seine Bilder „Central-Afrika", „Fauna und Flora der Gaskohle", „Idealbild aus der Steinkohlenzeit", „Marine-Fauna und Flora", „Idealbild aus der Trias", „Idealbild der oberen Kreide", „Fauna und Flora-Miocen", „Ostindisches Charakterbild", „Mykenae" sind im naturhistor. Museum. Ausländ. decor. G. IX., Liechtensteinstraße 46.

*****Hoffmayer**, Karl, Architekt.

Hofmann, Edmund von Aspernburg, Bildhauer, geb. zu Budapest am 2. November 1847, Schüler der k. k. Akademie der bildenden Künste in Wien unter Prof. Jumbusch. Von ihm sind u. a. 2 Nischenfiguren und die Figuren „Physik", „Mathematik", „Geschichte" und „Philologie" (k. k. Universitätsgebäude), die Statuen „C. Clusius" und „Galilei" (Balustrade des naturhist. Museums), die Standbilder der classischen und romantischen Kunst (k. k. Hofburgtheater), 5 Standfiguren (darunt. „Zeus" im Stiegenhause, des Parlamentsgebäud.). Für seine Gypsgruppe „Orestes am Altare der Athene zusammensinkend, von einer Furie geplagt", welche sich im Gebäude der k. k. Wiener Akademie befindet, erhielt er 1873 den Reichel-Preis. III., Rasumoffskygasse 12.

Hofmann, Josef, Musiker, geb. zu Wien am 13. August 1865, Schüler des Conservatoriums unter Prof. Dachs. Er componirte zahl-

reiche Lieder, Clavier- und Chorwerke (verschiedenen Inhaltes) die
theils gedruckt erschienen, theils wiederholt öffentlich zur Aufführung gelangten. Er ist auch Mitarbeiter der
„Oesterr. Musik- und Theaterzeitung"
und wirkt seit 1887 als Lehrer an
den Horak'schen Clavierschulen. VI.,
Stumpergasse 58.

Hofmann, Karl, Musiker, geb.
zu Wien am 3. April 1835, Schüler
des Conservatoriums und des Hof-
musikers und Componisten Franz
Gruitsch, war zuerst Orchestermitglied
des Theaters an der Wien, des k. k.
Hofoperntheaters (als Solospieler und
später Balletorchester-Director), Professor am Conservatorium (für Violin-
spiel), ist seit 1866 Mitglied der k. k.
Hofcapelle, und wirkt gegenwärtig
als Componist und Commissär bei
den Staatsprüfungen für Musik
(Violin). Er schrieb 59 im Druck erschienene Tonwerke, darunter circa
30 Tänze, eine Reihe Lieder, mehrere
Stücke für Violine, 2 Romanzen,
Clavierstücke verschiedenen Inhaltes
und ein großes Concert für 2 Vio-
linen (mehrfach aufgeführt). H. componirte auch die lyrisch-komische
Oper „Lully" (Text von Josef Weil.)
IV., Wohllebengasse 11.

Hofmann, Wilhelm Nikolaus,
Architekt, geb. zu Nürnberg am
25. October 1845, war vom Jahre
1861—1867 Schüler der Nürnberger
Kunstgewerbeschule, betrieb sodann
Architekturstudien bei den Professoren
Eberlein und Ortwein, kunstgewerbliche Studien bei Prof. Wanderer
und ist seit 1868 in Wien für das
Kunstgewerbe thätig. Nach Studienreisen durch Italien und Frankreich
hat H. 1876 das Werk „Renaissance-
Möbel" und 1881 das Werk „Bronce-
Arbeit in deutscher Renaissance" herausgegeben. G. VII., Lerchenfelderstraße 39.

* **Hödl,** Theodor, Architekt, geb.

zu Cilli im Jahre 1845, ist jetzt
Oberingenieur im Ministerium des
Innern und war früher als praktischer
Architekt (u. a. auch bei einer Bau-
gesellschaft) thätig. I., Schulhof 2.

* **Höfler,** Franz, Zeichner für
diverse Zeitschriften, geb. zu Wien
am 26. März 1867. V., Stranßen-
gasse 20, 2. Stock.

Högel, Minna, Malerin, geb.
zu Wien am 16. Juni 1849. H. ist
Autodidact, begann sich im Jahre
1865 der Malerei zu widmen, pflegte
das Portrait, Genre, Thierstück und
Stillleben, hat sich jedoch auch
mit ganz besonderem Erfolge der
Restaurirung alter Gemälde zugewendet, welcher Kunst sie sich jetzt
fast ausschließlich widmet. Seit 1886
ist H. Vicepräsidentin des Vereines
der Schriftstellerinnen und Künstlerinnen Wiens. IV., Technikerstraße 1.

Hohenfels, Stella, Schauspielerin, geb. zu Florenz am 16. April
1857, gieng ohne dramatische Vor-
schulung ans Theater und trat als
„Louise" in „Kabale und Liebe" am
7. Jänner 1873 am Berliner
Nationaltheater zum erstenmal öffentlich auf; gastirte in Straßburg an
einem Abend in deutscher und französischer Sprache, später in der Schweiz,
und debutirte am 30. Mai 1873 als
„Desdemona" im Hofburgtheater.
Das Gastspiel führte (nach kurzer
schauspielerischer Thätigkeit) zu ihrem
Engagement an diesem Kunstinstitute,
welchem sie als k. k. Hofburgschau-
spielerin seit dieser Zeit angehört. Zu
ihren hervorragendsten Leistungen
zählen die jugendlich naiven Rollen
im deutschen und französischen Con-
versations-Stück. Ihre ersten Erfolge
am Burgtheater erzielte H. in Knaben-
Rollen, von denen „Knappe Georg"
in „Götz" besonders erwähnt sein
möge. I., Schillergasse 3.

* **Hollpein,** Heinrich, Schriftsteller, geb. zu Wien am 12. Mai

1814, schreibt Kunstessaus, Kritiken und dramatische Werke. Er ist Verfasser der Lustspiele: „Er experimentirt", „Telegraphische Depeschen", „Rekrut und Dichter" und anderer Bühnenwerke. III., Rabeßkystraße 5.

Höllerl, Adolf, Schriftsteller, geb. zu Neustadt (Baiern) am 17. Juni 1854, er betheiligte sich an mehreren literarischen Unternehmungen, war selbst schriftstellerisch und publicistisch thätig, und widmete sich kurze Zeit dem Buchhandel; war später in einigen Redactionen katholischer Blätter beschäftigt und gründete, nach Wien gekommen, den „Wiener Handweiser für die kath. Welt" der sich nach zwei Jahren in das „Oesterr. lit. Centralblatt" verwandelte, dessen Herausgeber und Redacteur H. ist. Er schreibt vornehmlich Cultur= und Literaturgeschichtliches, sowie Belletristik. IV., Kleine Neugasse 12.

Höllrigl, Franz, Publicist, geb. zu Wien am 26. Mai 1836, studierte Jus und Phil. und ist Redacteur der „Deutschen Zeitung" (Leitartikel und Feuilleton). Währing, Feldgasse 23.

Holm, Erich (siehe Mathilde Prager).

Holzgärtner, N., Schauspieler, geb. zu Wien am 6. December 1847, ist seit September 1875 im Engagement des k. k. priv. Theater an der Wien. VI., Sandwirthgasse 5.

*Hönigsfeld, Ludwig, Concertsänger. geb. zu Wien im Jahre 1865. I., Gonzagagasse 11.

*Hoppe, Theodor, Architekt, geb. zu Wien am 4. November 1831, Schüler des Polytechnikums und der Akademie, wurde 1875 zum landesgerichtl. beeid. Sachverständigen im Bausache ernannt und hat seit dem Jahre 1862 eine große Anzahl von Palais, Wohn= und Zinshäusern, Werkstätten und Fabriks=Etablissements gebaut. III., Barichgasse 7.

*Horak, Eduard, Musiker. geb. in Böhmen im Jahre 1838, veröffentlichte zahlreiche Schulwerke für Clavier und ist Inhaber mehrerer Musikschulen. IV., Margarethenstraße 19.

Horky, Josef, Prof., Architekt, geb. zu Wien am 4. December 1822, hat u. a. die k. k. Krankenanstalt „Rudolf=Stiftung", in Wien erbaut. III., Hauptstraße 65.

*Hörmadinger, Johann, Herausgeber der „Wiener belletristischen Blätter". III., Wällischg. 4.

Hörmann, Leopold, Schriftsteller, geb. zu Urfahr (Ober=Oesterr.) im Jahre 1857, ist Verfasser oberösterreich. Dialektgedichte (in Buchform erschienen bisher 4 Bändchen) und Recitator seiner eigenen Dichtungen. Ottakring, Elisabethstraße 22.

Horn, Camillo, Musiker, geb. zu Reichenberg am 29. December 1860, Schüler des Prager Conservatoriums (Harfe) H. ist gegenwärtig Chormeister mehrerer Gesangvereine und Lehrer an der Staatsrealschule in Währing. Er compouirte eine Symphonie, Sonate, Lieder, Clavierstücke und Männerchöre (u. a. „Des deutschen Bauern Wacht"). III., Sechskrügelgasse 7.

Horn, Eduard, Dr., Musiker, geb. zu Prag am 18. September 1832, Schüler von Josef Proksch und Sechter. Er trat wiederholt als Clavirtuose in die Oeffentlichkeit, zuerst im Jahre 1845 mit dem Violinspieler Laub; H. war kurze Zeit als Jurist im Staatsdienste, widmete sich jedoch gänzlich der Musik. Auch als Componist war er thätig. Er schrieb Lieder, Clavierstücke verschiedenen Inhaltes, Duette (für 2 Singstimmen), ein Streichquartett, eine Sonate (für Clavier), Trio (für Piano, Violin und Violoncell), Duo (für 2 Claviere), die musikalische Posse „Der Mantel des Convenus" 2c. I., Weihburggasse 10.

Hoernes, Moriz, Dr., Schrift=
steller, geb. zu Wien am 28. Jänner
1852, ist vorwiegend fachschrift=
stellerisch (anthropologisch) thätig und
veröffentlichte „Atlantis" (mytho=
logische Märchen, 1884), „Tinarische
Wanderungen" (1888) und mehrere
andere wissenschaftliche Werke (siehe
„Das geistige Wien", II. Band). Er
ist jedoch auch Feuilletonist des
„Neuen Wiener Tagblatt", Mit=
arbeiter der „Montags=Revue", der
Zeitschrift „Nord und Süd" (Berlin),
sowie verschiedener Fachzeitschriften.
H. ist Beamter des k. k. natur=
historischen Hofmuseums. Ausl. decor.
II., Aloisgasse 3.

Horowitz, Johannes, Dr.,
Publicist, geb. zu Krakau am 25. De=
cember 1849, ist Mitredacteur der
„Presse" und Wiener Correspondent
des „Daily Chronicle". I., Hohen=
staufengasse 4.

Horschetzky, Hugo, Publicist,
geb. zu Oedenburg im Jahre 1852,
war 1881 Herausgeber einer Journal=
correspondenz für militärische Nach=
richten und Sport, 1882 bis 1887
Polizei=Berichterstatter des „Neuen
Wiener Tagblatt' und ist gegen=
wärtig Mitarbeiter des „Wiener Tag=
blatt". II., Stefaniestraße 8.

Horst, Julius (Familienname
Hostasch, Josef), Schriftsteller, geb. zu
Innsbruck am 12. November 1864,
ist Mitarbeiter (Theater= und Lieder=
tafel=Referent) der Zeitschrift „Lyra"
und Verfasser von „Die Pechvögel"
(Posse) „Dämon Schwiegermutter"
(Schwank), „Pfingsten in Wien"
(Posse), „Der Pascha von Podiebrad"
(Posse), „Familie Pomeisl" (Posse).
Seit dem Jahre 1883 ist H. als Be=
amter der u.=ö. Escompte=Gesellschaft
thätig. IX., Schwarzspanierstraße 5.

*Hörwarter, Josef Eugen,
Historienmaler, geb. zu Wien am
11. August 1854, Schüler der k. k.
Kunstgewerbeschule unter Prof. Lauf=

berger, wurde 1875 zum Assistenten
an der Kunstgewerbeschule, 1876 zum
Leiter der k. k. allg. Zeichenschule
im VI. Bezirke ernannt. In seiner
freien Zeit bildete er sich in der Spe=
cialschule für Historienmalerei des
Prof. Eisenmenger (1879—1882) aus.
V., Wehrgasse 4.

Horwitz, Willibald, Sänger,
absolvirte das Prager Conservatorium,
debutirte als „Ottokar" im „Frei=
schütz" im Jahre 1874 im Stadt=
theater in Teplitz, war später in
Olmütz und Brünn in Engagement,
gastirte 1879 am Hofoperntheater
und wurde 1880 (Antrittsrolle:
Jäger im „Nachtlager von Granada")
an diesem Kunstinstitut engagirt. H.
componirte auch Clavierstücke und
Lieder und war ehe er zum Theater
gieng, längere Jahre Hofmeister im
Hause des Grafen Jellacic. Ausländ.
decor. IV., Schleifmühlgasse 1.

Hostasch, Josef, siehe Horst
Julius.

*Hraba, Johann, Musiker, geb.
zu Lstibori (Böhmen) am 16. April
1848, ist Mitglied des k. k. Hofopern=
Orchesters (Contrabaß) und seit
6. November 1867 im Engagement
genannten Kunst=Institutes. V.,
Nampersdorfergasse 24.

*Hrabal, Franz Rudolf,
Musiker, geb. zu Wien am 29. De=
cember 1862, ist Mitglied des k. k.
Hofopern=Orchesters (Contrabaß) und
seit 1. October 1885 im Engagement
genannten Kunst=Institutes. VII.,
Andreasgasse 10.

Hrachowina, Karl, Zeichner,
(Architektur=Ornamentik) u. Radierer,
geb. zu Budapest am 28. Jänner
1845, ist seit 1865 in Wien, war
Schüler der Akademie der bild.
Künste, wurde dann Ingenieur, Eleve
der österr. Nordwestbahn, später
Assistent und Supplent an der
technischen Hochschule und ist seit
1878 Professor an der Kunstgewerbe=

schule des k. k. österr. Museums.
H. ist Mitarbeiter verschiedener
Publicationen; zu seinen selb=
ständigen zählen „Wappenbüchlein",
„Initialen, Alphabete und Rand=
leisten". G. IV., Belvederegasse 5.

*Granatz=Rychnowski, Er=
nest, ist Architekt und k. k. Oberbau=
rath. G. III., Ungargasse 55.

Hrnčiř, Thomas, Kupferstecher,
geb. zu Wien am 31. October 1855,
Schüler der k. k. Akademie der bild.
Künste in Wien unter Prof. Jacoby,
malt auch Portraits in Aquarell.
G. IV., Wehringergasse 3.

Hubatschek, Johann, Architekt
und Stadtbaumeister, geb. zu Odrau
(Oesterreichisch=Schlesien) am 8. No=
vember 1861. H. ist Chefredacteur
des „Allgem. Bau= und Submissions=
anzeigers". In seiner Eigenschaft als
Fachschriftsteller ist er Mitarbeiter der
„Wochenschrift des Oesterr. Ingenieur=
und Architektenvereines", der „Wiener
Bauindustrie=Zeitung" u. s. w. Als
Architekt betheiligte er sich an zahl=
reichen Concurrenz=Arbeiten für den
Bau von Schulen und Humanitätsan=
stalten, u. entwarf architektonisch aus=
geführte Pläne für mehrere Wiener
und ausländische öffentliche Bauten
Anst. decor. I., Nibelungengasse 15.

Huber, Anton, Musikschrift=
steller, geb. zu Wien, ist Mitarbeiter
mehrerer in= und ausländischer Musik=
Zeitschriften, veröffentlichte Kritiken,
musikwissenschaftliche und andere Auf=
sätze, sowie Lieder und ist weiter als
Pianist und Musiklehrer thätig.
Währing, Hauptstraße 42.

*Huber, C. Rudolf, Maler,
geb. zu Schleinz bei Wiener Neustadt
am 15. August 1839, ist Schüler der
k. k. Akademie der bild. Künste in
Wien, studierte sodann in Düsseldorf
und versuchte sich nach der Rückkehr aus
dem ital. Feldzug, den er als Officier
mitmachte, in kleinen Jagd= und
Thierbildern, in welchen er besonders

gründliche Kenntnis der Anatomie
bewies. Von seinen wiederholten
Reisen nach Aegypten brachte er
eine große Anzahl von Studien
(besonders abessinischen Typen) mit.
Obwohl H. auch das Porträt pflegt,
so ist doch die Thiermalerei sein
eigentliches Feld. Für sein Gemälde
„Kühe im Wasser" erhielt H. 1887
die Carl Ludwig=Medaille. Vier große
Bilder von ihm befinden sich im
Lainzer Jagdschlosse. H. ist auch
Professor an der k. k. Wiener Aka=
demie. G. I., Getreidemarkt 2.

*Huber, Rudolf, Musiker, geb.
zu Wien am 23. September 1849,
ist Mitglied d. k.k.Hofopern=Orchesters
(Tuba) und seit 1. Februar 1877
im Engagement genannten Kunst=
institutes. VIII., Tigergasse 11.

*Hueber, Olga, ist Concert=
pianistin.

Hübner, Robert, Schauspieler,
geb. zu Wien am 17. October 1860,
debütirte am 12. September 1879
als „Paul Gerstl" in „Dr. Klaus"
am Leipziger Stadttheater, woselbst
er zwei Jahre in Engagement verblieb,
um sodann in den Verband des
k. k.Hofburgtheaters zu treten, welchem
er als Mitglied angehört. (Jugendliche
Liebhaber.) H. ist seit 22. Jänner
1889 k.k.Hofschauspieler.Opernring 15.

Hübscher, Friedrich, Publicist.
geb. zu Auschelberg (Böhmen), Re=
dacteur der „Presse". (Fachreferat:
Politischer Theil, Inland.) II., Rem=
brandtstraße 1.

Hudetz, Josef, Architekt, geb.
zu Wien am 7. August 1842, Schüler
der k. k. Wiener Akademie unter Van
der Nüll, unternahm bis zum Jahre
1868 mehrere Studienreisen nach
Italien und Teutschland und etablirte
sich im genannten Jahre in Wien,
als selbständiger Architekt, als
welcher er eine Reihe von Privat=
gebäuden vornehmlich auf Stadt=
erweiterungs=Gründen, sowie auf

der Area des ehemaligen Bürgerspitals aufführte. G. VII., Lindengasse 11.

* Hügel, Heinrich von, Architekt und kgl. bayer. geh. Banrath, widmete bis 1869 seine Kräfte dem Bau von Stationsgebäuden (u. a. Bahnhof in Eger). Von den vielen anderen Bauten, die H., welcher der Kritik zufolge, namentlich die Formenwelt der Renaissance beherrscht, ausgeführt hat, sind erwähnenswerth: das Zeughaus in München und das Wohnhaus des Freih. von Schack in München. Oesterr. und ausl. decor. G. I., Reichsrathsstraße 25.

Hülgerth, Heribert, Schriftsteller, geb. zu Tscheitsch (Mähren) am 17. September 1847, ist k. k. Hauptmann, Lehrer a. d. Infanterie-Cadetenschule und Verfasser des Buchdrama „Franz Rakoczy" (1882), des in Essegg aufgeführten Drama „Hannibal" und Autor der jagdl. Humoreske „Kunterbunt" (1888). Oesterr. decor. VII., Breitegasse 6.

Hummel, Johann E., Musiker. Derselbe veröffentlichte 320 Tonwerke, theils Claviercompositionen, theils Lieder, orchestrirte Werke, sowie auch Ouverturen, Märsche rc., von welchen namentlich die letzteren wiederholt öffentlich aufgeführt wurden. H. war Schüler des Ferdinand Schubert und Andreas Bibel Seine Compositionen erschienen auch als musikalische Beiträge in der „Zither-Zeitung" und der Zeitschrift „An der schönen blauen Donau" H. wirkt auch als Musikpädagoge. V., Rüdigergasse 4.

* Hummel, Simon, Herausgeber und Redacteur des „Neuigkeits-Weltblatt". VII., Kaiserstraße 10.

Hummer, Reinhold, Musiker, geb. zu Linz am 7. October 1855, ist Mitglied des k. k. Hofopern-Orchesters, seit 1. November 1873. H. ist ferner Professor am Wiener Conservatorium,

Mitglied der k. k. Hof-Musikcapelle und des Quartett-Vereines „Rosé". IV., Preßgasse 28.

Huschak, Josef Andreas, Schriftsteller, geb. zu Krumau am 8. Juni 1834, trat 1851 in fürstl. Schwarzenberg'sche Dienste und ist seit 1861 fürstl. Schwarzenberg'scher Central-Beamter. H. ist vielfach literarisch thätig und schreibt vornehmlich Feuilletons, Gedichte, Räthsel und Humoristica, im Buchhandel erschienen: „Dichterfrühling" (Gedichte, 1860), „Almbleameln" (Dialectgedichte, 1863), „Stadtparkmiren" (Räthsel und Charaden, 1868) rc. III., Salmgasse 12.

Huschak, Wilhelm, Schriftsteller, geb. zu Wien, am 17 December 1859, ist Autor der „Tabakblätter", Mitarbeiter mehrerer Provinzblätter (Oberösterreich und Steiermark) und k. k. Militär-Beamter. III., Salmgasse 12.

* Hutschenreiter, Victor May, Maler, geb. zu Wien 1828. Schüler der Akademie und des Prof. Waldmüller. Perchtoldsdorf, Hochstraße 49.

Hutterer, Johann, Bildhauer, geb. zu Emmersdorf am 16. Mai 1835 hat u. a. die Stein-Trophäen an dem Palais des Erzherzog Wilhelm, verschiedene ornamentale äußere Bildhauerarbeiten an dem Parlamentsgebäude und den k. k. Hofmuseen rc. rc. verfertigt. G. IV., Rainergasse 14.

Hunbenez, May, Schriftsteller, geb. zu Wien am 27. Jänner 1843, studirte Medizin, wandte sich jedoch bald der Journalistik zu. Seine erste publicistische Anstellung erhielt er als Feuilletonist der „Oesterr. Zeitung", trat 1868 in die Redaction der „Neuen Freien Presse", verblieb daselbst bis 1872, in welchem Jahre er sich als Mitredacteur an dem „Neuen Wiener Tagblatt" betheiligte, welcher Zeitung er noch heute angehört. Er veröffentlichte: „Prinz Eugen von Savoyen" (Lebensbild, 1864), „Oben und Unten" (Roman, 1866), „Illustr. Geschichte des österr.-preuß Krieges" (1866), „Die Mysterien des neuen Wien" (Roman aus der Gesellschaft, 1868), „Die culturgeschichtlichen Forschungen u. ihre Literatur" (1878) 2c. I., Rasomirgottgasse 4.

Jäger, A., siehe Bibon Angelika.

Jaeger, Jacques, Publicist, geb. zu Lemberg am 11. Juni 1856, ist Mitarbeiter der „Allg. Kunst-Chronik", Berichterstatter verschiedener ausländ. Zeitschriften u. Verfasser von „Reise-Momente", (Skizzen aus dem Osten 1887). I., Marimilianstraße 5.

*Jahn, Wilhelm, Musiker und Theater-Director, geb. zu Hof in Mähren 1835, wurde bereits mit 9 Jahren Sängerknabe an der Olmützer Metropolitan-Kirche, wo er bald Solo-Partien sang; im Jahre 1852 gieng er zum Theater, und wurde von Friedrich Strampfer an die Temesvarer Bühne engagirt; dort spielte und sang er nicht nur die verschiedensten Partien, sondern er wirkte auch im Orchester und wurde bald Capellmeister an diesem Theater. Von Temesvar kam er als erster Capellmeister an die Oper von Amsterdam, später in gleicher Eigenschaft nach Prag und schließlich an das Hoftheater in Wiesbaden; an dieser Bühne wirkte er siebzehn Jahre bis er einem Rufe als Director und erster Capellmeister der k. k. Hofoper im Jahre 1880 Folge leistete. Österr. und ausländ. decor. I., Opernring 2.

*Jähnl, Karl, Bildhauer, geb. zu Wien am 21. Juli 1857, Schüler der k. k. Akademie der bild. Künste in Wien unter Prof. Zumbusch, hat u. a. die — in Bronze gegossene — Statuette der Ch. Wolter ausgeführt. IV., Weyringergasse 10.

*Jauda, Hermine von, Landschafts-Malerin, geb. zu Wien im Jahre 1854, Schülerin Darnaut's. IV., Wienstraße 3.

Janko, Paul von, Musiker, geb. zu Totis (Ungarn) am 2. Juni 1856. Er studierte am Politechnikum (Wien), an der Universität (Berlin) und am Wiener Conservatorium. 1882 erfand er eine neue Claviatur, überwelche Erfindung er mehrere musikwissenschaftliche Werke und Abhandlungen veröffentlichte. J. unternahm Kunstreisen nach Teutschland, Holland und Dänemark und trat auch in Wien (1886) als Concertant vor das Publicum. Er ist Mitarbeiter der Zeitschriften „Musikalische Rundschau" (Wien) und „Clavierlehrer' (Berlin).

*Janko, Wilh. Edl. v., Schriftsteller, geb. zu Mantua am 5. December 1835, wurde schon frühzeitig für die militär'sche Laufbahn best mmt und erhielt 1854 seine Ernennung zum Lieutenant; er beschäftigte sich vielfach mit historischen und literarischen Studien und fand, nachdem er 1867 als Hauptmann den activen Dienst quittirte, Stellung im k. k. Kriegs-Archive; nebst seinen militär-wissenschaftlichen und kriegshistorischen Abhandlungen (siehe „Das geist. Wien", II. Band) veröffentlichte J. auch biographische Werke und Erzählungen: „Laudon, der Soldatenvater" (1863), „Laudon's Leben" (1869), „Fabel und Geschichte" u. m. a. Oesterr. decor. III., Gensangasse 3.

*Jaquet, Wilhelm Johann, geb. zu Vallorbes (Schweiz) 1841, Redacteur der „Correspondance Politique". V., Hundsthurmerstraße 28.

Jaritz, Karl Erwin, Schriftsteller, geb. zu Wien am 13. September 1842, hat verschiedene Theaterstücke „Admiral Tegetthof" (Volksst.), „Josef d. Zweiten erste Kaiserstunde", „Michael Obrenowitsch" (Trauersp.), „Capitän Ahlström" 2c., zahlreiche

Festspiele und patriotische Prologe verfaßt und ist seit 1879 vollständig erblindet. VI., Dreihufeisengasse 13.

*Jarl, Otto, Bildhauer, geb. zu Upsala-Län (Schweden) am 10. April 1856, Schüler der k. k. Akademie der bild. Künste in Wien. Dornbach.

Jasper, Victor, Kupferstecher, geb. zu Wien am 30. März 1848, Schüler der Wiener Akademie unter Jakoby's Leitung, in dessen Atelier er bis 1880 verblieb. Von dieser Zeit an datirt das selbständige Schaffen J.'s, der sich neuester Zeit auch vielfach mit Restaurirung alter Gemälde beschäftigt. G. IV., Weyringergasse 6.

Jasznigi, Alexander, siehe Krücken, Oscar von.

Jaufenthaler, Franz, Publicist, geb. zu Wien 1860, Redacteur der „Wiener Sonn- und Montags-Zeitung" (Fachreferat: Politik Communales). VIII., Rotherhof 8.

*Jauner, Franz R. v., Schauspieler u. Theaterdirector, geb. zu Wien 1834. Er debütirte 1854 am Burgtheater, absolvirte Gastspiele in Mainz, Hamburg, Dresden, (Hoftheater), und kam 1871 an das Carltheater, dessen Direction er bereits ein Jahr später übernahm und bis 1878 leitete. Während dieser Zeit erfolgte 1875 seine Ernennung zum Director des k. k. Hofoperntheaters, welche Stellung er bis 1880 bekleidete. 1881 übernahm J. das Ringtheater und als dieses Institut am 8. December desselben Jahres niederbrannte, zog er sich vom Theaterleben zurück und blieb mehrere Jahre der Bühne fern, bis er sich 1884 wieder an der artistischen Leitung des Theaters an der Wien betheiligte. Oesterr. und ausl. decor. VI., Magdalenenstraße 8.

*Jbener, Gustav, sen., Musiker, geb. am 5. April 1826, Fagottist, war Mitglied des k. k. Hofopern-Orchesters und der Hofcapelle. VI., Fillgradergasse 5.

*Jbener, Gustav, Musiker, geb. zu Wien am 10. März 1861, ist Mitglied des k. k. Hof-Opernorchesters (Flöte) und seit 15. August 1880 im Engagement genannten Kunst-Institutes. Hernals, Sternagasse 10.

Jdeka, siehe Kolisch J.

Jefl-Maier, Bertha, geb. zu Mähr.-Weißkirchen am 16. Juni 1861, Concert-Pianistin und seit 1884 angestellte Lehrerin (für Clavier) im Clavierinstitute Petritsch. III., Löwengasse 5.

Jellinek, Wilhelm, Architekt, geb. zu Jbozi in Böhmen am 9. Juni 1845, hat außer einer größeren Anzahl von Wiener Geschäfts- und Wohnhäusern auch das Bankhaus der niederösterr. Escompte-Gesellschaft (Kärntnerstraße), die Palais Lehrner (IV. Bez.), Hieß (VI. Bez.) und das Fabriksgebäude des Doc. Pischinger (Burggasse) erbaut. G. IV., Hechtengasse 6.

*Jellinek, Franz, Musiker, geb. zu Herzogenburg am 18. Jänner 1868, ist Mitglied des k. k. Hofopern-Orchesters (Viola) und seit 1. August 1886 im Engagement genannten Kunst-Institutes. II., Kaiser Josefstraße 32.

*Jenisch, Louise (Sternau Louise), Schriftstellerin, geb. zu Wien am 5. November 1845. Sie veröffentlichte „Gedichte" (1880), „Ein Advocat als Schwiegersohn" (Lustspiel, 1882) u. m. A. I., Hoher Markt 4.

Jerusalem, Wilhelm, Dr., Schriftsteller, geb. zu Dreuic (Böhmen) am 11. October 1854, schreibt vornehmlich Abhandlungen und Werke philosophischen und historischen Inhaltes (siehe „Das geistige Wien", II. Band), ist Mitarbeiter der „Neuen Freien Presse" (Feuilletons), „Magazin für Literatur des In- und Auslandes" und mehrerer Fachzeitschriften. J. ist k. k. Gymnasial-Professor. Währing, Gürtelstraße 73.

Ilg, Albert, Dr., Schriftsteller, geb. zu Wien am 11. October 1847, widmete sich dem Studium der Kunstgeschichte, wurde 1871 Beamter, 1872 Docent, 1873 Custos des österreich. Museums, 1876 Custos, und kurze Zeit nachher Director d. Sammlungen von Gegenständen des Mittelalters, der Renaissance und der Neuzeit des a. h. Kaiserhauses. J. ist ferner Docent für Kunstgeschichte an der k. k. Fachschule für Kunststickerei, seit 1885 Kunstreferent der „Presse", Mitarbeiter der „Wiener Mode", der „Frankfurter Zeitung", sowie verschiedener fachwissenschaftlicher Zeitschriften und war in den Siebziger-Jahren Kunstreferent der „Neuen Freien Presse". Er schrieb seit 1874 eine große Anzahl kunst- und fachwissenschaftlicher Werke und Abhandlungen (siehe „Das geistige Wien", II. Band). Als Mitglied der literarisch-künstlerischen Gesellschaft „Gegen den Strom" veröffentlichte er die Schriften „Nur nicht österreichisch", „Moderne Kunstliebhaberei" und „Unsere Künstler und die Gesellschaft", sowie „Moderne Vornehmheit". J. wirkt auch pädagogisch durch Abhaltung öffentlicher Vorträge über Kunst und Kunstgeschichte und ist österr. decor. IV., Dannhausergasse 3.

*__Illitsch,__ Alexander, Bildhauer, geb. zu Wien im Jahre 1860. I., Rudolfsplatz 13a.

*__Inlender,__ Adolf, Publicist, ist Correspondent des „Figaro" (Paris), „Dziennit Polski" (Lemberg) 2c. I., Eßlinggasse 4.

*__Inthal,__ Kaspar, Publicist, geb. zu Kolbnitz (Kärnten) im Jahre 1845, Herausgeber des „Vaterland". III., Kollergasse 9.

*__Jobst,__ Franz, Historienmaler, geb. zu Hallein am 30. November 1840, Schüler Schleck's in Linz in der Decorations-Malerei und der Vorbereitungsschule der Wiener Akademie unter Wurzinger und Mauer, beschäftigte sich 1860—1863 mit Aufnahme mittelalterlicher Altäre aus Oberösterreich, war 1864—1869 Schüler und Gehilfe des Oberbaurathes Baron Schmidt und vollendete nach einer Studienreise durch Italien gemeinsam mit seinem Bruder Karl eine Reihe hervorragender Malereien in verschiedenen Kirchen. J. war 1878—1881 mit der Restaurirung des Spanischen Saales im Schlosse Ambras, 1885 mit der Ausmalung der Capelle des k. k. Stiftungshauses am Schottenring und 1885—1887 mit der Ausmalung des Manjolenius der Familie Klein in Zöptau beschäftigt. Oesterr. decor. H. III., Kolloniuzplatz 8.

*__Jobst,__ Karl, Maler, geb. zu Mauerkirchen (Ober-Oesterr.) am 8. September 1835. Oesterr. decor. H. III., Löwengasse 22.

*__Jordan,__ Eduard, Schriftsteller, geb. zu Gurwitz bei Znaim am 16. März 1850. Nebst pädagogischen Werken, er ist Redacteur der Zeitschrift „Schule und Haus", schrieb er Novellen und Erzählungen und veröffentlichte in Buchform: „Mein erster Tag" (Humoristisches, 1878), „Krieg mit Marokko" (1882) 2c. J. ist Lehrer am städt. Pädagogium. III., Reisnerstraße 10.

*__Jordan,__ Richard, Architekt, geb. zu Wien am 6. März 1847, führte meistens Kirchenbauten aus und war früher Director der österr. Baugewerkschule. Oesterr. und ansl. decor. IX., Waisenhausgasse 3.

__Josephi,__ Josef, Schauspieler, geb. zu Krakau am 15. Juli 1852, trat zuerst als „Deutscher Soldat" in „Fresko" im Rudolfsheimer Theater 1874 auf, war in Marburg, Graz, Chemnitz, Breslau, im Wiener Ring- und Carltheater engagirt und ist seit 1882 als erster Tenorist Mitglied des Theaters an der Wien. I., Getreidemarkt 14.

*Jsella, Pietro, Maler, geb. zu Moriote im Jahre 1827. Ober=Döbling, Donaugasse 29.

Juch, Ernst, Maler und Zeichner, geb. zu Gotha am 25. April 1838, ist auch Illustrator beim Wiener „Figaro" und dessen Beiblatt „Wiener Luft". 6. VII., Burggasse 42.

Juin, Karl, siehe Ginguo Karl.

*Jungmann, Albert, Musiker, geb. zu Langensalza (Deutschland) im Jahre 1825, ist vielfach tonkünstlerisch thätig und wirkt auch als Musikpädagoge. VII., Siebensterngasse 34.

Jungwirth, Eduard, Publicist, geb. zu Wien am 6. Mai 1850, ist seit 1880 Redacteur der „Humoristischen Blätter" und der „Neuen fliegenden Blätter". Er ist seit 1871 als humoristischer Fachschriftsteller Mitarbeiter beinahe sämmtlicher Wiener Witzblätter. Währing, Goldschmiedgasse 1.

Jungwirth, Johann, Schauspieler, geb. zu Wien am 4. April 1817, war für das Baufach bestimmt, vom Jahre 1834—1840 Statist im k. k. Hofburgtheater, trat am 1. October 1840 als „Tod" in „Bauer als Millionär" im alten Leopoldstädter Theater unter Carl's Direction auf, verblieb daselbst bis 1848, gieng dann nach Olmütz und kehrte 1856 nach Wien zurück. (Er trat in diesem Jahre unter Hoffmann's Direction in den Verband des Josefstädter Theaters, an welcher Bühne er unter den Directoren Fürst, Dorn, Perl, Fuchs, Costa wirkte, und noch heute unter Blasel thätig ist. VIII., Josefstädterstraße 53.

Just, Adolf, siehe Bukorester Adolf.

Jvčić, Franz (Pseud. J. F. Schütz), Schriftsteller, geb. zu Semlin am 4. October 1858, trat 1877 in den Staatsdienst, kam 1882 in das Finanz=Ministerium, ist Mitarbeiter mehrer Wiener= und Provinz=Blätter (humor. Genre), und (mit Jg. Bauer) Autor des Lustspieles „Freda". J. wirkt auch als sog. Vereins=Humorist. Hernals, Ottakringerstraße 24.

Kaan, Eduard, siehe Dorn Ed.

*Kábath, Vincenz, Maler, geb. zu Kolian (Ungarn) im Jahre 1852. IV., Wohllebengasse 3.

*Kafka, Heinrich, Musiker, geb. zu Strakowitz am 25. Februar 1844, Schüler des Josef Krejci, der Prager Organistenschule und des Professor Mildner. (Er ist sowohl tonkünstlerisch als schriftstellerisch thätig und wirkt auch als Musiklehrer. K. schrieb Sonaten für Clavier und Violine, und für Clavier und Violoncell, Clavierstücke verschiedenen Inhaltes, Lieder, sowie die Opern: „König Arthur" (Text und Musik) und „Melisande" (Text von Otto Lohr), eine symphonische Dichtung und eine Ballade (für Singstimme und Orchester). IV., Dannhausergasse 12.

Kaiser, Eduard, Architekt, geb. zu Straß in Niederösterreich am 6 Februar 1831, fungirte als Baumeister der Wiener Baugesellschaft bei den meisten Bauten, welche dieselbe als Bau-Unternehmung ausführte. Nach seinen Plänen wurde u. a. die Realschule in Krems erbaut. K. ist k. k. Oberbaurath 2c. und österr. decor. 6. I., Elisabethstraße 2.

*Kaiser, Philipp, Architekt, geb. zu Hernals am 22. Juli 1832, war früher Gemeinderath. 6. V., Margarethenhof 2.

*Kalbeck, Mar, Schriftsteller, geb. zu Breslau am 4 Jänner 1850, studierte erst die Rechte, dann Philosophie, begab sich 1872 nach München, um sich theoretisch und praktisch in der Musik auszubilden; gieng 1874 als Musikkritiker der „Schlesischen Zeitung" nach Breslau, wirkte gleich=

zeitig als Archivar im neu gegründeten Kunstmuseum daselbst, trat jedoch 1879 von dieser Stelle zurück und folgte 1880 dem Rufe der „Wiener Allgemeinen Zeitung", deren Musikkritiker er wurde, übernahm später das Musikreferat bei der „Presse" und ist gegenwärtig auch Burgtheater-kritiker des „Neuen Wiener Tagblattes". Er veröffentlichte neben einigen Schriften zur Literaturgeschichte und Musikkritik seine lyrischen Dichtungen in den Sammlungen: „Aus Natur und Leben" (1870), „Wintergrün" (1872), „Neue Dichtungen" (1872), „Nächte" (1878), „Zur Dämmerzeit" (1881), ferner „Deutsches Dichterbuch" (1874), „J. Christ. Günther" (1879), „Rich. Wagner's Nibelungen" (1880), „Wagner's Parsival" (1881), „Wiener Opernabende" (1885), Mozart's „Don Juan" (Neuer Text, 1885) und „Gereimtes und Ungereimtes" (1866). IX., Porzellangasse 41.

*Maler, Emil, Dr., Schriftsteller, geb. zu Wien im Jahre 1850. VIII., Langegasse 52.

*Kallina, Anna, Schauspielerin, spielte bis vor Kurzem Kinderrollen und ist seit 1888 Mitglied des k. k. Hofburgtheaters. I., Singerstraße 27.

*Kallmus, Ignaz, Musiker, geb. zu Prag am 14. Juli 1852, ist Mitglied des k. k. Hofopern-Orchesters (2. Violine, und seit 15. August 1879 im Engagement genannten Kunstinstitutes. IV., Margarethenstraße 7.

*Kalmsteiner, Hanns, Bildh., geb. zu Sarntheim (Tirol) am 29. September 1845, studierte an der Akademie in München unter Prof. Wiedemann, dann in Dresden und Rom und später an der k. k. Akademie der bild. Künste in Wien unter Prof. Zumbusch. Von ihm sind u. a. die Figuren „Biologie", „Hygiene", „interne und externe Medicin", zwei

Nischenfiguren in dem k. k. Universitätsgebäude in Wien und die Marmorstatuen „Talma" und „Kean" im k. k. Hofburgtheater. S. III., Neulinggasse 3.

Kandelsdorfer, Karl, Schriftsteller, geb. zu Brod (Slavonien) am 19. October 1850, ist k. k. Hauptmann beim Generalstab, Verfasser von „Das oberösterr. Feldjägerbataillon Nr. 3 im Kampfe mit Oesterreichs Gegnern" (1882), „Episoden aus den Kämpfen der k. k. Truppen" (1884), „Der Heldenberg" (1887) und anderer, jedoch rein fachwissenschaftlicher Werke. (Siehe „Das geistige Wien", II. Band). VIII., Langegasse 44.

*Kandler, Johann, Musiker, geb. zu Wien am 7. December 1851, ist Mitglied der k. k. Hof-Musikcapelle (Trompete). Ottakring, Tettergasse 8.

Kangel, Anton, Bildhauer, geb. zu Wien im Jahre 1825, ist seit 1851 selbstständig und war an der decorativen Ausschmückung verschiedener monumentaler Bauten Wiens (z. B. Bank- und Börsen-Gebäude, Credit-Anstalt, k. k. Stiftungshaus 2c.) thätig. K. war vom Jahre 1873—1887 Gemeinderath der Stadt Wien. S. VI., Sandwirthgasse 6.

*Kapff, Otto von, Schriftsteller, geb. zu Danzig im Jahre 1855, ist Redactionsmitglied und Referent für Musik und bildende Kunst der „Deutschen Kunst- und Musikzeitung" 2c. V., Pilgramgasse 11.

Kappa, siehe Kohn, Sigmund.

Kapri, Mathilde, Frei in von, Schriftstellerin, geb. zu Neapel am 5. Februar 1836, veröffentlichte die Romane: „Heimatlos", „Va banque", „Uradelig", „Aus eigener Schuld", „Nach schweren Kämpfen", die Novellen: „Im Atelier", „Versäumtes Glück", „Am Traualtar", sowie Feuilletons und culturhistorische Skizzen in verschiedenen Zeitschriften des In= und Auslandes. Meidling, b. Wien, Schönbrunner Hauptstr. 133.

Karger, Karl, Historien= und Genre=Maler, geb. zu Wien am 30. Jänner 1848, besuchte die Wiener Akademie, trat hierauf unter die Leitung Engerth's, als dessen Gehilfe er an den Malereien für das Wiener Opernhaus mitwirkte, übersiedelte 1871 nach München und bereiste von dort aus Italien, Deutschland, Belgien, Frankreich und Oesterreich. Im Jahre 1888 folgte er einer Berufung als k. k. Professor nach Wien. Sein Bild „Bahnhofscene" befindet sich im Besitze der Gemälde=Gallerie des allerhöchsten Kaiserhauses in Wien, seine Bilder „Oberammergauer Passionsspiel" und „moderne Theaterscene" schmücken die Deckenspiegel zweier Vestibule des k. k. Hofburgtheaters. K. ist k. k. Professor an der Wiener Kunstgewerbeschule. Oesterr. decor. K. L., Annagasse 20.

Kariolics = Arkovic, Josef, Schriftsteller, geb. zu Agram im Jahre 1845, war 3 Jahre hindurch Mitglied des Ordens der barmherzigen Brüder, ist Mitarbeiter verschiedener kathol. Zeitschriften und Herausgeber von Correspondenzen und Anzeigen für den Clerus. Ausländisch decor. VII., Breitegasse 19.

Karlweis, (C. Weiß Karl), Schriftsteller, geb. zu Wien am 23. November 1850, hielt sich längere Zeit in Graz auf, woselbst er auch journalistisch thätig war und kehrte 1879 wieder nach Wien zurück. Im Drucke erschienen die dramatischen Werke: „Paul de Kock" (Lustspiel), „Aus dem Französischen" (Lustspiel), „Cousine Melanie" (Lustspiel), „Der Rächer" (Lustspiel), „Der Dragoner" (Lustspiel) und „Bruder Hans" (Schauspiel) und „Einer vom alten Schlag" (Volksstück, mit V. Chiavacci), der Roman „Wiener Kinder" (1887), die Novellensammlung „Geschichten aus Stadt und Dorf" und in dem literarischen Unternehmen „Gegen den Strom", die Broschüre „Das gemüthliche Wien" (1889). K. ist Mitarbeiter des „Wiener Tagblatt" (Feuilleton), der „Gartenlaube", „Zur guten Stunde" 2c. K. ist Secretär der Generaldirection der Südbahngesellschaft. IV., Kolschitzkygasse 5.

*Karnet, Johann, Musiker, geb. zu Wodnian (Böhmen) am 22. Mai 1837, ist Mitglied des k. k. Hofopern=Orchesters (Contrabaß) und seit 1. März 1862 im Engagement genannten Kunst=Institutes. V., Wildemanngasse 7.

*Karst von Karstenwerth, Franz (von Karst=Flemming), Schriftsteller, schreibt Novellen, Feuilletons, sowie Sportartikel und ist Chefredacteur der Zeitschrift „Sport" und Herausgeber des „Armeeblatt". K. ist Rittmeister a. D. und österr. und ausl. decor. III., Seidlgasse 39.

*Kaschnitz, Julius, Edler von Weinberg, Publicist, geb. zu Wien am 8. April 1843, redigirte vom Jahre 1877—1888 das „Wiener stenogr. Unterhaltungsblatt", ist Mitarbeiter der „Wiener Schule" und schreibt Feuilletons und Uebersetzungen aus dem Französischen für verschiedene Wiener Blätter. K. ist Cassier beim Steueramte der Stadt Wien. III., Marxergasse 18.

*Kasparides, Eduard, Maler, geb. zu Krönau (Mähren) im Jahre 1853, Schüler der Wiener Akademie. IV., Hauptstraße 1.

Kastner, Emmerich, Schriftsteller und Musiker, geb. zu Wien am 29. März 1847, als Pianist Schüler Liszt's, war 1883—1884 Redacteur des „Parsifal", 1885 bis 1887 der „Wiener musikal. Zeitung" und redigirt dermalen die „Musik=Chronik" K. ist Verfasser, bezw. Herausgeber folgender Publicationen:

„Erster. chronol. Richard Wagner=
Katalog" (1878), „Richard Wagner=
Kalender" (1882, 1883), „Handbuch
für Parsival=Pilger" (1884), „Chro=
nologie der Briefe R. Wagner's"
(1885), „Moniteur Musical" (1887).
VIII., Lammgasse 9.

*Katscher, Max, Architekt, geb.
zu Austerlitz am 30. Mai 1858,
erbaute verschiedene Villen in der
Umgebung von Wien u. a. in Gemein=
schaft mit Faßbender das Curhaus
in Baden bei Wien. I., Laurenzer=
berg 5.

*Kauders, Albert, Publicist,
geb. zu Prag im Jahre 1854, ist
Redacteur der „Wiener Allgemeinen
Zeitung". VIII., Florianigasse 32.

*Kauffungen, Richard, Bild=
hauer, geb. zu Unter=St. Veit bei Wien
am 24. Juni 1854, wurde nach zurück=
gelegter Militärdienstzeit, welche ihn
u. a. zwang, die Occupation Bosniens
mitzumachen, Schüler der k. k. Aka=
demie der bildenden Künste in Wien,
und Hellmer's. K. arbeitete im Atelier
Hellmer's, blieb, mit der Ausführung
der Statuen für das Prager Rudol=
phinum betraut, ein Jahr in Prag,
bereiste hierauf Italien, von wo er
1885 nach Wien zurückkehrte. Von
seinen vielen selbständig ausgeführten
Arbeiten bieten locales Interesse:
Kaiser Josef's Denkmal (Wiener allg.
Krankenhaus, 2. Hof), die vier Statuen
Euklides, Archimedes, Chrysostomus
und Augustinus (Wiener Universität),
die Statuen der Mitori und Rachel=
Felix (neues Burgtheater). IV.,
Hungelbrunngasse 5.

*Kaufmann, Isidor, Maler,
geb. zu Arad in Ungarn am 22. März
1853, Schüler der k. k. Akademie der
bildenden Künste in Wien unter Prof.
Trenkwald. G. III., Barichgasse 8.

*Kaufmann, Karl, Maler, geb.
zu Neuplachowitz in Schlesien im
Jahre 1843, widmet sich vornehmlich
der Landschaft. III., Hörnesgasse 5.

Kaulich, Josef, Musiker, geb.
zu Floridsdorf am 27. November
1827. Er ist Capellmeister, sowie
Chordirector der Pfarre St. Leopold.
Von seinen mehr als 500 Compo=
sitionen wurden einige in weiteren
Kreisen bekannt, und erschienen 196
im Druck. Er schrieb sowohl Kirchen=
musik (sieben große Messen, ein
Requiem und mehrere Graduale,
Tantum ergo und Offertorien), als
auch Tanzweisen und Militärmärsche.
Oesterr. decor II.,Große Pfarrgasse 20.

*Kaulich=Lazarich, Louise,
Sängerin, geb. zu Wien, war Schüle=
rin des Conservatoriums (unter
Frau Prof. Marchesi) und wurde
bald von Director Jauner an die
k. k. Hofoper engagirt; sie debutirte
am 23. August 1876 als zweiter
Chorknabe im „Propheten" und ist
seit dieser Zeit an genannter Hof=
bühne künstlerisch thätig. Am 19. April
1887 feierte sie als „Fides" ihr tau=
sendstes Auftreten am Hofoperu=
theater. III., Marokkanergasse 1.

Kautsky, Johann, Landschafts=
maler, geb. zu Prag am 13. Sep=
tember 1827, studierte an der Akademie
in Prag unter Director Ruben und
Professor Haushofer, später in Düssel=
dorf unter Prof. Schirmer. K., welchem
wir auch eine bedeutende Anzahl
Decorations=Malereien für verschie=
dene Theater verdanken, ist seit 1863
k. k. Hoftheater=Maler. G. IV., Hungel=
brunngasse 14.

Kautsky, Minna, Schriftstellerin,
geb. zu Graz am 11. Juni 1837, ist
Verfasserin des historischen Dramas
„Madame Roland" (1878), der Ro=
mane „Stefan vom Grillenhof" (1881),
„Herrschen oder Dienen" (1882), „Die
Alten und die Neuen" (1885),
„Victoria" (1888) und des Lustspieles
„In der Wildniß" (1882). IV., Hungel=
brunngasse 14.

*Kayser, C., Maler, wirkt haupt=

sächlich als Copist. Plankenberg bei Neulengbach.

Kayser, Karl, Gangolf, Architekt, geb. zu Wien, am 12. Februar 1837, studierte in Wien, u. in München bei Lange, bereiste den größten Theil Europas, Mittel= und Nord=Amerika, war in den Jahren 1864—1867 als Hof=Architekt in Mexico thätig, woselbst er den Palast Cortez und den Palast des Vicekönigs erbaute, zwei Kirchenprojecte für New=Orleans 2c. entwarf, befaßte sich, nach Wien zurückgekehrt, mit der Ausführung verschiedener decorativer Arbeiten, der Restaurirung der Burg Liechtenstein, des Schlosses Kreuzenstein u. mehrerer Schlösser in Ungarn, Mähren und Böhmen. Zuletzt leitete er den Umbau des Palais Auersperg und die Renovirung des Palais Liechtenstein. S. I., Herrengasse 5.

Keiter, Ernst, Schriftsteller, geb. zu Graz am 28. October 1843, ist Mitarbeiter verschiedener in= und ausländischer Zeitschriften, Verfasser von "Die Sommerfrischen am Atter=, Mond= und Wolfgangsee" (1882), "Zwischen Donau u. Theiß" (1887), "Künstlergeschichten aus drei Jahrhunderten" (1888). II., Jägerstraße 4.

Keller, Otto, Schriftsteller, geb. zu Wien am 5. Juni 1861, war Chefredacteur der "Illustr. Theater= und Concertchronik", sowie der "Deutschen Kunst= und Musikzeitung". Seine Arbeiten (zumeist musikgeschichtlich) veröffentlichte er in verschiedenen Zeitschriften. Im Buchhandel erschien von A.: Die "Biographie von Beethoven". Derselbe wirkt auch als Lehrer der Musikgeschichte an der Clavierschule M. v. Ambros.

*Kern, Hermann, Maler geb. zu Lipto-Ujvár in Ungarn im Jahre 1842. IX., Währingerstraße 46.

*Kerndl, Ella, ist Concertpianistin, Lehrerin für Clavier, Contrapunkt und Harmonielehre, Ge-

sangs=Correpetitorin und Componistin. V., Grüngasse 15.

Kiebeck, Johann, Publicist, geb. zu Wien am 20. November 1839, ist Herausgeber der "Deutschen Kunst= und Musik=Zeitung" und des Fachblattes "Die Post". VI., Gumpendorferstraße 94.

*Kiehaupt, A., Publicist, ist Mitarbeiter d. Zeitschrift "Wiener Leben".

Kiehaupt, L. G., Publicist, geb. zu Tarvis (Kärnten) am 8. Juni 1854, ist Redacteur der "Oesterr. Volkszeitung", (Fachreferat: Gemeindewesen und Sozialpolitik). III., Kegelgasse 4.

*Killer, Leo Josef, Maler, geb. zu Rozinka (Mähren) im Jahre 1854. IX., Harmoniegasse 6.

Kinzel, Josef, Maler, geb. zu Lobenstein (Oesterr.=Schlesien) am 4. Mai 1852, Schüler der Akademie in Wien und der in München unter A. Gabl und Otto Seitz, hat sich mit Vorliebe der Darstellung des österreichischen und schwäbischen Volkslebens zugewendet. S. IV., Wehringergasse 19.

*Kirchhofer, Hermine, Schauspielerin, geb. zu Wien am 10. April 1847, trat im Jahre 1864 im Carltheater zum erstenmale auf und ist seit 1885 am Josefstädtertheater engagirt. Hernals, Gürtelstraße 25.

*Kirchsberg, Ernestine, v., Landschaftsmalerin, geb. zu Verona, Schülerin A. Schaeffer's und H. Darnaut's. III., Boerhavegasse 7.

*Kirsch, August, Publicist, Herausgeber des "Neuigkeits=Weltblattes." VII., Kaiserstraße 10.

*Kirschner, Ferdinand, Architekt, geb zu Wien im Jahre 1821, Schüler der k. k. Akademie in Wien, ist k. k. Regierungsrath und Burghauptmann. Oesterr. und ausländ. decor. I., k. k. Hofburg (Schweizerhof). S.

Kirſchner, S., Publiciſt, geb. zu Battelau (Mähren) am 17. Jänner 1852, iſt Redacteur (für den volks= wirthſchaftlichen Theil) der „Ge= meindezeitung" und Verfaſſer der „25 Artikel über die Südbahngeſell= ſchaft". V., Margarethenſtraße 1.

*Kiſch, Wilhelm, iſt ſchrift= ſtelleriſch und publiciſtiſch thätig. V., Reitenbrückengaſſe 1.

*Kiß, Joſef, Maler, geb. zu Eiſenſtadt in Ungarn am 10. Jänner 1833, Schüler der k. k. Akademie der bild. Künſte in Wien. G. III., Marxer= gaſſe 23.

Kitir, Joſef, Schriftſteller, geb. zu Aspang in Niederöſterreich am 11. Februar 1866, veröffentlichte Novellen, Gedichte und Feuilletons und iſt Mitarbeiter der „Neuen Illuſtrirten Zeitung", „Heimat", „Ele= gante Welt", des „Münchener Kunſt= und Theater=Anzeiger" ꝛc. In Vor= bereitung befindet ſich eine Antho= logie: „Das junge Wien". Wohnt vom 1. Juli bis 15. Auguſt in Kirchberg am Wechſel, Villa Kitir, ſonſt in Wien.

Klarwill, Ritter von, ſiehe Pollak von Klarwill.

*Klaſchko, Samuel, Schrift= ſteller, iſt Verfaſſer mehrerer Werke und Abhandlungen, ſowie Mitarbeiter von Zeitſchriften. III., Ungargaſſe 27.

Klaſen, Ludwig, Architekt, geb. zu Lüneburg am 6. Juli 1839, Schüler des Polytechnikums in Han= nover. K., eine Reihe fachwiſſen= ſchaftlicher Werke verfaßte, hat unter anderen Arbeiten auch den Wieder= aufbau des abgebrannten herzogl. Schloſſes zu Braunſchweig (1864) und den Bau des Schloſſes von Alfred Krupp in Eſſen (1869—1872) ausgeführt. IV., Alleegaſſe 58.

*Klaus, Johann, Maler und Kupferſtecher, geb. zu Wien am 19. Mai 1847, Schüler der k. k.

Akademie der bild. Künſte in Wien, beſuchte zuerſt die allg. Malerſchule unter Karl Wurzinger und Karl Mayer, war ſpäter Schüler Geiger's und L. Jacoby's. Nach Erhalt der Füger'ſchen Medaille erhielt er u. a. ſeitens des k. k. Oberſtkämmerer= amtes den Auftrag zu dem Stiche der Schlacht bei Kolin (nach L'Alle= mand). K., welcher auch Portraits malte, hat ſich in letzterer Zeit der Radiertechnik zugewendet und darin mehrere Portraits nach Velasquez, Rembrandt, Correggio ꝛc. dargeſtellt. Zu dem Werke unſeres Kronprinzen: „Eine Orientreiſe" hat K. außer dem Portrait des hohen Autors auch 36 Radierungen (nach Pauſinger) aus= geführt. Oeſterr. decor. G. Döbling, Hauptſtraße 29.

Klebinder, Ferdinand, Publi= ciſt, geb. zu Teſchen am 30. De= cember 1847, begann ſeine journali= ſtiſche Laufbahn 1869 als Redacteur des „Neuen Fremdenblatt", gründete 1875 die „Wiener Bürgerzeitung" und trat bei Gründung des „Wiener Tagblattes" in den Redactionsverband dieſes Journals (Fachreferat: Wiener Angelegenheiten und communaler Theil). II., Darwingaſſe 11.

*Klee, Hermann, Maler, geb. zu Wien im Jahre 1821. I., Current= gaſſe 10.

*Kleiber, Hermine, Schau= ſpielerin, geb. zu Wien am 2. Juli 1868, debütirte im Fürſttheater 1883 und iſt am Joſefſtädtertheater ſeit 1885 im Engagement. Ottakring, Wilhel= minenberg, fürſtl. Meierei.

*Kleiber, Karl, Muſiker, geb. im Reiſerhofe (Nieder=Oeſterr.) am 21. December 1834, Schüler von Ruprecht und Franz Krenn, trat 1861 in den Verband der Volksſänger= geſellſchaft Fürſt und Matras und wurde 1862 von Erſterem für die Singſpielhalle im k. k. Prater (jetzt Fürſttheater) als Capellmeiſter enga=

girt. In dieser Stellung verblieb er 25 Jahre. Nach dem Tode Fürst's unternahm K. als selbständiger Theaterdirector mit seiner Gesellschaft größere Kunstreisen und ist seit 1883 Capellmeister am Theater in der Josefstadt. Er schrieb eine große Anzahl volksthümlicher Liederbuette, Theatergesänge, Walzer, Polka, Märsche, sowie die Musik zu vielen der beliebtesten Bühnenwerke (Possen, Singspielen, kleine Operetten 2c.), zu denen die bekanntesten Localschriftsteller die Texte lieferten. Ottakring, Wilhelminenberg.

*Kleibl, Eduard, Musiker, geb. zu Olmütz am 13. März 1853, ist Zithervirtuose und Erfinder einer electrischen Zither, auf welcher dieselbe concertirt. Von K. erschienen auch im Wiener Musikalienverlag mehrere Compositionen. VI., Stampergasse 59.

*Klein, Hugo, Schriftsteller, geb. zu Szegedin am 21. Juli 1853, widmete sich bald der Publicistik. Er war viele Jahre Redacteur des „ung. Lloyd" und später Feuilletonist, Theater- und Kunstkritiker des „Neuen Pester Journals". Seit 1883 lebt er in Wien und ist Mitarbeiter der hervorragendsten deutschen Zeitschriften und Zeitungen. Er schreibt nicht nur Feuilletons, Cultur- und Literaturgeschichtliches, sowie Novelletten und Bühnenwerke, sondern übersetzt auch aus dem Französischen, Englischen und Ungarischen. Selbständig im Drucke erschienen: „Das Rendezvous in Monaco" (Lustspiel, 1883), „Der Blaustrumpf" (Lustspiel, 1883), „Im Pusztalande" (Novelle, 1884) u. m. A. IX., Roßauergasse 5.

*Kleinecke, Wilhelm, Musiker, geb. zu Wien am 21. October 1825, ist Mitglied der Hof-Musikcapelle und des Hofopern-Orchesters, sowie Professor des Conservatorium i. P. Währing, Gürtelstraße 51.

Kleinecke, Wilhelm, jun., Musiker, geb. zu Wien am 27. März 1851. Er componirte eine große Anzahl Lieder und Gesänge, theilweise mit Begleitung von Horn, Violoncell oder Violine, ferner Stücke für die genannten Instrumente, Männerchöre mit Orchester, Symphonische Stücke für Orchester und Anderes. K. ist Mitglied des k. k. Hofopern-Orchesters (Horn) seit 1. April 1868. Seine Werke wurden sowohl in den Wiener und Pester philharmonischen Concerten, als auch von dem Wiener Männergesangverein wiederholt aufgeführt. IV., Freihaus, 31. Stiege.

*Kleinfercher, Johann, (Fercher von Steinwand), Schriftsteller, ist auch Musikberichterstatter und als solcher Referent für Unternehmungen der Concertgesellschaften und Chorvereine, der Zeitschrift „Die Lyra" 2c. IX., Währingerstraße 58.

Klessinger, Emil, Publicist, geb. zu München am 13. October 1846, ist seit dem Jahre 1873 journalistisch thätig, redigirte in München die „Bavaria", war Herausgeber der „Neuen Freien Volkszeitung" und später der „Neuen Volkszeitung" und ist gegenwärtig Redacteur des „Neuigkeits-Weltblattes" (Fachreferat: Auswärtige Politik). Penzing, Poststraße 72.

Klimt, Ernst, Maler, geb. zu Penzing bei Wien am 3. Jänner 1864, Schüler der Kunstgewerbeschule in Wien unter Prof. Laufberger, befaßt sich vornehmlich mit Historien- und Decorations-Malerei. In den Treppenhäusern des neuen Hofburgtheaters sind die Deckenbilder: „Hanswurst auf der Jahrmarktsbühne", und „Scene aus Molière's: Der eingebildete Kranke" von ihm. Atelier: VI., Sandwirthgasse 8.

Klimt, Gustav, Maler, geb. zu Baumgarten bei Wien am 14. Juli

7*

1862, Schüler der Kunstgewerbeschule in Wien unter Prof. Laufberger, ist wie sein Bruder Franz,
mit welchem er gemeinsam arbeitet,
Historien- und Decorations-Maler.
In den Treppenhäusern des neuen
Hofburgtheaters befinden sich von ihm
die Deckenbilder: „Thespis-Karren",
„Theater in Taormina" „Globes-
theater in London", „Dionysoscultus".
Atelier: VI., Sandwirthgasse 8.

Klopfer, Carl Eduard, Schriftsteller (Pseudonym als Journalist
„Martellus"), geb. zu Wien am
29. April 1865, war 1885—86 Redacteur des Witzblattes „Schalk" in
Berlin, ist Mitarbeiter verschiedener
ausl. Journale und u. a. Autor der
Romane „Irrthümer", „Ein Familiengeheimniß", „Die Theaterprinzessin".
II., Treustraße 16.

*Klotz, Edmund, Bildhauer, geb.
zu Inzing (Tirol) am 25. December
1855, Schüler seines Onkels Gottlieb
Klotz und der k. k. Wr. Akademie, unternahm 1885 eine Studienreise nach
Italien, von welcher er 1887 nach
Wien zurückkehrte. V., Wehrgasse 5

Klotz, Hermann, Bildhauer, geb.
zu Imst (Tirol) am 11. Juni 1850,
Schüler der Bildhauer Renn und
Grießemann in Tirol, der k. k. Kunstgewerbeschule in Wien und der
Münchener Akademie, fand nach drei-
jähriger Militärdienstzeit Aufnahme
in das Atelier des Architekten Kaiser,
trat 1875 als Schüler in die Wiener
Kunstgewerbeschule, woselbst er bald
zum Professor ernannt wurde, welche
Stelle er heute noch innehat. K.,
welcher auch ein neues Verfahren
der Polychromie erfand, hat eine
große Anzahl von Arbeiten geschaffen;
u. a. sind von ihm das Eitelberger-
Denkmal (Oesterr. Museum, Wien),
die allegorische Figur „Holzplastik"
(Eigenthum des k. k. Obersthofmeister-
amtes) und zwei Studienköpfe nach

der Natur (im Besitze unseres Kaisers).
Ausl. decor. G. III., Kegelgasse 2.

*Klug, Auguste, Schauspielerin,
geb. zu Wien am 18. August 1866,
betrat 1884 im Theater a. d. Wien
die Bühne, war daselbst und am
Carltheater engagirt und ist seit 1887
Mitglied des Josefstädtertheaters.
I., Giselastraße 7.

Knaak, Wilhelm, Schauspieler,
geboren zu Rostock (Mecklenburg-
Schwerin) am 13. Februar 1829, war
in mißlichen Verhältnissen erzogen,
frühzeitig auf sich selbst angewiesen.
Schon als Kind entwickelte sich sein
Talent für das Theater und gelegentlich einer Wohlthätigkeits-Vorstellung im Stadttheater in Rostock
als „Elias-Quodlibet" in einer Solo-
Scene von Kotzebue betrat er am
5. Mai 1856 zum erstenmale die
Bühne; er gefiel und wurde für Chor
und kleine Rollen engagirt. Bis 1847
verblieb er in Rostock, gieng dann
zu einer Schauspieler-Gesellschaft, mit
welcher er Stralsund, Greifswalde
und Güstrow bereiste, kam 1849 an
das Stadttheater in Lübeck, 1850
nach Danzig, gastirte 1851 mit der
Danziger Gesellschaft, und wurde 1852
an das Friedrich Wilhelmstädter
Theater in Berlin engagirt. Hier
machte er sich sehr bald (namentlich
durch die Rollen „Appelberger" in
„Englisch", „Piepenbrink" in den
„Journalisten", „Mayer" in „Man
sucht einen Erzieher") populär; blieb
bis 1857 und gieng auf Veranlassung
Heinrich Laube's nach Prag. Im
Jahre 1857 machte ihm Nestroy die
verlockendsten Anträge, er schloß mit
demselben ab, debutirte am 15 April
1857 am Carl-Theater in dem zwei-
actigen Schwank „Müller und Müller",
wurde der Erbe Nestroy'scher
Rollen, und obwohl Ausländer, zählte
er bald mit Blasel und Matras, mit
denen er später die beliebte Komiker-
Trias bildete, zu den Lieblingen der

Wiener. Zu seinen populärsten Rollen gehörten außer „Schneider Fips": „Marquis de Brickville" in „Spätsommer" (diese Rolle mußte K. Kaiser Wilhelm jedes Jahr in Ems vorspielen.) „Sparadrap" in „Prinzessin von Trapezunt", „Baron Gondremark" in „Pariser Leben", „Brösl" in „Salon Pitzelberger", „Geier" in „Flotte Bursche", „Cesar" in „Mrs. Herkules" und zahllose Andere. Nach seinem gänzlichen Austritt aus dem Carl-Theater, anläßlich der Auflösung der Direction Tewele 1882, trat er im October desselben Jahres seine amerikanische Tournée an, die 65 Gastspiel-Abende umfaßte, war nach seiner Rückkehr am Stadtheater engagirt, absolvirte erwähnenswerthe Gastspiele an allen größeren Bühnen Deutschlands, am Wiedner Theater, an sechs verschiedenen Theatern in Berlin, seit 1860 jedes Jahr in Budapest, und wurde vor kurzer Zeit neuerdings für das Carl-Theater gewonnen. I., Rothenthurmstraße 1.

*Knab, Josef Franz, Schriftsteller, geb. zu Passau im Jahre 1846, ist Herausgeber und Redacteur der „Österr. conservativen Partei-Correspondenz", Fürsterzbischöfl. geistl. Rath, geheimer päpstlicher Kämmerer, Landtags-Abgeordneter 2c. 2c. VII., Breitegasse 16.

*Knauer, Vincenz Andreas, Dr., Schriftsteller, geb. zu Wien am 20. Juni 1828; trat 1850 in den Benedictiner-Orden, wurde 1853 Ordenspriester und war bis 1877 vorzugsweise in der practischen Seelsorge in Wien thätig. K. ist auch Stifts-Bibliothekar und Rector der Cleriker. Seine literarische Thätigkeit entfaltete er zumeist auf philosophischem Gebiete (siehe „Das geistige Wien", II. Band) und veröffentlichte 1888 die „Lieder des Anacreon" (in sinngetreuer Nachdichtung.) u. m. a. I., Freiung 6.

*Kobierski, Karl, Ritter v., Miniatur-Maler, geb. zu Kimpolung in der Bukowina am 4. November 1845, Schüler der k. k. Akademie der bildenden Künste in Wien. VIII., Landesgerichtsstraße 20.

*Koch, Franz, Bildhauer, geb. zu Bichelbach in Tirol am 12. September 1852. Von ihm sind u. A. die Figuren „Aglaia", „Euphrosine", „Merkur" und „Thalia" sowie 2 Nischenfiguren in dem k. k. Universitätsgebäude, diverse figuralische Gestalten nebst 8 Medaillons und 2 Basreliefs in dem k. k. Hofburgtheater, 2 Statuen (Façade des kunsthistor. Museums). G. II., Valeriestraße 14.

Koch, Julius, Architekt, geb. zu Wien am 12. April 1843. Schüler der Wiener Akademie, hat eine große Anzahl von Wohnhäusern, Villen, Saalbauten, Fabriksanlagen u. dgl. ausgeführt. Oesterr. decor. VI., Jügergasse 4.

*Köchlin, Heinrich, Architekt, geb. am 30. Juni 1856, Schüler der technischen Hochschule in Wien, wurde im Jahre 1878 Assistent an der Technik in Graz, trat sodann in das Atelier Ferstel's und in das seines Vaters Karl, in welchem er bis 1886 verblieb und in dessen Gemeinschaft er eine Anzahl von Privatbauten ausführte. K. ist dermalen Architekt im Hochbau-Departement des Ministeriums des Inneren. G. IV., Schaumburggasse 6.

*Köchlin, Karl, Architekt, geb. zu Prag am 8. März 1828, Schüler des Polytechnikums zu Prag und der Wiener Akademie, trat 1852 in den Staatsdienst, welchen er im Jahre 1872 verließ, um seinem Schwager Ferstel bei Ausführung des Universitätsbaues behilflich sein zu können. Nach dem Tode Ferstel's vollendete K. diesen Bau und wurde später an Stelle Winterhalder's wieder in's Ministerium berufen. Er ist k. k. Ober-Baurath und Mitglied des Curatoriums des österr. Museums. **C.** VII., Siebensterngasse 28.

Koberle, Johann Eligius, Schriftsteller, geb. zu Domažin (Böhmen) am 1. December 1814, war 6 Jahre als Secretär des österr. Ingenieur- und Architekten-Vereines thätig, ist jetzt Abtheilungs-Vorstand der österr. Staatsbahnen in Pension, national-ökonom. Mitarbeiter des „Lloyd", der „Presse" und Verfasser des histor. Romanes „In dunkler Stunde", der Novelle „Zu spät" und zahlreicher Lieder und Gedichte. VII., Mariahilfer-straße 46.

*****Koeler,** Johann, Maler, geb. in Livland am 12. Februar 1826, Schüler der Akademie in St. Petersburg, hat sich viele Jahre studienhalber in Paris und Rom aufgehalten, ist vornehmlich als Historien- und Porträt-Maler thätig, und hat u. a. auch die Isaaks-Kathedrale in St. Petersburg mit Colossalgemälden geschmückt.

Koffmahn, Karl, Publicist, geb. zu Wien im Jahre 1855, ist Herausgeber und Redacteur des „Neuen Wiener Salonblattes", „Europäische Revue" und Correspondent ausländischer Zeitungen. I., Kumpfgasse 6.

Kohl, Camilla (Pseud. C. Wild), Schriftstellerin, geb. zu Prag am 11. Februar 1851, lebt seit 1877 in Wien, war früher Gouvernante, dann Sprach- und Musiklehrerin, hat sich jetzt vollständig der Schriftstellerei zugewendet, und erschienen von derselben bisher mehr als hundert Romane und Novellen in verschiedenen Zeitschriften („Schorer's Familienblatt", „Casseler Tagblatt", „Bohemia", „Gmundener Wochenblatt", „Interessantes Blatt" 2c.); in Buchform hat K. noch nichts veröffentlicht. VIII., Bennoplatz 1.

*****Kohl,** Desiderius von, Publicist, geb. zu Erlau in Ungarn am 17. August 1840, absolvirte die Wiener-Neustädter Militär-Akademie, war Generalstabsofficier, machte die Schlacht bei Magenta als Lieutenant mit, und ist gegenwärtig für militärische Angelegenheiten und äußere Politik Mitredacteur der „Neuen Freien Presse". K. ist ein Großneffe des Erzbischofes und bekannten Dichters Ladislaus Pyrker. I., Hegelgasse 8.

*****Kohler,** Karl Felix, Publicist, geb. zu Prag im Jahre 1838. Verantwortlicher Redacteur der „Neuen Freien Presse". III., Marokanergasse 2.

Köhler, Lucas, siehe Ganghofer Ludwig.

Kohlhofer, Josef, Schriftsteller, geb. zu Währing am 11. October 1829, verfaßte folgende Bühnenwerke: „Das Bettelweib von Sievering" (Lebensbild) und die Possen: „Der Fuchs in der Falle", „Liebespulver" und „Von Tisch und Bett" oder „Frei will er sein" (auch unter dem Titel „Los und ledig" aufgeführt). Ottakring, Hauptstraße 111.

*****Kohn,** Gustav, Dr. Schriftsteller, geb. zu Prag am 26. Jänner 1846, ist Redacteur der „Neuen Freien Presse" (Parlamentsberichte und Leitartikel über innere Politik), Herausgeber des „Parlamentarischen Jahrbuches" und Verfasser des Werkes „Golchowski bis Taaffe". Währing, Sternwartgasse 52.

Kohn, Josef, Publicist, geb. zu Budapest im Jahre 1850, ist Herausgeber der Zeitschriften „Neuer Zeitgeist", „Oesterr.-ung. Politik" und Correspondent verschiedener Blätter. II., Springergasse 9.

Kohn, Sigmund, Publicist, geb. zu Unin (Ungarn) am 17. August 1855, war früher langjähriger Mitarbeiter hiesiger Witzblätter unter den Pseudonymen „Hieron" und „Kappa", ist Autor verschiedener humoristischer in Journalen erschienener Novellen, Skizzen ꝛc. und humoristischer Mitarbeiter an mehreren Texten des Librettendichters Heinr. Bohrmann; dermalen ist K. Herausgeber und Redacteur des „Auskunftsblatt für Kaufleute und Industrielle". II., Kleine Schiffgasse 18.

*Kohut, Ladislaus, Musiker, geb. in Ung.-Skalitz am 31. December 1860, ist Mitglied des k. k. Hofopern-Orchesters (Viola) und seit 16. Februar 1888 im Engagement genannten Kunst-Institutes.

Kola, Adrienne (Pseudonym für Kostin Adr. von), Schauspielerin, geb. zu Czernowitz am 14. December 1866, debutirte am Stadttheater zu Leipzig als „Clärchen", war dreieinhalb Jahre am Hoftheater zu Wiesbaden in Engagement und ist seit 1. Mai 1889 Mitglied des k. k. Hofburgtheaters. Sie spielt vornehmlich jugendlich sentimentale Rollen. I., Pestalozzigasse 6.

Kolatschek, Adolf, Dr., Schriftsteller, geb. zu Bielitz am 7. Mai 1821, studirte Jurisprudenz und Philosophie und wurde Professor am Teschener Gymnasium, dann 1848 zum Abgeordneten in's deutsche Parlament gewählt, gieng mit demselben nach Stuttgart und übersiedelte 1850 nach der Schweiz, redigirte von dort die „Deutsche Monatsschrift für Politik, Kunst und Wissenschaft", begab sich 1853 nach Amerika, wurde daselbst Herausgeber der „Deutschen Monatshefte", gieng 1856 als ständiger Correspondent mehrerer Journale nach Paris und kam 1857 nach Wien. Hier gründete er 1858 die „Stimmen der Zeit", redigirte 1874—1876 den österreichischen „Oeconomist", wurde Herausgeber des „Botschafter" und veröffentlicht fachwissenschaftliche und

literarische Abhandlungen in den verschiedensten Zeitschriften. IV., Belvederegasse 2.

Kölgen, Ferdinand, Schriftsteller, geb. zu Gr.-Meseritsch am 2. Jänner 1824, war in den Jahren 1853—60 Mitarbeiter des „Fortschritt" und ist Verfasser von „Erzählungen und Novellen" (1846), „Der gute alte Herr" (Lustsp., 1846), „Die Spione" (Roman, 1850), „Der letzte Gulden" (Lustsp., 1851), „Natur und Kunst" (Zeitgemälde, 1852), „Die falschen Biedermänner"(Roman, 1854), „Schmucklose Blumen" (Gedichte, 1883). Simmering, Hauptstraße 39.

*Kolisch, Ida, Baronin (Pseudonym Mirabek), geb. im Jahre 1855, war früher feuilletonistische Mitarbeiterin der „Wiener Allg. Zeitung". I., Ebendorferstraße 10.

*Kolisch, Ignaz, Baron von (Pseudonym Ideka), Schriftsteller, geb. zu Preßburg im Jahre 1837. Früher Herausgeber der „Wiener Allg. Zeitung". War vielfach feuilletonistisch thätig. I., Ebendorferstr. 10.

Kollarz, Franz, Zeichner und Illustrator, geb. zu Josefstadt (Böhmen) im Jahre 1829, Schüler der Wiener Akademie, ist für viele vaterländische und ausl. Blätter (Interess. Blatt, Ueber Land und Meer, Buch für Alle ꝛc.) als Zeichner thätig und hat sich an der illustr. Ausschmückung verschiedener Diplome und Geschichtswerke betheiligt. Hietzing, Wienflußgasse 5

Koloc, Johann, Bildhauer, geb. zu Neudorf (Böhmen) im Jahre 1862, ist Schüler des Prof. Tilgner in Wien. 6. Liesing, Langegasse 23.

Kömle, Anton, Schauspieler, geb. zu Wien am 16. Mai 1841. Er debutirte 1862 im Meidlinger Theater, war in Pest, Graz, Odessa, Prag, am königl. Hoftheater in München, sowie am Theater an der Wien und am Carltheater, welch' letzterer Bühne er gegenwärtig (seit 1881) angehört, engagirt. K. veröffentlichte auch Gedichte in österreichischer Mundart unter den Titeln „Kaiserbleamrl" und „Bauernknödl". I., Stock-im-Eisenplatz 9.

*Komlósy, Franz, Maler, geb. zu Kanizsa im Jahre 1856. VI., Engelgasse 9.

*Komlósy, Irma, Stillleben-Malerin, geb. zu Prag, Schülerin der k. k. Kunstgewerbeschule in Wien unter Prof. Sturm. VI., Engelgasse 9

Komorzynski, Ludwig, Publicist, geb. zu Gersthof (Niederösterreich) am 20. August 1844. Herausgeber und Chefredacteur der „Deutschen Zeitung". Währing, Carl Ludwigstraße 16.

*Komzak, Carl, Musiker, geb. zu Prag am 8. November 1850, Schüler des Prager Conservatoriums. Er wurde bereits 1871 Capellmeister beim 7. Inf.-Rgt. und ist noch heute als Militär-Capellmeister (gegenwärtig bei Reg. Nr. 84) tonkünstlerisch thätig. K. componirte eine große Anzahl beliebter Tänze, Märsche, Lieder ec. Oesterr. und ausländ. decor. Alserkaserne.

Koncellik, Richard, Sänger, geb. zu Lemberg, ist im Privatleben Ingenieur und tritt unter dem Künstlernamen Richard Conselli (ehemal. königl. würtemb. Hofopernsänger) vor die Oeffentlichkeit. II., Mühlfeldgasse 11.

*König, E., Schriftsteller, ist Verfasser des Romanes „Ein Märtyrer der Liebe". VIII., Josefstädterstraße 9.

*König, Karl, Architekt, geb. zu Wien am 3. December 1841, studierte an der k. k. technischen Hochschule und der k. k. Akademie der bild. Künste in Wien unter Schmidt, war Assistent Ferstel's und wurde auch dessen Nachfolger als Professor der technischen Hochschule. K. wurde bei den Concurrenz-Arbeiten für das Wiener Rathhaus durch einen Preis ausgezeichnet. Er führte eine große Anzahl Wiener Bauten u. a. die „Frucht- und Mehlbörse" und den „Zehrerhof" aus. C. IV., Heugasse 62.

*König, Otto, Bildhauer, geb. zu Meißen in Sachsen am 28. Jänner 1834, Schüler der k. k. Akademie der bild. Künste in Dresden, benützte ein ihm verliehenes Reisestipendium der Tiedge-Stiftung zu Studien in Rom und Neapel und folgte 1868 einem Rufe als Professor an die Kunstgewerbeschule in Wien. K. hat eine bedeutende Anzahl selbständiger Arbeiten ausgeführt, u. a. Medaillons für das Hofburgtheater und das naturhistorische Museum, die Reliefköpfe „Haydn", „Mozart", „Gluck" für das neue Wiener Rathhaus, eine Victoria für das Denkmal Kaiser Max von Merito in Pola, die Gruppen „Amor als Briefträger", „Venus und Amor", „Psyche und Amor", „Wein und Wasser" (sämmtlich im k. k. österr. Museum in Wien) ec. Für seine Marmorgruppe „Liebesgeheimnis" erhielt K. im Jahre 1884 den Reichel-Preis. Oesterr. decor. C. IV., Heugasse 56.

*König-Lorinser, Minna, Malerin, geb. im Jahre 1849, Schülerin der Professoren Eisenmenger und Pönninger. IV., Heugasse 56.

*Königsberg, Alfred, Dr., Schriftsteller, studierte in Wien Philosophie und begann seine literarische Thätigkeit mit Feuilletons in Kuranda's „Ostdeutsche Post" Sein anonym erschienener Artikel „Spaziergang nach dem Kahlenberg" nöthigte ihn, Oesterreich zu verlassen; er flüchtete in ein sächsisches Bad, woselbst er Gustav Freitag kennen lernte und demselben mancherlei über die österreichische Presse erzählte, was dieser später dichterisch (in „Die Journalisten") verwerthete. K. zählt seit Gründung der „Neuen Freien Presse" zu den feuilletonistischen Mitarbeitern dieser Zeitung und eine seiner Specialitäten ist die an jedem Neujahrstage veröffentlichte feuilletonistische Jahres-Revue. Er lebt, größtentheils außerhalb Wien, ganz der Schriftstellerei.

Königstein, Josef, Dr., Publicist, geb. zu Teschen am 24. December 1844, Redacteur des „Illustr. Wiener Extrablatt" (politische Leitartikel, Musik und bildende Kunst) und Mitarbeiter „An der schönen blauen Donau". Im Druck erschienen: „Simson", „Profane Bilder auf geweihter Leinwand" (Wien), „Europa und der Congreß" (Bern), „Die dritte internationale Kunstausstellung" (Wien) und die fünfactige Komödie in Versen „Die Sclavin des Khalifen" (1871 in Graz aufgeführt). IX., Schwarzspanierstraße 20.

Konried, Julius, Publicist, geb. zu Wien am 27. November 1853, Redacteur des „Neuen Wiener Tagblatt" (localer Theil, Reiseberichterstattung und Interviews) und Correspondent der „Bohemia". IX., Pichlergasse 4.

*__Konti,__ Isidor, Bildhauer, geb. zu Nagy-Karoly im Jahre 1862, Schüler der k. k. Akademie der bild. Künste in Wien, hat sich an der decorativen Ausschmückung verschiedener Wiener Privatbauten, u. a. des Palais Prints v. Falkenstein (IV., Alleegasse) betheiligt. V., Pilgramgasse 24.

Kopallik, Franz, Maler, geb. zu Wien am 4. Jänner 1860, Schüler der k. k. Kunstgewerbeschule, bereiste Italien, Deutschland und Rußland, malt vornehmlich Landschaften in Aquarell, hat sich jedoch auch mit Erfolg im Genre und in der Historienmalerei und Architektur versucht. Viele Landschaften und Architekturbilder von ihm befinden sich im Besitze von Mit-

gliedern der kaiserl. Familie. U. a. ist auch ein Altarbild von ihm in der Pfarrkirche zu Cherso. K. ist Mittelschulprofessor. III., Untere Viaductgasse 3.

*__Koppel,__ Emil, Musiker, geb. zu Agram am 10. Juni 1857, ist als Componist künstlerisch thätig. VIII., Laudongasse 11.

*__Koppel,__ Gustav, Maler. K. l., Opernring 3.

*__Köppelhofer,__ Ludwig, Musiker, geb. zu Seibersdorf (Nieder-Oesterreich) am 24. Februar 1830, wirkt als Harmonium- und Claviervirtuose, sowie als Lehrer auf diesen Instrumenten. V., Wehrgasse 25.

Korn, Karl Ludwig, Schriftsteller, geb. zu Budapest im Jahre 1841, ist Verfasser der Lustspiele: „Wiener Bürgerkinder", „Der Herr Administrator", „Ein Hut von Witzmann", „Wien durch 100 Jahre", „Schachmatt", „Der Witwensitz" und „Zwischen zwei Welten". I., Weihburggasse 20.

Kormann-Müller, August, Schauspieler, geb. zu Graz am 28. September 1850, betrat in seiner Vaterstadt im Jahre 1872 (unter Director Kreibig) zum erstenmal die Bühne, absolvirte zahlreiche Gastspiele und war an bedeutenderen Bühnen Deutschlands und Oesterreichs (darunter am Hoftheater in Dresden und am Wiener Stadttheater unter Laube) engagirt. Am 7. Mai 1877 vermälte er sich mit Marie Geistinger (die Scheidung erfolgte 1880) und ist gegenwärtig, seit September 1882, im Verbande des Theaters an der Wien. VII., Engelgasse 10.

Korn, Arthur, Schriftsteller, geb. zu Budapest am 7. Jänner 1860, Herausgeber der „Allgem. Frauen-Zeitung", übersetzt aus dem Ungarischen und ist Verfasser von „Der Blumen Liebe" (Gedichte, 1885), „Josef II."

(1885) und „Die Todescandidaten" (Schwank, 1887).

*Korompay, Gustav, Architekt, geb. zu Wien am 4. Jänner 1833, Schüler der k. k. Akademie der bildenden Künste in Wien unter Prof. Van der Nüll und von Siccardsburg, hat verschiedene Wohngebäude und u. a. das Waaren= und Wohnhaus Wahliß und das Palais Zichrer (IV., Alleegasse), „Mattoni=Hof" (Tuchlauben) 2c. ausgeführt. **G**. III., Rennweg 18.

Koschat, Thomas, Musiker, Sänger und Schriftsteller, geb. zu Viktring bei Klagenfurt am 8. August 1845, wurde nach Absolvirung der philosophischen Studien 1867 für Chor und kleine Solopartien an der k. k. Hofoper engagirt, 1874 Domcapellensänger und 1878 Mitglied der k. k. Hof=Musikcapelle. Er ist als Sänger von Kärntnerliedern allgemein bekannt, unternimmt mit dem „Kärntner=Quartett der k. k. Hofoper" Concertreisen durch Deutschland und Oesterreich und ist auch als Dichter und Componist von Liedern in Kärntner Mundart, sowie als Feuilletonist vornehmlich für Kärntner Blätter thätig. Er schrieb die zwei Gedicht=Sammlungen in Kärntner Mundart: „Habich" und „Dorfbilder aus Kärnten", gesammelte Feuilletons unter dem Titel „Erinnerungsbilder" und die zwei einactigen Liederspiele „Am Wörthersee" (wiederholt an der k. k. Hofoper aufgeführt) und „Der Bürgermeister von St Anna", ferner eine große Anzahl, nahezu 100 Lieder und Chorcompositionen. Ausländisch decor. IV., Karlsgasse 3.

Koschich, Tobias Karl, Schriftsteller, geb. zu Iglau am 27. April 1829, gründete im Jahre 1848 (mit Dr. Natoliczka) die Zeitschrift „Der Gemäßigte" (1849 nahm dieselbe den Titel „Nationalzeitschrift" an). 1850 bis 1859 war K. Hauptmitarbeiter

des „Wiener Neuigkeitsblattes", sodann der „Gegenwart", „Glocke" und „Gemeindezeitung" und ist seit 1877 Redacteur des „Neuigkeits=Weltblattes" (Fachreferat: Theater, Kunst, Musik 2c.) Unter dem Pseudonym „Theobald" schrieb K. Novellen, Feuilletons, Wiener Skizzen, Theaterkritiken und war in früheren Jahren feuilletonistischer Mitarbeiter der „Vorstadtzeitung" und der „Morgenpost". III., Rennweg 61.

Köstinger, Franz, Musiker, geb. zu Wilfersdorf (Niederösterreich) am 15. December 1844. Er ist Chormeister des Wiener Männer=Gesangvereines „Arion" und componirte eine lateinische Messe (für Männerchor mit Orgelbegleitung), Kärntner Volkslieder (Arrangement für Männerchor) u. m. a. K. ist Beamter der österr. Nordwestbahn, ausländ. decor. II., Novaragasse 46.

Köstlin, August, Architekt, geb. zu Stuttgart am 30. December 1825, Schüler der polytechnischen Schule in Stuttgart und der Akademie in München, hat sich frühzeitig diversen Eisenbahnbauten zugewendet. Außer solchen erbaute er u. a. im Vereine mit Anton Battig, die Brigittabrücke, die Sofienbrücke, Tegetthoffbrücke in Wien. K. ist dermalen als Redacteur der „Allg. Bauzeitung" thätig. **G**. III., Marokkanergasse 1.

Koželuh, Eduard, Kupferstecher, Zeichner und Illustrator, geb. zu Wien am 18. Mai 1840, erhielt den ersten Unterricht im Zeichnen von seinem Vater (Bildhauer) kam dann in das Polytechnikum, zeichnete später für die Architekten Romano und Schwendenwein (im decorativen Fache) und erlernte dann in Prof. Ludwig Förster's art. Anstalt Radirung und Stich. K. fertigte u. a. (1871—1873) Radirungen für das Werk: „Die hervorragendsten Kunstwerke der k. k. Schatzkammer",

„Monographie über Laxenburg", „Monographie über Schönbrunn" au. ꝛc. II., Gr. Stadtgutgasse 18.

*Kozariszczut, Daniel Michaelowitsch, Publicist, geb. in Sadagora (Bukowina) am 23. December 1841, ist Herausgeber und Redacteur der russischen Zeitschrift „Nauka" ꝛc. VIII., Kochgasse 17.

*Kozlan, Anatol ꝛc. ist Correspondent ausländ. Blätter. III., Pragerstraße 5.

Kracher, Ferdinand, Schauspieler, geb. zu Wien am 19. October 1846, trat zum ersten Male im Meidlinger Theater (6. September 1863) auf, war an den Theatern in Komorn, Thrnau, Innsbruck, Rudolfsheim, sowie am Carltheater im Engagement und ist seit 1. September 1881 im Verbande des k. k. Hofburgtheaters. K. wirkt auch als dram. Lehrer. II., Aloisgasse 1.

*Kral, Johann, Musiker, geb. in Böhmen am 23. Mai 1823, war erster Violaspieler im k. k. Hofopern-Orchester (Specialist für Viola d'Amour) und wurde nach dreißigjähriger Dienstzeit pensionirt. IV., Starhemberggasse 5.

Kral, J. N., Musiker, geb. zu Mainz am 14. September 1839. Er wirkte längere Zeit sowohl als Civil-, wie als Militär-Capellmeister und componirte eine große Anzahl flotter Wiener Tänze und Märsche (bisher erschienen 110 Tonstücke im Druck), unter denen besonders der „Brucker Lagermarsch", sowie die Märsche „Hoch Habsburg" und „Für Kaiser und Reich" populär wurden. III., Kolonitzgasse 11.

*Král, Josef, Maler, geb. zu Planina im Jahre 1859, Schüler der Wiener Akademie unter den Prof. Trenkwald und Eisenmenger, ist jetzt Assistent an der Oberrealschule im III. Bez. V., Franzensgasse 17.

Kralik, Mathilde, Edle von, geb. zu Wien am 25. April 1852. Sie ist Pianistin und componirte eine Clavier-Violin-Sonate, Lieder, Clavierstücke verschiedenen Inhaltes und ein Trio für Clavier, Violine und Cello, welche Tonwerke theils in Druck erschienen, theils aufgeführt wurden. I., Elisabethstraße 1.

*Kralik von Meyrswalden, Richard, Ritter, Dr., Schriftsteller, geb. zu Leonorenheim (Böhmen) am 1. October 1852, absolvirte die juridischen Studien, lebt aber seit 1883 ausschließlich der literarischen Thätigkeit. Er schreibt Feuilletons, sowie Bühnenwerke und Gedichte und ist Verfasser von: „Offenbarungen" (1883), „Die Türken vor Wien" (Festspiel, 1883), „Roman" (Gedichte, 1884), „Adam" (Ein Mysterium" (Drama, 1884), „Büchlein der Unweisheit" (Gedichte, 1884), „Maximilian" (Schwank, 1885), „Deutsche Puppenspiele" (1885) und „Ostaralied" (1886). Ob.-Döbling. Stefaniegasse 16.

*Krämer, Johann B., Maler, geb zu Wien am 24. August 1862, Schüler der k. k. Akademie der bild. Künste in Wien.

*Krankenhagen, Wilhelm, Musiker, geb. zu Weimar am 18. September 1825, ist Mitglied der k. k. Hof-Musikcapelle, Professor am Conservatorium und seit 1. November 1869 im Verbande des k. k. Hofopern-Orchesters (Fagott) IV., Wohllebengasse 3.

*Kraßnig, J., ist Redacteur der „Illustrirten Wiener Wespen", bei welcher Zeitschrift er als Theater- und Kunstreferent publicistisch thätig ist.

*Kraßnigg, Rudolf, Schriftsteller, geb. zu Klagenfurt am 24. December 1861, trat nach Absolvirung seiner Militärdienstzeit im Jahre 1883 in den Bahndienst, welchen er 1885 verließ, um sich gänzlich der Schriftstellerei zu widmen. Er ist Mitarbeiter des „Jungen Stileriti", der „Oesterr. Volkszeitung" 2c. Hetzendorf, Kaiserstraße 31.

Kraftel, Friedrich, Schauspieler, geb. zu Mannheim am 6. April 1839, war zum katholischen Theologen bestimmt. Er zeigte jedoch mehr Beruf zum Schauspieler als zum geistlichen Stande und wurde seine Sehnsucht, sich der Bühne zu widmen, von einem alten, pensionirten Balletmeister, einem Franzosen, bei welchem er Tanzunterricht nahm, lebhaft unterstützt; derselbe verschaffte K. seinerzeit als Tänzer ein Engagement am Hoftheater in Karlsruhe unter Eduard Devrient's Direction. Dort wirkte er auch viele Monate als Tänzer im Ballet, trat während dieser Zeit einmal als „Handwerksbursche" in „Faust", jedoch ohne Erfolg, auf, bis er die Rolle des „Raoul" in der „Jungfrau von Orleans" zu spielen bekam. Er gefiel, schied nun ganz aus dem Balletsaale und begann seine schauspielerische Laufbahn. Bereits 1865 wurde er durch Heinrich Laube persönlich, der eigens nach Karlsruhe gekommen war, um K. kennen zu lernen, an's Burgtheater engagirt. Im Mai 1865 debütirte er als „Don Carlos" und „Fallentoni" in „Der Goldonkel" und trat sogleich für das Rollenfach der jugendlichen Helden als Mitglied in den Verband des k. k. Hofburgtheaters. Später erfolgte seine Ernennung zum k. k. Hofschauspieler, und 1888 gelegentlich der Eröffnung des neuen Burgtheaters zum Regisseur. Zu seinen bekanntesten Rollen zählen: „Karl Moor", „Ingomar", „Percy", „Tempelherr", „Franz" (in „Götz), „Max Piccolomini" u. v. a. K. ist auch schriftstellerisch thätig. er schreibt vorzugsweise lyrische Gedichte, hat

sich jedoch auch auf dramatischem Gebiete, u. zw. durch Verfassung des Trauerspieles: „Der Winterkönig" versucht. Von ihm ist u. a. auch der Epilog zum „Dekamerone vom Burgtheater". IV., Hauptstraße 6.

Kratz, Anna, Schauspielerin, trat schon frühzeitig in verschiedenen Kinder-Rollen auf, wirkte dann als Opern- und Vaudeville-Soubrette, war in Hamburg, Berlin, Riga und am Carltheater in Engagement und ist seit 1. Mai 1861 im Verbande des k. k. Hofburgtheaters. VI., Engelgasse.

Kratzer Carl Edler v., Maler, geb. zu Wien am 9. Februar 1827, Schüler der k. k. Akademie in Wien und A. Pettenkofen's, war bis zum Jahre 1853 Kaufmann, wendete sich dann der Kunst zu, bereiste England, Frankreich, Holland, Italien und Deutschland und widmete sich dem Landschaftsfache und dem Genre. 6. IV., Starhemberggasse 24.

Kratzl, Carl, Musiker, geb zu Wien am 20. August 1852, ist seit 1879 Capellmeister und Inhaber einer Concertcapelle, trat selbst als Violinconcertist (in Leipzig und Pest) auf und ist gegenwärtig auch Capellmeister im Etablissement Ronacher. Er componirte vorzuehmlich Tanzmusik, schrieb jedoch auch Violin-Soli, Lieder, Ouverturen, Orchesterstücke und Completmusik. Ferners erschienen 4 Jahrgänge des „Kratzl-Album", welches Clavier- und Salonstücke, sowie Wiener Tanzmusik von ihm enthält. Döbling, Hauptstraße 30.

Kraus, Friedrich Salomo, Dr., Schriftsteller, geb. zu Pozega (Slavonien) am 7. October 1859, bereiste im Auftrage weiland unseres Kronprinzen und mit Unterstützung der Wiener Anthropologischen Gesellschaft das Occupationsgebiet, sowie Dalmatien, Slavonien und Croatien. Er ist zumeist wissenschaftlich thätig, und Mitarbeiter von verschiedenen fachwissenschaftl. Journalen. Außer seinen wissenschaftlichen Werken ethnographischen, anthropologischen und philologischen Inhaltes (siehe „Das geistige Wien". II. Band) hat K. auch mehrere Bücher verfaßt, in welchen das belletristische Moment zum Vorscheine kommt; u. A. „Sagen und Märchen der Südslaven" (2 Bände), „Südslavische Hexensagen", „Südslavische Pestsagen 2c. 2c. K. ist Gerichts-Dolmetsch für die slovenische, croatische, serbische und bulgarische Sprache. VII., Neustiftgasse 12.

Kräuser, Martin, Schauspieler, geb. zu Prag am 29. Juni 1839, bestand sein erstes Debut im October 1864 im Reichenberger Stadttheater, wirkte an fast allen hervorragenden Bühnen Deutschlands und ist seit 1865 (mit Ausnahme 1883—1885) jeden Sommer im Engagement des Fürsttheaters, während er in den Wintermonaten im Carltheater, im Theater an der Wien und seit 15 Jahren im Theater in der Josefstadt thätig ist. II., Pfeffergasse 3.

Krautmann, Ferdinand, Schriftsteller, geb. zu Neutitschein am 10. Mai 1850, ist Redacteur der „Unverfälschten Deutschen Worte", Mitherausgeber des Kalenders des „Schulvereines für Deutsche", Mitarbeiter mehrerer reichsdeutscher Blätter und Obmann-Stellvertreter des Deutsch-nationalen Vereines. K. ist vielfach literarisch und politisch thätig, und von Beruf Bürgerschullehrer. III., Matthäusgasse 8.

Krawani, August, Publicist, geb zu Pettau (Steiermark) am 6. October 1829, studierte in Wien die Rechte, war dann Advocaturs-Candidat, glaubte jedoch in Folge seiner Betheiligung an der Wiener Revolution keine Advocatur zu erhalten und nahm daher umso eher Veranlassung, seiner Neigung zur Schriftstellerei nachzukommen. K. ist

in Wien seit 1859 als Journalist und politischer Schriftsteller der Zeitungen „Fortschritt", „Neueste Nachrichten", „Presse", „Neues Wiener Tagblatt", „Constit. Vorstadt-Zeitung" thätig und ist dermalen Chefredacteur des letzteren, nunmehr den Titel „Oesterr. Volkszeitung" führenden Journals. III., Radetzkystraße 9.

Kremser, Eduard, Musiker, geb. zu Wien am 10. April 1828, Schüler von H. Proksch und Mälzel. Er ist seit 1869 Chormeister des Wiener Männergesang-Vereines und war 1877—1880 Concertdirector der Gesellschaft der Musikfreunde. Er componirte Chöre, Clavier- und Orchesterstücke, Kammermusik, zahlreiche Tanzweisen, von denen die Gesangpolka „Herzklopfen" allgemein bekannt und beliebt wurde, viele Lieder und die komischen Opern „Der Botschafter" und „Der Schlosserkönig", welche beide zuerst am Theater a. d. Wien zur Aufführung gelangten. K. ist auch bekannt durch seine Chorbearbeitungen und Orchestrirungen fremder Melodien (u. a. sechs altniederländischer Lieder des A. Valerius). Ausländ. decor. II., Novaragasse 53.

Krenn, Edmund, Maler, geb. zu Wien am 24. April 1846, Schüler der k. k. Akademie der bild. Künste in Wien, malt seit vier Jahren nur mehr Aquarelle und zumeist Architektur-Werke. G. VII., Apollogasse 11.

*Krenn, Franz, Musiker, geb. zu Droß (Niederösterreich) am 26. Februar 1816, Schüler von Seyfried, wurde 1862 Capellmeister an der Hofpfarrkirche zu St. Michael und 1868 Professor des Conservatoriums (für Harmonielehre, Contrapunkt und Composition). Er veranstaltete zu Anfang der Fünfzigerjahre große Aufführungen mit einem Chor von über 100 Sängern der damals nahezu unbekannten Werke altitalienischer und altniederländischer Meister, wie Palestrina, Orlando di Lasso u. a. Als Componist schrieb er zumeist Kirchenmusik, als: zwei Oratorien, Cantaten, Messen, Requiem, Gradnale, Offertorien, ec. und Ouverturen, Chöre, Clavierstücke, Lieder ec. Er veröffentlichte auch pädagogische Werke (eine Orgelschule, eine Gesangschule für Volksschulen und eine Umarbeitung der Heinze'schen Harmonielehre für österr. Schulen). Oesterr. und ausländ. decor. I., Michaelerplatz 6.

Krenn, Hanns, Musiker, geb. zu St. Gotthardt (Ungarn) am 16. November 1854, Schüler der k. ung. Musikakademie unter Prof. Nikolics und Volkmann und des Wiener Conservatoriums, bei Prof. Simmandl und Fr. Krenn, war 1884—1885 Chorrepetitor am Theater an der Wien, 1885—1886 dritter Capellmeister am Carltheater, von welcher Zeit er als Capellmeister am Josefstädter Theater thätig ist. Von den vielen Musikwerken K's. gelangten zur Aufführung: „Tanica" (Patriot. Gelegenheitsstück, 1889), „In der Cadettenschule" (Operette, 1885), „Der Stabstrompeter" (Posse, 1886), „Münchhausen" (Operettenburleske, 1887), „Wien bleibt Wien" (Posse, 1887), „Die Stütze der Hansfrau" (1888), „Zehntausend Gulden Belohnung" (Posse, 1888), „Oesterreich-Ungarn, wie es lebt und liebt" (Posse, 1888) und zahlreiche Märsche, Chöre, Etuden, Couplets, Lieder ec. V., Hundsthurmerstraße 18.

Krenn, Leopold, Schriftsteller, geb. zu Wien am 6. December 1850, ist Autor der Posse „Eine alter Junggeselle" (1885), hat in Gemeinschaft mit C. Wolff folgende an verschiedenen Bühnen aufgeführte Volksstücke und Possen verfaßt: „Falsches Spiel" (1876), „Schwere Zeit — leichte Leut'", „Ein Mann für Alles" (1877), „Schwester Lori", „Die Verstadtprin-

zessin" (1878), „Helden von heut'" (1878), „Die Liebe war schuld daran", „Die Jockey's" (1879), „Ein optischer Telegraph" (1879), „Wiener Kinder' (Operette. Musik von C. M Ziehrer 1881), „Sie", „Auf golbenem Boden" (1882), „Ein häßlicher Mensch oder die Ranni" (1883) und „Junge Leute — von Heute". K. ist Beamter der österr. - ungar. Staatsbahn. VI., Windmühlgasse 2a.

Kretschmann, Theobald, Musiker, geb. zu Winar (Böhmen) am 1. September 1850, Schüler des Prager Conservatoriums, ist Mitglied des k. k. Hofopern-Orchesters (Violoncell) und seit 1. Juli 1881 im Engagement genannten Kunstinstitutes. K. ist auch Gründer eines Streichquartettvereines und componirte nebst mehreren Quartetten, Violoncell- und Clavierstücken über sechzig Lieder, zwei Operetten, eine Symphonie und mehreres andere. K. ist Mitglied des Quartettvereines „Krenzinger". IV., Preßgasse 26.

***Kreuter, Franz,** Architekt, geb. zu Lohr (Bayern) am 10. Jänner 1815, entwarf die Pläne für verschiedene in und außerhalb Wiens von ihm ausgeführte Privatbauten und Palais. III., Strohgasse 1.

Kreuzen, Joh. v., siehe Doll Franz.

Kreuzinger, Hanns, Musiker, geb. zu Jägerndorf am 4. Juni 1857, Schüler des Conservatoriums unter Prof. Heißler, ist Mitglied des k. k. Hofopern-Orchesters (1. Violine) und seit 1. October 1883 im Engagement genannten Kunstinstitutes. K. ist Primarius des nach ihm benannten Quartettvereines, mit welchem er wiederholt Kunstreisen unternahm. IV., Schleifmühlgasse 8.

Kristinus, K. R. Musiker, geb. zu Wagstadt am 23. März 1843. Er ist Chormeister des Wi. bener Männerchors, war zehn Jahre Leiter der

Wiener Liedertafel und wirkt als Componist. Er schrieb größtentheils Lieder, Gesänge und Hymnen, im Ganzen an fünfzig Compositionen. V., Rampersdorfergasse 8.

*Kronabetter, Robert, Histor.-Maler, geb. zu Graz am 22. October 1849. Hernals, Mitterberggasse 2.

Krones, Anton, Architekt, geb. zu Bennisch (Schlesien) im Jahre 1848, hat gegen 70 größere und kleinere Wohnhäuser, u. a. den "Mariahilferhof", das technologische Museum (IX. Bez.) ꝛc. erbaut. VII., Mariahilferhof.

Kronstein, August Stefan, Maler (Architektur und Aquarell), geb. zu Budapest im Jahre 1850, und Schüler von J. N. Geiger und Binz. Stagler. Er ist vornehmlich als Illustrator, und zwar der meisten deutschen Familienblätter, thätig. III., Parichgasse 13a.

*Krostewitz, Fritz, Radierer, geb. zu Berlin am 4. Juli 1861, Schüler des Prof. William Unger. I., Schulerstraße 12.

Krücken, Oscar von (Alexander Száznigi), Schriftsteller, geb. zu Privigye am 2. August 1860, ist seit 3 Jahren in Wien, Mitarbeiter verschiedener in- und ausl. Journale, befaßt sich vornehmlich mit Uebersetzungen aus dem Ungarischen, (u. a. "Sie ist es" von Beniczky-Bajza) und ist Autor eines 4bändigen in ungarischer Sprache geschriebenen Original-Romans "Gedenke des Todes" und einer Novellen-Sammlung "Aus dem ungarischen Tieflande". Sacher-Masoch und Emil Mariot wurden von ihm in's Ungarische übertragen. VII., Westbahnstraße 31.

Krüpl, Anton, siehe Flamm Theodor.

Krühner, Adolf, Zeichner, geb. zu Prag am 4. April 1859, Zeichner des "Extrablattes" und der belletr. Zeitschrift "An der schönen blauen Donau". IX., Lichtensteinstraße 83.

*Kučera, Wenzel, geb. zu Dolany (Böhmen) am 5. August 1864, ist Herausgeber und Redacteur der böhmischen Zeitung "Slovan". III., Hauptstraße 22.

Kuh, Emil, Publicist, geb. zu Prag am 23. Februar 1856, ist der Sohn des Reichsrathsabgeordneten und Publicisten David Kuh und wirkt als Mitarbeiter der "Oester. Volkszeitung", des "Neuen Wiener Tagblattes", der Prager "Montags-Revue" ꝛc. (Fachreferat: Politische Artikel und literarische Feuilletons). III., Matthäusgasse 5.

Kühle, Gustav, Musiker und Schriftsteller, geb. zu Loitsche bei Magdeburg am 2. Juli 1848, war ursprünglich für den geistlichen Stand bestimmt, widmete sich jedoch bald ausschließlich der Musik. Er war Mitglied des Magdeburger Stadttheaters und Director des dortigen Conservatoriums, längere Zeit Lehrer an der Horak'schen Clavierschule und ist dermalen Redacteur der "Oesterr. Musik- und Theater-Zeitung. K. hat über 60 Musikstücke, darunter Lieder, Hymnen, Märsche componirt, welche mit Ausnahme der Oper "Sabina" und eines größeren Werkes für Solo, Chor und Orchester "Des Kaisers Traum" in die Oeffentlichkeit gelangten. V., Högelmüllergasse 7.

Kuhn, Leopold, Musiker, geb. zu Wien am 26. August 1861, ist als Theater-Capellmeister am Fürsttheater thätig und hat die Musik zu dem Volksstücke: "Die sieben Todsünden der Wiener" und zu der Posse: "Der Gigerl vom Land" geschrieben. Im Drucke erschienen auch mehrere Tanzstücke und Lieder. VI., Gumpendorferstraße 6.

*Kühne, August, Bildhauer, geb. zu Königslutter (Braunschweig) am 29. Juli 1845, Schüler der Akademie in Dresden unter Prof. Hähnel, dann des Prof. König in Wien, modellirte mit Vorliebe kleinere Geurebilder. K. ist Professor an der Kunstgewerbeschule. I., Stubenring 3.

*Kühns, Hanns, recte Minj, Schauspieler, geb. zu Brünn im Jahre 1856, ist seit 1881 für kleine Rollen und Comparserie im k. k. Hofburgtheater engagirt. VI., Windmühlgasse 23.

Kukula, Richard, Dr., Schriftsteller, geb. zu Gonobitz (Steiermark) am 2. Juni 1857, ist Herausgeber des „Allgemeinen deutschen Hochschul-Almanachs", übersetzte eine Anzahl französischer Werke und war Redacteur des „Wiener Salonblatt" (Theaterber., Feuilletons 2c.). K. ist Amanuensis an der Universitäts-Bibliothek und Verfasser mehrerer fachwissenschaftlicher Werke (Siehe „Das geistige Wien", II. Band). VII., Burggasse 98.

*Kukula, Roman, Musiker, geb. zu Wien am 18. Mai 1851, ist Mitglied des k. k. Hofopern-Orchesters (Flöte), seit 15. August 1878 der k. k. Hof-Musikcapelle und Professor am Conservatorium. V., Phorusplatz 3.

Kulka, Adolf, Publicist, geb. zu Leipnik (Mähren) am 5. October 1827, ist Redacteur der „Wiener Allgemeinen Zeitung", sowie Mitherausgeber der juridischen Zeitschrift „Gerichtshalle". I., Heßgasse 1.

Kulka, Alois, Publicist, geb. zu Leipnik in Mähren am 4. Februar 1842, ist Herausgeber der „Correspondenz Kulka" und Redacteur der „Oesterr.-ung. Cautorenzeitung". I., Herrengasse 4.

Kulke, Eduard, Schriftsteller, geb. zu Nikolsburg am 24. Mai 1831; er veröffentlichte Erzählungen und Novellen in den verschiedensten Zeitungen und Jahrbüchern und er-

schienen von demselben die selbständigen Werke „Aus dem jüdischen Volksleben" (Geschichten, 1869), „Perez" (Tragödie, 1873), „Korah" (biblische Tragödie, 1873), „Der gefiederte Dieb" (Lustspiel, 1876), „Der Glasscherbentanz" (Novelle, 1881) und mehrere Broschüren und Abhandlungen. VII., Mariahilferstraße 70.

*Kundmann, Karl, Bildhauer, geb. zu Wien am 15. Juni 1838, Schüler der Akademie der bild. Künste in Wien und der Akademie in Dresden, verweilte 1865—1867 in Rom, führte dortselbst die Marmorstatue „Eugen von Savoyen" und „Leopold von Babenberg" für das Arsenal aus, entwarf die Skizze zu dem Schubert-Denkmal, welches er nach Wien zurückgekehrt, nach neuer Skizze (1872) ausführte. Von den vielen Arbeiten K.'s können wir hier nur nennen: Die Statuen „Kaiser Rudolf", „Prinz Eugen" und „Graf Bucqnoy" (Wiener Arsenal, das „Tegetthoff-Monument" u. Pola, das „Tegetthoff-Monument" in Wien, die Marmorstatue des „Dr Felder" (Feststiege des Rathhauses), das „Anastasius Grün-Denkmal" in Graz, die Statue „Grillparzer" für den Wiener Volksgarten, die Reliefsculptur „Reiterfigur Rudolf von Habsburg" (Rathhausthurm, Süden) 2c. Zahllose andere Monumente, Denkmäler, Statuen, Portraitbüsten entstammen der Kunst K.'s, welcher der Kritik zufolge, mit Zumbusch den Aufschwung der monumentalen Plastik in Wien inaugurirte. Für sein Werk „Kunstindustrie" erhielt K. 1879 die Carl Ludwig-Medaille. Für die k. k. Hofmuseen fertigte K. außer anderem, die allegor. Figuren „Kunstindustrie" und „Architektur", die Statuen „Aristoteles", „Kepler", und „Cuvier", für das neue k. k. Hofburgtheater (Attika) den von der „Melpomene" und „Thalia" umgebenen „Apollo". Sein Relief „Bacchanale" ist im Besitze der Gemälde-Gallerie des allerh. Kaiserh. K. ist Professor an der k. k. Akademie der bild. Künste. S. Oesterr. und ausländ. decor. IV., Alleegasse 1.

Kupczanko, Gregor, Schriftsteller, geb. zu Berhomet am Pruth (Bukowina) am 27. Juli 1849, widmete sich bald der Publicistik, und ist Mitarbeiter verschiedener deutscher und russischer Blätter. Seine in deutscher und russischer Sprache erschienenen Werke sind zumeist geschichtlichen, ethnografischen und geografischen Inhaltes (siehe „Das geist. Wien", II., Band), doch schrieb derselbe auch „Lieder der Bukowinaer Ruthenen" und mehreres andere auf belletristischen Gebiete. 1891 bis 1882 gab derselbe die illustrirte kleinrussische Zeitung „Swisda" heraus und gründete 1888 in Wien die Monatschrift „Russka prawda". Oesterr. decor. II., Heinzelmanngasse 5.

Kupfer, S. W., Maler, geb. zu Schwabach (Bayern) am 4. Juni 1859, war bis zum Jahre 1882 Bildhauer, als welcher er u. a. die Modelle zu dem Pilgerbrunnen in Aschaffenburg schuf, wendete sich sodann der Malerei zu, worin er besonders im Portrait und im Wiener Genre thätig ist. III., Belvederegasse 3.

*Kupka, Hermann, Musiker, geb. zu Wien am 12. Juni 1846, ist Mitglied des k. k. Hofopern-Orchesters (2 Violine) seit 1. September 1869, und der k. k. Hof-Musikcapelle. III., Salesianergasse 23.

Kuranda, Friedrich, graphischer Künstler, geb. zu Wien am 10. Jänner 1858. V., Gartengasse 23.

*Kurka, R. W., Musikreferent in- und ausl. Zeitungen und Zeitschriften. IV., Heumühlgasse 20.

*Labor, Josef, Musiker, geb. zu Horowitz (Böhmen) am 29. Juni

1842, Schüler des Conservatoriums unter Pirkhert (Clavier) und Sechter (Theorie). Zuerst trat er 1863 in Wien als Pianist öffentlich auf und unternahm sodann Concertreisen nach Deutschland, Belgien, England, Frankreich und Rußland. Er concertirte nicht nur auf dem Clavier, sondern ist auch Orgelvirtuose. Als Componist schrieb er Orgel-, Clavier- und Orchesterstücke, Lieder, Chöre ꝛc. L. ist bereits seit seinem Knabenalter erblindet. I., Rosengasse 4.

*Labrés, Hermine, geb. zu Wien im Jahre 1855, ist als Concertsängerin künstlerisch thätig und wirkt als Lehrerin an der Gesangschule der Professorin Karoline Pruckner. Währing, Alsbachstraße 8.

*Lackenbacher, Louis, Musiker, geb. zu Essegg am 31. December 1840, ist sowohl als Violoncellist, als auch als Componist tonkünstlerisch thätig; derselbe wirkt auch als Musikschriftsteller. II., Praterstraße 13.

Lafite, Karl, Maler, geb. zu Wien im Jahre 1830, Schüler der Akademie unter Prof. Steinfeld hat sich vornehmlich dem Porträt zugewendet. S. III., Ob. Weißgärberstraße 11.

L'Allemand Sigmund, Maler, siehe Allemand.

Landau, Marcus, Dr., Schriftsteller, geb. zu Brody am 21. November 1837, ist Mitarbeiter der (Münchener) „Allgem. Zeitung", der „Wiener Zeitung", „Ueber Land und Meer" ꝛc. und Verfasser von „Die Quellen des Dekameron" (1869), „Beiträge zur Geschichte der italien. Novelle" (1875), „Die ital. Literatur am österr. Hofe" (1879), „Giov. Boccaccio, sein Leben und Wirken" (1877), „Rom, Wien und Neapel während des spanischen Erbfolgekrieges" (1885). Ausländ. decorirt. IX., Schwarzspanierstraße 18.

Landesberg, Alexander, Schriftsteller, geb. zu Großwardein am 15. Juli 1848, ist seit Bestand des „Wiener Tagblatt" als Theater- und Kunstreferent, Redacteur dieser Zeitung und Verfasser des Lustspiels „Karl der Kühne", der Libretti: „Fioretta", „Page Fritz" (Musik von A. Straßer und M. v. Weinzierl), der Posse „Familie Wasserkopf" (mit O. Schill) 2c. IX., Kolingasse 15.

*__Landesberger__, Malvine, Schriftstellerin, geb. zu Lemberg 23. August 1856. Sie übersetzt meistens aus dem Französischen, Polnischen und Italienischen. I., Kurrentgasse 10.

*__Landschütz__, Rudolf, Musiker, geb. zu Wien am 16. December 1825, ist als Pianist und Lehrer thätig. IV., Hauptstraße 69.

*__Landskron__, Leopold, Musiker, geb. zu Wien am 5. September 1842, wirkt als Professor am Conservatorium und ist als Pianist künstlerisch thätig. Währing, Schulgasse 5.

__Lang__, Julius, Dr., Schriftsteller, geb. zu Wien am 13. April 1833, war 1863—1865 officieller Berichterstatter in Elsaß-Lothringen, später in Berlin und München publicistisch thätig, und kehrte 1879 wieder nach Wien zurück. Er ist Mitarbeiter vieler auswärtiger Zeitungen, des „Neuen Wiener Tagblatt" und Verfasser einer Anzahl Broschüren und Schriften. III., Apostelgasse 4.

__Langauer__, Franz, Schriftsteller, geb. zu Grazen (Böhmen) am 27. März 1850, ist Herausgeber und Redacteur der illustr. Zeitschrift „Der Schulgarten" und Verfasser mehrerer Werke über Landwirthschaft, Obst- und Gartenbau (siehe „Das geistige Wien", II. Band), sowie Erzählungen und Novellen, u. a.: „Der neue Geselle", „Aus unseren Tagen" 2c. L. war früher k. k. Officier und ist gegenwärtig Bürgerschullehrer. Penzing, Bahngasse 55.

__Lauge__, Paul, Architekt, geb. zu Wien am 12. Jänner 1850, Schüler des Polytechnicums in Stuttgart, ist Erbauer des Gasthauses „zur güldenen Waldschnepfe" in Dornbach und im Vereine mit Avanzo, — mit welchem er auch die Restaurations-Arbeiten an der Stiftskirche in Heiligenkreuz, der Brunnen-Kapelle in Lilienfeld, ausführte — d. k. k. Unterrichtsanstalten in d. Schwarzenberggasse, des k. k. anatomischen Institutes (IX. Bez.), des Ghega-Monumentes auf dem Central-Friedhofe 2c. L. ist auch Prof. an dem k. k. technolog. Gewerbe-Museum. VI., Getreidemarkt 11.

*__Langer__, Ed., Publicist, ist u. a. Mitarbeiter (Parlamentsberichterstatter) des „Vaterland".

__Langer__, Emanuel, Publicist, geb. zu Szobotist (Ungarn) am 12. August 1862, Herausgeber der „Oesterreich. Zeitung" (Fachreferat: Politik und Belletristik) ist seit dem Jahre 1882 journalistisch thätig. II., Antonsgasse 6.

*__Langer__, Vincenz, Schauspieler, ist im Verbande des k. k. priv. Theaters an der Wien.

*__Langhammer__, Anton, Musiker, geb. zu Graslitz am 16. Jänner 1826, wirkt als Violinist, war Mitglied der k. k. Hofopern-Capelle und Director des Ballet-Orchesters der genannten Hofbühne. VII., Burggasse 59.

*__Langhammer__, Anton, Musiker, geb. zu Wien am 13. Juni 1837, ist Mitglied des k. k. Hofopern-Orchesters (Contrabaß), und seit 1. März 1870 im Engagement genannten Kunstinstitutes. V., Wienstraße 47.

*__Langhammer__, Carl, Architekt, hat verschiedene Profanbauten in Wien und Umgebung ausgeführt.

*__Lang-Laris__, Hermine, Malerin, geb. zu Wien im Jahre 1842, Schülerin Remi van Haanen's und

Albert Zimmermann's in Wien. I., Schwarzenbergstraße 3.

*Langl, Josef, Maler und Zeichner, geb. zu Dobrau im Jahre 1843, Schüler der Akademie. L. ist Ober-Realschul-Professor. Oesterr. decor. II., Castellezgasse 21.

*Langwara, Irma, Concertsängerin, geb. im Jahre 1859. IV., Paulanergasse 5.

Langwara, Leopold, Musiker, geb. zu Wien am 19. Juni 1831, trat im Jahre 1851 mit einer großen Instrumentalmesse in der Schottenkirche als Tonkünstler und Componist in die Oeffentlichkeit. Ferner wurden von L. aufgeführt: Lieder, Chöre, Concert-, Kammer-, Orchester- und Kirchenmusik, sowie Clavier- und Violinstücke. IV., Paulanergasse 5.

*Laschek, Hanns, k. k. Hofopernsänger, geb. zu Plan (Böhmen) im Jahre 1862, gehört dem Verbande des k. k. Hofoperntheaters an, dessen Mitglied er seit dem Jahre 1888 ist. IV., Preßgasse 25.

Laufer, Alexander, Dr., Schriftsteller, geb. zu Budapest am 16. März 1860, schreibt zumeist kritische Aufsätze, finanzökonom. Abhandlungen, auch epische Gedichte und übersetzt aus dem Ungarischen und Türkischen. L. ist Beamter der österr.-ung. Bank. II., Untere Augartenstraße 5.

Laurencin, Ferdinand Peter, Graf, Dr., Musikschriftsteller, geb. zu Kremsier am 15. October 1819, verfaßte mehrere musikwissenschaftliche Werke (siehe „Das geistige Wien". II. Band) und ist Mitarbeiter der Leipziger „Neuen Zeitschrift für Musik" :c. VIII., Piaristengasse 48.

*Lauser, Lili, Schriftstellerin, geb. zu Puntarenas (Costa Rica in Amerika) am 31. September 1855, ist Uebersetzerin von: „Man soll nichts verschwören" von Alfred de Musset (aufgeführt am k. k. Hofburgtheater),

sowie der spanischen Werke „Novellen des Allarcon" und „Die Illusionen des Don Faustino". III., Strohgasse 2.

Lauser, Wilhelm, Dr., Schriftsteller, geb. zu Stuttgart am 15. Juni 1836, widmete sich ursprünglich dem Studium der Theologie, das er jedoch bald mit jenem der Philologie und Geschichte vertauschte. Seine Reisen in Italien, Spanien und nach dem Orient boten L. reichlichen Stoff für seine fachwissenschaftlichen Werke und Abhandlungen zumeist historischen und kunstgeschichtlichen Inhaltes (siehe „Das geistige Wien, II. Band). Er verweilte 5 Jahre als Publicist in Paris, war längere Zeit im Redactionsverband der „Presse", ist gegenwärtig Redacteur des „Neuen Wiener Tagblattes" (auswärtige politische Leitartikel und Feuilletons) und seit 1885 Herausgeber der „Allgemeinen Kunst-Chronik" und deren Jahrbuch „Die Kunst in Oesterreich-Ungarn". Nebst seinen Fachwerken erschienen: „Unter der Pariser Commune" (1873), „Florentiner Plaudereien" (Uebertragung nach J. Klacko, 1884), „Ein Herbstausflug nach Siebenbürgen", „Kreuz und Quer" (Erzählungen aus meinem Wanderleben, 1889). L. ist auch Mitarbeiter des „Courrier de l'art" und ausländisch decor. III., Strohgasse 2.

Lax, Josef, Bildhauer, geb. zu Wien am 19. Mai 1851, ist Schüler Bauer's und Kundmann's, besuchte Italien (hauptsächlich Rom) und Deutschland und trat mit selbstständigen Arbeiten 1877 in die Oeffentlichkeit. L. hat u. A. die Statuen „Tischler", „Mechaniker" und drei Wappenträger für das Wiener Rathhaus, die Statuen „Orpheus", „N. Pompilius", „Aristoteles" „Platon" u. „Manlius Torquatus" f. d. Reichsrathsgebäude, vier Figuren „Staatsrecht", „Bergrecht", „Volkswirthschaft", „Handels- und Seerecht"),

8*

für die Wr. Universität, „Victorien" für das naturhistorische Hofmuseum, die Portraitstatuen „Reuber", „Schröder", „Eckhof" und „Iffland" für das neue Hofburgtheater ausgeführt. **S.** V. Hartmanngasse 15.

Latz, Theodor, Sänger, geb. zu Augsburg am 17. November 1825, debutirte im Theater zu Altona im Jahre 1849 als „Ottokar" im „Freischütz", war später in Hamburg, Temesvar, Brünn und Olmütz engagirt und gastirte 1857 als „Czar" in „Czar und Zimmermann" am Hofoperntheater, woselbst er seit dieser Zeit künstlerisch thätig ist. IV., Kettenbrückengasse 14.

Lebiedzki, Eduard, Maler, geb. zu Bodenbach am 9. März 1862, Schüler der k. k. Akademie der bildenden Künste in Wien unter Prof. Griepenkerl, als welcher er u. a. auch den Hofpreis I. Classe erhielt. Ein Staats=Reisestipendium ermöglichte es ihm, in den Jahren 1884—86 Italien, Tunis, Paris und München zu besuchen. L. ist vornehmlich als Historien= und Portrait=Maler thätig. IV., Hechtengasse 1.

*Lebschmidt, Johann, Schauspieler, geb. zu Wien am 25. September 1840, trat im November 1860 im Quai=Theater zum erstenmale auf, war fünfzehn Jahre im Fürsttheater engagirt und ist seit 1869 im Verbande des Josefstädtertheaters. VIII., Lerchenfelderstraße 148.

*Lecher, Louise, Schriftstellerin, veröffentlichte Erzählungen, Aufsätze ꝛc. in den verschiedensten Zeitschriften (darunter im „Heimgarten") IX., Berggasse 31.

Lecher, Z. K., Publicist, geb. zu Dorbirn (Vorarlberg) im Jahre 1830, Herausgeber der „Presse", Fachreferat: Politik und Feuilleton, ist seit 1854 Beruf=Journalist. IX., Berggasse 31.

Lechner, Gustav, Schauspieler, geb. zu Wien am 21. Mai 1856, ist Schüler des Wiener Conservatoriums (unter Baumeister) und wurde 1878 an das Josefstädter Theater engagirt, welchem Institute er seit dieser Zeit ununterbrochen angehört. VIII., Piaristengasse 49.

Ledeli, M., Maler, Schüler der Wiener Akademie, ist vornehmlich als Illustrator für Sport und als Darsteller von Straßen = Scenen sowie des Lebens im Highlife, u. dgl. thätig. L. ist auch Mitarbeiter der Zeitschrift „Die elegante Welt". VIII., Josefstädterstraße 50.

Lederer, Siegfried, Dr., Schriftsteller, geb. zu Prag am 30. Juni 1861. Er widmete sich dem Lehrfache und ist gegenwärtig k. k. Gymnasial=Professor. Neben seiner pädagogischen Thätigkeit wirkt derselbe auch vielfach literarisch und fachwissenschaftlich, und schrieb: „Aus sonnigen Landen" (Novellen nach italienischen und spanischen Originalen), „Das Geheimniß des Herrn Marquese" (nach Ferrari's Giovine ufficiale) (Lustspiel), „Die Nachbarn" (Lustspiel), „Unter uns" (eine Bearbeitung von Dumanoir's „Les femmes terribles" (Lustspiel), gab Castelnuovo's „Ausgewählte Novellen" frei bearbeitet heraus, sowie eine Bearbeitung von Salvatore Farrina's Erzählung: „Il Signor Jo". Er übersetzte ferner (in Volapük) „Andersen's Bilderbuch ohne Bilder" und „Ausgewählte deutsche Volksmärchen" von Wilhelm und Jakob Grimm. L. entdeckte auch eine neue Handschrift von Arrians Anabasis, ist Redacteur und Mitarbeiter mehrerer Volapük=Journale und verschiedener anderer belletristischen und literarischen Zeitschriften. IX., Thurng. 19.

*Leßler, Franz, Maler, geb. zu Langenbruck in Böhmen im Jahre 1831, Schüler der Akademien in Prag und Wien. **S.** IV., Alleegasse 66.

*Lehmann, Charlotte, Malerin (Aquarell), geb. zu Wien am 30. April 1861, Schülerin Pitner's, malt Portraits und Studienköpfe.

Lehmann, Marie, Sängerin, geb. zu Hamburg am 15. Mai 1853, trat zuerst als „Aennchen" im „Freischütz" im Leipziger Theater auf (Mai 1869), war längere Zeit im Prager Landestheater in Engagement und folgte im Jahre 1882 einem Rufe an die k. k. Hofoper, woselbst sie als Coloratursängerin künstlerisch wirkt und eine Stütze des Repertoirs bildet L. wurde am 22. Jänner 1889 zur k. k. Kammer-Sängerin ernannt. IV., Hauptstraße 55.

*Lehner, Gilbert, Maler, hat sich hauptsächlich dem Decorationsfache zugewendet und steht als Decorations-Maler der k. k. Hoftheater in Verwendung Von ihm ist u. A. einer der drei Bühnenvorhänge des neuen k. k. Hofburgtheaters, welcher goldburchstickten ital. Renaissance-Tapeten nachgebildet ist. VI., Barnabitengasse 3.

Lehner, Hermann, Publicist, geb. zu Wien am 27. Juni 1842, ist als Herausgeber der Monatschrift „Oesterreichische Lesehalle" thätig. Derselbe redigirte auch die „Oesterreichische Schachzeitung". III., Siegelgasse 1.

Leinburg, Gottfried, Freih. von Lüttgendorff, Dr., Schriftsteller, geb. zu Preßburg am 30. September 1825. Er befaßt sich hauptsächlich mit der Uebersetzung und Bearbeitung nordischer Dichtungen, und zwar Tegner's Werke, „Fritjofssage", „Kleinere epische Gedichte", „Lyrische Gedichte" und „Schriften in Prosa"; Oehlschläger's „König Helge", Schmitt's „König Rodger" ꝛc. L. ist Meister des freien deutschen Hochstifts in Frankfurt am Main und Mitarbeiter der „Leipziger illustr. Zeitung" und „Neuen Freien Presse".

Ausländ. decor. Döbling, Hirschengasse 64.

*Leinburg, Leo, Baron, Maler, geb. zu Preßburg im Jahre 1856. VII., Kaiserstraße 19.

*Leisek, Friedrich, Medailleur, geb. zu Wien im Jahre 1839, Schüler der k. k. Akademie der bildenden Künste in Wien, ist Münzgraveur und Medailleur im k. k. Münzamte. Oesterr. decor. III., Parkgasse 1.

Leiter, Friedrich S., Schriftsteller, geb. zu Jassy am 12. Juni 1858, ist Redacteur der „Oesterr. Volkszeitung" (Politik und Staatswirthschaft), Correspondent mehrerer Provinz-Journale und Verfasser des Buches „Die Stener der Presse" (1886). I., Steyrerhof 3.

*Leitermayer, Alexander, Musiker, geb. zu Wien am 4. Mai 1826, Componist und Militärcapellmeister in Pension. VIII., Breitenfeldergasse 6.

Lemmermayer, Frit, Schriftsteller, geb. zu Wien am 26. März 1857, ist vielfach literarisch thätig. Er schrieb Skizzen, Feuilletons, Kritiken, Essans, Gedichte ꝛc. Auf einer Studienreise in Italien arbeitete er (mit Felix Bamberg) an der Herausgabe des Briefwechsels Friedrich Hebbel's. Im Buchhandel erschienen: „Die Anthologie", „Die deutsche Lyrik der Gegenwart", und der Roman „Der Alchimist". Unter der Presse befinden sich eine Sammlung Essays, sowie Novelletten und Skizzen. L. ist Mitarbeiter der „Allgemeinen Zeitung" (München), „National - Zeitung" (Berlin), „Westermann's Monatshefte", „Deutsche Rundschau" ꝛc. I., Rauhensteingasse 7.

*Lengerke, Gustav von, Musiker, geb. zu Ober-Meidling bei Wien am 7. October 1838, ist Mitglied des k.k. Hofopern-Orchesters (2.Violine) und seit 1. September 1869 im Enga-

gemeint genannten Kunſtinſtitutes.
IV., Margarethenſtraße 45.

*Lenk, Heinrich, Dr., Schrift=
ſteller, geb. zu Graz am 19. Juni
1853. Er iſt vorwiegend als Ueber=
ſetzer aus dem Däniſchen, Norwegiſchen
und Schwediſchen ſowie Isländiſchen
literariſch thätig und übertrug u. a.
„Die Sage von Hrafnkell Freysgod“
aus dem Isländiſchen (1883) in's
Deutſche. L. iſt Mitarbeiter mehrerer
Zeitſchriften und Scriptor an der
k. k. Hofbibliothek. III., Stanislaus=
gaſſe 8.

*Lenobel, Joſef, iſt Heraus=
geber und Redacteur des „Jungen
Rikeriti“. IX., Hörlgaſſe 18.

Lentner, Ferdinand, Dr.,
Schriftſteller, geb. zu Salzburg am
14. November 1842. Außer juridiſchen
Werken (ſiehe „Das geiſtige Wien“,
II. Band), veröffentlichte er auch
lyriſche Gedichte unter dem Titel
„Licht und Schatten“. Er iſt k. k. Hof=
concipiſt, Lehrer an der höheren
Militärfachbildungs=Anſtalt, Privat=
Docent an der Univerſität und juri=
diſcher Prüfungs=Commiſſär. I., Rie=
mergaſſe 6.

*Lenz, Maximilian, Maler,
geb. zu Wien am 4. October 1860,
Schüler der Wiener Akademie, bildete
ſich auf Grund eines Reiſeſtipendiums
in Italien aus. VIII., Joſefſtädter=
ſtraße 23.

Leo, Auguſt, ſiehe Pulvermacher
Auguſte.

Léon, Victor, Schriftſteller, geb.
zu Wien am 1. Jänner 1859, iſt
ſeit 1877 literariſch thätig und Mit=
arbeiter (Feuilleton und Theater)
verſchiedener Zeitſchriften. Er iſt
Verfaſſer von: „Poſtillon d'amour“
(Luſtſpiel), „Madonna“ (Romant.
Gedicht), „D'Artagnan“ (Operette,
Muſik von Raimann), „Phryne“
(Oper, Muſik von Triebel), „Der
Herr Abbé“ (Luſtſpiel), „Die Baja=
dere“ (Luſtſpiel), „Wir Bulgaren“
(Schwank), „Der Doppelgänger“
(Operette, Muſik von Zamara),
„Simplicius“ (Operette, Muſik von
Johann Strauß), „Der Savoyarde“
(Singſpiel, Muſik von O. de Feyth).
Dieſe Bühnenſtücke wurden mit Aus=
nahme „Der Herr Abbé“ aufgeführt.
„Die Königin von Arreſa“ (Operette,
Muſik von Zamara), „O dieſe Göt=
ter“ (Operette, Muſik von Stir), „Die
Rheintöchter“ (Schwank), „Nach einer
älteren Idee“ (Parodie) und einige
Einacter gelangten zur Darſtellung,
ſind jedoch nicht im Druck erſchienen.
III., Hörnesgaſſe 9.

*Leonhard, Friedrich, Archi=
tekt, geb. zu Wien. Schüler von
Ferſtel, war in größeren Ateliers
thätig und führte auch ſelbſtändig
mehrere Privatbauten aus. L. war
früher Aſſiſtent an der k. k. techn.
Hochſchule. I., Zedlitzgaſſe 11.

*Leopolski, Wilhelm von,
Maler. Im naturhiſtor. Muſeum be=
findet ſich von ihm das Bild: „Erd=
ölſprunggquelle bei Baku“.

*Leſchen, Chriſtoph, Friede=
rich, Muſiker, geb. zu Wien im Jahre
1817, Schüler Sechter's veranſtaltete
als junger Mann gleichzeitig mit
Liszt und Thalberg wiederholt Con=
certe. Er componirte die heroiſche
Oper der „Brauer von Gent“, die
lyriſch: Oper „Der geraubte Kuß“,
acht Symphonien, mehr als dreißig
Streichquartette, Trios und Sonaten,
viele Ouverturen und Kirchenarien,
ferner über 300 Lieder und eine
große Anzahl von Clavierſtücken.
Von ſeinen Orcheſterwerken wurden
in Wien mehrere Ouverturen in den
Vorſtadt=Theatern und eine Sym=
phonie bei den Muſikabenden von
Kretſchmann aufgeführt. L. lebt ge=
genwärtig als Componiſt in größter
Zurückgezogenheit. VI., Laimgruben=
gaſſe 6.

*Leſchetizky, Theodor, Muſi=

siker, geb. zu Wien im Jahre 1830, hielt sich lange Zeit in Rußland auf, woselbst er als Concertpianist besonders geschätzt wurde und das Amt eines Professors am Petersburger Conservatorium bekleidete. Er veranstaltete zahlreiche Concerte, sowie Kammermusik-Soiréen (im Verein mit Auer und Davidoff). In Rußland verblieb er nach jahrelanger künstlerischer Thätigkeit bis 1878, in welchem Jahre er nach Wien zurückkehrte und hier ebenso wie dort als Virtuose und Musikpädagoge wirkt. Er vermälte sich hier 1880 mit seiner Schülerin Annette Essipoff. Als Componist schuf er eine Anzahl Clavierstücke verschiedenen Genres, sowie die komische Oper: „Die erste Falte". Währing, Karl Ludwigstraße 38.

Lewinsky, Josef, Schauspieler, geb. zu Wien am 20. September 1835; schon frühzeitig schwärmte er für das Theater und gab sich mit Leidenschaft den durch die großen Schauspieler hervorgebrachten Eindrücken hin; von seinem Vater für den Kaufmannsstand bestimmt, duldete es ihn nicht lange dabei und er wurde 1853 Schüler des Comparserie-Directors des Burgtheaters Wilhelm Just, dann Aushilfs-Statist am Burgtheater und betrat am 17. Jänner 1855 als „Ein Journalist" in „Der Fechter von Ravenna" im Theater an der Wien zum erstenmal die Bühne; kam von dort nach Troppau und errang daselbst als „Reitknecht Holm" in Müllner's „Schuld" seinen ersten Erfolg; gieng später nach Bielitz, dann nach Brünn und von dort direct nach Wien; am 4. Mai 1858 spielte er den „Franz Moor" am Burgtheater, am 18. Mai den „Carlos" in „Clavigo" und beschloß mit „Wurm" in „Kabale und Liebe" am 25. Mai den Cyklus seiner Antrittsrollen. Er wurde sofort für das erste Fach der Charakterdarsteller engagirt; ist seit 22. Jänner 1865 wirklicher Hofburg-

schauspieler und wurde später Regisseur. Sein mehr als zweihundert Rollen umfassendes Repertoire enthält alle ersten Charakter-Partien. L. hatte besonders mit „Franz Moor" später mit „Mephisto", Didier, „Mulei Hassan", „Philipp (in „Don Carlos"), „Gringoire" ꝛc. bedeutenden und nachhaltigen Erfolg. Er wirkt auch als Vorleser und Recitator; seit 1875 ist er in zweiter Ehe mit der Schauspielerin Olga Precheisen vermält. Oesterreichisch und ausländisch decor. IX., Liechtensteinstraße 53.

Lewinsky-Precheisen, Olga, Schauspielerin, geb. zu Graz am 7. Juli 1853. Sie trat am 18. Jänner 1869 in ihrer Vaterstadt als „Jolantha" in „König Renée's Tochter" zum ersten Male auf und verblieb an der Grazer Bühne bis 1870, debutire 1871 als „Jungfrau von Orleans" und „Gretchen" („Faust") im Hofburgtheater, trat hierauf in den Verband unserer Hofbühne (sie spielte jugendlich tragische Liebhaberinnen), aus welchem sie jedoch 1873 wieder schied, war 1873—1876 am deutschen Landestheater in Prag, absolvirte sodann eine größere Gastspieltournée durch Deutschland und Oesterreich, bis sie 1879 als erste Salondame und Heroin Mitglied des Hoftheaters in Cassel wurde, welches Engagement die Künstlerin 1884 mit einem anscheinend vortheilhafteren in Leipzig vertauschte. Im Jahre 1889 erfolgte ihr Wiedereintritt in das k. k. Hofburgtheater. Sie debutirte im Februar (1889) als „Arria" und gehört seit dieser Zeit dem Burgtheater wieder als Mitglied an. (Rollenfach: Helden-Mütter und Anstandsdamen.) L ist mit Josef Lewinsky vermält. IX., Liechtensteinstraße 53.

Lichtblau, Adolf, Publicist, geb. zu Wien am 17. Mai 1842, veröffentlichte seine ersten literarischen Arbeiten in der seinerzeit erschienenen

„Illustrirten Welt", war ständiger
Mitarbeiter dieses Journals bis 1868,
gab sodann das socialistische Blatt:
„Freie Volksstimme" heraus und be=
gründete 1871 mit Adolf Spitz das
„Oesterr. = ungar. Volksblatt" und
die Brauer= und Hopfenzeitung „Gam=
brinus". L. war vielfach als Statistiker
thätig, veröffentlichte eine große Anzahl
Feuilletons und schrieb die Bühnen=
werke „Moderne Grafel", „Falsche
Helena". V., Wienstraße 12.

Lichtblau, Karl, Herausgeber
des „Zeitgeist". I., Eschenbachgasse 9.

*Lichtenfels, Eduard, Peith=
ner Ritter von, Landschaftsmaler,
geb. zu Wien am 18. November 1833,
Schüler der k. k. Akademie der bil=
denden Künste in Wien unter Stein=
feld und Ender, gieng 1857 nach
Düsseldorf, machte 1859 als österr.
Officier den italienischen Feldzug mit
und wurde 1871 Lehrer, 1872 Pro=
fessor der Landschaftsmalerei an der
Wiener Akademie. Seine Bilder haben
meistens Vorwürfe aus der Umgebung
von Wien. Für sein Bild „Motiv von
der Küste von Istrien" erhielt er 1883
die Carl Ludwigs=Medaille. Je eines
seiner Bilder „Landschaft" befindet
sich in der Gemälde=Gallerie des
allerh. Kaiserhauses in Wien und
in der Gallerie der k. k. Akademie
der bildenden Künste. Im naturhist.
Museum befinden sich folgende Bilder
von ihm: „Bleibergbau bei Raibl",
„Bergotsch bei Aussig", „Bereznik im
Urathale", „Großer Fischsee in der
Tatra", „Eishöhle bei Dobschau",
„Großes Rekaloch", „Der Schlern mit
den Erdpyramiden", „Prebischthor",
„Granitbruch bei Mauthhausen",
„Franz Josefs=Höhe mit der Pasterze",
„Nordisches Hünengrab". L. ist auch
k. k. Prof. an der Akademie der bil=
denden Künste. S. I., Nibelungen=
gasse 3.

Lichtenstadt, Johann, Publicist,
ist Redacteur der „Presse". Dem=

selben verdankt der Gedanke, arme
Schulkinder während der rauhen
Winterszeit zu beköstigen, seine Aus=
führung. Ausst. decor. IX., Nuß=
dorferstraße 126.

*Lichtenstern, Alexander,
Musiker, geb. zu Pest am 26. Juni
1846, ist Mitglied des k. k. Hof=
opern = Orchesters (2. Violine) seit
1. April 1868. I., Elisabethstraße 8.

Lichtenstern, Max, Musiker,
geb. zu Preßburg am 18. März
1846, ist seit 25. März 1867 Mit=
glied des k. k. Hofopern=Orchesters
(2. Violine). I., Kärntnerstraße 31.

*Lieb, Ferd. Michael, Zeichner,
geb. zu Wien am 30. März 1833,
Schüler der k. k. Wiener Akademie,
gieng 1855 auf zwei Jahre nach
Paris, wurde, nach Wien zurück=
gekehrt, Zeichner in einer Wiener
Tapetenfabrik und 1881 zum Director
der k. k. Lehranstalt für Textil=
Industrie ernannt. Oesterr. decor.

Liebenwein, Josef, Richard,
Paul, Alexander, Albar, Mao
(Felice d'Agaro), Schriftsteller, geb.
zu Wien am 22. August 1864.
Von ihm erschienen die Bühnen=
werke: „Zwischen zwei Stühlen"
(Posse), „Die Söhne des Conte"
(Lustspiel) und „Lady Rhoda Bough=
ton" (Schauspiel), sowie die Novellen:
„Auf dem Meere", „Florl", „Freund
Jussuf", „Beo" und „Lebia", und
„Lilienfelder Skizzen". Er ver=
öffentlichte auch die Genealogie der
englischen Herzogshäuser (auch fran=
zösisch) und ist Mitarbeiter des
„Almanach de Gotha" und des
„Wiener Salonblatt" 2c. V., Wien=
straße 69.

Liebhardt, J., Schauspieler, geb.
zu Wien, debutirte im Jahre 1868
am Theater zu Klagenfurt und ist
seit 1886 Regisseur des Carltheaters.
IV., Hechtengasse 1.

*Liebmann, Jenny Pseu=

bonym Linden J.), Schriftstellerin, geb. zu Nikolsburg im Jahre 1853, schreibt Feuilletons und übersetzt aus dem Englischen und Französischen. III., Ungargasse 9.

Liebold, Eduard, Schauspieler und Schriftsteller, geb. zu Wien am 13. März 1826, ist seit dem Jahre 1852 im Verbande des Theaters an der Wien und Autor der zur Aufführung gelangten Stücke: „Die Eisengruben zu Danemora", „Ein Bergvolk", „Ein gewöhnlicher Mensch", „Der Feuertod", „Das Loch im Plafond", „Hans geht in die Stadt" und „Der letzte Lorbeerkranz". I., Getreidemarkt 3.

Lindau, Karl, Schauspieler und Schriftsteller, geb. zu Wien am 29. November 1853, betrat am 20. October 1870 als „Don Carlos" in Graz zum ersten Male die Bühne; gastirte mit Josefine Gallmeyer in Amerika und ist seit 1881 als Komiker im Verbande des Theaters an der Wien. Allein und im Vereine mit Anderen schrieb er die Possen: „Die beiden Wenzel", „Stabstrompeter", „Grasteufel", „Peter Zapfel", „Volk in Waffen" ꝛc. Die Lustspiele: „Hirngespinnste", „Sport", „Damenschneider" u. a., den Roman: „Der Silberkönig", das Drama: „Rip van Winkle" und die Operetten-Texte zu: „Schelm von Bergen", „Die Vagabunden" und „Ninon". VI., Dürergasse 22.

Linden, J., siehe Liebmann Jenny.

Linden, Oscar, siehe Wimmer Adolf.

*Linder, Karl, Dr., Schriftsteller und Redacteur, geb. in Schlesien am 4. Juni 1832. II., Kleine Stadtgutgasse 11.

Linder, Moriz, Schriftsteller geb. zu Drohobycz am 24. Mai 1840, Redacteur des „Neues Wiener Tagblatt". Redigirt den volkswirthschaftlichen Theil seit der Begründung des Blattes und ist Verfasser der Schrift: „Die Asche der Millionen, vor, während und nach der Krise vom Jahre 1873". IV., Alleegasse 33.

*Lipiner, Siegfried, Schriftsteller, geb. zu Jaroslau am 24. October 1856, ist Bibliothekar des österr. Reichsrathes; er veröffentlichte die Dichtungen: „Der entfesselte Prometheus" (1876), „Renatus" (1878), „Buch der Freude" (1880) und das Epos „Bruder Rausch", die Prosaschrift: „Ueber die Erneuerung religiöser Ideen in der Gegenwart" (1878) und die Uebersetzung des Hauptwerkes von Adam Mickiewicz „Herr Thaddäus" (1883). L. ist auch Verfasser der Operndichtung „Merlin". I., Nibelungengasse 10.

*Lippert, Josef Erwin, Ritter von Grauberg, Architekt, geb. zu Arad (Ungarn) im Jahre 1826, Schüler der Wiener Akademie, gab nach achtjährigen Reisen, welche ihn durch ganz Europa führten, das architekt. Werk „Die mittelalterlichen Monumentalbauten Oesterreich's" heraus, restaurirte u. a. die Domkirche zu Raab, den Dom und die Krönungskirche in Preßburg und baute nebst anderen auch die Kirchen in Kremsier und Olmütz. Oesterr. und ausl. decor. ꝛc. I., Fleischmarkt 20.

*Lippert, Josefine von Grauberg, Schriftstellerin, geb. zu Wien am 17. März 1843, veröffentlichte ihre Gedichte unter dem Titel: „Minne Sinnen" (1875). I., Fleischmarkt 20.

*Liffek, Heinrich, Musiker, geb. zu Wien im Jahre 1849, ist als Tenorist Mitglied der k.k. Hof-Musikcapelle, ferner Hofbaucontrolor der k. k. Hofstallgebäude-Inspection und Architekt.k.k.Hofburg. I., Ballhausplatz 5.

Lift, Guido, Schriftsteller, geb. zu Wien am 5. October 1848, war für den Kaufmannsstand bestimmt und gehörte demselben bis 1877 an. Seit dieser Zeit wirkt er vielfach auf fachwissenschaftl. Gebiete und schrieb eine große Anzahl Abhandlungen, Essays und Feuilletons historischen, anthropologischen und prähistorischen Inhaltes, zu welchen er auf seinen vielfachen Reisen durch fast ganz Europa genügend Stoff und Anregung fand. Er war kurze Zeit Secretär des Oesterr. Alpenvereines und Redacteur des „Jahrbuches" und veröffentlichte 1877 die Monographie: „Burg der Markgrafen der Ostmark". L. ist auch Verfasser des Romans „Ellida", des Librettos „Heliogabalus", der Novellen „Aus dem Ostrau=Lande", sowie des historischen Romanes „Carnuntum" (1888) und Mitarbeiter mehrerer Zeitschriften, u. a. „Fliegende Blätter" (München), „Union" (Frankfurt) ꝛc. II., Rembrandtstraße 21.

Littrow=Bischoff, Auguste von, Schriftstellerin, geb. zu Prag am 13. Februar 1819. Sie veröffentlichte Aufsätze in der „Neuen Freien Presse", in „Westermann's Monatshefte", Broschüren und kleine Abhandlungen (volkswirthschaftlich=socialen Inhaltes) unter dem Pseudonym Otto August. Unter eigenem Namen erschien nur „Aus dem persönlichen Verkehr mit Franz Grillparzer". I., Weihburggasse 9.

*Löbe, Otto Friedrich, Dr., Schriftsteller, war lange Jahre hindurch Mitarbeiter der „Morgenpost" und der „Neuen Freien Presse" und ist noch gegenwärtig publicistisch thätig. III., Ungargasse 25.

*Löbel, Moriz, Dr., Schriftsteller, ist Verfasser des Lustspiels „Das kritische Alter" und mehrerer anderer Bühnenwerke. Hietzing, Lainzerstraße 9.

Löbl, Emil, Publicist, geb. im Jahre 1863, Redacteur der „Presse", Fachreferat: Inländische Politik. IX., Servitengasse 7.

Löbl, Leopold, Publicist, geb. im Jahre 1844, Redacteur der „Presse", Fachreferat: Inländische Politik. IX., Servitengasse 7.

*Lochay=Buresch, Emanuel, geb. in Böhmen am 7. December 1845. Herausgeber des „Wiener Sonntagblatt". IV., Rainergasse 7.

*Loh, Anton, Musiker, geb. zu Ubritsch (Böhmen) am 1. October 1845, ist Mitglied der k. k. Hof=Musikcapelle und des k. k. Hofopern=Orchesters (1. Violine) und seit 1. December 1870 im Engagement genannten Kunst=Institutes. L. ist Mitglied des „Quartett=Vereines Rosé". IV., Apfelgasse 2.

Löhner, Heinrich, Publicist, geb. in Daubseb (Böhmen) am 22. April 1838, ist Mitredacteur der kais. „Wiener Zeitung" und Correspondent der „Prager Zeitung". L. ist kais. Rath und seit 25 Jahren journalistisch thätig. I., Brandstätte 5.

*Loesche, Georg, Dr., Schriftsteller, geb. zu Wien am 22. August 1855, schreibt vorwiegend wissenschaftliche Werke, Abhandlungen und Kritiken (theologischen Inhaltes, siehe „Das geistige Wien, II. Band), veröffentlichte jedoch auch lyrische Dichtungen: „Lutherlieder" (1873) ꝛc. L. ist Universitäts=Professor an der evangelisch = theologischen Facultät. IX., Maximilianplatz 3.

Lohwag, Ernst, Schriftsteller, geb. zu Dobischwald (Oest.=Schlesien) am 16. Februar 1847. Er veröffentlichte nebst Novellen und Humoresken in verschiedenen Zeitschriften, den Roman „Ausgrabung des Paradieses", die Gedichte: „Neue Bahnen" und die Bühnenwerke „Iphigenie in Delphi" (Tragödie), „Beim Donau=

weibchen" (Lustspiel) und „Anna"
(Tragödie). L. ist Secretär des wissen=
schaftlichen Clubs. III., Reisnerstr. 5.

*Loos, W. L., Maler, geb. zu
Wien im Jahre 1864. V., Matzleins=
dorferstraße 40.

Lorens, Karl, Musiker, geb. zu
Wien am 7. Juli 1851. Er compo=
nirt seit 1868 und ist Verfasser und
Componist zahlreicher populär ge=
wordener Volkslieder, Walzer und
Gesangsmärsche, u. a.: „Mutterliebe",
„Der Waisenknabe", „Die Banda
kommt" (Text), sowie vieler in Wiener
Singspielhallen aufgeführter Local=
possen, und der im Pester Volks=
theater gegebenen Posse: „Wiens
flotter Geist". L. ist seit 1873 auch
als Gesangshumorist thätig. Gaudenz=
dorf, Feldgasse 3.

Lorenz, Adolf, Musiker, geb. zu
Wien am 14. März 1826, wirkt als
Pianist und Organist, ist Directions=
Mitglied der Gesellschaft der Musik=
freunde, Mitbegründer der Sing=
Akademie und k. k. Landesgerichts=
rath. II., Leopoldsgasse 22.

Loria, Adolf, Publicist, geb. zu
Hohenstadt in Mähren am 17. April
1846, ist seit 15 Jahren als Re=
dacteur des „Gerichtssaales" thätig
und Herausgeber einer von den
Wiener Tagesjournalen abonnirten
Correspondenz aus dem Gerichtssaale
und Redacteur der bei Hartleben
erscheinenden Gerichtssaal=Bibliothek.
II., Rembrandtstraße 27.

Lorinser, Gisela, Musikerin,
geb. zu Kaltsburg bei Wien am
27. September 1856, Schülerin von
Ig. Brüll, Hermann Gräuener und
Jakob Fischer. Sie schuf mehrere
Clavier=Compositionen, Mazurkas,
turische Stücke, Präludien und mehrere
Lieder nach eigenen und fremden
Gedichten. IV., Favoritenstraße 30.

*Löscher, Leopoldine, Tänze=
rin, geb. zu Wien am 9. November

1853, ist als Solotänzerin im Ver=
bande des k. k. Hofoperntheaters,
welchem Institute sie seit 1872 als
Mitglied angehört. Währing, Ana=
stasius Grüngasse 44.

Lothar, Rudolf, siehe Spitzer
Rudolf.

*Löti, Isidor, Musiker, geb. zu
Budapest im Jahre 1854, Schüler von
Kremser, componirte zumeist humo=
ristische Quartette, Lieder 2c. I., Börse=
gasse 14.

*Lotz, Arnold, Architekt, geb.
zu Oberdöbling im Jahre 1851,
baute in Firma Wieser & Lotz ver=
schiedene Zins= und Familienhäuser.
IV., Schwindgasse 20.

*Loew, Edmund, Schriftsteller,
ist mit Max Blau und Arnold Berau
Verfasser des Lebensbildes Gallmeyer
und Matras" (für das Josefstädter=
theater geschrieben) und der einactigen
Operette „Der Türken=Franzl."

*Löwe, Adolf, Publicist, geb.
zu Nimburg am 13. März 1835; er
ist als Theaterkritiker Mitredacteur
der „Neuen Freien Presse". I., Hegel=
gasse 13.

Löwe, Ferdinand, Musiker,
geb. zu Wien im Jahre 1863, wirkt
als Lehrer des Clavierspieles am
Wiener Conservatorium. VII., Burg=
gasse 7.

Löwe, Konrad, Schauspieler,
geb. zu Proßnitz am 6. Februar
1856, absolvirte die jurist. Studien
an der Wiener Universität und gieng,
nachdem er in der im Jahre 1877
am Wiener Stadttheater abgehaltenen
Studenten=Vorstellung des „Wilhelm
Tell" den „Tell" gespielt hatte, auf
Anregung Laube's zum Theater,
debutirte als „Urbain Sansuom" in
„Die Schauspiele des Kaisers" am
Elbinger Stadttheater (1. October
1878), war in Berlin, Breslau und
Hamburg engagirt und gehört seit
1. Mai 1888 dem Verbande des

k. k. Hofburgtheaters au. IX., Dietrich=
steingasse 5.

Loewe, Theodor, Dr., Schrift=
steller, geb. zu Wien am 9. Septem=
ber 1855, schreibt nebst wissenschaft=
lichen Abhandlungen (philosophische
Schriften) Novellen, lyrische Gedichte
und Theaterstücke. In Buchform er=
schienen: „Die Geschichte des wackern
Leonhard Labesam" (1884) und „Ein
Königstraum" (1886). L. ist auch Mit=
arbeiter der „Neuen Freien Presse"
und der „Oesterreichisch=ungarischen
Revue" u. zw. bei letzterer Zeitschrift
als Burgtheater=Referent. II., Untere
Donaustraße 29.

*Löwenstamm, Franz Josef,
Musiker, geb. zu Bukarest am
18. August 1843, wirkt als Gesang=
professor und Dirigent des Wr. kaufm.
Gesang=Vereines. Er componirte eine
bedeutende Anzahl von Liedern,
Chören, Streichquartetten und Mär=
schen. (28 Op.) U. a. gelangten eine
Operette, sowie Chorbearbeitungen
von Liedern Beethoven's, Schu=
bert's ꝛc. zur Aufführung. I., Kloster=
gasse 1.

*Löwy, Bernhard, Schriftsteller,
geb. zu Groß=Kanizsa am 24. August
1837; er ist vielfach literarisch und
publicistisch thätig und veröffentlichte
u. A. im Buchhandel die Dichtung
„Fidele" (1871). L. ist Chef=Redacteur
des „Jungen Kikeriki". IX., Serviten=
gasse 1.

Löwy, Ignaz, Publicist, geb. zu
Wien am 29. Jänner 1838, Redacteur
und Herausgeber der „Wiener Fabri=
kanten=Blätter", Fachreferat: Feuille=
ton („Wiener G'schichten") und Thea=
ter („Reich der Schminke"). I.,
Bäckerstraße 14.

Löwy, Julius, Schriftsteller,
geb. zu Eiblitz am 14. September
1851. Er machte die Feldzüge im
russisch=türkischen, bosnischen und ser=
bisch=bulgarischen Kriege mit, und ist

als Feuilletonist und Kriegsreporter
Redacteur des „Illustrirten Wiener
Extrablattes". Er veröffentlichte:
„Reise durch den neuen Orient" und
„G'schichten aus der Wienerstadt".
IX., Pramergasse 6

Löwy, Siegfried, Publicist, geb.
zu Wien am 1. November 1857, ist
seit 1873 journalistisch thätig, Redac=
teur des national=ökonomischen Theils
der „Oester. Volkszeitung" und
Feuilletonist und Correspondent des
„Berliner Börsen = Courier" und
„Frankfurter Journal". I., Werder=
thorgasse 4.

*Lucca, Pauline, verehelichte
Baronin Wallhofen, Sängerin, geb. zu
Wien am 25 April 1842. Sie erhielt
ihren ersten musikalischen Unterricht
beim Schulmeister Walter, besuchte
später die Singschule von Ruprecht und
genoß ihre künstlerische Ausbildung
von dem Gesanglehrer R. Levy, sang
bereits 1854 kleine Soli beim Gottes=
dienste und debutirte 1858 als Cho=
ristin in der Hofoper. 1859 trat sie
in das Engagement der Olmützer
Bühne als „Elvira" in „Ernani',
gieng 1860 nach Prag und folgte 1861
einem Antrage an die königl. Hofoper
in Berlin, woselbst sie noch längere
Zeit den Unterricht Meyerbeer's genoß;
1873 verließ sie die Berliner Bühne,
absolvirte zahlreiche Gastspiele in
ganz Deutschland, England, Ruß=
land und Amerika und trat später
in den Verband der k. k. Hofoper.
Sie ist k. k. österr. u. königl. preußische
Kammersängerin. Oesterr. decor III.,
Rasumofskygasse 15.

*Luckeneder, Oswald, Architekt,
war Schüler des Freiherrn von
Ferstel. 6. I., Johannesgasse 2.

Lubaffy, Julius von, Dr.
(Gans), Schriftsteller, geb. zu Wien
am 13. April 1858, ist vielfach publi=
cistisch, literarisch und fachwissen=
schaftlich thätig und Mitarbeiter ver=
schiedener Zeitschriften des In= und

Auslandes: „Neues Pester Journal" (Feuilletons), „Zeitschrift für Handel und öffentliches Recht" (Kritik neuer ökonomischer Werke) 2c. L. war auch politischer Redacteur des „Neuen Wiener Tagblatt" und ist Verfasser der Lustspiele: „Die Maximen" und „Spleen". IX., Wasagasse 12.

Ludwig, Ernst, Musiker, geb. zu Reichenberg am 8. Februar 1852, war längere Zeit Kaufmann, studierte privat bei Jodasohn und wurde erst 1873 Schüler des Conservatoriums. Als Componist schuf er eine große Anzahl Lieder, sowie Clavierstücke verschiedenen Inhaltes. Er erhielt die Zusnerischen Liederpreise und wirkt gegenwärtig als Lehrer am Conservatorium, an den Clavierschulen von Horak und als Chormeister des Wiener Sängerbundes". VI., Magdalenenstraße 38.

Lukas, Franz Carl, Schriftsteller, geb. zu Wien am 12. October 1855, veröffentlichte eine große Anzahl fachwissenschaftlicher Abhandlungen und Werke, zumeist über Versicherungswesen und Statistik. (Ausführliches hierüber: „Das geistige Wien", II. Band), wirkte jedoch auch vielseitig auf dem Gebiete der schöngeistigen Literatur. Nach Absolvirung seiner Hochschulstudien trat derselbe 1881 in den Staatsdienst und ist gegenwärtig Rechnungsassistent der k. k. statistischen Central-Commission. I., Schwarzenbergstr. 5.

Lukes, Jan, Schriftsteller, geb. zu Prag am 18. December 1841, wurde 1863 Officier in der österr. Armee, vertauschte nach einem kampfreichen Militärleben dasselbe mit dem publicistischen Berufe, worin er schon während seiner Militärzeit als Mitarbeiter von Fachblättern, dann der Wiener „Sonn-und Montagszeitung", „Reform", „Wanderer" thätig war, trat 1871 in den Redactions-Verband der „Politik", welchen er im Juni

1873 verließ, um zwei Jahre als selbständiger Publicist zu wirken, war Special- und Kriegsberichterstatter im Oriente und Rußland für diverse Journale, organisirte im Jahre 1878 die Regierungs-Druckerei in Sarajevo, welche er bis 1879 betrieb. L. gab auch im Vereine mit Heinrich Renner während der ersten Monate der Occupation „Die bosnische Post" (lithographirt) heraus. Dieselbe diente der gesammten österr.-ung. und europäischen Presse als Informations-Quelle. Nach Wien zurückgekehrt, wurde er nacheinander Mitredacteur der „Presse", „Tribune" und „Wiener Allg. Zeitung", sowie Correspondent einer Reihe in- und ausländischer Blätter. Seit 1885 ist L. ständiger Berichterstatter über die großen Kaiser-Manöver für die „Wiener Zeitung" und das Telegraphen-Correspondenz-Bureau und hat neben seiner journalistischen, eine reiche fachschriftstellerische Thätigkeit entfaltet. (Siehe „Das geistige Wien", II. Band.) Oesterr. und ausl. decor. I., Hohenstaufengasse 9.

Lunz, Victor, Architekt, geb. zu Ybbs am 8. März 1840, Schüler der Wiener Akademie unter Schmidt, bereiste zu Studienzwecken Spanien, war 1864—67 Bauführer beim Baue der St. Othmarskirche (III. Bez.), 1870—1885 beim Baue des Wiener Rathhauses und ist seit 1885 Professor für mittelalterliche Baukunst an der technischen Hochschule in Wien. Er baute Schulhäuser in den Vororten Wiens und hat sich vorwiegend dem Kirchenbau zugewendet. Gegenwärtig restaurirt er die Kirche „Maria am Gestade". Oesterr. und ausl. decor. S. VIII., Florianigasse 9.

Lunzer, Eduard, Schauspieler, geb. zu Starlburg am 6. October 1843, debutirte 1866 in Neutra, wurde 1870 für das Badener Theater engagirt, trat 1873 in den Verband des deutschen

Landestheaters in Prag, woselbst er, bis zu seiner im Jahre 1885 erfolgten Berufung an das Theater an der Wien, verblieb. V., Wienstraße 6.

Lutschansky, Franz Josef, Publicist, geb. zu Wien am 21. September 1853, ist Herausgeber des „Oesterr.-ung. Lloyd" und mehrerer anderer vaterländischer Blätter. Er referirt zumeist über Theater, Kunst und Politik. III., Waisergasse 5.

Lüttich von Lüttichheim, Eduard, Maler, geb. zu Prag am 25. November 1844, Schüler Führich's, bereiste die Schweiz und Süddeutschland, gab im Jahre 1876 das Stichwerk: „Teutsche Minnesänger" heraus. Sein Bild „Kaiser Rudolf's letzter Ritt" befindet sich im Besitze Sr. Majestät unseres Kaisers. G. Oberdöbling, Hauptstraße 47.

*****Lützow,** Karl von, Dr., Kunstschriftsteller, geb. zu Göttingen, am 23. December 1832, er ist Herausgeber der „Zeitschrift für bildende Kunst", Bibliothekar, Custos und Docent an der Akademie der bildenden Künste, Staats-Prüfungs-Commissär ꝛc. L. ist (mit Architekt Tischler) Verfasser des Werkes „Wiener Neubauten"; aus seiner Feder stammt auch die Abhandlung „Die bildenden Künste" in der vom Gemeinderathe der Stadt Wien, anläßlich das vierzigjährigen Regierungsjubiläums unseres Kaisers herausgegebenen Festschrift „Wien 1848—1888". L. ist auch Professor an der technischen Hochschule. Oesterr. und ausl. decor. IV., Theresianumgasse 25.

*****Luxenberg,** Jakob, Publicist, geb. zu Tarnow (Gal.) im Jahre 1844, war verantwortlicher Redacteur des „Wiener Tagblatt". IX., Universitätsstraße 4.

*****Macholb,** Josef, Maler, geb. zu Benisch in Oesterr.-Schlesien im Jahre 1824, Schüler der k. k. Akademie der bildenden Künste in Wien, de-

entwarf u. A. „Mythologische Compositionen zu Prachtschüsseln", das Ehrendiplom der Tiroler Landesschützen (1863). M. ist auch k. k. Zeichenprofessor. Oesterr. decor. IX., Maximilianplatz 14.

Mader, Raoul, Musiker, geb. zu Preßburg am 25. Juni 1856, ist Schüler des Conservatoriums, seit 1882 erster Sologesangscorrepetitor der k. k. Hofoper und seit 1883 Lehrer am Conservatorium. Von demselben erschienen mehrere Hefte Lieder, sowie Claviercompositionen. IV., Heng. 18

*****Magner,** R., Publicist, Herausgeber der „Neuen Wochenschrift". IX., Harmoniegasse 8.

Mahler, Fanny, siehe Baich-Maler.

Mahlknecht, Edmund, Maler, geb. zu Wien am 10. November 1820, Schüler der k. k. Akademie der bild. Künste in Wien. G. VII., Mariahilferstraße 88 a.

Mai, Fritz, recte Ferdinand Edler von Manussi - Montesole, Schriftsteller, geb. zu Wien am 9. Juni 1839. Er veröffentlichte eine Reihe Uebersetzungen und Bearbeitungen aus fremden Sprachen und mehrere (aufgeführte) Bühnenwerke zumeist Possen und Lebensbilder, als: „Jenseits des Oceans", „Eine Wiener Cameliendame", „Recht ein angenehmer Herr", „Ein bürgerlicher Held", „Herzensgeschichten", „Aug' um Aug", „Ein boshafter Kerl", „Der Floh", „Der Straßenräuber wider Willen", „Karl der Große", „Wiener Luft", „Ein moderner Hexenmeister", „Am 21. März", „Ein Einjähriger", „Auf falscher Fährte", „Eine unbarmherzige Schwester", u. a. m. M. war k. k. österr. Officier und machte den Feldzug 1859 und die Campagne in Meriko mit. Ausländ. decor. VIII., Langegasse 60.

*Maier, Friedrich, Publicist, geb. zu Smichow am 24. August 1843, ist Herausgeber und Redacteur der Zeitschrift „Kritische Streiflichter". II., Rueppgasse 19.

*Maier, Karl, Musiker, geb. zu Wien am 13. August 1837, ist Mitglied des k. k. Hofopern-Orchesters (Fagott) und seit 1. März 1883 im Engagement genannten Kunst-Institutes. IV., Margarethenstraße 7.

*Mailler, Alexander, Bildhauer, geb. zu Wien am 14. Februar 1844, Schüler der Akademie in Wien unter Prof. Radnitzky, in Berlin unter Prof. Bläser, hat sich u. a. auch an der Ausschmückung des naturhistor. Musenms („Strabon" auf der Balluftrade) und des Rathhauses betheiligt. Von ihm sind u. a. die Koloffal-Marmorbüsten „Schuh" und „Klezinsky" und das Grab-Monument des Generals „Hauslab" (Central-Friedhof), das Mausoleum der Familie „Liebig" in Reichenberg, der (Gräfin Potocka in Lancut. IV., Schaumburgergasse 1.

Mair, Franz, Musiker, geb. zu Weikendorf (Niederösterreich) am 15. März 1821, war Chormeister mehrerer Wiener Gesangvereine, in welcher Eigenschaft er gegenwärtig noch beim niederösterreichischen Sängerbund, und (Dirigent) beim Schubertbund, welch' letzteren er 1863 gründete, thätig ist. Er wirkt als Pädagoge (Bürgerschuldirector) und rühriger Componist, und schrieb eine sehr große Anzahl Männerchöre (von denen einige allgemein bekannt wurden), Lieder, große und kleine Messen, Clavierquartette und größere Chorwerke mit Orchester. Er ist auch auf literarischem Gebiete thätig und verfaßte u. a. „Handbüchlein für Literaturgeschichte und Mythologie", „Geschichte des Gesanges" und sieben Lesebücher für Volks- und Bürgerschulen. III., Gemeindeplatz 3.

*Majerszky, Albert von (Pseud. Albert von Rhoden), Schriftsteller, geb. in Ungarn am 1. August 1866, veröffentlichte nebst naturwissenschaftlichen Schriften auch wiederholt lyrische Dichtungen. III., Beatrixgasse 26.

*Malitschek, Karl, Musiker, geb. zu Neutitschein am 28. Jänner 1852, war früher im Orchester des k. k. Hofoperntheaters und ist gegenwärtig als Trembonist Mitglied der k. k. Hof-Musitcapelle. VI., Stiftgasse 50.

Mamroth, Fedor, Dr., Publicist, geb. zu Breslau im Jahre 1851, war bis 1. Jänner 1889 Redacteur der „Presse", übernahm hierauf das Feuilleton in der „Wiener Allgem. Zeitung", war seit der Gründung bis Jänner 1889 Chefredacteur der Halbmonatschrift „An der schönen blauen Donau" und wird im Sommer 1889 einem Rufe als Feuilleton-Redacteur der „Frankfurter-Zeitung" folgen und dorthin übersiedeln. M. ist auch Verfasser von „Meilensteine". IX., Berggasse 31.

*Mancio, Felix, Sänger, geb. zu Turin am 19. December 1840, befindet sich einen großen Theil des Jahres als Concertsänger (Tenorist) auf Kunstreisen im In- und Auslande.

Mandl, Moriz, Publicist, geb. zu Preßburg, ist als Redactionsmitglied des „Fremdenblatt" journalistisch thätig. II., Negerlegasse 1.

Mandlick, Adele, geb. zu Wien, Schülerin des Prof. Epstein, Claviervirtuosin und Lehrerin. VII., Hermangasse 12.

Mandlick, Hugo (Merlin), Schriftsteller, geb. zu Gabel (Böhmen) am 1. April 1822. Im Druck erschienen folgende Bühnenwerke: „Die fünf Sinne", Märchen in 3 Acten, „Der verhängnißvolle Hochzeitstag" (Posse), „Bestimmung und Zufall" (Volksstück), „A. G. und G. A."

„Zwei Heiratsanträge durch das Fremdenblatt" (Posse), „Das Jungfernbrünndl bei Sievring"(Volksstück), „Drei alte Junggesellen" (Lustspiel), „Glänzendes Elend" (Volksstück), „1848" (Posse), „2 × 2 = 4" (Lustspiel). VII., Hermanngasse 12.

*Maudyczewski, Eusebius, Musiker, geb. zu Czernowitz am 18. August 1857, war Schüler des G. Nottebohm, 1880—1882 Chormeister der Wiener Singakademie und componirte Clavierwerke, Lieder, Chöre, eine griechische Messe ꝛc. Er ist gegenwärtig mit der Herausgabe der Schubert'schen Gesammtwerke, (Breitkopf und Härtel), beschäftigt, und seit 1887 Archivar der Gesellschaft der Musikfreunde. III., Beatrixgasse 26.

Mannsberg, Paul, siehe Peitl.

Mansfeld, August, Maler, geb. zu Wien am 13. März 1816, Schüler der Akademie in Wien, hat sich dem Genre und Porträt zugewendet. Ein Genrebild M.'s „Müssiggang entbehrt" (Oelgem.), welches dermalen in der Akademie-Gallerie ist, befindet sich im Eigenthume der Gemälde-Gallerie des allerh. Kaiserhauses. ⬤ IV., Heumühlgasse 9.

*Mantler, Heinrich, Dr., Publicist, geb. zu Wien im Jahre 1861, ist Mitredacteur (für auswärtige Politik) des „Fremdenblatt". IX., Liechtensteinstraße 17.

Manussi, Edler von, siehe Mai Fritz.

Mar, Franz, siehe Allram Josef.

Mara, Theobald, siehe Groch Roman, Dr.

Marastoni, Josef, Porträtmaler, geb. zu Venedig am 1. April 1834, studierte in Venedig, wendete sich dem Porträtfache zu und zeichnet gegenwärtig Porträts auf Stein. ⬤ IV., Heugasse 52.

March, Richard, Schriftsteller, geb. zu Zöptau am 1. Mai 1850, Verfasser von: „Wanderungen durch Olmütz" (1871), „Liebe aus Bewunderung" (Lustspiel, 1872 aufgeführt), „Goldene Blätter aus Habsburgs Geschichte", „Der Colportage-Roman und seine Bedeutung" und circa 40 in Buchform erschienener Volksromane. M. schreibt für zahlreiche Familienblätter Deutschlands. VI., Magdalenenstraße 75.

Marcus, Josef, siehe Baroutsch P. R.

*Markhl, Julius, Musiker, geb. zu Wien im Jahre 1820, wirkt als Violonist im k. k. Hofopern-Orchester. III., Salesianergasse 25.

*Markl, Alois, Musiker, geb. zu Wien am 3. Juni 1856, ist Mitglied des k. k. Hofopern-Orchesters (Flöte) und seit 1. October 1879 im (Engagement genannten Kunst-Institutes. V., Franzensgasse 20.

Markowics, Marie Antoinette (resp. Marietta) von, Schriftstellerin, geb. zu Rostock (Preußen) am 14. December 1855. Sie verfaßte Romane, Novellen und Skizzen, welche demnächst gesammelt und zusammengestellt in 2 Bänden erscheinen werden. M. ist Mitarbeiterin von: „Neues Wiener Tagblatt", „Ueber Land und Meer", „Heimat", „Elegante Welt" ꝛc., in welchen Zeitschriften sie zumeist Feuilletons und Referate über Theater und Concerte veröffentlicht. IX., Schwarzspanierstraße 18.

Marriot, Emil, siehe Mataja.

Marschall, Helene, geb. zu Wien am 31. Mai 1854, Schülerin von J. Rupprecht, H. Proch und Karl Katzmaier. Nach Ausbildung für den Operngesang verzichtete sie auf die Bühnencarriere und wurde Concert- und Kirchensängerin. IV., Mayerhofgasse 9.

Marschner, Franz, Dr., Musiker,

geb. zu Leitmeritz am 26. März 1855, absolvierte die Organistenschule in Prag, war Schüler des Wiener Conservatoriums unter Professor Bruckner und ist vielfach tonkünstlerisch thätig. Von demselben erschienen im Druck und wurden aufgeführt: Lieder, Festcantaten, gemischte Chöre, Quartette und Clavierstücke verschiedenen Inhaltes. M. wirkt auch als Musikschriftsteller und ist u. a. Mitarbeiter der „Musikalischen Rundschau" und Professor des k. k. Civilmädchen-Pensionats. VIII., Fuhrmannsgasse 9

Martellus, siehe Klopfer Karl (Ed.

*Martina, Marie Augusta von, geb. zu Bubenc (Böhmen) im Jahre 1846, wirkt als Pianistin und Musiklehrerin. IV., Wienstraße 45.

Martinelli, Louise, Schauspielerin, geb. zu Graz am 9. November 1850, trat bereits als vierjähriges Kind im Grazer Landestheater auf, woselbst sie später als erste Liebhaberin und Localsängerin bis 1873 im Engagement verblieb. Mit Ludwig Martinelli verheiratet, gieng sie mit demselben nach Wien und wirkte gemeinschaftlich mit ihm an den Bühnen in Wien und später in Prag. Vom 1. September 1889 gehört sie dem Verbande des deutschen Volkstheaters (für chargirte Fächer) an. II., Obere Donaustraße 27.

Martinelli, Ludwig, Schauspieler, geb. zu Linz am 9. August 1834, wenngleich für den Technikerstand bestimmt, widmete er sich der Malerei. Er war Schüler der Akademie in Wien unter Prof. Waldmüller, wurde später Decorationsmaler im Atelier des Hofburgtheatermalers Moriz Lehmann und durch eine im Jahre 1856 entrirte Wette: als Dilettant den Tratschmirl in Nestroy's ‚Tritsch Tratsch" am Theater in Innsbruck zu spielen — Schauspieler. Hierauf entsagte er der Malerei — als Beruf — gänzlich

und wurde bereits 1857 Mitglied des Vorstadttheaters in München, an welcher Bühne er drei Jahre verblieb. 1860—1864 war er Charakter-Komiker und Regisseur am Grand Theatro in Amsterdam, 1864—1873 als Charakter-Komiker und Regisseur am Grazer Landestheater und von 1873—1876 am Theater an der Wien engagirt. Zu Ostern des letztgenannten Jahres trat er in ein Engagements-Verhältnis zum Prager Landestheater, blieb daselbst bis 1885 und verließ zu dieser Zeit Prag, um als Ober-Regisseur in den Verband des Carltheaters zu treten. M. ist vornehmlich Anzengruber-Darsteller, wirkt jedoch neben seiner Specialität der Charakter-Darstellung auch im Schau- und Lustspiel, in der komischen Oper, besonders aber in Wiener Possen. Vom 1. September 1889 wurde er als Schauspieler und Ober-Regisseur für das deutsche Volkstheater in Wien gewonnen. II., Obere Donaustraße 27.

Martinez, August, Schriftsteller, geb. zu Innsbruck am 23. April 1844, veröffentlicht kunst- und musikritische, sowie culturhistorische Aufsätze, meist als Feuilletons in verschiedenen Zeitungen und Zeitschriften und ist Mitarbeiter der „Wiener Presse", „Scena illustrata" (Florenz) ꝛc. Währing, Hauptstraße 20.

*Martino, Enrico de, Tänzer, geb. zu Neapel im Jahre 1844, ist als Mimiker im Verbande des k. k. Hofoperntheaters seit 1881. VI., Königsklostergasse 3.

*Masaidek, Franz Friedr., Schriftsteller, geb. zu Wien am 4. October 1840, ist Mitarbeiter des „Figaro". Er schreibt vornehmlich Feuilletons (humorist. Genres) und veröffentlichte: „Gimpelmayer's Krönungsfahrt nach Pest" (1867), „Staberl als Fremdenführer" (1868), „Gimpelmayer beim Concil" (1869), „Wien u. die Wiener aus der Spottvogel-Perspective" (1873) u. m. a. VI., Mollardgasse 43.

Mataja, Emilie (Pseudonym Emil Marriot), Schriftstellerin, geb. zu Wien am 20. November 1855 Von derselben erschienen „Die Familie Hartenberg" (Roman aus dem Wiener Leben, 1883), „Der geistliche Tod" (Erzählung aus dem Priesterstande, 1884), „Mit der Tonsur" (geistliche Novellen, 1887) und „Die Unzufriedenen" (Roman, 1888). M. ist Mitarbeiterin der „Presse", „Deutsche Zeitung", „Neues Wiener Tagblatt", „Wiener Mode", der „Leipziger Illustrirten Zeitung", „Schorer's Familienblatt" ꝛc. I., Wollzeile 28.

*****Materna-Friedrich,** Amalie, Sängerin, geb. zu St. Georgen (Steiermark) im Jahre 1847, wirkte schon als Mädchen von 10 Jahren bei kirchlichen Festlichkeiten als Solosängerin mit, war, bevor sie sich unter Leitung von Broch und Esser für das tragische Fach ausbildete, an der Grazer Bühne, sowie am Carltheater als Soubrette engagirt und ist seit 1869 im Verbande des k. k. Hofoperntheaters, woselbst sie als „Selika" in Meyerbeer's „Afrikanerin" debutirte. M. ist vornehmlich Wagnersängerin und wirkte wiederholt bei den Bayreuther Festspielen (1876 als „Brunhilde", im „Ring des Nibelungen", sowie 1882 als „Kundry" im „Parsifal") mit; absolvirte auch in der Saison 1884—1885 ein größeres Gastspiel in New-York (Metropolitan-Opernhaus), ist k. k. Kammersängerin und ausländ. decor. Heiligenstadt, Hohe Warte 60.

Matolony, Franz Xaver, Xylograph und Illustrator, geb. zu Bruck a. d. Leitha am 5. Jänner 1849, befaßt sich vorzüglich mit der Ausführung schwieriger Holzschnitte für medicinische Werke. I., Babenbergerstraße 9.

*****Matosch,** Anton, Dr., Schriftsteller, geb. zu Linz am 10. Juni

1851, ist Mitherausgeber von „Aus da Hoamat" (Sammlung von Aussprüchen oberösterr. Dialectdichter) und verfaßte selbst eine Anzahl oberösterr. Dichtungen. M. ist Beamter der Universitätsbibliothek und Professor für Literaturgeschichte an dem Musikinstitutekaiser. III., Marrergasse 34.

Matsch, Franz, Maler, geb. zu Wien am 16. September 1861, Schüler der Kunstgewerbeschule in Wien unter Prof. Laufberger, hat sich der Historien- und Decorationsmalerei zugewendet. In den Treppenhäusern des neuen Hofburgtheaters befinden sich von ihm die Deckenbilder: „Antike Scenendarstellung aus Antigone", „Der antike Improvisator", „Das mittelalterl. Mysterienspiel". Atelier: VI., Sandwirthgasse 8.

*****Matschek,** Anton, Schauspieler, war früher längere Zeit am Josefstädtertheater engagirt und ist seit 1887 im Verbande des Carltheaters.

Matthies, Gustav, Architekt, geb. zu Wismar (Mecklenburg) am 21. August 1844, studirte an der Bauakademie in Berlin und baute u. a. das Rathhaus in Fünfhaus, sowie die Schulen in Heiligenstadt, Fünfhaus und Preßbaum. VI., Gumpendorferstraße 63 D.

Matz, Eugen Josef, Schriftsteller, geb. zu Podvinje am 23. November 1836, war von 1856 bis Ende 1872 in der k. k. Armee, in welcher er als Lehrer der Geographie an verschiedenen k. k. Instituten wirkte und aus deren Verbande er als k. k. Hauptmann schied. M. ist für eine große Anzahl Wiener und ausländischer Blätter fachschriftstellerisch thätig (siehe „Das geistige Wien". II. Band) und wirkt beim „Weltblatt" als ständiger Mitarbeiter der Rubrik „Wiener Wetter." Oest. dec. Ottakring.

*****Mauch,** Max, Bildhauer, geb. zu Wien am 6. Februar 1864, Schüler der k. k. Akademie der bildenden Künste in Wien unter Prof. Kundmann. IV., Weyringergasse 4.

Mauthner, Hermann, Dr., Publicist, geb. zu Brünn am 14. Februar 1851, Redacteur des „Neuen Wiener Tagblatt". Fachreferat: Volkswirthschaft. I., Franziskanerplatz 1.

Mautner, Eduard, Schriftsteller, geb. zu Pest am 13. November 1824, kam schon frühzeitig nach Wien, woselbst er Medicin und Jus studierte. Bereits im Jahre 1843 bethätigte er sich als Poet und veröffentlichte mehrere Gedichte in der Zeitschrift „Ost und West". Von seinen Studienreisen nach Prag und Leipzig kehrte er 1847 nach Wien zurück und lebt seither fast ununterbrochen hier, gegenwärtig als Publicist im literarischen Bureau im Ministerium des Auswärtigen. Er arbeitete im Laufe der Jahre als Feuilletonist und Theaterkritiker fast aller hervorragenden Wiener und mehrerer ausländischer Blätter. Als Bühnenschriftsteller wurde sein Name besonders durch den Erfolg seines Lustspieles „Das Preislustspiel" (1852) bekannt. Er schrieb ferner „Gedichte" (1847) und „Gräfin Aurora" (Lustspiel, 1852), „Während der Börse" (Lustspiel, 1863), „Eglantine" (Schauspiel, 1863), „Die Sanduhr" (Schauspiel, 1871), sowie einen Sonettenkranz „In Catilinam" (1879), „Gedichte" (1858), die Novellensammlung: „Kleine Erzählungen" (1858), „Im Augarten" (scenischer Prolog, 1880), „Von der Aar zur Donau" (Festspiel, 1881). M. machte sich auch durch Uebersetzung und Bearbeitung französischer Stücke bemerkbar, u. a. „Frou Frou", „Fernande", „Feodora", „Der Hüttenbesitzer" und das bekannte Gedicht „Strike der Schmiede". Oesterr. u. ausl. decor. IX., Währingerstr. 16.

*****Maxintsak,** Josef, Musiker, geb. zu Prag am 7. Mai 1848, ist

Mitglied der k. k. Hof-Musikcapelle des k. k. Hofopern-Orchesters (1. Violine) seit 1. Februar 1870 und Mitglied des „Quartettvereines Hellmesberger". M. ist auch Professor am Wiener Conservatorium. IV., Favoritenstraße 14.

Mayer, A., von der Wyde, Schriftsteller, geb. zu Wien am 19. Februar 1855, veröffentlichte lyrische Gedichte seriösen und heiteren Inhaltes, sowie Artikel, Essays, beziehungsweise Vorträge aus dem literar-historischen und kritischen Gebiete. In Vorbereitung: „Theodor Graf Heuienstamm's sämmtliche Werke" nebst Biographie. M. absolvirte Jus, beschäftigt sich jedoch ausschließlich mit literarischen Studien und Productionen. Währing, Wildemanngasse 6.

Mayer, Alois, Dr., Schriftsteller, geb. zu Proßnitz in Mähren am 25. Mai 1833, ist seit 1869 Mitarbeiter der „Montags-Revue" für Musik und Schauspiel (Burgtheater) und war früher bis 1864 beim „Wiener Lloyd", bis 1866 bei der „Ostdeutschen Post" publicistisch thätig. M. wirkt seit 1868 als Hof- und Gerichtsadvocat. I., Augustinerstr. 10.

*****Mayer,** Anton, Historienmaler, geb. zu Wien im Jahre 1843, Schüler seines Vaters, trat dann in Rahl's Meisterschule an der Wiener Akademie und begab sich nach dessen Tode unter die Leitung Führich's. IV., Alleegasse 22

Mayer, Edmund, Publicist, geb. zu Wien am 23. Juli 1842. Redacteur der „Wiener Sonn- und Montagszeitung". (Fachreferat: Theater). I., Wipplingerstraße 38.

Mayer, Gotthelf Karl, Dr., Schriftsteller, geb. zu Wien am 12. Jänner 1844, ist Mitarbeiter der „Extrapost" und lieferte für eine Reihe politischer Journale Feuilletons und Essays. M. verfaßte u. a. zwei Bände des „Neuen Pitaval" und ist General-

9*

consul der Republik Guatemala. Ausländisch decor. I., Reichsrathstraße 5.

Mayer, Josef, Dr., Publicist,
geb. zu Mainz am 28. Februar 1623.
Redacteur der „Allg. Kunst=Chronik",
(Fachreferat: Literatur). III., Meisner-
straße 3.

Mayer, Ludwig, Historien=
Maler, geb. zu Kaniow in Galizien
am 7. Juli 1834, Schüler der k. k.
Akademie der bildenden Künste in
Wien unter Kupelwieser, gieng nach
einem Aufenthalte in Venedig, woselbst er die Bilder „Heiliger Martin",
„Christus bei Lazarus" für die Kirche
in Aspern malte, nach Dresden
und von da durch Deutschland und
Belgien nach Paris, worauf er in
Rom zweijährigen Aufenthalt nahm
und dort den preisgekrönten Carton:
„Jerusalem nach dem Tode Christi"
ausführte. Für sein Oelgemälde „Sa-
maritanerin" und den oberwähnten
Carton, welche beiden Bilder sich in
der Gallerie der k. k. Akademie in
Wien befinden, erhielt M. im Jahre
1864, und für das Oelgemälde
„Judas" im Jahre 1871 den Reichel-
Preis. Von M. sind auch die Fres-
ken im großen Rathhaus=Saale zu
Wien. Sein Gemälde „Musik und
Malerei" befindet sich im Besitze der
Gemälde=Gallerie des allerh. Kaiser-
hauses. G. IV., Hengasse 52.

Mayer-George, August, Maler,
geb. zu Wien am 28. März 1834,
Schüler der k. k. Akademie der bil-
denden Künste in Wien, begann seine
Studien in der Schule des Professor
Gsellhofer, woselbst er bis 1848 ver-
blieb, wurde dann 1851—1853
Schüler Rahl's und bereiste die österr.
Kronländer, Deutschland u. Italien.
M. hat eine große Anzahl größtentheils
in Privatbesitz befindliche Landschaften,
Genrebilder und Porträts ausge-
führt. Im Besitze der Commune Wien
befindet sich von ihm das Porträt
Anzengruber's und Rahl's. M. der
sich in seinen „Erinnerungen an Karl
Rahl" auch schriftstellerisch bemerkbar
gemacht, starb am 8. Februar 1889.

Mayerhofer, Karl, Sänger,
geb. zu Wien am 13. März 1828,
war schon als Knabe in Kinderrollen im Theater a. d. Wien und im
Burgtheater thätig, widmete sich später
der bildenden Kunst, besuchte die k. k.
Akademie der bild. Künste in Wien,
bildete sich in London weiter aus,
wendete sich jedoch schließlich der
Bühne zu, und debutirte (1854) in
„Don Juan", „Stradella" und „Fi-
delio" an der k. k. Wiener Oper,
welchem Institute er seither angehört.
Oesterr. decor. I., Opernring 7.

*__Mayers__, Karl, Publicist, geb.
zu Stuhlweißenburg am 21. Sep-
tember 1841, ist Mitredacteur der
„Neuen Freien Presse" (localer
Theil) und Rittmeister a. D. IV.,
Theresianumgasse 13.

Mayreder, Karl, Architekt, geb.
zu Wien am 13. Juni 1856, Schüler
des Prof. H. Freiherr von Ferstel,
Docent an der Wiener technischen
Hochschule, hat diverse Wohnhäuser in
Wien, u. a. Barockbauten (VI. Eszter-
hazygasse), die Villa des R. v. Waldheim zu Millstadt, die Schloßcapelle
zu Rudnik (Galizien) ꝛc. erbaut. G.
IV., Plößlgasse 4.

*__Mazal__, Karl, Redacteur der
„Beamten=Zeitung" und General=
Secretär des I. allg. Beamten=Ver-
eines. Währing, Carl Ludwigstraße 20.

*__Mazalik__, Josef, Musiker, geb.
zu Eywanowitz (Mähren) im Jahre
1856, ist gegenwärtig Militär-Capellmeister des 50. Inf.=Rgts. IX., Ru-
bolfskaserne.

*__Mazzantini__, Peter, Mimiker,
geb. zu Rom am 18. Jänner 1829, ist
seit 1872 im Verbande des k. k. Hofoperntheaters. V., Franzensgasse 4.

Mazzini, Gustav, Schriftsteller,
geb. zu Florenz am 7. Jänner

1839, kam Ende der Fünfzigerjahre
nach Wien, verbrachte viele Jahre
im Dienste von Eisenbahn-Gesell-
schaften und Bankinstituten, während
welcher Zeit er seine literarische
Thätigkeit mit Correspondenzen für
auswärtige Blätter begann. M. wurde
im Laufe der Jahre Wiener Correspondent der Journale: „La Liberté",
„Le Globe", „Le Voltaire", „Le
Gaulois" in Paris, des „Journal de
Genève", des „Nord" (Brüssel),
gründete im Jahre 1871 in Wien
„Le Danube", welcher „La Correspondance de Vienne" folgte. V.,
Wehrgasse 6.

Mehl, Hermann, Schriftsteller,
geb. zu Stuttgart am 22. October
1838. Nach Beendigung seiner theologischen Studien widmete sich derselbe dem geistlichen Amte und übernahm 1872 die Leitung des evangelischen Waisenhauses in Wien. Von
ihm erschienen im Buchhandel die
Werke: „Die Jahreszeiten", „Reimfibel und Kinderlieder", „Die schönsten
griechischen Sagen aus dem Alterthum" und „Die schönsten Parabeln
des Morgen- und Abendlandes."
V., Wienstraße 51.

*Mehlig, Julius, Musiker, geb.
zu Gohlis (Sachsen) am 8. März
1859, ist Mitglied des k. k. Hofopern-Orchesters (Posaune) und seit
1. März 1883 im Engagement genannten Kunst-Institutes. V., Hundsthurmerstraße 26.

Mehoffer, Rudolf v., Maler,
geb. zu Wien am 5. Februar 1857,
Schüler der k. k. Akademie der bil-
denden Künste in Wien unter Prof.
H. v. Angeli und der Akademie in
München, malt Porträts in Oel und
Pastell. **S.** III., Heumarkt 13.

Mehringer, Karl, Schriftsteller,
geb. zu Wien 1856. VI., Wehrgasse 23.

Meißner, Johannes Fr. Ludw.,
Dr., Schriftsteller, geb. zu Raths-
domnitz (Pommern) am 25. Februar

1847. Seit 1874 Redacteur der
„Deutschen Zeitung" (Burgtheater-
Kritik) und seit 1885 Vertreter der
„Kölnischen Zeitung" in Wien. Ver-
öffentlichte: „Untersuchungen über
Shakespeare's Sturm" (Dessau, 1871)
und „Die englischen Komödianten in
Oesterreich zu Shakespeare's Zeiten"
(Wien, 1884). Sievering, Villa
Meißner.

Melbourn, Josef, siehe Feigl
Josef.

*Melicher, Theophil, Maler,
geb. zu Wien im Jahre 1860, Schüler
der Wiener Akademie. VIII., Alberts-
platz 5.

Melingo, Perilles von, Schrift-
steller, geb. zu Wien am 16. Septem-
ber 1855, Mitarbeiter der „Oesterr.
Volks-Zeitung" und des „Berliner
Tageblatt", von „Ueber Land und
Meer", der „Neuen illustr. Zeitung",
„Elegante Welt" rc. Er hat über das
moderne Griechenland umfangreiche
Arbeiten veröffentlicht und ist auch
für die Bestrebungen des Rothen
Kreuzes publicistisch thätig. Ansl.
decor. VI., Engelgasse 8.

Mellin, Fanny, Schauspielerin,
geb. zu Marburg am 10. November
1831, betrat in Villach 1846 zum
ersten Mal die Bühne, war viele
Jahre Mitglied des Theaters an der
Wien (unter Director Pokorny), und
des Carltheaters (unter den Directoren
Ascher, Jauner, Tewele u. Strampfer)
und ist seit 1884 im Verbande des
Theaters in der Josefstadt. II., Circusgasse 52.

*Mendl, Heinrich, Dr., Schriftsteller, Hotel Imperial.

*Mendl, Wilhelm, Publicist,
geb. zu Tabor am 9. Februar 1851,
ist Mitredacteur des „Fremdenblatt"
(Parlaments-Berichterstattung). IX.,
Türkenstraße 5.

*Menzar, Alfred, Schauspieler,
geb. zu Wien am 15. Juni 1861,

debutirte im Jahre 1885 im Fürst=
theater und ist seit 1888 im Ver=
bande des Theaters in der Josef=
stadt.

Merode, Karl, Freiherr von,
Maler, geb. zu Möbling bei Wien
am 15. Juni 1853, Schüler der k. k.
Akademie der bild. Künste in Wien
unter Prof. A. Feuerbach), cultivirt
vornehmlich das Genre. **6.** IV.,
Antonburggasse 3.

Merta von Mährentreu,
Adalbert, Schriftsteller, geb. zu Lit=
tau (Mähren) am 23. April 1839; er
veröffentlichte nebst novellistischen und
technischen Arbeiten „Scherzraketen"
(humoristische Vorlesungen), ist Mit=
arbeiter der „Schönen blauen Donau",
sowie anderer Zeitschriften und ist
von Beruf Ober=Ingenieur der k. k.
General=Direction der österr. Staats=
bahnen. Fünfhaus, Neubau=Gürtel 18.

Mertens, Ludwig Ritter von,
Schriftsteller, geb. zu Wien. Im Drucke
erschienen die epischen Gedichte: „Das
belagerte Wien", „Das Idyll auf
dem Kahlenberge", „Die moderne
Gesellschaft", „Die vornehme Ge=
sellschaft", „Ein deutscher Bürger=
meister" (Conrad Vorlauf) und
„Salado" (aus der Zeit der Römer
in Wien). M. ist k. k. Post=Controlor
in P. VI., Windmühlgasse 26.

Merwart, Josef, Musiker, geb.
zu Zajezd (Böhmen) am 26. Sep=
tember 1823. Von demselben er=
schienen mehrere charakteristische Ton=
stücke in Walzerform, sowie zwei
Streichquartette im slavischen Stil,
welche auch zur Aufführung gelangten.
M. hielt sich 19 Jahre in Rußland
als Musikpädagoge auf. III., Stein=
gasse 30.

Merwart, Karl, Dr., Schrift=
steller, geb. zu Gora=Kamenka am
10. April 1852, wurde 1883 vom
Unterrichts=Ministerium zum Zwecke
wissenschaftlicher Arbeiten nach Frank=
reich gesendet und ist Mitarbeiter

mehrerer Fachzeitschriften. Im Buch=
handel erschienen: „Eine Erzpessi=
mistin", „Madame Ackermann" und
diverse fachwissenschaftliche Werke und
Abhandlungen (siehe „Das geistige
Wien". II. Band). M. wirkt als
Professor an der k. k. Staatsreal=
schule in der Leopoldstadt. III., Barich=
gasse 5.

*****Merz,** Oskar, Architekt, geb.
zu Fulda am 17. Juni 1830, ent=
wickelte eine große Bau=Thätigkeit,
besonders in den Bezirken Neubau
und Mariahilf. VI., Tambödgasse 2.

*****Mestrozi,** Paul, Musiker und
Schriftsteller, geb. zu Wien am
26. August 1851. Er war Kapellmeister
des Josefstädter Theaters und Mit=
glied der Hofcapelle. (Gegenwärtig ist
er seit 1885 Eigenthümer und Director
des Fürst=Theaters im Prater und
Leiter des Theaters in Wiener=Neu=
stadt. Er schrieb das Volksstück: „Die
Liningerischen" und die Posse: „Ein
g'spaßiger Kerl", die Musik zu den
Possen: „Pechvögel", „Die beiden
Wenzel", „Ein alter Junggeselle"
und „Lumpenball", sowie zu dem
historischen Stück „Die Türken vor
Wien"; er ist auch Verfasser der
romantisch = komischen Oper „Der
Liebesbrunnen" und componirte fer=
ner: Walzer, Chöre, Märsche u. v. a.

*****Metternich=Winneburg,** Ri=
chard, Fürst von, Musiker, geb. zu
Wien im Jahre 1829, betrat die
diplomatische Laufbahn, wurde Attaché
in Paris und London, 1855 Lega=
tionssecretär bei der Gesellschaft in
Paris, 1856 außerordentlicher Ge=
sandter und bevollmächtigter Minister
an den sächsischen Höfen und 1859
Botschafter in Paris, in welcher
Stellung er bis zum Sturze des
Kaiserreiches 1870 verblieb. In diesem
Jahre kehrte er nach Wien zurück.
Er componirte verschiedene Tonwerke,
zumeist Tanzmusik für Clavier, welche
Musikstücke auch im Musikalienverlag

erſchienen und von denen der „Felſen-
liederwalzer", die „Faxenpolka" und
die Polka „Rothe Nelken" beſonders
in ariſtokratiſchen Kreiſen beliebt
wurden und Verbreitung erfuhren.
M. iſt Präſident der Geſellſchaft der
Muſikfreunde, Curator des öſterr.
Muſeums. Oeſterr. und ausl. decor.
III., Rennweg 27.

*Meyer, Johann B., Dr., Publi-
ciſt, Herausgeber und Chefredacteur
der „Oeſterr. ungar. Revue".

*Meynert, Hermann, Dr.,
Schriftſteller, geb. zu Dresden am
20. December 1808; ſchon während
ſeiner Studien brachte er einen Theil
von Dante's „Hölle" in deutſche Verſe
und veröffentlichte bald Gedichte
und Novellen in der Zeitſchrift „Mercur". 1836 überſiedelte er nach Wien,
wurde Hauptmitarbeiter von Bäuerle's
„Wiener Theater-Zeitung", in deren
Verband er bis 1847 verblieb; er
gründete ſelbſt mehrere Zeitſchriften,
gab das „Oeſterr. Militär-Conver-
ſations-Lexikon" (das jedoch nur bis
zu dem Buchſtaben „K." gedieh)
heraus, war 1860—1865 Redactions-
Mitglied der „Wiener Zeitung" und
war nicht nur literariſch ſondern auch
kunſtſchriftſtelleriſch (durch hiſtoriſche
und kunſthiſtoriſche Arbeiten) thätig.
Den Stoff zu ſeinen fachwiſſenſchaft-
lichen Werken ſchöpfte M. auch mehr-
jährige Studien (1854) aus den reich-
haltigen Sammlungen des Archivs
des Miniſterium des Innern. Im
Buchhandel erſchienen: „Herbſtblüthen
aus Wien" (1832), „Corallenzweige"
(1833), „Nordlichter"(1843), „Rautenblätter" (1845), Erzählungen, Novellen und Phantaſieſtücke. Oeſterr.
decor. IX., Pelikangaſſe 14.

*Meynert, Theodor, Dr.,
Schriftſteller, geb. zu Dresden am
15. Juni 1838, iſt Profeſſor
der Pſychiatrie an der Wiener Univerſität (ſiehe „Das geiſtige Wien",
II. Band), er ſchrieb Gedichte, die er

in den verſchiedenſten Zeitſchriften
veröffentlichte, welche jedoch geſammelt
bisher noch nicht erſchienen. M. iſt
Mitherausgeber des „Archiv für
Pſychiatrie und Nervenkrankheiten",
k. k. Hofrath ꝛc. IX., Pelikangaſſe 14.

Michalek, Ludwig, Kupfer-
ſtecher und Maler, geb. zu Temesvár
in Ungarn am 13. April 1859,
Schüler der k. k. Akademie der bild.
Künſte in Wien unter den Profeſſoren
Jacoby, Griepenkerl und Eiſenmenger,
malt Porträts in Paſtell und Aqua-
rell. Nach Vollendung ſeines Stiches
„Pietà" (nach Andrea del Sarto)
führte er im Auftrage des k. k.
Oberſtkämmereramtes den großen
Porträtſtich „Kaiſerbild" (nach An-
geli) und im Auftrage des öſterr.
Miniſteriums für den Schulbücher-
Verlag einen kleineren Stich dieſes
Bildniſſes aus. K. IV., Waltergaſſe 3.

*Michalek-Bailetti, Lili, geb.
zu Wien im Jahre 1865, wirkt als
Claviervirtuoſin und Lehrerin. IV.,
Waltergaſſe 3.

*Michna, Adalbert, Muſiker,
geb. zu Brünn am 25. December
1847, iſt Mitglied des k. k. Hofopern-
Orcheſters (Viola) und ſeit 16. September 1874 im Engagement genannten Kunſt-Inſtitutes. IV., Schika-
nedergaſſe 3.

Mikeſch, Friederike, Malerin,
geb. zu Wien am 23. Februar 1853,
konnte, durch ein körperliches Ge-
brechen ſeit frühe ſter Kindheit an den
Rollſtuhl gefeſſelt, keine Gallerien
beſuchen und keinen öffentl. Unterricht genießen. Sie wurde privat
durch die Maler Rudolf Ernſt und
Anton Müller in die Malerei eingeführt, worin ſie ſich faſt ausſchließ-
lich dem Stilleben zugewendet.

*Mikolaſch, J., Publiciſt, Mit-
arbeiter des „Wiener Leben".

*Mikſch, Hanns, Architekt, geb.
zu Reichenberg am 24. Juni 1846,

ist Haus=Architekt des Grafen Zichy und hat im Vereine mit Niedzelski eine größere Anzahl Zinshäuser ausgeführt. **6.** Oesterr. decor. IX., Hörlgasse 12.

Milbacher, Louise von, Malerin, geb. zu Böhm.=Brod am 26. November 1845, Schülerin der Professoren Pönninger und Eisenmenger, pflegt das Portrait und Genre. IX., Nußdorferstraße 67.

Milch, Dionys, Architekt, geb. zu Kitteso (Ungarn) am 6. Juli 1854, früher in Firma Milch & Hellin, jetzt allein thätig, führte mehrere Bauten auf Stadterweiterungs=Gründen aus. I., Deutschmeisterplatz 2.

Millöcker, Karl, Musiker, geb. zu Wien am 29. April 1842, Schüler des Conservatoriums. Er wurde 1864 Capellmeister am Grazer Theater, 1866 am Wiener Harmonie=Theater, war 1869 am Theater an der Wien als Dirigent engagirt, an welcher Bühne die meisten seiner Werke zum ersten Male zur Aufführung gelangten. Er schrieb eine große Anzahl Lieder, die Musik zu mehr als 70 Possen (u. a. zu „Drei Paar Schuhe") und 17 Operetten, u. zw.: „Der todte Gast", „Die lustigen Binder", „Der Dieb", „Diana" (sämmtlich einactig), sowie die den ganzen Abend füllenden dreiactigen Operetten: „Die Fraueninsel", „Der Regimentstambor", „Abenteuer in Wien", „Die Musik des Teufels", „Das verwunschene Schloß", „Gräfin Dubarry", „Apajune", „Die Jungfrau von Belleville", „Der Bettelstudent", „Gasparone", „Der Feldprediger", „Der Vice-Admiral" und „Die 7 Schwaben". M. gab auch mehrere Jahre hindurch eine in Monatsheften erscheinende Sammlung von Clavierstücken unter dem Titel: „Musikalische Presse" heraus. IV., Heugasse 4.

*****Minnigerode,** Ludwig, Maler, geb. zu Stry (Galizien) am 12. April 1847, Schüler der k. k. Akademie der bild. Künste in Wien unter Prof. Ed. v. Engerth. Von localem Interesse ist, daß er u. a. für den Speisesaal der kaiserlichen Hofburg in Wien den österr. Regenten Maximilian I. gemalt hat. M. ist k. k. Professor an der Kunstgewerbeschule. **6.** I., Kärntnering 10.

Mirabek, siehe Kolisch I.

Mirani, Therese, Schriftstellerin, geb. zu Prag am 2. December 1824, Mitarbeiterin der „Neuen Freien Presse", „Neuen Illustrirten Zeitung", „Wiener Mode", „Vom Fels zum Meer" ꝛc. Fachreferat: Mode, weibliche Arbeiten und Hauswesen. M. ist k. k. Kammer=Kunststickerin und erste Lehrerin an der k. k. Fachschule für Kunststickerei. VI., Dreihufeisengasse 9.

Mirus, Eduard, Schauspieler, geb. zu Klagenfurt am 12. Mai 1859, trat zum ersten Male als „Graf Liebenau" im „Waffenschmied" im Stadttheater zu Mainz (1885) auf und ist seit 1. September 1888 im Engagement des Carltheaters. M. machte unter Hanslick musikhistorische Studien und ist auch als Lieder-Componist thätig. III., Untere Viaductgasse 11.

*****Mises,** Hermann, Edler von, Publicist, war seinerzeit Mitherausgeber der „Morgenpost" und Mitarbeiter (Leitartikel) der „Wiener Allg. Zeitung". M. war ehemals auch Mitglied des österr. Reichsrathes. VI., Gumpendorferstraße 17.

*****Missong,** Heinrich, Architekt, geb. zu Wien am 23. Jänner 1844, Schüler der k. k. Akademie der bild. Künste in Wien. **6.** I., Grillparzergasse 14.

Mitterwurzer, Wilhelmine, Schauspielerin, geb. zu Freiburg

(Breisgau) am 27. März 1847, sie debutirte im Juli 1866 als „Daniere" im Schauspiele „Picolino" am Wallner - Theater in Berlin, war später in Pest, Leipzig, Graz und Prag als Naive im Engagement und betrat im Februar 1871 das Hofburgtheater. Ihre Antrittsrollen waren: „Alwine" in „Störefried", „Jeanue" in „Lady Tartuffe" und „Leonie" in „Damenkrieg"; sie wurde 1871 Mitglied und später als k. k. Hofschauspielerin an's Burgtheater engagirt. Sie spielt vornehmlich Salon-Soubretten. M. ist mit Friedrich Mitterwurzer vermält. I., Maximilianstraße 9.

*Mlekus, Hippolyt. geb. zu Graz im Jahre 1856, ist mit Baccioco Herausgeber der „Eleganten Welt". Hütteldorf, Hauptstraße 10.

*Modern, Jacob, Architekt. geb. zu Preßburg am 20. Juni 1838, führte eine größere Anzahl Privatbauten in- und außerhalb Wien's nach eigenen Plänen aus. IX., Alserstraße 7.

Möhlinger, Samuel, Schriftsteller, geb. zu Lemberg am 28. Februar 1828, war für den Rabbinerstand erzogen, entsagte demselben aus Liebe zu der Literatur, veröffentlichte im Laufe der Jahre, und nachdem er Ost- und Westeuropa bereist hatte, in verschiedenen Zeitschriften kritische und poetische Aufsätze, und ist Verfasser einiger fachwissenschaftlicher und philosoph. Werke. (Siehe „Das geistige Wien", II. Band.) II., Wittelsbachstraße 4.

Möblinger, Anton, Schauspieler, geb. am 16. Juni 1856, trat zum erstenmale in Graz auf und ist seit 1888 Mitglied des Theaters in der Josefstadt.

Mögele, Franz, Musiker, geb. zu Wien am 24. Mai 1834, Schüler des Conservatoriums, wirkte wiederholt öffentlich als Violinspieler und ist auch als Componist vielfach thätig.

Er schrieb Lieder und Chöre, sowie die Bühnenwerke: „Loreley", „Das Wasserweib", „Ritter Toggenburg", „Die Azteken", die Opernparodien: „Friedrich, der Heizbare", „Leonardo und Blandine", sowie die Orchesterwerke „Die Hölle", „Das Fegefeuer" und „Der Himmel". VI., Sandwirthgasse 16.

*Moikl, Franz, Musiker, geb. zu Lauterbach am 21. Mai 1865, ist Mitglied des k. k. Hofopern-Orchesters (Waldhorn) und seit 1. August 1888 im Engagement genannten Kunstinstitutes. VIII., Zollergasse 2.

Moldauer, Berthold, Publicist, geb. zu Biclitz (Schlesien) im Jahre 1853, war früher im Redactionsverband der „Wiener Allgem. Zeitung" und ist gegenwärtig Redacteur des „Fremdenblatt" (für auswärtige Politik). IX., Seegasse 3.

Monti, Maximilian, Schauspieler, geb. zu Szt.-Miklos am 15. März 1859, debutirte im Preßburger Theater (October 1884) und ist seit September 1888 Mitglied des Carltheaters. II., Untere Donaustraße 27.

Moos, Friedrich (Schauta), Maler, geb. zu Wien am 6. Jänner 1822, Schüler Höger's und der Akademie unter Prof. Steinfeld, widmet sich der Darstellung der Blumen unter besonderer Rücksichtnahme auf die Alpenflora. M. ist Rath und Haupt-Cassier des deutschen Ritterordens. III., Marokkanergasse 5.

*Morgan-Behlolawek, Josef, Maler. Ausl. decor. VIII., Albertplatz 1.

*Morgenbesser, Ida, Pianistin, geb. am 23. October 1860, ist als Concertsängerin und Lehrerin für Gesang und Clavier künstlerisch thätig. VIII., Laudongasse 10.

Morgenstern, Alfred, Architekt, geb. zu Hamburg am 21. Jänner

1844, war 1871—1872 Bauleiter der griech.-oriental. bischöflichen Residenz in Czernowitz, 1873 Bauleitungs-Chef-Stellvertreter der Weltausstellung und als solcher auch Bauleiter der Rotunde, machte 1874—1875 eine Studienreise nach Italien, copirte einen Theil seiner Reise-Skizzen für die Bibliothek des Museums für Kunst und Industrie, wurde 1876 Professor u. Fachvorstand der Staats-Gewerbeschule in Bielitz, in welcher Stellung er bis 1879 verblieb, um sodann nach Wien zurückzukehren. Oesterr. decor. IV., Paniglgasse 1.

*Morgenstern, Oskar, Architekt, geb. zu Hamburg am 20. Juli 1847, Bruder des M. Alfred, wirkt mehrfach als Privat-Architekt. IV., Paniglgasse 1.

Mormann, B., siehe Bermann Mor.

Mosbrugger, Franz, Schriftsteller geb. zu Sheregelyes (Ungarn) am 30. Jänner 1834, war schon frühzeitig literarisch thätig und Mitarbeiter von Bäuerle's „Theaterzeitung", Ebersberg's „Zuschauer", Saphir's „Humorist", Tanglmaier's „Neuigkeitsblatt". M., welcher auch als Beamter der Kaiserin Elisabethbahn wirkte, schrieb eine große Anzahl von Romanen, Novellen und Schau- und Lustspielen, von welch' letzteren einige wie z. B. „Die Sommerfrischler" im Fürsttheater zur Aufführung gelangten. Im Buchhandel erschienen von ihm die Romane „Ein düsterer Lebenslauf", „Dichterliebe", bei Leitgeb die Erzählungen „Zur Ruhe gesetzt", „Am Lande", bei Neidl die Romane „Frau aus dem Grabe", „Die Nebenbuhlerin der Frau", „Die Rache des Verschmähten". Breitensee, Hauptstr. 4

Mosé, Albert, Maler, geb. zu Warasdin im Jahre 1835, Schüler der k. k. Akademie in Wien unter den Professoren Blaas und J. N.

Geiger, bereiste ganz Italien und ist größtentheils im Genre und Porträt thätig. M. ist auch Componist mehrerer Walzer, die u. A. bei den Künstlerfesten im Wiener Künstlerhause zur Aufführung gelangten. S. III., Rennweg 3.

*Moser, Emma, Pianistin, geb. im Jahre 1846, wirkt als Lehrerin. I., Dorotheergasse 7.

*Moser, Franz, Musiker, geb. zu Wien am 16. November 1847, ist Mitglied des k. k. Hofopern-Orchesters (Harfe) und seit 1. April 1863 im Engagement genannten Kunst-Institutes. VIII., Josefstädterstraße 35.

*Moser, Julius, Musiker, geb. zu Wien am 8. Juni 1837, ist Mitglied des k. k. Hofopern-Orchesters (Violoncell) und seit 1. Februar 1864 im Engagement genannten Kunst-Institutes. I., Dorotheergasse 7.

Moser-Pistor, Julie, Harfenvirtuosin und Lehrerin, war lange Jahre Mitglied der Capelle Johann Strauß. VIII., Josefstädterstraße 35.

Mosing, Guido Conrad, Dr. (Pseudonym: Guido Conrad), Schriftsteller, geb. im Jahre 1824, ist vielfach publicistisch thätig und Verfasser der Tragödie: „Die letzten Messenier" (1857), und der beiden im Hofburgtheater aufgeführten Dramen: „Das Fräulein von Laura" und „Atho, der Priesterkönig". M. ist Staatsbeamter und gegenwärtig Official im Reichs-Finanz-Archiv. I., Schottengasse 3.

Moncka, Eduard, Schriftsteller, geb. zu Wittingau am 31. August 1853, war Concert-Referent des „Musiker-Courier", Redacteur der „Zeitschrift für die musikalische Welt" ist gegenwärtig Mitarbeiter des „Oesterreichischen Reformer" und seit 1881 Lehrer an den Horak'schen Clavierschulen. VII., Kirchengasse 17.

Mühlfeld, Louis, siehe Bermann Moriz.

Müller, Adolf, Musiker, geb. zu Wien am 15. October 1842, ist seit dem Jahre 1864 an bedeutenden Bühnen des In- und Auslandes, darunter am Theater an der Wien 1870—1871 und 1881—1883, Komische Oper (1874), Rotterdam (große deutsche Oper) 1875—1881 und (1883—1884), Hamburg (1871—1873) als Dirigent thätig gewesen und befindet sich seit 1884 in gleicher Eigenschaft wieder am Theater an der Wien. M. hat eine große Anzahl Compositionen geschaffen; seine größeren musikalischen Bühnenwerke, welche zur Aufführung gelangten, sind: „Heinrich der Goldschmied" (Magdeburg, 1867), Das Gespenst in der Spinnstube" (Wien, 1870), „Waldmeisters Brautfahrt" (Hamburg, 1873), „Van Dyck (Rotterdam, 1877), „Der kleine Prinz" (Wien, 1882), „Der Goldmensch" (Wien, 1885), „Der Hofnarr" (Wien, 1886), „Der Liebeshof" (Wien, 1888). Außer diesen größeren musikalischen Werken schrieb M. noch die Musik zu Volksstücken und Possen, sowie Kammermusik, Lieder und Chöre. VI., Gumpendorferstraße 63c.

Müller, Anton, Maler, geb. zu Wien am 29. Juni 1853, Schüler der k. k. Akademie der bildenden Künste in Wien und der Specialschulen unter den Professoren Eisenmenger, Feuerbach und Angeli, hat sich mit Vorliebe dem Genre zugewendet. K. IV., Molschitzgasse 5a.

*****Müller**, Bertha, Portrait-Malerin, Schwester des Professor Müller Leop. I., Schillerplatz 3.

Müller, Georg, Sänger, geb. zu Frankfurt a. M. am 13. Jänner 1841, war ursprünglich Architekt, entsagte jedoch diesem Berufe freiwillig und debutirte 1863 in Frankfurt als „Manrico" in „Trou-

babour", war längere Zeit an den Theatern in Frankfurt und Cassel engagirt und ist seit 1868 Mitglied der k. k. Hofoper. (Antrittsrolle: „Lyonel" in „Martha".) M. wurde durch die Ernennung zum Kammersänger ausgezeichnet. I., Nibelungengasse 4.

*****Müller**, Johann, Bildhauer, geb. zu Schurz (Böhmen) am 29. August 1824. VI., Luftbadgasse 15.

*****Müller**, Leop. Carl, Maler, geb. zu Wien im Jahre 1834, Schüler der Akademie unter K. v. Blaas und C. Ruben, versuchte sich zuerst in der Geschichtsmalerei, widmete sich jedoch bald dem Genre, zu dem er Motive aus Oberösterreich und Ungarn holte. Auf seinen Kunstreisen suchte er zuerst Venedig auf, wurde dort Schüler Pettenkofen's, bereiste sodann Unteritalien und Aegypten, woselbst er die Anregung zur Ausführung vieler Bilder erhielt, welche größtentheils in englischen Privatbesitz übergiengen. M. der seit 1877 Professor an der Wiener Akademie ist, war u. a. seinerzeit acht Jahre hindurch Caricaturen-Zeichner „beim Wiener Figaro". Für sein Oelgemälde „Philippine Welser und Ferdinand I." erhielt M. im Jahre 1858 den Reichel-Preis. Seine Bilder „Das Hausmütterchen", „die letzte Tagesmühe" befinden sich im Besitze der Gemäldegallerie des allerh. Kaiserhauses in Wien, seine Oelgemälde „Unliebsame Reisegesellschaft" und „Marktplatz in Cairo" in der Gallerie der k. k. Akademie in Wien. Ausl. decor. K. I., Schillerplatz 3.

***** Müller**, Marie, Malerin. Im Wiener Rathhause (Adlerzimmer) befindet sich von ihr das Porträt Dr. von Mauthner's, des Gründers des ersten Kinderspitales in Wien und jenes der Dichterin Betti Paoli. I., Schillerplatz 3.

Müller, Otto, Musiker, geb. zu

Augsburg am 10. Jänner 1837, Componist und Musikpädagoge. VIII., Lerchergasse 31.

*Müller, Richard Heinrich, Dr., Schriftsteller, geb. zu Wien am 30. April 1843, ist Mitarbeiter mehrerer Zeitschriften (vornehmlich Feuilletons) und Verfasser der Skizze „Napoleon III." (1869). Er übersetzte u. a. auch Halévy's „Monsieur et Madame Cardinal" (1872) aus dem Französischen. M. ist Beamter a. b. erzherz. Albrecht'schen Kunstsammlung Albertina. III., Untere Viaductgasse 3.

Müller-Guttenbrunn, Adam, Schriftsteller, geb. zu Guttenbrunn (Ungarn) am 22. October 1852, widmete sich der Beamtenlaufbahn und trat 1874 in den Staatsdienst, war jedoch frühzeitig literarisch als Dramatiker und Novellist thätig. Seine Arbeiten, novellistischen, literarhistorischen und ethnographischen Inhaltes erschienen in „Nord und Süd", „Gegenwart", „Deutsche Wochenschrift", „Schlesische Zeitung", „Münchener Allgem. Zeitung" und in verschiedenen Zeitschriften des In- und Auslandes. Seit mehreren Jahren hat er dem Beamtenstande entsagt und ist gegenwärtig mit der Feuilleton-Redaction und dem Fachreferate für „Theater und Kunst" bei der „Deutschen Zeitung", sowie ferner mit der Redaction des „Deutschen Schulvereinskalenders" betraut. M. schrieb als erstes Bühnenwerk das Drama: „Gräfin Indith" (1877), ferner „Im Banne der Pflicht" (1879), „Des Hauses Fourchambault's Ende" (mit einem Vorwort von Heinrich Laube, 1880), „Schauspielerei" (mit Laube, 1883) und „Irma" (1885). Sein Roman „Frau Dornröschen" erschien in 2. Auflage, während er seine zahlreichen Novellen und lyrischen Gedichte bisher noch nicht in Buchform gesammelt herausgab. In dem literarischen Unternehmen „Gegen den Strom" veröffentlichte er zwei kleinere Schriften von denen: „Wien war eine Theaterstadt" in 4. Auflage, „Die Lecture des Volkes" in 8. Auflage erschienen. Letztere Brochure erhielt eine außerordentlich große Verbreitung. Währing, Schulgasse 3.

Müllern, Eduard von, Dr., Publicist, geb. zu Braunau (Oberösterreich) am 21. Februar 1848, Redacteur des „Floh", Mitarbeiter der „Fliegenden Blätter" in München, veröffentlicht vereinzelt feuilletonistische Beiträge in verschiedenen Zeitungen. M. ist ehemaliger Officier und übte früher die Gerichts- und Advocaturspraxis aus. I., Landskrongasse 4.

Münz, Bernhard, Publicist, geb. zu Lipnik am 2. Juni 1857, ist Redacteur des „Neuen Wiener Tagblatt". (Fachreferat: Gerichtssaal und localer Theil.) IX., Grünethorgasse 16.

Münz, Josef, Publicist, geb. zu Lochowitz am 11. December 1842, ist Redacteur der „Deutschen Zeitung". III., Lorbeergasse 10.

Naaff, Anton F. August, Schriftsteller, geb. zu Weintentrebitsch am 28. November 1850, wendete sich nach Absolvirung der rechtswissenschaftlichen Studien der literarischen Laufbahn zu, übernahm die Redaction des Jahrbuches „Egerbote", trat 1878 in die Redaction des „Prager Tagblatt", übersiedelte 1880 nach Wien und wirkt seit 1881 als Herausgeber und Schriftleiter der Liter.- und Musik-Zeitschrift „Lyra". N. ist Herausgeber der „Liebesgaben" (Poesie- und Novellen-Album, 1877), „Comotovia" (geschichtl. und belletr. Jahrbücher, 5 Bände, 1874—1879), „Jeremias Mückerl" (humor. Epos, 1875), „Von stiller Insel" (ges. Gedichte, 1882), „Von schwarzer Erde" (deutsche Volksgeschichte aus Oesterreich, 1885) und „Das deutsche Volkslied in Böhmen" (1888), „Neue Gedichte"

(1888) 2c. und ist Mitarbeiter mehrerer Zeitschriften. Neugersthof, Neuwaldeggerstraße 46.

Näckler, Alois von, Schriftsteller, geb. zu Eggenthal (Tirol) am 8. October 1845, ist Herausgeber der „Pädag. Rundschau", Zeitschrift f. Schulpraxis und Lehrerfortbildung und war Redacteur der seit dem Jänner 1887 nicht mehr erscheinenden „Jugendbibliothek". Im Drucke erschienen die Jugendschriften: „Erzherzog Rudolf, Kronprinz von Oesterreich", „Das Haus Habsburg", „Bilder aus Bosnien und Herzegowina", „Josef Speckbacher". Rudolfsheim, Arnsteing. 25.

Nadler, Robert, Maler, geb. zu Budapest am 22. April 1858, Schüler Hansen's, stand unter dem Einflusse der Münchener Schule, entwickelte sich unter Anregung hervorragender Münchener Künstler und beschäftigt sich jetzt vornehmlich mit dem Landschaftsfache und der Architektur-Malerei. IX., Maximilianplatz 16.

*Nagl, Karl, Maler. 6. III., Erdbergstraße 30.

Nagy, Hanns, Publicist und Zeichner, geb. zu Ragusa am 22. Februar 1849, widmete sich dem Soldatenstande und machte sich als Officier im Occupationsfeldzuge vortheilhaft bemerkbar. N. trat als Hauptmann in den Ruhestand und ist gegenwärtig als Leiter des „Ersten Militärlehrcurses in Wien" thätig. Seine Vorliebe für das Zeichnen und Malen machte sich bereits frühzeitig geltend; es entstanden eine große Anzahl Oelbilder, sowie eine Sammlung von Bleistift-Federzeichnungen und Aquarellen aus Bosnien und dem Orient. N. ist auch als Mitarbeiter der „Wiener illustr. Zeitung" künstlerisch und literarisch thätig. I., Kolowratring 9.

*Nagy, Julius v., Musiker, geb. zu Keszthely (Ungarn) am 29. März 1849, wirkt als Concertsänger. I., Elisabethstraße 4.

Najmajer, Marie von, Schriftstellerin, geb. zu Budapest am 3. Februar 1844, widmete sich schon frühzeitig der Schriftstellerei und veröffentlichte 1868 (durch Grillparzer ermuntert) ihre erste Gedichtsammlung „Schneeglöckchen", ferner: „Gedichte" (1872), „Garret-ül-Eyn" (ein Bild aus Persiens Neuzeit in sechs Gesängen, 1874), „Gräfin Eva" (eine Dichtung, 1877), „Eine Schwedenkönigin" (histor. Roman, 1882) und „Johannisfeuer" (eine Dichtung, 1888), außerdem lyrische und epische Gedichte in den „Dioskuren", sowie Feuilletons über Kunst, Musik und Literatur in der „Deutschen Zeitung". III., Ungargasse 3.

*Naschelsky, J., Publicist, geb. zu Breslau im Jahre 1833, zur Zeit Redacteur der „Wiener Allg. Zeitung". I., Mölkerbastei 8.

*Nascher, Eduard, Schriftsteller, geb. zu Ung.-Brod am 13. Mai 1853, veröffentlichte „Sein Gnadenbild" (November 1880), „Geschichte einer Fensterscheibe" (1880), „Lax und Sax" (Posse 1885), „Irrende Sterne" (November 1885) 2c. N. ist auch Mitarbeiter mehrerer Zeitschriften. I., Franz Josefs-Quai 31.

*Nassau, Adolf Ritter von, Publicist, geb. zu Pohrlitz am 25. December 1834, schreibt polit. und volkswirthschaftl. Artikel. Oesterr. und ausländ. decor. I., Stadiongasse 2.

Natter, Heinrich, Bildhauer, geb. zu Graun in Tirol am 16. März 1844, Schüler der Münchener Akademie, gieng nach einjährigem Studium daselbst aus Gesundheitsrücksichten nach Riva und ließ sich später in Venedig nieder, wo er bis zum Jahre 1866 verblieb; der Krieg rief ihn unter die Fahnen, er besuchte nach Beendigung desselben Italien, um sodann längeren Aufenthalt in München zu nehmen. N., welcher auch eine größere Zahl von Porträt-Büsten (Erzherzog Franz Carl, Laroche, Weixner) und Grabdenkmäler ausgeführt, ist u. a. auch der Gestalter des „Zwingli-Denkmales" (Zürich), des „Haydn-Denkmales" (Wien), des Standbildes „Walter von der Vogelweide" (Bozen), „Andreas Hofer" (Innsbruck) und der Portraitstatuen „Laube" und „Dingelstedt" (k. k. Hofburgtheater). Oesterr. decor. **6.** II., Am Schüttl 3.

Nagler, Leopold, Schauspieler, geb. zu Wien am 17. Juni 1860, betrat als jugendlicher Gesangkomiker und Operettensänger am 3. October 1879 die Bühne des Stadttheaters in Marburg, welcher er einige Jahre als Mitglied angehörte. N., welcher auch Componist von Tanzstücken und Märchen ist, gehört seit 1. September 1888, dem Verbande des Theaters a. d. Wien an. IV., Hauptstraße 37.

Naumann, B., siehe Neumann B.

Nawratil, Karl, Dr., Musiker, geb. zu Wien am 7. October 1836, Schüler des Eduard Schütt, Anton Rückauf, Annette Essipow, war Advocat und ist gegenwärtig (seit 1872) Beamter der k. k. General-Direction der österr. Staatsbahnen. N. widmete sich von Jugend auf der Musik und war vielfach tonkünstlerisch thätig. Er veröffentlichte eine Ouverture, den 30. Psalm (für Soli, Chor und Orchester), eine Anzahl Lieder, Clavierstücke verschiedenen Inhaltes, sowie eine Reihe von Kammermusikwerken. Seine Tonstücke gelangten fast sämmtlich wiederholt öffentlich zur Aufführung. Währing, Wienerstraße 3.

Necker, Moriz, Dr., Schriftsteller, geb. zu Lemberg am 14. October 1857 ist ständiger Mitarbeiter der „Grenzboten" (Leipzig) und Feuilletonist der (Wiener) „Presse", der

„Neuen Freien Presse", der „Deutschen Zeitung", der „Münchener Allgem. Zeitung" &c. &c. Fachreferat: Schöne Literatur, Literaturgeschichte, Aesthetik und Kritik. IX., Dietrichsteingasse 4.

Negro, del C., siehe Greiner Christine.

Negro, Ernestine, geborne Wexel, Schauspielerin, geb. zu Wien am 31. Juli 1844, debütirte als „Aurora" in „Leichtsinn aus Liebe" am Wiener Hofburgtheater (29. Mai 1858), welchem Institute sie seit dieser Zeit angehört. VIII., Ledergasse 8.

Neidhart, Felix, Schriftsteller, geb. zu Wien am 20. September 1859, veröffentlichte „Gedichte und Erzählungen" (Wien, 1887) und ist seit 1880 Communallehrer in Wien. IV., Karolinengasse 21.

Neisser, Carl, Dr., Publicist, geb. zu Sorgendorf (Kärnten) am 20. März 1859, war Redacteur der „Deutschen Wochenschrift". Hernals, Hauptstraße 35.

Netham, Carl B., Publicist, geb. zu Wien am 31. October 1846, Redacteur des Witzblattes „Die Bombe" und Mitarbeiter mehrerer in- und ausländischer Zeitungen humoristischen Genres. N. machte 1866 den italienischen Feldzug mit, avancirte zum Officier und ist seit 187. literarisch thätig. Dornbach, Hauptstraße 29.

Nentwich, Josef, Musiker, geb. zu Wien am 4. Februar 1851, componirte Männerchöre, sowie gemischte Chöre, von denen eine Anzahl allgemein bekannt wurden. Es seien von denselben erwähnt: „Edenbub", „Heinzelmännchen" „Elfenwanderung" (Texte von A. Seuffert), sowie das populär gewordene „Julchen". VIII., Maria Trengasse 2.

Nesbeda, Josef, Schriftsteller, geb. zu Wien am 16. Jänner 1861, verfaßte eine Anzahl Skizzen und

Humoresken aus dem Wiener Leben, sowie mehrere komische Vorträge und ist Mitarbeiter der Münchener „Fliegenden Blätter", „Wiener Humor", „Neue Welt", „Buch für Alle", „Ueber Land und Meer" 2c. Im Buchhandel erschienen: „Blaubündler", „Moderner Hausherr", „Vineta", „Dorfbalt" und m. a. IV., Belvederegasse 24.

*Neuba, Moriz, Publicist, geb. zu Mähren am 1. November 1842, ist Mitredacteur der „Neuen Freien Presse" für den localen Theil (Gerichtssaal). I., Lobkowitzplatz 3.

*Neuba=Bernstein, Rosa, geb. im Jahre 1858, wirkt als Concertsängerin. I., Lobkowitzplatz 3.

*Neubeck, Andreas, geb. zu Wien im Jahre 1849, k. k. Münzgraveur im Haupt-Münzamte. III., Hauptstraße 51.

*Neuhauser, Georg, Publicist, ist Correspondent auswärtiger Blätter. Währing, Kreuzgasse 44.

Neumann, Bernhard, Publicist, geb. in Böhmen am 11. März 1827, ist Mitarbeiter des „Floh", war früher Chefredacteur der in Budapest durch 18 Jahre erschienenen Wochenschrift „Budapester Nachrichten". II., Krafftgasse 3.

Neumann, Bertha (Pseudonym Reinhold Scheffel, B. Naumann 2c.), Schriftstellerin, geb. zu Wien am 24. December 1836, veröffentlichte mehrere Dorfgeschichten, historische Skizzen, sowie verschiedene Romane, ist Mitarbeiterin der „Deutschen Zeitung", der „Wiener Allg. Zeitung", der „Oesterreich. Volks = Zeitung", des „Interessanten Blattes" und mehrerer ausländ. Journale. I., Wallnerstraße 13.

*Neumann, Franz Xaver, Architekt geb. zu Wien am 17. October 1828, wirkte mehrfach als eigener Architekt

und vielfach als Bau= und Schätzmeister. 6. VI., Windmühlgasse 10.

*Neumann, Franz, Ritter von, jun., Architekt, geb. zu Wien am 16. Jänner 1844, studierte an der techn. Hochschule, sodann an der k. k. Akademie der bild. Künste in Wien unter Prof. Freiherr v. Schmidt, wirkte als Schüler desselben an dem Rathhausbau mit und erbaute selbständig eine große Anzahl von Palästen und Privathäusern (hauptsächlich nächst dem Rathhause), u. a. auch die Villa des Erzherzogs Wilhelm in Baden, das Rathhaus in Reichenberg 2c. 2c. N. ist k. k. Baurath. Ausl. dec. 6. VIII., Piaristengasse 13.

Neumann, Jenny, Schriftstellerin, geb. zu Wien am 23. Nov. 1863, Redactrice der „Wiener Mode", Mitarbeiterin des „Neuen Wiener Tagblatt", der „Deutschen Zeitung", der „Presse", des „Interessanten Blattes", mehrerer Kalender 2c. 2c. Fachreferat: „Mode". I., Wallnerstraße 13.

Neumann, Ludwig, L. (Pseud. Saulus), Schriftsteller, geb. zu Lackenbach im Oedenburger Com. im Jahre 1826, war einige Jahre Redacteur des „Westungarischen Grenzboten" und ist Verfasser mehrerer Tendenzschriften, welche vorwiegend den Kampf gegen den Capitalismus zum Gegenstande haben. II., Scholzgasse 12.

Neumann, Wilhelm, Publicist, geb. zu Trencsin am 6. September 1860, ist Mitredacteur des „Fremdenblatt" (localer Theil). II., Ferdinandstraße 14.

*Neumayer, Theodor, Architekt, geb. zu Budapest am 1. Mai 1835, wirkte mehrfach als Architekt, vielfach als Baumeister und war längere Zeit Mitglied der Bau=Deputation. Baukanzlei: I., Kolowratring 14.

Newlinski, M. Ritter v., Publicist, geb. zu Antonity (Russisch-Wolhynien) am 31. December 1847, ist Chef-Redacteur der „Correspondance de l'Est", sowie Correspondent der französischen Zeitungen „le Temps". „Journal des Debats" u. m. a. N. ist Hof- u. Ministerial-Secretär a. D. und vielfach österreichisch und ausländisch decor. IX., Kolingasse 6.

*Nicklas-Kempner, Selma, geb. zu Breslau im Jahre 1854, war früher Opernsängerin, ist gegenwärtig Concertsängerin, Gesangslehrerin (besonders für die Oper) und Professorin am Conservatorium. I., Hohenstaufengasse 17.

*Niedzielski, Julian, Architekt, geb. zu Strzyzow am 2. Juli 1847, Schüler des Prof. Ferstel, hat u. a. im Sinne Ferstel's die Restaurirung der Schottenkirche weiter geleitet und zum Abschlusse gebracht. N. hat in Firma Mitsch & Niedzielski eine größere Anzahl von Zinshäusern erbaut. Oesterr. decor. G. IX., Porzellangasse 43.

Niemann, Georg, Architekt, Architektur-Maler und Radierer, geb. zu Hannover am 12. Juli 1841, studierte an der Technik in Hannover, arbeitete in den Jahren 1865—1872 unter Hansen, ist seit 1873 Professor für Architektur und Perspective an der Akademie der bildenden Künste und u. a. Erbauer der Villa Zumbusch, der Villa Simon in Hietzing und der Villa Lischau in Millstadt. Ueber die fachschriftstellerische Thätigkeit N.'s, welcher Mitarbeiter mehrerer Fachzeitschriften ist siehe „Das geistige Wien", II. Band. Oesterr. decor. I., Bräunerstraße 9.

*Niettmann, Franz, Musiker, geb. zu Schöngraben (Nied.-Oesterr.) im Jahre 1831, war als Hornist Mitglied des k. k. Hofopern-Orchesters. V., Hundsthurmerstraße 22a.

Nigg, Hermann, Maler, geb. zu Larenburg bei Wien am 23. December 1849, ist Schüler der k. k. Akademie der bildenden Künste in Wien unter den Professoren Wurzinger und v. Engerth, ist vornehmlich auf dem Gebiete der Historien- und Porträt-Malerei thätig. N. ist auch Concert-Sänger. G. IV., Margarethenstraße 30.

Niffel, Franz, Schriftsteller, geb. zu Wien am 14. März 1831. Als Sohn eines hervorragenden Wiener Schauspielers frühzeitig mit der Bühne vertraut, widmete er sich vorzugsweise der Bühnenschriftstellerei. Bereits 1852 gelangte das in Gemeinschaft mit Sigmund Schlesinger verfaßte Volksstück: „Das Beispiel" (Musik von Suppé) im Theater an der Wien zur Aufführung. Er schrieb ferner 1856 das Schauspiel: „Ein Wohlthäter", 1858 das historische Schauspiel: „Heinrich, der Löwe", 1862 das Trauerspiel: „Perseus von Macedonien" (alle drei im Burgtheater aufgeführt), 1856 „Dido" 1859 „Die Jacobiten", 1863 „Die Zauberin am Stein" und 1877 das Trauerspiel „Agnes von Meran", welches den deutschen Schillerpreis erhielt. Sein bisher letztes Bühnenwerk ist das historische Lustspiel: „Ein Nachtlager Corvins". I., Rumpfg 6.

Nölck, August. Musiker. geb. zu Lübeck am 9. Jänner 1862, Schüler des Prof. Carl Gradener in Hamburg und L. Lee. Er componirte eine Symphonie, eine Ouverture, mehrere Sonaten, ein Trio, Streichquartett, Romanze (für Clavier und Violoncell), Lieder 2c. Oberdöbling, Hirschengasse 57.

*Noltsch, Wenzel Oskar, Historien-Maler, geb. zu Wien am 28. Februar 1835, Schüler der k. k. Akademie in Wien, malt auch mit Vorliebe Studienköpfe. N. ist k. k. Professor. G. III., Strohgasse 9.

Norberg, Leo, siehe Schwarz L. v.

*Nordmann, Camilla, Sängerin, geb. zu Mödling im Jahre

1856, wirkte früher als Sängerin in italienischen Opern und ist gegenwärtig Gesanglehrerin am Institute Horak. I., Hegelgasse 17.

*Nordmann, Rosa, Schauspielerin, ist seit 1888 Mitglied des k. k. Hofburgtheaters. V., Zeinlhofergasse 2.

*Norwill, Camilla, Opernsängerin, geb. zu Eibenschütz (Mähren) im Jahre 1860. VI., Getreidemarkt 17.

*Nossig, Alfred, Dr., Schriftsteller, ist Correspondent der Warschauer Zeitung „Prawda", Mitarbeiter der „Allgemeinen Kunst-Chronik" und anderer Zeitschriften. II., Zwerggasse 4.

Nötel, Louis, Schauspieler und Schriftsteller, geb. zu Darmstadt am 25. Jänner 1837, debütirte im Jahre 1853 in Artern (Provinz Sachsen) bei einer reisenden Schauspielertruppe, war an den verschiedensten Bühnen Deutschlands engagirt und ist seit 1. Juli 1878 im Verbande des k. k. Hofburgtheaters. Nebst seiner schauspielerischen Wirksamkeit entfaltet N. eine umfangreiche schriftstellerische Thätigkeit; er schreibt Novellen und Bühnenwerke, und sind bisher erschienen: „Ernst und Humor" (Gedichte, 1879), „Der flammende Stern" (Tragödie, 1879), „Eine Frau vom Theater" (Schauspiel, 1879), „Vom Theater" (Humoristische Erzählungen, 5 Bände 1880—1883), „Die Sternschnuppe" (Lustspiel, 1880), „Carl der Große" (dramatisches Gedicht, 1880), „Der deutsche Michl" (Schauspiel, 1880), „Das Panzerschiff" (Schwank, 1880), „Moses I. 2, 18" (Lustspiel, 1881), „Im Banne des Vorurtheils" (Schauspiel, 1882), „Der Herr Hofschauspieler" (Schwank, 1882), „Erratische Blöcke" (1883), „Ein Schuß in's Schwarze" (Lustspiel, 1883), „Die Kohlenprinzessin" (Schauspiel, 1885), „Es stand geschrieben" (Operette), „Der Jäger von Soest" (Operette), „Das Schloß im Odenwald"

(Operette), „Es war einmal" (Trauerspiel, 1886), „Ernestine Sanders" (Schausp., 1887), u. „Die Mission des Herrn Lazar" (Schausp., 1887). Ausl. decor. Gestorben am 21. März 1889.

*Novak, Christian, Musiker, geb. zu Wien am 17. Februar 1867, ist Mitglied des k. k. Hofopern-Orchesters (Horn) und seit 16. April 1884 im Engagement genannten Kunst-Institutes. VIII., Neudeggergasse 12.

Nowak, Ernst, Maler, geb. zu Troppau am 7. Jänner 1853, Schüler der k. k. Akademie der bild. Künste in Wien, beziehungsweise der Professoren Wurzinger und Eisenmenger, hat sich dem Porträt und Genre (Sittenbild) gewidmet. U. a. sind von ihm: St. Josef, Flügelbilder (Altar in der Votivkirche zu Wien), ein Altarbild in der Strafanstalt Marlau bei Graz, und in der Kirche zu Göpfritz ec. 6. III., Marrergasse 26.

*Nowopacký, Johann, Maler und Custos-Adjunct in der Gemälde-Gallerie des allerh. Kaiserhauses, geb. zu Nechanitz (Böhmen) im Jahre 1821, Schüler der Akademie unter den Professoren Ender und Steinfeld, bildete sich in Rom weiter aus, von wo er 1854 zurückkehrte. Sein Oelgemälde „Camaldoli" befindet sich in der Gallerie der k. k. Akademie der bild. Künste, seine Landschaft „Kirchhof und Kirchenruine" ist im Besitze der Gemälde-Gallerie des allerh. Kaiserhauses in Wien. Oesterr. decor. 6. IV., Hengasse 3.

*Nunziante, Vincenz, Tänzer, geb. zu Verona im Jahre 1844, ist seit 1866 als Mimiker im Verbande des k. k. Hofopern-Theaters I., Jasomirgottstraße 8.

Oberleitner, Karl, Schriftsteller, geb. zu Wien am 2. Mai 1821, begann seine schriftstell. Thätigkeit mit der Bearbeitung schwedischer Volkssagen und Märchen, nach Hylten

Cavallius und Stephens (1848), über=
setzte „die Runendenkmäler des Nor=
dens", nach Liljegren (1849), gab
hierauf eine größere Anzahl fach=
wissenschaftlicher, meistentheils volks=
wirthschaftlicher Werke (siehe „Das
geistige Wien", II. Band), im
Jahre 1873 einen Band „Gedichte"
heraus, veröffentlichte die Dramen
„Perilles" (1868), „Alexander's Zug
nach Persien" (1876), „Govinda"
(1878), „Behram" (1881), „Armi=
nius" (1882), „Johanna Plantagenet"
(1883), „Donna Maria de Pacheco"
(1884), „Ahin Hannb" (1889). VIII.,
Florianigasse 3.

*Obermüllner, Adolf, Land=
schaftsmaler, geb. zu Wels (Ober=
Oesterreich) am 3. September 1833,
Schüler der k. k. Akademie der bild.
Künste in Wien und des Prof.
Richard Zimmermann in München,
wendete sich, Anfangs zum Handels=
stand bestimmt, 1851 der Kunst zu,
erhielt bald den ersten Preis im Land=
schaftsfache und bildete sich in
München, Frankreich und Holland
weiter aus. Nach seiner Rückkehr nach
Wien (1860) wendete er sich haupt=
sächlich der Darstellung der Alpen=
welt, und zwar der Gletscher=Region
zu. Im naturhistor. Museum be=
finden sich von ihm die Bilder:
„Springquell von Rauf", „Plöcken=
stein=See", „Kaiser Franz Josefs=
Gletscher in Neuseeland", „Ziller=
platte", „Südliche Alpen von Neu=
seeland". Oesterr. decor. G. VII.,
Neubaugasse 36.

Obhlidal, Thomas, Musiker,
geb. zu Wischau (Mähren) am 29. De=
cember 1843, Schüler des Budapester
National=Conservatoriums. Er war
längere Zeit in Italien in Opern=
Orchestern engagirt und wirkt gegen=
wärtig als Militär=Capellmeister des
65. Inf.=Rgt., als welcher er mehrere
Tonwerke componirte. I., Fleisch=
markt 5.

*Oehs=Waldau, E. Ludwig,
Baron von, Dr., ist schriftstellerisch
und publicistisch thätig. II., Rem=
brandtstraße 41.

*Oldenburg (Elimar), Herzog v.
(J. Maler, A. Günther), Schriftsteller,
geb. zu Oldenburg am 23. Jänner
1844, Sohn des Großherzogs Paul
Friedrich von Oldenburg, studirte
Jurisprudenz, war 1865—1875 Offi=
cier und ist seit dieser Zeit schrift=
stellerisch thätig. Er schrieb eine An=
zahl Bühnenwerke (meist Lustspiele),
die sämmtlich wiederholt zur Auf=
führung gelangten. Von denselben
seien erwähnt: „Zu glücklich", „Herr
von Lohengrin", „In Hemdärmeln",
„Ein passionirter Raucher", „Com=
tesse Dornröschen", „Edle Zeitver=
treibe", „Nichts Neues unter der
Sonne", Hanns im Glück", „Ein
guter Mensch" und „Der arme Hugo".
Herzog Elimar lebt zumeist auf
seinem Schlosse Erlaa bei Wien.

*Olschbauer, Karl Ritter v.,
Musiker, geb. zu Wien am 7. Februar
1829, ist Vorstand des Wiener Männer=
Gesang=Vereins, war früher als Con=
certsänger thätig und wirkt dermalen
als k. k. Notar. Oesterr. und ausl.
decor. I., Köllnerhofgasse 3.

Oelschlegel, Alfred, Musiker,
geb. zu Auscha (Deutschböhmen) am
15. Februar 1847, absolvirte die
Prager Orgelschule, war Capellmeister
an den Stadttheatern in Würzburg,
Hamburg, am Carltheater (unter
Tewele) und im 7. k. k. Jnftr.=Rgmt.
Von demselben erschienen mehrere
Solopiécen für Clavier, viele Tanz=
weisen, Männerchöre und 10 Lieder.
Oe. ist Componist der Operetten:
„Prinz und Maurer" und „Schelm
von Bergen". IX., Hahugasse 32.

Ondricek, Franz, Musiker, geb.
zu Prag am 29. April 1859, absol=
virte die Conservatorien in Prag
und Paris. Derselbe ist als Violin=
Virtuose künstlerisch thätig, concertirte

in Rußland, Frankreich, Dänemark, im Orient ꝛc. und wirkt auch als Componist. Von ihm erschienen u. a.: „Slavische Tänze", „Tarantella", „Fantasie auf Smetana's verkaufte Braut", sowie Balladen und Romanzen für Violine. O. ist k. k. österr. Kammer=Virtuose. IX., Porzellangasse 58.

*Onken, Karl, Maler, geb. zu Jever (Großherzogthum Oldenburg) am 12. März 1846. Schüler der k. k. Akademie der bildenden Künste in Wien unter Professor v. Lichtenfels. 6. III., Metternichgasse 10.

*Oppel, Hanns, Musiker, geb. in Nied.=Oesterreich am 21. Februar 1849, ist als Pianist und Organist künstlerisch thätig und Professor am k. k. Blinden = Erziehungs = Institut. VII., Kaiserstraße 100.

*Oppenheim, Josef, Publicist. geb. zu Hessen=Darmstadt im Jahre 1839, ist Mitredacteur der „Neuen Fr. Presse" (localer Theil). IV., Schwindgasse 18.

*Oeribauer, Mathias, Dr, Schriftsteller, geb. zu Wien am 11. Februar 1839, veröffentlichte nebst den verschiedensten publicistischen Artikeln in Tages= und Wochenblättern die Bühnenwerke: „Reine Hände" (Lustspiel, 1876), „Auf der Spur" (Schauspiel 1878), „Wiener Carnevals=Abenteuer" (Schwank, 1878), sowie „Führer für Trient" (1884) u. m. a. IV., Wohllebengasse 18.

Ortony Alexander, Schriftsteller, geb. zu Waag=Neustadt am 20. August 1857. Eigenthümer und Mitredacteur des „Stammgast" (Theater= und Musikreferat), veröffentlichte „Ein Wagner=Theater in Wien", „Personenporto und Verstaatlichung", „Richard Wagner und das deutsche Volk" und begründete 1887 die „Deutsche Gewerbe = Zeitung". IX., Dolingasse 4.

Oser, Johann, Musiker, geb. zu Nikolsburg im Jahre 1836, wirkt seit 1863 als Orchesterdirigent in Wien. Er war neun Jahre Mitglied und später Capellmeister der Capelle Kaulich, spielte fünfzehn Jahre beim „Sperl" und in anderen beliebten Volksbe'ustigungsorten und unternahm mit seiner Capelle 1885 eine Kunstreise nach England. Er macht sich auch durch das jährliche Arrangement von rituellen Bällen bemerkbar. O. componirte eine große Anzahl Musikstücke, von denen einige allgemein bekannt und beliebt wurden, besonders die 1873 erschienene „Krach=Polka". II., Czerningasse 4.

*Oser, Josef, ist für versch. Zeitschriften schriftstellerisch thätig, und Beamter d=s Wiener Giro= und Cassenvereines. II., Obere Donaustr. 3.

Osler, Emil, Schriftsteller, geb. zu Wien am 20. März 1848, hat in der Armee gedient, war später Mitarbeiter mehrerer Wiener Blätter und trat 1878 in den Redactionsverband des „Neuigkeits=Weltblatt", bei welcher Zeitung er die Local-Rubrik und den Gerichtssaal redigirt, sowie die Bilderterte und belletristischen Artikel verfaßt. O. schrieb auch Novellen und ein Theaterstück. Unter-St. Veit, Kirchengasse 28.

*Osten, Heinrich (Ostersetzer), Schriftsteller, geb zu Wien im Jahre 1855, ist Redacteur der „Presse" und veröffentlichte u. a. in Buchform „Das lachende Paris" (Allerlei Humoristisches vom Strande der Seine. Derselbe bearbeitete auch für die deutsche Bühne (mit Gustav Davis) den französischen Schwank „Fifi". IX, Berggasse 10.

Oesterlein, Nikolaus, Schriftsteller, geb. zu Wien am 4. Mai 1841, absolvirte technische, mentanistische und naturwissenschaftliche Studien und ist seit 1868 durch seine intensive Thätigkeit für die Sache R. Wagner's

10*

bekannt. Er, welcher am 3. April 1887 das ihm eigene und von ihm gegründete Richard Wagner-Museum eröffnete, ist Verfasser von: „Bayreuth" (eine Erinnerungs=Skizze 1877) und „Walküre und das Rheingold in Wien" (1878). IV., Alleegasse 19.

Osterieder, siehe Osten.

Ostland, J. P. (Pseudonym für Jacob Perl), Schriftsteller, geb. zu Wien am 1. Juli 1824, ist seit 1874 literarisch thätig. Von ihm erschienen: „An die deutsch=feindlichen Ungarn" (eine Epistel, 1880), „Ein Mann, der den Muth verliert" (ein Sittenbild in einem Act), „Der Entsatz von Wien 1683" (ein Volksstück in fünf Aufzügen) 2c. Im „Wanderer", der „Presse", der „Sport=Industrie" im „Thierfreund" u. a. Zeitschriften veröffentlichte O. Gedichte und Novellen. VII., Neustiftgasse 39.

Ott, Adalbert, Schriftsteller, geb. zu Wien am 10. März 1822, ist seit 1845 vielfach publicistisch thätig und Mitarbeiter vieler Wiener Tages= und mehrerer Witzblätter, sowie Correspondent ausländischer Zeitschriften. O. ist Verfasser von „Der Schulmeister von Haselwang" (Dorfgeschichte) und einer großen Anzahl Broschüren. IV., Große Neugasse 8.

*Otter, Franz, Musiker, geb. zu Wilten (Tirol) am 15. April 1837, ist Mitglied der k. k. Hof=Musikcapelle und des k. k. Hofopern=Orchesters (Clarinette) seit 1. September 1862. O. ist auch Professor am Conservatorium. IV., Wienstraße 17.

*Otto, Heinrich, Landschaftsmaler, geb. zu Wien im Jahre 1832, Schüler der Akademie unter Prof. Fr. Steinfeld, Rahl und A. Zimmermann. Ein Preis der Künstlergenossenschaft ermöglichte es ihm, ein Jahr in Italien zu verweilen, woselbst er die

Anregung für viele seiner später vollendeten Bilder erhielt. Vier landschaftliche Wandbilder von ihm befinden sich im Cursalon (Wiener Stadtpark), die Bilder: „Mammuth", „Riesenvögel von Neuseeland", „Australischer Urwald", „Fichte", „Mammuth-Baum", „Riesen=Cactus" im naturhistor. Museum. S. I., Landstrongasse 1.

Dulot, B., siehe Suttner Bertha, Freiin v.

Paar, Hermann, Xylograph und Zeichner, geb. zu Linz am 1. November 1838, Schüler von Ramsberger und H. Knösler, hat Kunstblätter in Farbenholzschnitt mit Vorliebe nach J. v. Eyck, Ostade, Moretto ausgeführt. Vom Jahre 1875—1886 lieferte P. auch, in ständiger Folge, Illustrationen für die „Neue Illustrirte Zeitung". Oesterr. decor. S. IV., Mühlgasse 2.

*Pach, Oscar, ist u. a. Musik-Berichterstatter der Zeitschrift die „Lyra".

Pachler, Faust, Dr., Schriftsteller, geb. zu Graz am 18. December 1819, trat nach Absolvirung seiner juridischen Studien als Beamter in die k. k. Hofbibliothek ein und entwickelte nebst seiner amtlichen, eine vielseitige literarische Thätigkeit; er ist Verfasser zahlloser Gedichte, Novellen, biogr. Aufsätze, Uebersetzungen aus dem Ungarischen, literarhistorischer Arbeiten u. dgl., welche in den Jahren 1853—1885, theils in Buchform, theils in verschiedenen österreichischen und ausl. Zeitschriften veröffentlicht wurden. Sein Roman „Die erste Frau" erschien im Jahre 1877. Seine dramatischen Werke „Jaroslav und Waßa" (1848), „Begum Sumro" (1849), „Kaiser Max und sein Lieblingstraum" (Festsp., 1854), „Oesterreichs Zukunft" (1854), „Er weiß Alles" und „Loge Nr. 2" (Lustspiele, 1876) gelangten wiederholt zur Aufführung. P. veröffentlichte ferner die Gedichte „Rohitscher Brunnen=Cur" (1879) und „Das Geheimniß des Dichters" (1885), redigirte das „Familienbuch des Oesterreichischen Lloyd" (1850—1853) im Auftrage der Künstlergenossenschaft Aurora in Wien, 1856—1858 das „Aurora=Album" und gab auf testamentarischen Wunsch Halm's den literarischen Nachlaß des Dichters heraus P. ist k. k. Regierungsrath i. P. I., Walfischgasse 14.

*Paderewski, J. J., Musiker, geb. in Rußland im Jahre 1860, Schüler des Professor Leschetitzky, wirkt nicht nur als Claviervirtuose, sondern componirte auch eine große Anzahl Clavierstücke verschiedenen Inhaltes. Während, Anastasius Grün=gasse 40.

*Pagliero, Camilla, Tänzerin, geb. zu Castel Rosso (Italien) im Jahre 1859, ist als Solotänzerin im Verbande des k. k. Hofoperntheaters, welchem Kunstinstitute sie seit 1879 als Mitglied angehört. I., Elisabeth=straße 7.

*Pancera, Ella, geb. zu Wien im Jahre 1870, ist als Concert=Pianistin thätig. IX., Waisenhaus=gasse 6.

Panesch, Anton, Publicist, geb. zu Wien am 2. April 1858, Herausgeber der „Oesterreichischen Allgemeinen Zeitung" und der „Wiener Allgem. Leder=Industrie=Zeitung". Fachreferat: Politik, Volkswirthschaft und Waarenberichte. I., Renngasse 14.

Panholzer, Johann, Schriftsteller, geb. zu Urfahr bei Linz am 4. August 1842. Redacteur der „christl.=pädagog. Blätter". Nebst mehreren Broschüren schrieb er „Kritischer Führer durch die Jugendliteratur" in vier Theilen und „Biblische Geschichte für Volks= und Bürgerschulen". P. ist Weltpriester, päbstl. g. K., fürsterzb. N. rc. I., Petersplatz 9.

Paunesch, Johann Nep., Publicist, geb. zu Wien im Jahre 1859, ist Redacteur der „Oesterr. illustr. Familienblätter". IX., Marktg. 28.

*Paustingl, Friedrich, (Pseud. Fr. Bernett), Schriftsteller, geb. zu Wien am 2. Juli 1830, veröffentlichte zahlreiche Novellen und Feuilletons, sowie den Roman „Das Urtheil der Welt" (1863). P. ist als Mitredacteur und Referent über bildende Kunst bei der „Wiener Allg. Zeitung" thätig und gehörte früher den Redactionen des „Neuen Wiener Tagblatt" und der „Morgenpost" an. I., Singerstraße 11.

*Paoli, Betti (Glück, E.), Schriftstellerin, geb. zu Wien am 30. December 1815, lebte 1833—1835 nach dem Tode ihres Vaters in Rußland, wurde 1843 Gesellschaftsdame der Fürstin Schwarzenberg, mit der sie ein inniges Freundschaftsband verknüpfte. Nach dem Tode der Fürstin (1848) unternahm P. größere Reisen im Auslande und lebt seit 1852 in Wien, wo sie sich gänzlich ihren literarischen Arbeiten widmet. Sie schreibt meistens Gedichte und erschienen von ihr „Gedichte" (1841), „Nach dem Gewitter" (1843), „Die Welt und mein Auge" (Erzählungen, 1844), „Romancero" (Epische Gedichte, 1845), „Neue Gedichte" (1850), „Lyrisches und Episches" (1855), „Neueste Gedichte" (1870), sowie eine Anzahl kunsthistorischer Abhandlungen und kritischer Studien. I., Habsburgergg. 5.

Pape, Paul, Schriftsteller, geb. zu Berlin am 13. October 1838. Derselbe veröffentlichte Jugendschriften („Hermann", „Hannibal's Triumph", „Hannibals Ende"), Liedersammlungen für Schule und Haus, und verschiedene Lehrbücher für Volks= und Bürgerschulen. P. ist Mitarbeiter mehrerer pädagogischer Zeitschriften und Bürgerschullehrer. I., Renngasse 9.

Papier-Paumgartner, Rosa, Sängerin, geb. zu Baden bei Wien, trat in der Wiener Hofoper zum ersten Male am 22. April 1881 als „Amneris" in „Aïda" auf und gehört seit dieser Zeit genanntem Kunstinstitute als Mitglied an. P., welche die Gattin des Dr. Baumgartner ist, und in den bedeutendsten Städten Deutschlands Gastspiele absolvirte und Concerte gab, wurde mit dem Titel einer k. k. Kammer-Sängerin ausgezeichnet. IV., Frankenberggasse 7.

Pappenheim, Karl Julius, Publicist, geb. zu Wien am 12. Mai 1850. Herausgeber der „Oesterr. Allg. Correspondenz". IX., Nußdorferstraße 51.

*****Pappenheim,** Pauline, Schriftstellerin, geb. am 24. December 1846, veröffentlicht kleine Novellen und Erzählungen. IV., Mayerhofgasse 4.

*****Parger,** Alexandrine, geb. am 23. October 1855, wirkt als Concert- und Kirchensängerin (Altstimme). V., Margarethenstraße 72.

Parger, Hanns, Musiker, geb. zu Wien am 18. Februar 1852, ist Liedercomponist, Concertsänger und Operncorrepetitor. Er veröffentlichte u. a. den Festmarsch „Oesterreichs Söhne soll man ehren". P., dessen Meßgesänge in vielen Wiener Kirchen wiederholt zur Aufführung gelangten, ist Magistrats-Beamter und Kanzlei-Director des Bezirkes Margarethen. V., Margarethenstr. 72.

Paril, Eduard, Schriftsteller, geb. zu Brünn im Jahre 1850, ist Mitarbeiter der „Wiener Fliegenden Blätter" (humor. Genre), der „Preßburger Zeitung" (Roman) ꝛc. II., Hofenedergasse 1.

Pasch, Konrad, Schriftsteller, geb. zu St. Pantaleon (Oberösterreich) am 26. November 1831, hat sich der Uebersetzung spanischer Werke,

besonders der Dramen Calderon's zugewendet. Bisher sind von ihm erschienen: „Des Prometheus Götterbildnis" (1887), dram. Gedicht des Calderon de la Barca, „Uebers Grab hinaus noch lieben" (1888), Dram. Gedicht von demselben. P. ist von Beruf Philolog und wirkt als Gymn.-Professor am Hernalser Staatsgymnasium. Währing, Hauptstraße 51.

Patzelt, Julius, Publicist, geb. zu B.-Leipa im Jahre 1862, war früher in München und dann in Graz journalistisch thätig und ist seit 1. Jänner 1889 Chefredacteur und Redacteur des Volkswirthschaftlichen Theiles des „Deutschen Volksblatt".

Pauer, Ignaz, Schriftsteller, geb. zu Waldegg (Nieder-Oesterreich) am 27. Juni 1859. Seine Arbeiten erscheinen in den Zeitschriften: „Heimat", „Heimgarten", „Fliegende Blätter", „Wiener Familien-Journal", „Wiener Allg. Ztg." ꝛc. P. verfaßte auch das Lustspiel „Freda". III., Seidlgasse 30.

Pauly, Willy, Schauspieler, geb. zu Wien am 7. März 1863, Schüler des Conservatoriums. Er betrat in Pest im Jahre 1880 zum ersten Male die Bühne, war an mehreren Theatern (auch im Theater an der Wien) engagirt und ist seit September 1885 im Verbande des Theaters in der Josefstadt. I., Kärntnerring.

*****Baumgartner,** Hanns, Dr., Musiker und Schriftsteller, geb. in Oberösterreich, war Advokat und wurde, nachdem er diesem Berufe entsagt hatte (1880), Sologesang-Correpetitor an der k. k. Hofoper. Als Musikschriftsteller ist er Referent der k. k. „Wiener Zeitung". Er componirte eine Symphonie, ein Clavierquartett, Chöre und Lieder und ist seit 1882 mit der k. k. Hofopernsängerin Rosa Papier vermält. IV., Frankenberggasse 7.

Pawel, Jaro, Schriftsteller, geb. zu Budislau (Böhmen) am 11. October 1852, war mehrere Jahre hindurch suppl. Gymnasial-Lehrer, ist dermalen Lehrer für Theorie und Geschichte des Turnens an der k. k. Wiener Universität. P. ist Verfasser des Trauerspieles „König Erit" (1877), des rom. Epos „Gretchen Wunderhold" (1879), der „literar. Reformen des XVIII. Jahrhunderts" (1881) und einer größeren Anzahl Werke, welche sich mit der Klopstock-Literatur befassen. Außerdem hat sich P., welcher Mitarbeiter verschiedener Fachschriften ist, der Pflege des Turnwesens in Wort und Schrift gewidmet und über diese Disciplin einige Buchbeiträge veröffentlicht. Währing, Goldschmidgasse 19.

Pawikovski, Gustav, Schriftsteller, geb. zu Halbstadt i. B. am 2. August 1851, veröffentlichte in verschiedenen Zeitungen Gedichte, Feuilletons und Kritiken, ist Verfasser der mehrfach aufgeführten Tragödie „Agnes von Meran", und übersetzte Neruda's „Kosmische Lieder". P. ist ständiger Mitarbeiter der „Deutschen Zeitung" u. Privatbeamter. Ober-Döbling, Hauptstraße 44.

Peisker, Heinrich, Schriftsteller, geb. im Jahre 1826, widmete sich nach Absolvirung der medicinischen Studien der Journalistik, war Anfangs externer Mitarbeiter medicinischer und theoretischer Fachzeitschriften und trat 1853 in die Redaction der „Morgenpost", wurde 1862 Herausgeber und verantwortlicher Redacteur des „Vaterland", in welcher Stellung er bis zu seinem Eintritte in die Redaction der „Gemeindezeitung" (1866) verblieb. Seit 1875 ist er verantwortlicher Redacteur des „Neuigkeits-Weltblatt". Er schreibt politische Artikel, sowie Feuilletons, liefert literarische Beiträge an verschiedene andere Zeitschriften (namentlich an Witzblätter) und veröffentlichte pseudonym mehrere

Märchen und Erzählungen. VI., Königseggasse 3.

Peitl, Paul (Maunsberg), Schriftsteller, geb. zu Wien am 2. August 1853, wirkt als Kunstkritiker u. Feuilletonist. Von demselben erschienen auch die selbständigen Werke: „Aus dem Nachlasse eines Kraftgenies" (literarhistorische Abhandlung), sowie die dramatischen Operntexte „Der wilde Jäger" und „Otto der Schütz" (Musik von Max Josef Beer). P. ist Mitarbeiter der Zeitschriften „Musikalische Rundschau" (Wien), „Feuilleton-Zeitung", „Feuilleton-Correspondenz" (Berlin), „Magazin der Literatur des In- und Auslandes". Währing, Gürtelstraße 47.

Pelzeln, Franziska von (Pseudonym Henriette Franz), Schriftstellerin, geb. zu Wien am 6. December 1826, veröffentlichte Romane und Erzählungen in verschiedenen Zeitungen des In- und Auslandes. I., Schönlaterngasse 13.

Pelzeln, Marie von (Pseud. Emma Franz), Schriftstellerin, geb. zu Wien am 4. December 1830, ist Verfasserin von in verschiedenen Journalen des In- und Auslandes erschienenen Romanen, Erzählungen und Novellen. I., Schönlaterngasse 13.

Pendl, Emanuel, Bildhauer, geb. zu Meran am 23. Februar 1845, Schüler der Akademie in Venedig, dann der Akademie in Wien unter Prof. Zumbusch, zeichnet sich, der Kritik zufolge, durch seine Technik in kunstbildungsfähigen Materialien aus. Von seinen Werken besitzen zwei Nischenfiguren in dem k. k. Universitätsgebäude und die Colossalfigur „Justitia" in der Centralhalle des k. k. Justizpalastes, die beiden Löwen vor diesem Gebäude, sowie die zwei Genien (Eingangs-Portale im Parterre des Hofburgtheaters) locales Interesse. Für seine Gyps-Gruppe „Pietà" erhielt P. im Jahre 1840 den Reichel-Preis. P. ist auch als Holzbildhauer thätig. K. IV., Schaumburggasse 10.

Pennerstorfer, Ignaz, Schriftsteller, geb. zu Michelbach (N.-Oe.) am 27. Jänner 1847, veröffentlichte „Oesterr. Geschichte in Gedichten" „Unser Kronprinz" (Festschrift zur Feier seiner Vermälung, 1881), „Historische Bibliothek für die Jugend" (Band 1—6), sowie mehrere Schul-Geschichtswerke. P. ist Mitarbeiter der „Niederösterreichischen Schulzeitung" und seit 1887 Oberlehrer. I., Neuer Markt 9

***Pepino,** J. E., Maler, geb. zu Wien im Jahre 1863, Schüler A. Schröbl's.

***Perez,** J. v., Maler, siehe Berres Edler von Perez.

Perger, Richard von, Musiker, geb. zu Wien am 10. Jänner 1854, Schüler von Julius Zellner (Composition und Clavierspiel), Schlesinger und Schmittler (Violoncell). Er componirte zwei Hefte Lieder, eine Ouverture (zu vier Händen), Stücke für Clavier und Violoncell, das Singspiel: „Die vierzehn Nothelfer", Streichquartette und Quintette, Gesänge für gemischte Chöre, Lieder und die Opern: „Signor formica" und „Der Corregidor". Nebst seiner Thätigkeit als Componist übt P. das Lehrfach aus und ist Musikreferent der „Allgemeinen Kunstchronik". IV., Gußhausstraße 1.

***Perko,** Anton, k. k. Kammer-Marine-Maler, geb. zu Purgstall (Steiermark) am 5. Juli 1833, Schüler Selleny's. P. ist k. k. Hofconcipist und Secretär im Secretariate der Kronprinzessin-Witwe Stephanie. Ausl. decor. K IV., Mozartgasse 7.

Perl, Jacob, siehe Ostland J. B.

Pernerstorfer, Engelbert, Publicist, geb. zu Wien am 27. April 1850, ist Eigenthümer, Herausgeber u. verantwortlicher Redacteur der Monatshefte „Deutsche Worte" u. wurde am 1. Juni 1885 zum Reichsrathsabgeordneten gewählt. VIII., Langegasse 15.

Pernett, Fr., siehe Paustingl.

Pernitsch, Rudolf, Musiker und Schriftsteller, geb. zu Wien am 8. April 1827. Er ist Redacteur und Herausgeber der „Const. Volkszeitung", in welcher er zahlreiche Feuilletons, Gedichte, Novelletten 2c. veröffentlichte. P. componirte auch patriotische Lieder, Hymnen, Märche und Chöre, welche Tonwerke wiederholt zur Aufführung gelangten. IV., Preßgasse 31.

Persoglia, Franz v., Maler, geb. zu Laibach am 2. September 1852, Schüler der Wiener Akademie unter v. Engerth, bereiste Italien und Deutschland, gieng studienhalber mit den Occupationstruppen nach Bosnien und ist vornehmlich im Genre-, Portrait- und in der Historien-Malerei thätig. Unter-Meidling, Schillergasse 7.

***Peschka,** Johann, Dr., Musiker, geb. zu Schenau (Mähren) am 30. März 1831, ist als Tenorist Mitglied der k. k. Hof-Musikcapelle. III., Pragerstraße 14.

Pessiak, Anna (geb. Edle von Schmerling), geb. zu Wien am 13. Juli 1834, Schülerin der Frau Marchesi, wirkt als Gesanglehrerin und Componistin und war 11 Jahre am Conservatorium als Professorin thätig. Sie componirte Clavierstücke verschiedenen Inhaltes, Lieder, Uebungen, Messen, Chöre und viele geistliche Gesänge. Ein Theil ihrer Compositionen gelangte in der Augustinerkirche wiederholt zur Aufführung I., Nibelungengasse 4.

Peßler, Ernst, Historienmaler, geb. zu Verona am 9. Juni 1838, studierte bis 1857 unter Dir. Engerth in Prag, von 1857 an zu Wien an der Akademie unter den

Professoren Meyer, Wurzinger, (Weizer, später in der Specialschule des Dir. Ruben und war von 1870—1873 Zeichenlehrer an der Wiener protest. Schule. P. arbeitet vorzugsweise für illustrirte Werke. Oesterr. bec. Währing. Wienerstr. 11.

Petermann, Hugo Ernst, Schriftsteller, geb. zu Freudenthal (Oesterr.-Schlesien) am 19. April 1860, Redacteur des „Wiener Tagblatt", woselbst er Aufsätze über Alpinistik, Meteorologie und landwirthschaftliche Schilderungen veröffentlicht. P. ist Gründer der vom österr. Touristenclub errichteten localen Wetterwarte und Mitarbeiter wissenschaftlicher und populärer Zeitschriften. Zu Forschungszwecken bereiste er Europa und Asien. II., Heinzelmanngasse 10.

Petermann, Reinhard E., Schriftsteller, geb. zu Freudenthal am 28. Jänner 1859, ist feuilletonistischer Mitarbeiter der „Neuen Freien Presse", „Neues Wiener Tagblatt", „Presse", „Schorer's Familienblatt" u. a. Sein besonderes Fach ist Naturwissenschaft, speciell Meteorologie, sowie Touristik. Währing, Johannesgasse 2.

***Petersen,** Christian Hans, Maler, geb. zu Hadersleben (Schleswig) am 6. October 1841, verließ 1860 seine Heimat, kam im Jahre 1863 nach Wien und etablirte sich 1872 daselbst als selbständiger Künstler. Sein Genre ist die decorative Malerei. P. hat u. a. auch den größten Theil der decorativen Ausschmückung des Reichsrathsgebäudes, der Wiener Universität, sowie die Decorationsmalereien im kaiserl. Stiftungshause und im neuen Wiener Rathhause ausgeführt.

Petrovits, Ladislaus Eugen, Maler, geb. zu Wien am 25. Jänner 1839, Schüler der k. k. Akademie der bildenden Künste in Wien unter den

Professoren Steinfeld und Alb. Zimmermann, hat sich vornehmlich der Landschafts- und Architektur-Malerei zugewendet. P., von welchem eine große Anzahl Aquarelle (Wiener Ansichten) in Farbendruck reproducirt, in den Kunsthandel gelangten, ist seit 25 Jahren artist. Correspondent der „L'Illustration" (Paris), seit welcher Zeit er auch für die „Leipziger Illustr. Zeitung" zeichnet, und hat viele Illustrationen für den Buchhandel (Hartleben) geliefert. U. a. wurde auch sein Entwurf eines Plakates „Jubil.-Gewerbe-Ausstellung 1888" preisgekrönt und ausgeführt. G. III., Erdbergerstraße 3.

***Pettenkofen,** August von, Maler, geb. zu Wien im Jahre 1821, früher Officier, gieng er erst spät zur Kunst über, in welcher er, beeinflußt durch wiederholte Studienreisen nach Ungarn mit Vorliebe Scenen aus dem ungarischen Militär- und Volksleben zur Darstellung brachte. Seine berühmtesten Gemälde entstanden in der kl. ungar. Stadt Szolnok. Sein Bild „Das Rendezvous" befindet sich im Besitze der Gemälde-Gallerie des allerh. Kaiserhauses. P. war k. k. Professor. (Gestorben am 21. März 1889.

Pettersch, Karl Hugo, Dr., Schriftsteller, geb. zu Friedland in Böhmen am 23. März 1850, ist Verfasser von: „Apollonius v. Tyana, der Heidenheiland" (1879), „Märchen" (Poesie, 1881), „Prolegomena zu Plautus' Trinummus" (1882), „Ueber Reclame" (1884) c. VII., Breitegasse.

Petting, Otto, Publicist, geb. zu Wiener-Neustadt am 5. Jänner 1857, ist Redacteur (Theater und Kunst) des „Deutschen Volksblattes".

***Petta** Josef, Schauspieler, geb. zu Wien am 12. März 1860, debutirte in Esseg im Jahre 1880 und ist seit 1887 im Verbande des Josefstädter Theaters

Penker, Paul, Schriftsteller, geb. zu Wien am 22. März 1858, lieferte theils poetische, theils Prosa-Beiträge für verschiedene Zeitschriften Oesterreichs und ist Professor am Communal-Gymnasium zu Unter-Meidling. VI., Webgasse 25.

Pfeffer, Karl, Musiker, geb. zu Wien am 12. Jänner 1833, Schüler des Wiener Conservatoriums unter Laurenz Weiß, kam 1885 zum Tanz-meister Rabel, war seit 1. October 1859 Chordirector (durch 29 Jahre) im k. k. Hofoperntheater und componirte verschiedene Lieder und Chöre, welche, sowie eine Messe und die Opern: „Das Nordlicht von Kasan" und „Harold" wiederholt zur Aufführung gelangten. Oesterr. decor. V., Spenger-gasse 18.

*Pfeiffer, Edler von Meißen-egg, Karl, Schriftsteller, geb. zu Wien am 18. August 1829, ist sowohl publicistisch wie dramatisch thätig und veröffentlicht politische und geschicht-liche Abhandlungen. Von seinen Bühnenwerken seien erwähnt die Dramen: „Ein Protectionskind", „Gift", „Die Vermälten", „Die sia-mesischen Brüder", „Ein Zeichen der Zeit". Oesterr. und ausl. decor. III., Rabetzkystraße 8. Im Sommer: Schloß Weißenegg in Steiermark.

Pfundheller, Josef, Schrift-steller, geb. zu Wien am 22. Mai 1813, vom Jahre 1840 an literarisch thätig, u. a. Verfasser von: „Histor. Novellen" (zwei Bände), „Der Gang durch die Vorzeit" (ein Band), der „schwarzen Bibliothek" (zehn Bände, Criminal-Novellen), „Der Blumen-kaiser" (1880), „Der österr. Angel-ischer" (1880), „Französisch-Oester-reichisch" (1888). P. war Mitarbeiter aller bedeutenden Wiener Zeit-schriften des Vor- und Nachmärz, in welchen er Romane und Novellen veröffentlichte, und Herausgeber und verantw. Redacteur der „Gemeinde-zeitung" (1872—1873), Herausgeber und Chefredacteur des „Oesterreichischen Reichsboten" (1886—1887). Ausl. decor. Währing, Goldschmiedgasse 19. Pf. ist am 26. Februar 1889 ge-storben.

*Philipp, Franz, Musiker, geb. zu Wien am 8. September 1822, ist Mitglied der k. k. Hof-Musikcapelle (Fagott). Währing, Zimmermann-gasse 13.

Philipp, Peter, Schriftsteller, geb. zu Landskron (Böhmen) am 25. Juli 1847, veröffentlichte „Eine versinkende Welt" (dramatische Dich-tung 1877, Wien), „Im Strom der Zeit" (1881, Wien), und belletristische Arbeiten in verschiedenen Zeitschriften. Ph. ist Secretär des Wiener Ma-gistrates. Ober-Döbling, Alleegasse 37.

*Pichler, Michael, Musiker, geb. zu Wels am 7. Juli 1831, ist Mit-glied der k. k. Hof-Musikcapelle und des k. k. Hofopern-Orchesters (Horn) seit 1. September 1855. IV., Heu-mühlgasse 9.

Pichler, Theodor von, Schrift-steller und Maler, geb. zu Wien am 31. August 1832. Er veröffentlichte eine große Anzahl Jugendschriften als: „Neuer Märchenkranz" (auch von P. illustrirt), „Durch Wald und Flur", „Ueber Berg und Thal" 2c. 2c. Als Maler und Zeichner (Schüler der Kunstakademie in Mailand) beschäftigt er sich vorwiegend mit der Illustration der verschiedensten Werke. Derselbe fertigte u. a. auch mehrere Deckel-blätter für die „Wiener Mode" an. X., Göthegasse 4.

Pichler, Victor, Schriftsteller, geb. zu Mizlibovitz (Mähren) am 17. Mai 1865, ist für verschiedene Wiener humoristische Journale thätig. III., Obere Weißgärberstraße 11.

Pick, Alois, Dr., Schriftsteller, geb. zu Prag am 15. October 1859, dient in der Armee als activer k. k.

Regimentsarzt. Er veröffentlichte „Briefsteller für Liebende" (Schwank in einem Aufzuge) und „Lord Beefsteak" (Schwank in einem Aufzuge).

*Pick, Gustav, Musiker, geb. zu Rechnitz am 10. December 1832, componirte mehrere volksthümlich gewordene Lieder, darunter das populäre „Fiakerlied", „Dös waaß nur a Weaner" und viele andere Wiener Lieder. I., Hegelgasse 7.

*Piholl, Michael Freiherr von, Dr., ist schriftstellerisch (vornehmlich novellistisch) thätig. P. ist k. k. Regierungsrath und Director der k. k. theresianischen und k k. orientalischen Akademie. IV., Favoritenstraße 15.

*Piesling, Theophil, Dr., Schriftsteller, geb. zu Prag am 12. December 1834, studierte Philologie und später Rechts= und Volkswirthschaft. Seine literarische Thätigkeit begann er mit poetischen und belletristischen Arbeiten, die theils in Zeitschriften theils in Jahrbüchern zerstreut sind; von seinen selbständig erschienenen Werken seien erwähnt: „Il n'y a personne" (Roman, 1858), „Ein Volkswirth" und „Die Erben" (Lustspiele). Später wandte er sich ausschließlich der Volkswirthschaft und Politik zu, und erschienen von ihm eine Anzahl fachwissenschaftlicher Abhandlungen und Werke (siehe „Das geistige Wien", II. Band). 1863 übersiedelte er nach Wien, wurde Mitredacteur des „Botschafter", dann des „Fremdenblatt" und Correspondent von auswärtigen Journalen, schrieb seinerzeit Finanzartikel in den „Wanderer", wurde Redacteur der „Wiener Zeitung" und ist gegenwärtig im Preß=Bureau im Ministerium des Auswärtigen in Verwendung. P. ist k. k. Regierungsrath und ausländ. decor. Oberdöbling, Hermannstraße 18.

Pilcz, M. Eugen, Schriftsteller, geb. zu Szentes (Ungarn) am 8. September 1836, ist Redacteur des „Illustr. Wiener Extrablatt" (politische Angelegenheiten, Leitartikel) und Correspondent in= und ausländischer Journale in ungarischer und deutscher Sprache. Im Drucke erschienen: „Galeere und Salon", „Aus Sturmeszeiten" (beide später vom Verfasser in die ungar. Sprache übersetzt), sowie eine Reihe von Novellen, Essays, Monographien u. s. w. IX., Wasagasse 11.

*Pilz, Vincenz, Bildhauer, geb. zu Warnsdorf (Böhmen) im Jahre 1816, begab sich nach beendeten philosophischen Studien im Jahre 1837 nach Wien, erhielt zuerst den Reichel-Preis, bald darauf den Hofpreis, worauf er eine Kunstreise nach Italien antrat. Nach Wien zurückgekehrt, betheiligte sich P. lebhaft an dem Kunstleben der Großstadt und wurde im Jahre 1869 zum akadem. Rathe ernannt; im Jahre 1864 unternahm P. eine Reise durch Italien, Frankreich und Holland, die ihm neuerliche Anregung zum Schaffen gab. Von den zahlreichen Werken P.'s wollen wir nur erwähnen: 6 Statuen (Façade des kunsthistor. Museums), 12 Statuen (Componisten, Façade des Musikvereins-Gebäudes), „Der Hausaltar Ihrer Majestät der Kaiserin Elisabeth" (Preis fl. 14.000), „Die Marmorstatue des Fürsten Kollonitz" auf der Elisabethbrücke in Wien. „Das Monument des Dr. Türk" im Hofe des Allg. Wiener Krankenhauses, das „Staubigl-Monument" auf dem Matzleinsdorfer Friedhofe. Für sein Basrelief in Gyps „David und Abigail" erhielt P. im Jahre 1844 den Reichel-Preis. X., Simmeringerstraße 182.

*Pippich-Renaud, Karl, Maler, geb. zu Wien (Ottakring) im Jahre 1862, Schüler der Wiener Akademie unter Prof. Eisenmenger. Hernals, Hauptstraße 140.

Pisko, Alexander, Dr., Publicist, geb. zu Malaczka (Ungarn) am 29. September 1857, Redacteur der „Oesterreich. Volkszeitung" (Fachreferat: Parlamentsberichterstattung und Politik). P. ist seit 1883 journalistisch thätig. I., Franz Josefs-Quai 27.

*Pitner, Franz, Aquarellmaler, geb. zu Wien im Jahre 1826, Schüler der k. k. Akademie, bereiste einige Jahre hindurch Italien, war eine Zeit lang Zeichenlehrer in der Familie der Herzogin von Berry. Die meisten seiner Arbeiten gelangten nicht zur öffentlichen Ansicht. S. I., Opernring 3.

*Plaichinger, Alois, Musiker, geb. zu Hollenburg (Nied.-Oesterr.) am 6. Juni 1842, wirkt als Oberlehrer, ist Chor-Director und Organist zu St. Othmar im III. Bezirke und in der Invalidenhauskirche, artistischer Leiter des Kirchenmusik-Vereines und Inhaber einer öffentlichen Gesang- und Musikschule. Oesterr. decor. III., Löwengasse 12b.

*Planer, Samuel, Publicist, gab vor mehreren Jahren die „Unterrichts-Correspondenz" heraus und ist gegenwärtig Herausgeber und Redacteur des „Illustrirten Neuheiten-Journals". Redaction: VII., Lerchenfelderstraße 3.

*Plaschewski-Bauer, Katharina, ist Concertsängerin und Gesanglehrerin. I., Kärntnerring 3.

*Plommer, Anna M., (geborne Baar), Malerin, Schülerin Hansch's, malt in Oel und Aquarell und ist besonders als Lehrerin in der Aristokratie thätig. I., Elisabethstraße 12.

Plonitz, Erwin, Dr. Schriftsteller, geb. zu Prag, Redacteur des „Lachenden Wien". Im Drucke erschienen: „Geschichte des Zeitungswesens", „Dichtergrüße aus Oesterreich", „In Sturm und Frieden" (politische Aphorismen), „Jean Dupont" (Schauspiel in 4 Acten). „Klosterglocken" (Sitten-Gemälde), „Noth bricht Eisen" (Lustspiel in 4 Acten), „Leichtes Blut" (Posse in 3 Acten) und „Die Nihilisten" (Posse in 7 Bildern). P. übt den zahnärztlichen Beruf aus. VI., Mariahilferstraße 101.

*Pohlidal, Hugo, Dr., Musiker, componirte eine große Anzahl Vocalchöre, Quartette ꝛc. P. ist Nordbahnbeamter. II., Nordbahnstraße 30.

Pöhnl, Hanns, Schriftsteller, geb. zu Wien am 3. Mai 1850. Von seinen Bühnenwerken wurden aufgeführt: „Catilina", „Der arme Heinrich", „Gismunda", „Moriz und Mizi", „Schopf" und „Ein Damenliebling"; ferner erschienen im Buchhandel die fünfactigen Bühnenspiele „Dimorizos von Staufenberg", „Die schöne Magelone" und „Der liebe Augustin". P. bereiste zum Zwecke des Theaterstudiums sämmtliche europ. Hauptstädte, ist Mitarbeiter der „Münchener Allg. Zeitung" und war im Jahre 1884 Regisseur und Dramaturg des Carltheaters. III., Steingasse 26.

Pokorny, H., Schauspieler, geb. zu Brünn am 25. Mai 1860, ist seit 1887 Mitglied des Theaters an der Wien. VI., Laimgrubengasse 2.

*Pokorny, Josef, Bildhauer, geb. zu Wien am 12. Februar 1829, hat u. a. sämmtliche Modelle für die decorative Ausschmückung (ornamental) des Aeußeren und den größten Theil der Stucco-Arbeiten im Inneren des k. k. Universitätsgebäudes ausgeführt. S. IV., Alleegasse 23.

Polatzek, Emil, Publicist, geb. zu Troppau am 17. Jänner 1839, ist seit 1854 in Wien, seit 1864 Journalist und dermalen Mitarbeiter (Gerichtsreferat) der „Wiener Zeitung" und des „Illustr. Neuigkeits-Weltblatt". VIII., Laudongasse 4.

*Polhammer, Ludwig, ist Redacteur des „Wiener Lloyd". Fünf= haus, Zwölfergasse 3.

Poll, Karl, siehe Scheiner Leo= pold.

*****Pollak**, David, Musiker, geb. zu Altkammer=Abersdorf (Schlesien), am 17. Jänner 1841, ist Mitglied des k. k. Hofopern=Orchesters (Violine) und seit 1. October 1861 im Enga= gement genannten Kunstinstitutes. I., Opernring 7.

Pollak, Heinrich, Schriftsteller, geb. zu Mattersdorf (Ungarn) am 2. April 1835, Redacteur des „Neuen Wiener Tagblatt". Im Drucke er= schienen die Romane: „Ein dunkles Verhängniß", „Ritter von starkem Geiste" und „Residenzgeschichten". P. machte im Jahre 1859 für den „Oester= reichischen Lloyd" und im Jahre 1866 für die „Wiener Abendpost" als Kriegsreporter die Feldzüge in Ita= lien und Oesterreich mit. Oesterr. decor. IV., Alleegasse 22.

Pollak, Ignaz, Schriftsteller, geb. zu Preßburg am 26. November 1831, verfaßte verschiedene Romane, welche er in der Wiener „Morgenpost" unter dem Pseudonym Theobald Scheibe veröffentlichte. Seine Bühnen= werke: „Die Probe" (Volksstück), „Der todte Fisch" (Lustspiel), „Drei Briefe" (Lustspiel), „Der erste Schnee" (Lustspiel), „Schwindel" (Lebens= bild), gelangten an Budapester und Wiener Bühnen zur Aufführung. P., seit 1848 Mitarbeiter der Münchener „Fliegenden Blätter", ist auch für Berg's „Kikiriki" thätig und sind seinerzeit unter seiner Redaction in Budapest die Witzblätter „Mephisto", „Die Schwalbe" und das „Drei= kreuzerblatt" erschienen. III., Custozza= gasse 7.

*****Pollak**, Richard, Musikschrift= steller, ist Mitarbeiter mehrerer Zeit= schriften u. a. von „Progrés arti= stique". II., Nestroygasse 10.

*****Pollak**, S. Publicist, ist Heraus= geber des „Wiener Witzblattes". Re= daction: I., Krugerstraße 13.

Pollak von Klarwill, Isidor, Ritter von, Publicist, geb. zu Prag am 14. Juni 1843, ist Chefredacteur und Mitherausgeber des „Fremden= blatt" (Fachreferat: National-Oeko= nomie). Oesterr. und ausl. decor. VIII., Tulpengasse 5.

*****Pollatschek**, Moriz, Publicist, war seinerzeit langjähriger Mitar= beiter der „Correspondenz Wilhelm", gab in Berlin eine wissenschaftliche Zeitung heraus und ist gegenwärtig Mitarbeiter des „Illustrirten Extra= blatt". IX., D'Orsaygasse 11.

*****Pölzl**, Franz, X., Dr., geb. zu St. Florian (Steiermark) im Jahre 1839, ist redactioneller Leiter des „Oesterreich. literarischen Central= blatt", Universitäts=Professor, f. geistl. Rath zc. VIII., Alserstraße 19.

*****Pommer**, Josef, Dr., Schrift= steller, geb. zu Mürzzuschlag am 7. Februar 1845, ist sowohl fach= schriftstellerisch (Logik und Philo= sophie), wie literarisch thätig, Ver= fasser des „Liederbuch für die Deutschen in Oesterreich", Herausgeber von „Zobler u. Juchezer", Redacteur des „Deutschen Volksblatt" u. k. k. Gymn. Professor. VI., Magdalenenstraße 26.

*****Pongrácz**, Anna, Gräfin, Schriftstellerin, geb. zu Teschen am 28. August 1849, veröffentlichte in verschiedenen Journalen Erzäh= lungen und lyrische Gedichte. P. ist Stiftsdame. IV., Theresianumg. 15.

Pönninger, Franz, Bildhauer, Leiter der k. k. Erzgießerei und kais. Rath, geb. zu Wien am 29. Decem= ber 1832, Schüler der k. k. Akademie, arbeitete anfänglich im Atelier Fern= korn's, besuchte München und London, Dresden, Berlin, wurde, als Fern= korn's Leiden für unheilbar erklärt worden war, mit der artistischen Lei=

tragt der k. k. Kunst-Erzgießerei betraut, in welcher Stellung er bis heute verblieb. Von den vielen hervorragenden Werken P.'s, welcher sich auch an der Ausschmückung des kunsthistorischen Museums (Statuen „R. Donner" und „Canova") betheiligte, wollen wir hier erwähnen: Die beiden Kaiser-Josef-Denkmäler in Aussig u. Trautenau, das Denkmal des Erzherzog Johann (Graz) und das des Bürgermeisters Dr. Zelinka (Wien), das Lanner-Denkmal (Budweis) und das Kaiserin Maria Theresia-Denkmal (Klagenfurt). P. ist k. k. Professor. Oesterr. und ausl. decor. G. IV., Gußhausstraße 9.

Pönninger, Karoline, Malerin, geb. zu Josefstadt (Böhmen) am 25. September 1845, Schülerin des Prof. Franz Pönninger, bildete sich in Italien, Deutschland, Dänemark und Norwegen weiter aus. IV., Gußhausstraße 9.

*Pope, Romeo, Schriftsteller, geb. zu Nikolsburg (Mähren) am 17. Juli 1818. I., Rothenthurmstraße 27.

*Popiel, Thaddäus, Ritter v., Maler, geb. zu Szczucin (Galizien) im Jahre 1862, Schüler der Prof. Matejko und Piloty. V., Wehrgasse 10.

*Popper, Richard, Publicist, geb. zu Holitsch (Ungarn) im Jahre 1850, ist Herausgeber und Redacteur der „Illustr. Hausfrauen-Zeitung" und des „Illustr. Wiener Hausfrauen-Kalenders". II., Obere Donaustraße 65.

Popper, Wilhelm, Musiker, geb. zu Prag am 21. Mai 1849, Schüler seines Bruders David Popper und Julius Goldmann's, ist Mitglied des k. k. Hofopern-Orchesters (Violoncell) und seit 1. October 1880 im Engagement genannten Kunst-Institutes. Er unternahm Concertreisen in Schottland und den Vereinigten Staaten Amerikas und war mehrere Jahre Soivcellist im

großen Symphonie-Orchester in New-York. Auch in Wien trat er in Concerten wiederholt auf und componirte mehrere Violoncello-Solostücke mit Clavierbegleitung. I., Franz Josefs-Quai 33.

*Porges, Ludwig, Redacteur des „Fremdenblatt". I., Postgasse 1.

*Portheim, Rudolf von, Schriftsteller, geb. zu Prag im Jahre 1826, ist vielfach literarisch thätig, namentlich als Uebersetzer und Bearbeiter aus dem Französischen. Hernals, Hauptstraße 41.

Poestion, Josef Calasanz, Schriftsteller, geb. zu Aussee am 7. Juni 1853, trat 1886 in den österr. Staatsdienst und ist dermalen Bibliotheksbeamter im Ministerium des Innern. P., welcher Feuilleton-, bezw. fachwissenschaftlicher Mitarbeiter der „Neuen Freien Presse", des „Neuen Wiener Tagblatt", der „Deutschen Zeitung", des „Magazins für Litteratur" ꝛc., ferner „Bierer's Conversations-Lexikon" ist, beschäftigte sich anfänglich mit den culturellen Zuständen Griechenlands und Roms, später mit denen Scandinaviens. Von P. erschienen in Buchform: „Griechische Dichterinnen" (1876 in's Dänische und Neugriechische übersetzt), „Griechische Philosophinnen" (1882), „Aus Hellas, Rom und Thule" (1882), „Das Thyrsingschwert" (1883), „L'assonance dans 'a poesie lorraine" (1884), „Isländische Märchen" (1884), „Island, das Land und seine Bewohner" (1885), „Lappländische Märchen" (1886), „Frithjofssaga" (879 aus dem Altisländ.), „Baug, Völuspa und das sibyll. Orakel" (1880 aus dem Dänischen), „Kielland's ausgewählte Novellen" (1881 aus dem Norwegischen), Kielland's, „Auf dem Heimweg" (1884 aus dem Norwegischen), Kielland's, „Garmann und Worse" (1881 aus dem Norweg.), Elster's, „Gefährliche Leute" (1882 aus dem Norwegischen). Elster's „Sonnenwolken" (1886 aus dem Norwegischen), Schmidt's, „Erzählungen" (1885 aus dem Dänischen), Andersen's, „Geschichten" (1884 aus dem Dänischen), Thoroddsen's „Jüngling und Mädchen" (1883 aus dem Neuisländischen). P. ist auch Autor verschiedener rein fachwissenschaftlicher Werke (siehe „Das geistige Wien", II. Bd.). Oesterr. u. ausländ. decor IX., Mariannengasse 10.

Potier, Hermance von (verehlichte v. Kager), Schriftstellerin, geb. zu Preßburg am 2. December 1863, schreibt für die Zeitschriften „Berliner Tagblatt", „Der Salon", „An der schönen blauen Donau", „Elegante Welt", „Wiener Mode", „Toosituren" ꝛc., sowie für viele andere Blätter. P. wirkt auch als öffentliche Vorleserin. VIII., Fuhrmanngasse 2.

*Pötting, Adrienne, Gräfin, Malerin, geb. zu Chrudim (Böhmen) am 22. April 1856, Schülerin Carl Ritter von Blaas', Hanns Canou's und Frithjof Smith's, hat sich dem Portraitfache zugewendet. Je eine ihrer Arbeiten befinden sich im Rothschild-Spitale in Währing, und in der städt. Gallerie des Wiener Rathhauses. I., Opernring 3.

Pötzl, Eduard, Schriftsteller, geb. zu Wien am 17. März 1851, absolvirte die juridischen Studien und ist seit 1874 publicistisch thätig, und zwar beständig beim „Neuen Wiener Tagblatt", welcher Zeitung er als Mitredacteur (Feuilleton) angehört. Seine Domäne sind specifisch wienerische Skizzen, durch feine Satire gewürzt. Von denselben erschienen im Buchhandel: „Wiener Skizzen aus dem Gerichtssaale (1884), „Jung Wien" (1885), „Criminal-Humoresken" (1886), „Wien", (Skizzenbuch, 1886), „Wien", (Neues Skizzenbuch, 1887), „Rund um den Stefansthurm" (1888) und „Herz

Nigerl und lauter solche Sachen", (1889). I., Heiligenkreuzerhof.

Povinelli, Adolf Heinrich, Schriftsteller, geb. zu Innsbruck am 12. Juli 1861, widmete sich dem Handels- und Assecuranzfache, war in dieser Branche in Wien, später in Paris thätig und kehrte 1883 in seine Heimat zurück; von demselben erschienen im Buchhandel die Gedichtsammlungen „Morgenwolken" (1883) und „Sylvestergedanken eines Tirolers", sowie Aufsätze und Gedichte in verschiedenen Zeitschriften. III., Kegelgasse 7.

*Prager, Julius, Publicist, geb. zu Pohrlitz im Jahre 1840, ist Herausgeber und Redacteur der Zeitschrift „Expreß". IV., Große Neugasse 10.

Prager, Mathilde (Erich Holm), Schriftstellerin, geb. zu Prag, befaßt sich vornehmlich mit Uebertragungen aus den skandinavischen Sprachen, schreibt literarische Kritiken und ist Mitarbeiterin des „Magazin für die Literatur des In- und Auslandes", sowie mehrerer in- und ausländischer Journale I., Helferstorferstraße 13.

Preißler, Heinrich, Schriftsteller, geb. zu Prag am 29. Mai 1834, Redacteur der österr.-ung. Militär-Reformzeitung „Vedette" (National-ökonomische Revue, Beilage der Vedette). Herausgeber der „Unabhängigkeit", der „Assecuranzblätter", der „Germania" (Paris, 1866—1870), der „Correspondance parissienne" (1867—1871) und des „Reformateur" (1872—1874, Wien). Er veröffentlichte: „Das Trottelthum von Neu-Jerusalem", „Briefe aus dem Tagebuch eines Esels', „Der Staat in sich selbst", „Die Macht der Naturwissenschaft", „Die Zukunft Oesterreichs", „Krieg oder Friede", „Die Macht des gesunden

Menschenverstandes" 2c. Döbling,
Hermanngasse 12.

Preleuthner, Johann, Bild=
hauer, geb. zu Wien am 27. De=
cember 1807, Schüler der k. k. Aka=
demie in Wien, seines Stiefvaters
Schallern und Schwanthaler's in
München. Pr. hat eine bedeutende
Anzahl von Statuen, Reliefs. Por=
traitbüsten 2c. ausgeführt. Von seinen
vielen Arbeiten wollen wir hier, als
vom localen Standpunkte aus erwäh=
nenswerth, anführen: „Der Schutz=
engel-Brunnen" vor der Paulaner=
kirche im IV. Bez. in Wien, „Leopold
der Glorreiche", Marmor-Statue auf
der Elisabethbrücke, „Andreas Hofer",
Marmor=Statue, „Graf Palfy von
Erdöb", Marmor=Statue (k. k. Arse=
nal Wien), vierzehn Rundreliefs an
der rückwärtigen Façade des Wiener
Hofoperntheaters, „Oper und Ballet"
zwei große Basreliefs an der Haupt=
stiege des Wiener Hof=Operntheaters,
„Der heil. Hieronymus und der heil.
Ambrosius", Statuen in der Votiv=
kirche in Wien, „Petrus und Paulus",
zwei Statuen aus Stein an der
Hauptfaçade der neuen Altkerchen=
felderkirche in Wien, die Gruppe auf
dem Telegraphen-Gebäude in Wien.
6., IV., Hauptstraße 37.

*Premm, J., Maler und Restau=
rator, geb. zu Wien im Jahre 1843.
II., Kaiser Josefstraße 32.

Preyer, Gottfried, Musiker,
geb. zu Hausbrunn (Ried.=Oesterr.)
am 15. März 1808, Schüler von
E. Sechter, war Organist an der
evangelischen Kirche (1835), Hofor=
ganist (1846), ist Dom=Capellmeister
zu St. Stefan (seit 1853), Professor
(Contrapunkt und Harmonielehre)
und Director des Conservatoriums. Er
componirte fast ausschließlich Kirchen=
musik: Messen, Hymnen der griech.
kathol. Kirche, das Oratorium „Noah",
Orgelmusik, geistliche Lieder und viele

andere Kirchenwerke. Oesterr. und
ausländisch decor. I., Stubenbastei 2.

*Preyß, Victor, Architekt und
k. k. Ober=Ingenieur. **6.** III., Reisner=
straße 2.

Pribyl, Leo E., Dr., Schriftsteller,
geb. zu Stworetz (Böhmen) am 8. Mai
1848 ist Redacteur der „Neuen Freien
Presse" (Fachreferat: Landwirthschaft,
Assecuranzwesen und Volkswirthschaft)
und Mitarbeiter der meisten land=
wirthschaftl. Zeitungen Oesterreichs.
Im Druck erschienen: „Wie die Guten=
dorfer reich wurden", „Der Häusler
Franz" und „Hannus' gesammelte
kleine Schriften" (2 Bände), sowie
verschiedene andere fachwissenschaftl.
Publicationen (siehe das geist. Wien
II. Band), IV., Waaggasse 4.

*Price, Julius, Tänzer, geb.
zu Nischni=Nowgorod am 12. Juni
1833, auf einer Kunstreise seiner
Eltern, erhielt von denselben, welche
in Kopenhagen ein Theater für Panto=
mime und Ballett besaßen, den ersten
Unterricht. Sein späterer Meister war
Bournouville. Anfänglich Eleve an
dem königl. Theater in Kopenhagen,
wurde P. im Jahre 1855 von Cornet
nach einem Probetanze sofort auf
drei Jahre engagirt und trat am
27. Juni 1855 in „Robert und Ber=
trand" in einem Pas de trois mit
Frl. Ricci und seiner Cousine Price
zum ersten Male am alten Kärntner=
thor=Theater auf. Pr. wird häufig
mit Arrangements von Pantomimen
in hiesigen aristokratischen Kreisen be=
traut, und ist Professor am Conser=
vatorium. Oesterr. decor. IV., Wiedner
Hauptstraße 18.

*Příhoda, Robert, Architekt,
war Schüler des Freiherrn von
Schmidt. **6.** VI., Dambockgasse 6.

Probst, Eugen, Schriftsteller,
geb. zu Wien am 24. November 1858,
schreibt Novellen, kleine Skizzen, sowie
Humoresken, und wurde demselben

für eine Erzählung be Gelegenheit einer Preisausſchreibung der „Wiener Allg. Zeitung" eine „ehrenvolle Erwähnung" zu Theil. Währing, Hauptſtr. 2.

*Probſt, Franz, Muſiker, wirkt als Flötiſt und Lehrer. Schönbrunn, k. Luſtſchloß.

Probſt, Joſef, Bildhauer, geb. zu Wien am 26. Juli 1839, Schüler der Wiener Akademie, betheiligte ſich an der Ausſchmückung des naturhiſtor. Muſeums (Statue „Paulus Aeginetes" auf der Balluſtrade), des Parlamentsgebäudes (5 Hermen), des Wr. Rathhauſes (Statuen „Bäcker", „Tuchmacher", „Ober=Oeſterreich", „Nieder=Oeſterreich" und „Steiermark"), des k. k. Stiftungshauſes (zwei Statuen) und verſchiedener Paläſte in Ungarn. V., Maxleinsdorferſtraße 10.

Probſt, Karl, Maler, geb. zu Wien am 30. Juni 1854, Schüler der k. k. Akademie der bild. Künſte in Wien bei Prof. Heinr. v. Angeli, bereiſte Deutſchland, Italien, Frankreich und England und hielt ſich u. a. ein Jahr in München bei W. Diez auf. Sein Fach iſt das Genre und Portrait. G. I., Börſegaſſe 6.

*Prochazka, Ignaz Joſef, Dr., Schriftſteller. Dornbach, Urbaugaſſe 15.

*Prochazka, Leopoldine Barouiu, Schriftſtellerin, geb. zu Wien im Jahre 1827, hat eine große Anzahl von Romanen und Erzählungen verfaßt, welche meiſtentheils im „Illuſtr. Wiener Extrablatt" zur Veröffentlichung gelangten. Ober= Meidling, Biſchofgaſſe 3.

*Promberger, Johann, Muſiker, geb. zu Wien am 15. September 1810, Schüler des Carl Czerny und des E. M. v. Bocklet (Clavierſpiel), des Capellmeiſters Kovaleski (Contrapunkt und Compoſition) und des

Seyfried (Inſtrumentationslehre). Er war 30 Jahre in Rußland als Claviervirtuoſe, Profeſſor, Organiſt, Compoſiteur ſowie Muſikkritiker thätig. Seit 1870 wieder in Wien, veranſtaltete derſelbe (er iſt Inhaber eines Muſikinſtitutes) unter Mitwirkung ſeiner Schüler wiederholt hiſtoriſche Concerte. Als Componiſt wirkte er mannigfaltig, und ſchrieb mehrere Ouverturen, Clavier=, Geſang= und Orgelſtücke, verſchiedene Arrangements, Salonmuſik und eine ruſſiſche Nationalov:rette: „Der Peſſimiſt" (Text und Muſik), im Ganzen an 200 Compoſitionen. VII., Burgg. 26.

Proſchko, Franz Iſidor, Dr., Schriftſteller, geb. zu Hohenfurt (Böhmen) am 2. April 1816, widmete ſich 1842 dem Polizei-Staatsdienſt, welchem er während mehr als 40 Jahren angehörte. Von ſeinen Volks= und Jugendſchriften ſeien erwähnt: „Der oberöſterreichiſche Jugendfreund" (1855) und „Das Jahrbuch für die deutſche Jugend" (1858), von ſeinen Romanen, die hauptſächlich geſchichtliche Themata behandeln: „Die Höllenmaſchine" (1854), „Das deutſche Schneiderlein" (1856), „Der Jeſuit" (1857), „Die Nadel" (1858), „Pugazew" (1860), „Ein böhmiſcher Student" (1861) u. ſ. w. Aus ſeiner Reihe der hiſtoriſchen Werke P.'s ſeien genannt die 1854 erſchienenen „Streifzüge im Gebiete der Geſchichte und der Sage des Landes Oeſterreich ob der Enns", ferner die Schriften: „Leuchtkäferchen" (2. Aufl. 1857), „Eichenblätter" (1850), „Splitter vom Baume der Geſchichte und Sage" (1851), „Der letzte der Roſenberge" (1861), „Der ſchwarze Mann", „Der Meiſterſchuß" (1866), „Erasmus Tattenbach" :c. P. iſt Mitarbeiter verſchiedener in- und ausländiſcher Zeitſchriften, k. k. Polizei- und Regierungsrath im Ruheſtande. Oeſterr. und ausl. decor. VI., Kopernikusgaſſe 12.

175

Proſchko, Hermine Camilla, Schriftſtellerin, geb. zu Linz am 29. Juli 1851, iſt ſeit 1887 Herausgeberin des im Verlage Leykam erſcheinenden illuſtrirten Jahrbuches „Jugendheimat" und Verfaſſerin von „Heimatklänge aus Oeſterreich" (Gedichte, 1876), „Habsburgs Kaiſerfrauen" (1878), „Aus Habsburgs Heimgarten" (1879), „Unter Tannen und Palmen" (1880), „Schneeweißchen" (1880), „Kronprinz Rudolf's Lebensbild" (1881), „Der Halbmond vor Wien" (1882), „Erzählungen" (1884), „Seeroſen" (1886), Oeſterr. und ausl. decor. VI., Kopernikusgaſſe 12.

*Proſnitz, Adolf, Muſiker, geb. zu Prag im Jahre 1829, iſt als Pianiſt künſtleriſch thätig und Prof. der Muſikgeſchichte und Muſiktheorie am Conſervatorium. IV., Apelgaſſe 1.

Proſnitz, Jacob Alois, Muſiker, geb. zu Prag am 24. December 1825, abſolvirte die juridiſchen Studien, trat in den k. k. Staatsdienſt und iſt als Muſikpädagog und Componiſt künſtleriſch thätig. Er cultivirt das heitere Genre, namentlich Tanzmuſik edleren Stils, ſowie Salon- und Concertmuſik. Er veröffentlichte 12 inſtructive Sonaten, mehrere Märſche, Tänze, Etuden und Clavierſtücke verſchiedenen Inhaltes, ſowie ein Album mit 10 Compoſitionen. V., Kettenbrückengaſſe 3.

*Pruckner, Karoline, Muſikerin, geb. zu Wien am 4. November 1832, widmete ſich vorerſt der Bühne, auf welcher ſie 1850 debutirte. Noch im ſelben Jahre fand ſie ein Engagement in Hannover, dann 1852 in Mannheim und erzielte im Coloratur- und Soubrettenfach bedeutende Erfolge. Im 24. Jahre mußte ſich die Künſtlerin der öffentlichen Wirkſamkeit entziehen, da ein Halsübel ihre Stimmmittel immer mehr bedrohte. Sie widmete ſich nun dem Lehrfache,

gründete in Wien eine Geſang- und Opernſchule, welcher ſie bis heute vorſteht. Sie führt den Titel einer großherzoglich mecklenburgiſchen Profeſſorin der Geſangkunſt. Ausl. decor. I., Hohenſtaufengaſſe 1.

*Prüwer, Julius, Muſiker, iſt als Concertpianiſt künſtleriſch thätig. II., Große Pfarrgaſſe 2.

*Pfenner, Ludwig, Dr., Schriftſteller, geb. zu Botzen am 29. Mai 1834, iſt Herausgeber und Redacteur des „Oeſterr. Volksfreundes" und Präſident des „Chriſtlich-ſocialen Vereines" ꝛc. VIII., Buchfeldgaſſe 8.

Pulvermacher, Auguſte (Pſend. Auguſt Leo), Schriftſtellerin, geb. zu Liſſa (Poſen) am 14. April 1835, veröffentlichte eine große Anzahl Romane in den verſchiedenſten in- und ausländiſchen Zeitungen ſowie die Theaterſtücke: „Des Kaiſers Geburtstag" (Feſtſpiel), „Wer bezahlt?" (Schwank), „Eine Wohlthätigkeits-Vorſtellung" (Schwank) und die Dichtung: „Deutſchlands tiefes Leid". I., Stubenbaſtei 2.

Purſchke, Karl Arthur, Dr., Schriftſteller, geb. zu Wien am 26. September 1857. Nebſt ſeinen ſtreng wiſſenſchaftlichen Arbeiten (über Naturwiſſenſchaft und Mathematik) veröffentlichte er ſeit 1878 alljährlich zahlreiche, theils volksthümliche, theils humoriſtiſche und literariſche Aufſätze, ſowie Gedichte in den verſchiedenen Blättern der Reſidenz („Neue Freie Preſſe", „Neue Illuſtr. Zeitung", „Neues Wiener Tagblatt" ꝛc.). P. unternahm ſtudienhalber Reiſen nach Italien und iſt Profeſſurs-Candidat. Oeſterr. decor. II., Hedwiggaſſe 2.

Purſchke, Marie Sidonie, Schriftſtellerin, geb. zu Prag am 5. December 1855, componirte mehrere Singſpiele, Oratorien und Lieder und verfaßte eine größere Anzahl lyriſcher Gedichte, kleine Erzählungen und

Skizzen. Ansl. decor. II., Hedwig=
gasse 2.

Cuiquerez, Hermann, Musiker,
geb. in Wien am 28. November 1849,
ist Herausgeber der „Bürgermeister=
Zeitung" und Gründer, sowie erster
Chormeister des Gesangvereines
„Vindobona". Cu. ist sowohl literarisch
als tonkünstlerisch thätig, u. erschienen
von demselben viele literarische und
musikalische Werke im Druck. Er
componirte eine große Anzahl Chöre
und Lieder und verfaßte außerdem
zahlreiche Texte zu Compositionen von
Thomas Koschat und C. M. Ziehrer.
Cu. ist Magistratsbeamter. IV., Fleisch=
manngasse 1.

*Raab, Leopold, Bildhauer,
geb. zu Wien am 9. September 1844.
IV., Beyringergasse 3.

*Raab, Wilhelm, Musiker, geb.
zu Wien, ursprünglich für den Kauf=
mannsstand bestimmt, wendete sich
bald der Musik zu, schrieb für die
Volkssängerin Ulke zahlreiche, sehr
populär gewordene Couplets (darunter
jenes mit dem Refrain „Wiener
Humor"), ist Verfasser vieler Tanz=
piècen, des im Theater a. d. Wien auf=
geführten Vaudeville „Die Novize" :c.
und war seit 1883 Capellmeister bei
Baron Nathaniel Rothschild. Am
14. März 1889 mußte R. in eine
Privatheilanstalt überführt werden.

*Rabis, Karl, Schriftsteller,
schreibt vornehmlich lyrische Gedichte
und Feuilletons und ist Mitarbeiter
der „Bombe". II., Nordbahnstraße 26.

Rabl, Josef, Schriftsteller, geb.
zu Wien am 19. Jänner 1844, ver=
faßte eine große Anzahl von Reise=
schriften und ähnliche Werke, zumeist
illustrirte Führer. Er war seinerzeit
Redacteur der Zeitschriften „Tourist",
„Touristische Blätter" und „Oester=
reichische Touristenzeitung", sowie
Mitarbeiter der „Deutschen Zeitung".
Fünfhaus, Siebeneichengasse 16.

*Radler, Friedrich Edler v.,
Dr., geb. zu Olmütz im Jahre 1847,
war, da sein Vater Theater=Director,
schon in frühester Jugend mit der
Bühne vertraut und schrieb später
auch vornehmlich, außer lyrischen Ge=
dichten und humoristischen Aufsätzen,
Bühnenwerke, und zwar „Roman
eines Vagabunden" (Lustspiel, 1878),
„Blitzang, der Bettlerkönig" (Lustspiel,
1878), „König Wenzel in Wien"
(Schauspiel, 1879), „Die Königin der
Wiener Lieder" (Lustspiel, 1880),
„Josef Lanner" (Genrebild, welches
ein Zugstück des Josefstädtertheaters
wurde, 1881), „Alois Blumauer"
(Volksstück, 1882), „Hopfenrat's
Erben" :c. Aus seiner Feder stammt
auch der Aufsatz „Gesellschaftliche
Wohlthätigkeits=Pflege" in der vom
Gemeinderathe der Stadt Wien an=
läßlich des 40jährigen Jubiläums
unseres Kaisers herausgegebenen Ge=
denkschrift „Wien 1848—1888". R. ist
Secretär des Wiener Magistrates.
VIII., Florianigasse 32.

*Radnicky, Franz, Musiker, geb.
zu Wien im Jahre 1855, ist als
Violinist künstlerisch thätig, war
früher Orchestermitglied der k. k. Hof=
oper, sowie Primarius eines Quartett=
vereines und ist gegenwärtig noch
Mitglied der k. k. Hof=Musikcapelle.
Hernals, Pichlergasse 3.

*Radnitzky, Karl, sen., Medail=
leur, geb. zu Wien am 17. Nov. 1818,
Schüler des J. D. Böhm, trat nach
beendeten Gymnasialstudien bei dem
obenerwähnten k. k. Kammer=Medail=
leur u. Director im Haupt=Münzamte
Josef D. Böhm als Schüler ein,
unter dessen Leitung er sich besonders
in der Stempelschneidekunst ausbildete.
Im Jahre 1836 als Münzgraveur
angestellt, konnten sich R.'s künst=
lerische Bestrebungen unter dem Schutze
Böhm's am erfolgreichsten entfalten.
Im Jahre 1843 erhielt R für sein
erstes bedeutendes Werk: Medaille,

11*

Stanze in Stahl geschnitten,Aversseite: Brustbild des Rubens, Reverseseite: Genius der Malerei — den Reichel-Preis. Nach einer auf Staatskosten absolvirten Reise durch Deutschland, Belgien und Frankreich wurde R. im Jahre 1853 an die k. k. Akademie in Wien zum Professor für kleinere Plastik, Ornamentik und Medailleur-kunst ernannt. Im Laufe der Jahre wurden zahllose, künstlerisch vollendete Denkmünzen und Gelegenheits-Medaillen von R. ausgeführt. R. ist k. k. Regierungs-Rath, österr. und ausl. decor. G. I., Weihburggasse 4.

Radnitzky, Karl, jun., k. k. Hof-Graveur, Schüler des Prof. Karl Radnitzky, ist Edelsteinschneider für Intaglien und Cameen (Porträts und Figuren). G. VII., Neustiftg. 9.

Raimann, Rudolf, Musiker, geb. zu Veszprim am 7. Mai 1861, war Schüler des Wiener Conserva-toriums unter den Professoren Dessof, Krenn und Epstein und ist gegenwärtig Capellmeister am Theater an der Wien. Er componirte die Operetten „D'Artagnan" und „Die drei Muske-tiere", „Das Ellishorn" und „Der Papnakönig". Dieselben gelangten an hervorragenden Bühnen Deutschlands zur Aufführung. II., Circusgasse 15.

*Rakowits, Adolf, Schauspieler, geb. zu Wien am 14. September 1860, war durch drei Jahre in den Kinder-Vorstellungen der Frau Wagner beschäftigt, debutirte am 26. September 1878 im Ringtheater in „Alte Wiener", war in Mödling, Preßburg, Laibach in Engagement und ist seit 1882 Mitglied des Josef-städtertheaters. VII., Siebensterng.46.

Ramberg, Gerhard, Schrift-steller, geb. zu Puntarenas (Costarica) am 21. October 1859, war redactio-neller Leiter des ersten „Wiener liter. Bureau", gab als solcher den Katalog zur ersten Wiener Ausstellung Werestschagin's heraus, ist seit 1881

Redacteur der „Allg. Kunst-Chronik" (Fachreferat: Theater und bildende Künste), Mitarbeiter der „Garten-laube", „Ueber Land und Meer", „Hamburger Nachrichten", „Grazer Tagespost", „Bohemia" ꝛc., Redacteur des Jahrbuches „Die Kunst in Oester-reich-Ungarn" und Verfasser folgender Werke: „Entweder — oder" (Schau-spiel), „Der Justizrath", „Beschrei-bungen moderner Bilder", „Die ita-lienische Malerei der Gegenwart", „Die heutige Kunst". R. ist auch Ge-neral-Consul v. Costarica. Ausl. decor. III., Reisnerstraße 3.

*Randhartinger, Benedikt, Musiker, geb. zu Ruprechtshofen bei Melk am 27. Juli 1802, Mitschüler Schubert's bei Salieri, wurde 1832 Tenorist in der k. k. Hofkapelle. Er widmete sich der Musik und Juris-prudenz, wurde 1844 Vice-Hof-capellmeister und 1862 Hofcapell-meister (als solcher seit 1866 pensio-nirt). Er componirte zumeist Kirchen-musik: Requiem, Motetten, Messen, Einlagen für die Hofcapelle, eine große Anzahl Chorlieder, sowie Sym-phonien, Streichquartette, Gesänge ꝛc. Oesterr. und ausl. decor. IV., Mühl-gasse 6.

Rank, Josef, Dr., Schriftsteller, geb. zu Friedrichsthal (im Böhmer-walde) am 10. Juni 1816. Nach Be-endigung der philosophischen und juridischen Studien wendete er sich der literarischen und publicistischen Thätigkeit zu. R. welcher 1848 zum Mitgliede des deutschen Parlaments in Frankfurt gewählt worden war, gründete in genannten Jahre den „Liberalen Volksfreund" in Wien, 1854 das „Sonntagsblatt" in Weimar, war Redacteur des „Nürn-berger Courier" (1857—1859), der „Oesterr. Zeitung" (1860) und trat am 1. April 1862 auch in die Re-daction der „Heimat" ein. Die „Neue Freie Presse", das „Neue Wiener

Tagblatt" und die „Deutsche Zeitung" zählen R. zu ihrem Mitarbeiter. Im Jahre 1876 übernahm er das Amt eines Generalsecretärs im Laube'schen Stadttheater und wurde später Directionssecretär des k. k. Hofoperntheaters. Von seinen zahlreichen Dichtungen und Schriften seien erwähnt: „Aus dem Böhmerwalde" (Schilderung von Sitten und Gebräuchen des deutschen Volkes, 1842), „Neue Geschichten aus dem Böhmerwalde" (1847), „Eine Mutter vom Lande" (1848), „Das Hoferkäthchen" (Erzählung, 1854), „Bartel, das Knechtlein", „Ein Dorfbrutus" (1860), „Das Birkengräflein" und „Muckerl, der Taubennarr"(zwei Dorfgeschichten, 1878), „Mutterauge", „Steinnellen" (1867), „Der Tellschuß", „Die Wirthschaft im Walde", „Von Haus zu Haus" (1856), „Aus Dorf und Stadt" (1859) ꝛc. ꝛc., sowie die größeren Romane: „Die Freunde" (1854), „Im Klosterhof" (1875), „Der Seelenfänger" (1876) und der Volksroman „Achtspännig". Anläßlich seines 70. Geburtsfestes wurde eine Gedenktafel an seinem Elternhause angebracht.

*Ransonnet-Villez, Baron Eugen, Maler und Schriftsteller, Mitarbeiter der „Wiener Zeitung", geb. zu Hietzing bei Wien am 7. Juni 1838, Schüler der Akademie, k. k. Legations-Secretär a. D. Nach Besuch der Wiener Universität wurde R. in das k. k. Ministerium des Aeußeren berufen. Reisen nach Constantinopel, Kleinasien, Griechenland, Palästina, Egypten boten ihm Gelegenheit, seiner Vorliebe für die Kunst, speciell für die Oelmalerei, Rechnung zu tragen. Als diplomatischer Attaché bereiste R. Indien, Siam, Japan, China, einen Theil von Amerika, welcher Reise eine bedeutende Anzahl landschaftlicher Aufnahmen ihre Entstehung verdanken. Oesterr. decor. G. III., Ungargasse 12.

Ranzenhofer, Adolf, Schauspieler, geb. zu Wien am 15. Februar 1856, betrat 1874 im Rudolfsheimer Theater die Bühne, ist seit 1882 Mitglied des Josefstädter Theaters, an welcher Bühne er auch die Stelle eines Regisseurs bekleidet, war früher am Ringtheater und Theater a. d. Wien engagirt und führt seit 1880 die Direction des Möblinger Sommertheaters. VIII., Josefstädterstraße 26.

*Ranzoni, Emerich, Schriftsteller, geb. zu Unter-Walb (Niederösterreich) am 17. December 1823, studierte Philosophie und Jura, war fünf Jahre Schüler des Dichters Adalbert Stifter und ist seit 1847 schriftstellerisch thätig. Seine ersten Arbeiten veröffentlichte er in Frankl's „Sonntags-Blättern" und der „Gegenwart". Er war kurze Zeit Amanuensis der Wiener Universitäts-Bibliothek und zwei Jahre Schauspieler. Seit Gründung der „Neuen Freien Presse" ist er als Kunstkritiker Redacteur dieser Zeitung. Im Buchhandel erschienen: „Wiener Bauten" (1873), „Zöddel" (Lebensgeschichte eines Hundes, 1876), „Drei Geschichten" (1880), „Vor fünfzig Jahren" (Novellen, 1884). III., Strobgasse 18.

*Ranzoni, Gustav, Maler, geb. zu Unter-Walb (Niederösterreich) am 10. Mai 1826, Schüler des polytechnischen Institutes und der k. k. Akademie in Wien, war bis zum Jahre 1864 als Ingenieur und Bauunternehmer thätig, wendete sich sodann ausschließlich der Malerei zu und wird von der Kritik zu den beliebtesten Thier- und Landschaftsmalern gerechnet. Sein Oelgemälde „Vor dem Gewitter" befindet sich in der Gallerie der k. k. Akademie der bild. Künste. G. III., Pragerstraße 2.

Raschka, Robert, Architekt, geb. im Jahre 1847, hat zahlreiche Zinshäuser, Villen ꝛc. und u. a. auch das Landtagsgebäude in Brünn ausgeführt. **6.** III., Lagergasse 1.

*Rathausky, Hanus, Bildhauer, geb. zu Wien am 23. November 1858, Schüler der k. k. Akademie der bildenden Künste in Wien unter Prof. Kundmann, hat u. a. Reiterstatuetten, Soldatentypen der österr. Armee darstellend, für unseren Kaiser ausgeführt. Für seinen Entwurf zu dem Mozart = Denkmal erhielt er den III. Preis.

*Rathner, Wilhelmine, Tänzerin, geb. zu Döbling bei Wien am 4. October 1864, ist als Solotänzerin im Verbande des k. k. Hofoperntheaters seit 1878. VII., Siebensterngasse 2.

Ratzenhofer, Wilhelm Ritt. v., Schriftsteller, geb. zu Wien am 28. Jänner 1842. Im Drucke erschienen: „Gedichte" (1871), „Eusebia" (episches Gedicht, 1873) und „Neue Gedichte" (1879). R. ist Beamter der Niederösterreich. Escompte = Gesellschaft. VII., Schottenhofgasse 3.

*Rauch, Georg, Architekt, geb. zu Osthofen (Hessen) im Jahre 1849, ist erst seit jüngerer Zeit selbständig thätig und hat bereits mehrere Privat=Häuser, darunter die Barockbauten (Rembrandtstraße 3 u. 5), ausgeführt. VIII., Lammgasse 9.

*Rausch, Karl, Dr., Schriftsteller, geb. zu Kirchberg am Walde am 20. October 1847, Chefredacteur des Verlosungs= und Finanzblattes „Mercur" (und Jahrbuch). Er veröffentlichte zahlreiche Feuilletons und Abhandlungen (zumeist historischen Inhaltes und zur Frage der Gymnasialreform) in der „Presse", „Neues Wiener Tagblatt" und „Wiener Allg. Zeitung". Auch im Buchhandel erschienen mehrere historische Werke. (Siehe „Das geistige Wien", II. Band.) R. ist Professor an der Wiener Handelsakademie. Hetzendorf, Valerie=Cottage.

Rehbock, Gustav, Maler und Publicist, geb. zu Wien am 14. Februar 1851, Schüler der Wiener Akademie unter den Professoren Wurzinger und Geiger, ist Illustrator des O. F. Berg'schen „Kikeriki" und seit dem Jahre 1886 auch textlicher Mitarbeiter (humoristischen Genres), verschiedener in= und ausl. Blätter. VIII., Tigergasse 25.

*Reich, Ida, geb. in Raab 1871, ist als Concert=Pianist'n thätig. II., Czerningasse 4.

*Reichenberg, Franz von, Sänger, geb. zu Graz im Jahre 1855, sollte Jurist werden, gieng jedoch aus Vorliebe für Musik zum Theater; seine Gesangstudien machte er beim Capellmeister Stolz in Graz, wurde bald an das Hoftheater in Mannheim engagirt, wirkte 1875 und 1876 als „Fafner" bei den Festspielen in Bayreuth mit, kam sodann an die Frankfurter Bühne, später an das Hoftheater in Hannover und wurde von dort 1884 an die k. k. Hofoper engagirt. R. ist auch Mitglied der k. k. Hof=Musikcapelle. IV., Heugasse 8.

Reichert, Karl, Maler, geb. zu Wien am 27. August 1836, Schüler der Zeichnungs=Akademie in Graz, gab vom Jahre 1862—1866 das vaterländische Bilderwerk mit Text „Einst und Jetzt", Album Steiermark, sämmtliche Städte, Burgen, Schlösser ꝛc. umfassend, heraus, war ursprünglich Landschaftsmaler, hat sich jedoch später fast ausschließlich dem Genre zugewendet, worin er vorwiegend die Darstellung von Thieren cultivirt. **6.** II., Halmgasse 3.

Reichmann, Theodor, Sänger, geb. zu Rostock (Mecklenburg) am 18. März 1850, hatte sich ursprünglich dem Kaufmannsstande gewidmet, in welcher Branche er auch in Berlin thätig gewesen, wendete sich jedoch sehr bald der Bühne zu, debutirte am Magdeburger Theater (2. October 1869) als „Ottokar" im „Freischütz" und war in Rotterdam, Straßburg, Cöln, Hamburg und am Münchener Hoftheater in Engagement. Seit 1. Juni 1882 gehört R. dem Verbande der k. k. Wiener Hofoper an. Er ist auch kais. österr. und königl. bair. Kammersänger sowie österr. und ausl. decor. I., Pestalozzigasse 3.

*Reiffenstein, Leo, Historien- und Porträt-Maler, geb. zu Wien am 27. Juli 1856, Schüler der k. k. Akademie der bild. Künste in Wien unter den Professoren Eisenmenger und Makart. 6. II., Rothesterng. 25.

*Reiffenstein, Paul, Landschaftsmaler, geb. zu Grinzing am 6. Mai 1858. II., Rothensterngasse 25.

*Reim, Edmund, Musiker, geb. zu Rudolfsheim am 13. Juli 1859, ist Schüler von Weinwurm und hat u. a. mehrere Chorwerke mit Orchesterbegleitung componirt, welche wiederholt vom Wiener Männer-Gesangverein aufgeführt wurden. Anläßlich der Preisausschreibung der „blauen Donau" (gelegentlich des Kaiser-Jubiläums) erhielt R. den zweiten Preis für die Kaiser Franz Josef-Hymne. Sechshaus, Prinz Carlgasse 5.

Reimann, Anton, geb. zu Birkenhammer bei Karlsbad am 17. Jänner 1858, Verfasser mehrerer Reisebeschriften und Bücher, sowie Herausgeber des „Taschenfahrplan für Oesterreich-Ungarn". IV., Sternberggasse 5.

Reimers, Georg, Schauspieler, geb. zu Altona am 4. April 1860; spielte ursprünglich jugendlich komische Rollen und war zwei Jahre hindurch plattdeutscher Schauspieler und Coupletsänger; am 23. November 1877 trat er zum ersten Male im Varieté-

Theater in Hamburg auf; erst seit 1883 spielt er jugendliche Liebhaber und Helden, war in Dresden und Hamburg (Carl Schultze-Theater) engagirt und wurde 1885 durch Friederike Bognar dem Burgtheater empfohlen, an welchem er 1885 als „Carl Moor" gastirte. R. ist seit September des genannten Jahres im Verbande unserer Hofbühne, woselbst er vorzugsweise in classischen Rollen auftritt. I., Heßgasse 7.

*Reinhold, Franz, Landschaftsmaler, geb. zu Wien im Jahre 1816. Sein Gemälde „Landschaft" befindet sich im Besitze der Gemälde-Gallerie des allerh. Kaiserhauses. IX., Nußdorferstraße 29.

Reinhold, Hugo, Musiker, geb. zu Wien am 3. März 1854, war Chorknabe der Wiener Hofcapelle und Schüler des Conservatoriums. Derselbe wirkt fast ausschließlich als Componist; er schrieb Concert-Ouverturen, Intermezzoscherzo, Suite für Clavier- und Streichinstrumente, Streichquartette, Clavierstücke verschiedenen Inhaltes, Lieder u. m. a. III., Sofienbrückengasse 13.

*Reiter, J. B., Maler, geb. zu Linz im Jahre 1813, Schüler der k. k. Akademie in Wien.

Reitler, Marzellin Adalbert (Pseudonym Emil Arter), Schriftsteller, geb. zu Prag am 17. Juni 1838, war Redacteur verschiedener Provinzblätter, widmete sich später dem Eisenbahnwesen und trat im Jahre 1886 als Betriebs-Director-Stellvertreter der österr. Nordwestbahn in's Privatleben zurück. R. hat außer verschiedenen Eisenbahn-Fachwerken (siehe „Das geistige Wien", II. Band) eine Serie dramatischer Arbeiten verfaßt, und zwar die Lustspiele: „Damenwahl", „Stadtrath Donning", „Sein Fehltritt", „Ihr Mittel", „Familie Rodemann", „Professor Bambach's Ehrentag"; die

Schauspiele: „Duelle", „Pikante Ent-
hüllungen", „Ich oder Du", „Richard
Solingen", „Die Senectus"; die
Schwänke: „Wer war's?", „Vater der
Medea", „Marion", das Genrebild:
„Artikel V" und das dram. Gedicht
„Aglaja". Er ist auch Redacteur für
das Theater) der „Oesterr. Musik-
und Theaterzeitung". IX., Währinger-
straße 57.

Renard, Marie, Sängerin, geb.
zu Graz am 18. Jänner 1864; sie
trat zuerst am 24. Mai 1882 am
Grazer Landestheater als „Aeuzena"
auf, wurde 1883 nach Prag engagirt,
blieb daselbst bis 1884, in welchem
Jahre sie in den Verband der Berliner Hofoper für drei Jahre trat.
Am 1. October 1888 wurde sie an
das k. k. Hofopern-Theater in Wien
berufen, woselbst sie als „Carmen"
debutirte. I., Krugerstraße 13.

Renner, Heinrich, Publicist,
geb. zu Neumarkt (Schlesien) am
15. September 1849, ist Redacteur
der „Deutschen Zeitung" (Politik,
Feuilleton, Gerichtssaal und Kriegs-
Berichterstattung). Währing, Neug. 34.

Ressel, Gust. Andr. (Pseud.
Fritz Burger), Schriftsteller, geb. zu
Wien am 5. April 1861, ist Verfasser
von „Vergißmeinnicht" (Gedichte),
„Läuterung" (Gedichte) und Mit-
arbeiter der Zeitschriften: „Heim-
garten", „Magazin für die Literatur
des In- und Auslandes", Deutsche
Dichtung, „Vorstadtzeitung", „Fi-
garo" 2c. und ist vorwiegend auf dem
Gebiete der Wiener Schilderung, des
Humors und der Kritik thätig. IV.,
Mostgasse 14.

Reuß, Heinrich XXIV., Prinz
von, Musiker, geb. am 8. December
1855, Schüler des Wilhelm Rust in
Leipzig und Heinrich v Herzogenberg
in Berlin. Im Drucke erschienen
Streichquartette, 2 Hefte Lieder (für
eine Singstimme), ein Streichquintett

und eine Sonate (für Clavier und
Violine). III., Metternichgasse 3.

Reuter, Theodor, Architekt,
geb. zu Wien am 9. März 1837, war
als Bauleiter des Schlosses Fischhorn
im Pinzgau, der Pfarrkirche in Fünfhaus, des Nordwestbahnhofes und
des Palais Albert Rothschild in
Wien 2c. thätig und hat in Gemeinschaft mit Baurath Wielemanns das
Rathhaus in Graz erbaut. R. ist
Gemeinderath der Stadt Wien. G.
IV., Hauptstraße 55.

Reznicek, siehe Gisela J.

Rheinfelder, Friedrich G.,
Maler, geb. zu Wien am 19. Sep-
tember 1858, erhie t seine künstlerische
Ausbildung an der großherzoglich n
Kunstschule in Weimar unter Prof.
Charles Verlat und hat sich der
Landschafts- und der Genre-Malerei
vorzugsweise in aquarellistischer Aus-
führung zugewendet. Ausst. decor. G.
III., Siegelgasse 1, Atelier: III.,
Marxergasse 24a.

Rhoden, Albert von, siehe
Majersky Albert.

Rhön-Werra, siehe Cappy M. G.

*****Ricchini,** Ludwig, Tänzer,
geb. zu Cremona im Jahre 1809, ist
als Mimiker seit 1850 im Verbande
der k. k. Hofoper. IV., Paulanergasse 4.

*****Richmann,** Margarethe,
Schriftstellerin, geb. zu Frankfurt a. O.
am 16. Juni 1859, ist Mitarbeiterin
(Feuilleton) mehrerer Zeitungen und
übersetzt aus dem Englischen, Französischen, Italienischen, Spanischen
und Russischen. VI., Stiegengasse 5.

Richter, Eduard J., (Pseud.
Radi, E. J. Terrich, Oscar Mühl-
berg, Veritas), Schriftsteller, geb. im
südl. Deutsch-Böhmen am 5. Mai
1846, ist Verfasser von über 60
Theaterstücken und zahlreichen Feuilletons, Humoresken, Novellen, Gedichten und Liedern, welche in deutschen

und österreichischen Journalen erschienen. Im Jahre 1870 trat R. in den Wiener Polizei-Dienst und ist daselbst als k. k. Inspector der Sicherheitswache noch heute thätig. Oesterr. decor. III. Messenhausergasse 5.

Richter, Emanuel, Schriftsteller, geb. zu Hohenelbe (Böhmen) am 25. April 1847, hat außer fachwissenschaftlichen Arbeiten „Ausgewählte Dramen" von Corneille, I. Band: „Le Cid" (1880), II. Band „Horace" (1881) herausgegeben. R. ist Professor an der Communal-Ober-Realschule im VI. Bezirk. VI., Wallgasse 28.

***Richter,** Hanns, Musiker, geb. zu Raab am 5. April 1843, wirkt als k. k. Vice-Hof- und Hofopern-Capellmeister, Dirigent der Philharmonischen, der Gesellschafts-, sowie der in London stattfindenden Richter-Concerte. R. welcher eine große Anzahl Instrumente beherrscht und schon in früher Jugend begeistert für die Wagner'sche Richtung thätig war, ist Directions-Mitglied der Gesellschaft der Musikfreunde, sowie Ehren-Doctor der Musik und Philosophie. Oesterr. und ausländ. decor. Währing, Sternwartgasse 34.

***Richter,** Heinrich Moriz, Dr., geb. zu Prag am 10. Jänner 1841, schreibt vorzugsweise geschichtliche, sowie biographische Abhandlungen und Werke (siehe „Das geistige Wien", II. Band) und veröffentlicht wiederholt Aufsätze in der „Neuen Freien Presse". Aus seiner Feder stammt auch der Aufsatz „Die Wiener Presse" in der vom Gemeinderath der Stadt anläßlich des vierzigjährigen Regierungs-Jubiläums unseres Kaisers herausgegebenen Festschrift „Wien 1848—1888". R. wirkt als Professor an der k. k. Kriegsschule. Oesterr. decor. IV., Preßgasse 28.

Richter, Josef, Publicist, geb.

zu Leipertiz (Mähren) am 8. Jänner 1843, Redacteur des „Illustr. Wiener Extrablatt", Fachreferat: localer Theil. VIII., Josefstädterstraße 23.

***Richter,** Josef, Musiker, geb. zu Wien am 19. November 1849, ist Mitglied des k. k. Hofopern-Orchesters (Horn) und seit 15. August 1880 im Engagement genannten Kunstinstitutes. III., Ungargasse 17.

Richter, Ludwig, Architekt, geb. zu Wien am 15. August 1855, Schüler der Wiener Akademie unter Hansen und der technischen Hochschule daselbst, hat u. a. die Palais des Grafen Briuts zu Falkenstein (IV., Alleegasse), des Grafen Douglas (Wohllebengasse), das Exportwaarenhaus Robitschek & Cie. (Mariahilferstraße) die Häuser-Eckgruppe (Alleegasse, Gußhausstraße) ꝛc. erbaut. IX., Mariannengasse 18.

Richter, Pius, Musiker, geb. zu Warnsdorf am 11. December 1818, ist k. k. Hoforganist und Vice-Hofcapellmeister und war früher als Clavierlehrer in den allerhöchsten Hofkreisen thätig. (Erzherz. Gisela (Prinzessin von Baiern), Christine (Königin von Spanien) u. v. a. zählten zu seinen Schülern. Oesterr. und ausl. decor. Am Hof 6.

***Richter,** Wilhelm, Schlachten- und Thiermaler, geb. zu Wien im Jahre 1824, Schüler der Akademie unter den Professoren Kupelwieser, und Ender, wendete sich Anfangs dem Genrefache zu, cultivirte jedoch seit Anfang der Vierziger-Jahre und insbesondere seit 1848, in welchem Jahre er sich im österr. Hauptquartiere aufhielt, Kriegs-, beziehungsweise Schlachtenbilder. Im Herbste 1872 wurde er berufen, die Fuchsjagden von (Gödöllő durch ein großes Bild zu verewigen, welches durch die Porträt-Aufnahme aller dabei Betheiligten, die sich um den Kaiser und die Kaiserin gruppirten, ein gewisses historisches Gepräge erhielt. Von diesem Bilde sollen drei Exemplare ausgeführt worden sein, von welchen sich eines im Besitze Ihrer Majestät der Kaiserin, das zweite im Eigenthume des Fürsten Eszterhazy befindet. **S.** VI., Hirschengasse 7.

*Riedel, Karl, Porträt= und Historienmaler, geb. zu Freudenthal am 14. November 1830; sein Oelgemälde „Die Vorleserin" befindet sich in der Gallerie der k. k. Akademie der bild. Künste. **S.** IV., Wiedner= Gürtel 2.

Riedl, Franz Xaver (Pseudonym Franz von Fraustadt), Schriftsteller, geb. zu Wiesen bei M.=Schönberg am 1. März 1826, ist seit dem Jahre 1848 journalistisch thätig, und zwar bei Schuhmacher's „Gegenwart", bei G. Heine's „Fremdenblatt", später durch sieben Jahre bei Bäuerle's „Theaterzeitung" und bei der „Morgenpost". Er gab hierauf durch eine Reihe von Jahren die erste, täglich erscheinende „Wiener Local=Correspondenz" und das humoristische Wochenblatt „Wiener Wnisch" heraus. R. schrieb bis jetzt über sechzig Romane und übersetzte gegen zwanzig aus dem Englischen. Die Ersteren. Original=Arbeiten, erschienen in der „Morgenpost", im „Wiener Telegraf", im „Neuen Wiener Tagblatt", im „Wiener Tagblatt", im „Illustr. Wiener Extrablatt", in „Neuen Fremdenblatt", in der „Vorstadt=Zeitung", „Wiener Allg. Zeitung", die aus dem Englischen bearbeiteten wurden in der „Presse", „Tagespresse", „Neues Fremdenblatt", „Vaterland", „Oesterreichische Allg. Zeitung", „Wiener Illustr. Zeitung" und „Neuigkeits= Weltblatt" veröffentlicht. IV., Mozartgasse 9.

Riedl, Willibald, Schriftsteller, geb. zu Laa am 23. Mai 1859, war früher Schauspieler (Charakterdarsteller) und Recitator. Er schrieb:

„Im Fluche der Armuth" (Charaktergemälde), „Die beiden Schlankeln" (Posse), „Der Banditenkönig" Operette), sowie mehrere Lustspiele, Possen, Novellen ꝛc. R. ist auch Mitarbeiter des „Illustr. Wiener Extrablattes". Ottakring, Panzergasse 12.

Rieger, Albert, Maler, geb. zu Triest am 6. Mai 1833, Schüler seines Vaters, bereiste zu seiner weiteren künstlerischen Ausbildung den größten Theil Europas und wendete sich der Landschafts= und Marine-Malerei zu. Zwei Bilder „Gosausee" und „Traunsee" von R., welcher anläßlich der von ihm bewirkten Lithographi ung einer „Ansicht von Wien" mit der großen goldenen Medaille für Wissenschaft und Kunst ausgezeichnet wurde, befanden sich im Besitze weiland unseres Kronprinzen. Penzing, Parkgasse 80.

*Rieser, Michael, Maler, geb. zu Schlittens in Tirol im Jahre 1828, Schüler der Münchener Akademie der bildenden Künste und der k. k. Akademie in Wien unter Ruben, war von 1868—1888 Professor an der k. k. Kunstgewerbeschule in Wien und trat mit diesem Jahre in Penflon. R. wendete sich fast ausschließlich der religiösen Historienmalerei zu. Ein kaiserl. Stipendium setzte ihn 1861 in die Lage Italien, vor allem Rom, zu besuchen, woselbst er si 2½ Jahre aufhielt und die Meister des 15. und 16. Jahrhunderts studierte. Viele Altarbilder in verschiedenen Kirchen der Monarchie stammen von seiner Hand. **S.** VII., Mariahilferstraße 96.

Riewel, Hermann, Architekt, geb. zu Leipzig am 8. December 1832, Schüler der Technik in Cassel und der Akademie in Leipzig, war Bauführer der Votivkirche in Wien und Mitarbeiter vieler Monumentalbauten im Atelier Ferstel's. R., welcher die Restaurirung vieler alter Kirchen durchgeführt, hat seit 30 Jahren

Entwürfe für das Kunstgewerbe ge=
liefert, worunter allein 32 Altäre zur
Ausführung gelangten. R. ist Pro=
fessor an der k. k. Bau= und Ma=
schinen = Gewerbeschule in Wien.
Oesterr. und ausländisch decor. IX.,
Beethovengasse 8.

*Rimus, Karoline. Tänzerin,
geb. zu Wien, ist seit 1867 im Ver=
bande der k. k. Hofoper. VI., (Ge=
treidemarkt 3.

Ring, Moriz, Publicist, geb. zu
Raab am 22. Juli 1849, Redacteur
des „Neuen Wiener Tagblatt", Fach=
referat: Politik III., Seidlgasse 7.

*Ringer, Adolf, Architekt, geb.
zu Arad am 20. September 1830,
hat vielfach als Architekt und Bau=
meister gewirkt und functionirte als
Baumeister seinerzeit bei der allg.
österr. Bau=Gesellschaft. G. III.,
Jaquingasse 15.

*Rittmeier, Eduard, Publicist,
diente früher in der Armee, aus
welcher er als Oberlieutenant schied
und ist u. a. Mitarbeiter (Sport=
berichterstatter) der „Deutschen Zei=
tung." I., Kärntnerstraße 45.

*Rive, G. J., Schriftsteller, ist
Correspondent ausländischer Zeitun=
gen. IV., Schwindgasse 14.

*Robert, Emerich, Schauspieler,
geb. zu Pest am 21. Mai 1847,
nahm dramatischen Unterricht bei
Josef Lewinsky und betrat, 18 Jahre
alt, zum ersten Male die Bühne; er
debütirte im September 1865 in
Zürich, trat ein Jahr später, am
1. Mai 1866, in den Verband der
Stuttgarter Hofbühne, verblieb da=
selbst bis 1868 und wurde in diesem
Jahre an das Hoftheater in Berlin
berufen; trotzdem er daselbst mit
„lebenslänglichem Contracte" engagirt
wurde, folgte er dennoch bereits nach
kaum vierjähriger künstlerischer Thä=
tigkeit an genannter Hofbühne im
Jahre 1872 dem Rufe Heinrich

Laube's an das Wiener Stadttheater;
hier wirkte er mit steigendem Erfolge
(als jugendlicher Held und Liebhaber)
und debutirte 1878 im Hofburgthea=
ter als „Fiesco" und „Marc Anto=
nius". Seit dieser Zeit ist er als wirk=
liches Mitglied im Verbande dieses
Kunst=Institutes. Zu seinen beliebte=
sten Rollen zählen u. a. „Antonius" u.
„Cedivus". 1888 erfolgte anläßlich
der Eröffnung des neuen Burg=
theaters seine Ernennung zum Re=
gisseur. Er absolvirte größere Gast=
spiele im In= und Auslande und
ist Ehren=Mitglied des herzoglich
Sachsen=Meiningen'schen Hoftheaters.
Ausländ. decor. I., Nibelungengasse 11.

*Robert, Richard, Musikschrift=
steller, ist Redacteur der „Extrapost"
(Musikreferent), Correspondent der
„Bohemia", der „Berliner Börsen=
Zeitung", der „Hamburger Corre=
spondenz" und wirkte auch als Lehrer
der Musikgeschichte. I., Zelinkagasse 3.

*Röckel, Luisabeth (Mathes),
geb. zu Weimar am 30. Oct. 1844, trat
zum ersten Male als „Käthchen von
Heilbronn" am Hoftheater zu Weimar
auf (29. Juni 1858), war in den
Jahren 1866—1871 im Hofburg=
theater, absolvirte 1871—1879 größere
Gastspiele in Deutschland, Rußland
und Amerika und gehört seit 1879
wieder dem Verbande des k. k. Hof=
burgtheaters an. R. ist seit einigen
Jahren auch als dramatische Lehrerin
thätig. Ober=Döbling, Hirschengasse 45.

*Rohrwasser, Laura, Malerin,
geb. zu Wien am 22. April 1856,
Schülerin des Prof. Hanns Canon.
IX., Nußdorferstraße 25.

Rotitansky, Hanns, Freiherr v.,
Sänger, geb. zu Wien am 8. März
1835, debutirte als „Orovefo" in „Nor=
ma" 1857 in Paris, sang in Florenz,
Mailand, Turin, Genua, Bologna,
war in London und Prag engagirt
und ist seit 1864 Mitglied des Hof=
operntheaters. (Antrittsrolle: „Lepo=

rello" in „Don Juan"). R. ist auch Hofcapellensänger und wurde durch die Ernennung zum k. k. Kammersänger ausgezeichnet. IV., Hauptstraße 51.

Rokitansky, Victor, Freiherr von, Sänger, studirte in Italien in den 1860er Jahren Gesang unter Paganini und Pantaleoni, componirte italienische und deutsche Lieder und wirkt als italienischer Gesangsmeister. I., Bauernmarkt 9.

*****Rollet,** Hermann, Dr., Schriftsteller, geb. zu Baden bei Wien am 20. August 1819; er absolvirte die pharmaceutischen Studien und begann 1836 seine literarische Thätigkeit. Er schrieb nicht nur Poesien, Theaterstücke und kunstwissenschaftliche Aufsätze, sondern correspondirte auch für auswärtige Blätter über österreichische, zunächst Wiener Zustände; von 1844 1854 blieb er Oesterreich fern und kehrte erst im letztgenannten Jahre nach Wien zurück; seinen bleibenden Wohnsitz hat er in der nächsten Nähe Wien's, seiner Vaterstadt Baden, aufgeschlagen. Er entwickelte eine umfangreiche literarische Thätigkeit und veröffentlichte: „Liederkränze" (1842), „Frühlingsboten aus Oesterreich" (1849), „Wanderbuch eines Wiener Poeten" (1846), „Lyrische Blätter" (1847), „Frische Lieder" (1855), „Eine Schwester" (Drama 1847), „Ein Waldmärchen aus unserer Zeit" (1848), „Republikanisches Liederbuch" (1848), „Dramatische Dichtungen" (1851), „Iseunde" (Erzählung, 1854), „Heldenbilder und Sagen" (1854), „Ausgewählte Gedichte" (1866), „Offenbarungen" (1870), „Erzählende Dichtungen" (1872), „Die drei Meister der Gemmoglyptik" (1874), „Goethe-Bildnisse" (1882), „Badener Neujahrsblätter" (1885) u. m. a.

*****Romako,** A. v., Maler, geb. zu Atzgersdorf bei Wien am 20. October 1834, Schüler der k. k. Akademie und Rahl's. R. übersiedelte im Jahre 1862 nach Rom, woselbst er viele Jahre verblieb, und welchem Aufenthalte eine Anzahl römischer Costümbilder ihre Entstehung verdanken. Eine große Anzahl seiner Werke (Genre-, Historienbilder und Portraits) wanderten nach England und Amerika. Eines seiner bekanntesten Bilder „Tegetthoff auf der Commandobrücke des Admiralschiffes bei Lissa" wurde von unserem Kaiser angekauft. G. III., Heumarkt 11. Gestorben zu Wien am 8. März 1889.

Roncourt, Albert Gustav, Publicist, geb. zu Graz am 9. Februar 1847. Redacteur der „Wiener Allg. Zeitung". Fachreferat: Gerichtssaal und Politik. III., Posthorngasse 3.

*****Roscher,** Josef, Musiker, ist Schüler des Professors Adel und componirte sehr viele Chorwerke ernsten und heiteren Inhaltes, die von verschiedenen Gesangvereinen wiederholt aufgeführt wurden. Er setzte auch eine große Anzahl Rosegger'sche Gedichte in Musik. IV., Favoritenstr. 14.

*****Rosé,** Arnold, Musiker, geb. zu Jassy am 24. October 1863, ist Schüler des Professor Heißler, und als Violin-Virtuose künstlerisch thätig und wirkt als Concertmeister und Solospieler im k.k. Hofopern-Orchester, seit 10. Mai 1881, sowie als Primarius des nach ihm benannten Quartett-Vereines. III., Salesianergasse 8.

Rosen, Alexander, Schriftsteller, geb. zu Oedenburg am 7. März 1843, war anfänglich als parlamentarischer Berichterstatter für Wiener und Budapester Journale thätig und trat später in belletristischen und Fachzeitschriften mit Aufsätzen über Theater und Dramaturgie in die Oeffentlichkeit. Er war mehrere Jahre hindurch dramaturgischer Ablatus Heinrich Laube's (am Wiener Stadttheater), betheiligte sich gleichzeitig unter

Johannes Nordmann an der Redaction der „Neuen Illustr. Zeitung", hat sich jedoch seit (ungefähr) 1874 fast vollständig der politischen Publicistik zugewendet und ist Mitarbeiter und Correspondent in- und ausländischer Zeitungen. Von ihm erschienen belletristische, sowie dramatische Arbeiten, hauptsächlich Uebersetzungen oder Bearbeitungen dramatischer Werke. Unter anderem erschienen und wurden aufgeführt, die Lustspiele: „Die einzige Tochter", „Vor dem Frühstück", „Consilium facultatis" (sämmtlich nach Alexander Graf Fredro) und „Die Nervösen" (nach Victorien Sardou und Th. Barrière), sowie das Schauspiel „Copelia" (nach Stefan Toldy) und zahlreiche andere. R. ist auch Mitglied des literarischen Bureaus im Ministerium des Auswärtigen. Währing, Sternwartegasse 47.

Rosen, Michael, Dr., Schriftsteller, geb. am 25. August 1838, war und ist theils noch jetzt Mitarbeiter mehrerer Wiener, Budapester und ausl. Journale, hat verschiedene Arbeiten politischen, historischen und pädagogischen Inhaltes (u. a. die Broschüre: Ein Wort an die orientalischen Juden) verfaßt und ist gegenwärtig Mitarbeiter der „Politischen Correspondenz". Oesterr. und ausl. decor. VIII., Florianigasse 1.

Rosenbaum, Richard, Maler, geb. zu Wien am 23. October 1864, Schüler der Wiener Akademie und Jul. v. Blaas', liebt das Sportgenre und malt hauptsächlich portraitgetreue Szenen vom Turf. I., Rathhausstraße 17.

Rosenblum, Arnold, siehe Rosé.

*Rosenthal, Heinrich, Musiker, geb. zu Klausenburg am 27. März 1859, ist Mitglied des k. k. Hofopern-Orchesters (1. Violine) und seit 15. August 1880 im Engagement genannten k. k. Kunstinstitutes. IV., Lamprechtgasse 18.

Rosenthal, Moriz, Musiker, geb. zu Lemberg am 18. December 1862, Schüle des Raphael Joseffy und Franz Liszt. Er unternimmt als Claviervirtuose Kunstreisen nach Italien, Frankreich, Rußland ꝛc. und tritt demnächst eine größere Concerttournée nach Amerika an. R. führt den Titel eines königl. rumänischen Hofpianisten. I., Elisabethstraße 8.

*Roesler, Rudolf, Maler, geb. zu Gablonz (Böhmen) am 28. April 1865, führte u. a. die Initialen für das dem Kaiser anläßlich der Jubiläums-Ausstellung überreichte Album aus. III., Dianagasse 8.

*Rosner, Leopold, Schriftsteller, geb. zu Pest im Jahre 1838, widmete sich dem Buchhandel, versuchte sich jedoch gleichzeitig als Schriftsteller, war 1858—1861 Schauspieler bei verschiedenen Bühnen, wendete sich im letztgenannten Jahre wieder dem Buchhandel zu und gründete 1871 eine eigene Verlags-Anstalt. Schriftstellerisch war er größtentheils als Uebersetzer und Bearbeiter aus dem Französischen und Ungarischen thätig, und wurden mehrere seiner dramatischen Bearbeitungen aus fremden Sprachen an Wiener Bühnen aufgeführt. Er gab auch sechs Hefte „Wiener Couplets" heraus (1860—1867). I., Bauernmarkt 8.

Rossi, Marcello, Musiker, geb. zu Wien am 16. October 1862, Schüler des Conservatoriums in Leipzig, des Concertmeister Lauterbach in Dresden und des Professor Massart in Paris. Er unternahm als Violinvirtuose ausgedehnte Kunstreisen in die Schweiz, nach Deutschland, Dänemark, Frankreich, Rußland, Rumänien ꝛc., wirkt auch als Componist und schrieb: u. a. Solostücke für Violin, Männer- und gemischte Chöre, Lieder ꝛc. R. ist

Kammervirtuose des Großherzogs von
Mecklenburg = Schwerin und ausl.
decor. IV., Floragasse 7.

*Roth, Franz, Architekt, geb. zu
Wien am 21. September 1841, zählt
zu den künstlerisch thätigen Architekten
und hat als solcher vielfach Privat=
bauten ausgeführt; doch wirkt er auch
als Baumeister und ist Mitglied der
Wiener Bau=Deputation. Von R
stammte auch die Idee und Aus=
führung des Papierthurmes der
„Schlöglmühle" in der Rotunde, an=
läßlich der Jubiläums=Gewerbe=Aus=
stellung 1888. G. III, Strohgasse 9.

Roth, Franz, Musiker, geb. zu
Wien am 7. August 1837, bereiste
als Clavierconcertist mit Ole Bull
Amerika, etablierte 1858 in Wien eine
Concertcapelle und war von dieser
Zeit ununterbrochen bis 1885 in Wien
als Capellmeister (am Theater an
der Wien, Strampfer=, Josefstädter=,
Wiener Stadt= und Carltheater)
thätig; von 1886—1889 Dirigent am
Wallnertheater in Berlin ist er vom
1. September 1889 an in gleicher Eigen=
schaft an's „Wiener Volkstheater"
engagirt. Er schrieb die Musik zu mehr
als 400 Possen und veröffentlichte
etwa 400 Tanzcompositionen.

Roth, Louis, Musiker, geb. zu
Wien am 20. April 1843, war Chor=
meister mehrerer Wiener Gesangvereine,
Capellmeister des Theaters an der
Wien und ist derzeit (seit 1884) als
Compositeur für das Friedrich Wil=
helmstädtische Theater in Berlin enga=
girt. Nebst vielen Liedern und Chören
schuf er die Musik zu mehr als 20 Possen,
den Ausstattungsstücken: „Die Kinder
des Capitän Grant" und „Der Weih=
nachtsbaum", sowie die Operetten:
„Don Quixote" (mit Max von Wein=
zierl), „Zwillinge"(mit Richard Genée),
„Der Marquis von Rivoli", „Die
Urwienerin", „Der Nachtwandler"
und „Die Lieder des Mirza Schaffy".
Fünfhaus, Michalergasse 5.

Rotheit, J., Publicist, geb. zu
Warschau am 2. April 1861, ist Re=
dactionsmitglied des „Fremdenblatt".
II., Praterstraße 58.

Rothenstein, Bernhard, Mu=
siker, geb. zu Alt=Ofen am 9. Februar
1831, Schüler des Conservatoriums
(unter Professor Böhme). Er war
vor dem Jahre 1848 Orchesterdirector
des Josefstädtertheaters, später des
Theaters an der Wien. R. ist Kammer=
virtuose des Fürsten Starhemberg,
absolvierte eine Reihe von Concerten
in Deutschland und ist seit 1861 in
Wien als Violinvirtuose und Lehrer
thätig. II., Regerlegasse 5.

*Rokly, Hanna, Baronesse, Por=
trait= und Landschaftsmalerin, geb.
zu Wien im Jahre 1858. I., Schotten=
ring 3.

*Rottenberg, Ludwig, Dr.,
Musiker, geb. zu Czernowitz im Jahre
1864, wirkt als Concertpianist und
Componist. IX., Schwarzspanierstr. 16.

*Rotter, Emil, Musiker, geb. zu
Schönberg (Mähren) am 25. März
1850, ist Mitglied der k. k. Hof=Musik=
capelle, Dirigent der Musikgesellschaft
„Mozart" u. Besitzer einer Musikschule.
R. ist ferner Mitglied des k. k. Hof=
opern=Orchesters (Viola) und seit
1. September 1869 im Engagement
genannten Kunstinstitutes I., Schotten=
hof 2.

*Rotter, Ludwig, Musiker, geb.
zu Wien am 6. September 1810,
war Organist und später Capellmeister
an der Stadtpfarrkirche Am Hof,
Professor des Wiener Kirchenmusik=
vereines, k. k. Hof=Organist und
schließlich als Vice=Hofcapellmeister
Leiter der Kirchenmusik in der Hof=
capelle. Er wirkt fast ausschließlich
als Kirchenmusikcomponist. Oesterr.
decor. I., Singerstraße 23.

Rottonara, Franz, Maler, geb.
zu Corvara im Jahre 1848, Schüler
der Münchener Akademie, ist vor=

wiegend Decorations = Maler. X.,
Gugengasse 73

*Rückauf, Anton, Musiker, geb.
zu Prag am 13. März 1858, war
in Prag Schüler von Proksch und
der Orgelschule, in Wien von Notte=
bohm und Dr. Nawratil. Er trat
wiederholt öffentlich auf und ist auch
als Componist thätig. Er schrieb
(namentlich von (G Walter gesungene)
Lieder, Clavierstücke verschiedenen In=
haltes, Chöre, Quartette, Balladen,
eine Sonate für Clavier und Piano=
forte und Tanzweisen.

*Rüden, Albine, Schauspielerin,
geb. zu Wien, war früher in Berlin,
am Carltheater und in Graz engagirt
und ist gegenwärtig im Verbande
des k. k. priv. Theaters a. d. Wien.

Rüden von Thelen, Fried=
rich, siehe Thelen.

*Rudolf (Franz Karl Josef),
Erzherzog, Kronprinz von Oesterreich,
Schriftsteller, geb. zu Larenburg am
21. August 1858, beschäftigte sich
nebst den militärischen Studien, früh=
zeitig mit Literatur und Kunst und
studirte mit Vorliebe Naturwissen=
schaften. Die Eindrücke, die der Kron=
prinz auf seiner Reise nach dem
Orient empfieng, veranlaßten densel=
ben mit einer schriftstellerischen Arbeit
in die Oeffentlichkeit zu treten, und
erschien im Jahre 1884 das erste
Werk Sr. k. k. Hoheit unter dem Titel:
„Eine Orientreise". Die Erfahrungen,
die der Kronprinz späterer Zeit
gelegentlich einer mehrtägigen Tour
im Donaugebiete gesammelt, wurden
in einem zweiten Werke, im Jahre
1885, „Fünfzehn Tage auf der
Donau", niedergelegt, welches Buch
bereits in zweiter Auflage erschien.
Nebst diesen Reisebeschreibungen er=
schienen 1887 noch „Jagden und
Beobachtungen". Jedoch nicht nur
als Freund der Natur war unser
Kronprinz schriftstellerisch thätig, auch
die Liebe zur Kunst und Literatur

veranlaßte denselben, mit einem
großen vaterländischen Werke, an
welchem sich nur österreichisch = unga=
rische Schriftsteller und Künstler be=
theiligen, hervorzutreten: Er war
Herausgeber der „Oesterr.=ung. Mo=
narchie in Wort und Bild". Aus der
Feder des Kronprinzen selbst sind im
Werke folgende Artikel enthalten, u.
zw.: Im Uebersichtsband: die Ein=
leitung; im Bande „Wien u. Nieder=
österreich": die Schilderung der
landschaftlichen Lage Wien's, die
landschaftliche Schilderung des
Wienerwaldes und der Donauauen
von Wien bis zur ungar. Grenze.
Für den 1. Band „Ungarn" schrieb
Kronprinz Rudolf ebenfalls die
Einleitung. Die literarischen und
wissenschaftlichen Bestrebungen Sr.
kais. Hoheit fanden auch an der
höchsten Stätte des Wissens wieder=
holt Anerkennung indem die Univer=
sitäten Wien, Budapest und Krakau
den Kronprinzen zum Ehren=Doctor
ernannten, und die Akademien der
Wissenschaften in St. Petersburg und
Lissabon denselben unter ihre Ehren=
mitglieder aufnahmen. Oesterr. und
ausländ. decor. (Er verschied am
30 Jänner 1889 in seinem Jagd=
schloße Mauerling nächst Baden.

*Rufinatscha, J., Musiker, geb.
zu Mais (Tirol) im Jahre 1815,
sollte Geistlicher und Lehrer werden,
wurde jedoch aus Vorliebe zur Musik
Schüler des Conservatoriums (unter
Sechter) und wirkt gegenwärtig als
Componist und Lehrer. Er compo=
nirte eine Anzahl Orchesterwerke,
Quartette, Sonaten, Clavierconcerte
und Ouverturen (eine zur „Braut
von Messina") sowie verschiedene
andere Tonwerke.

Rummel, Peter, Bildhauer, geb.
zu Regensburg am 12. Juli 1850,
Schüler der Münchener Kunstschule
und der dortigen Akademie, Schüler
und Gehilfe Zumbusch's (Maria The=

resia=Denkmal), seit 1885 selbständig. G. IV., Louisengasse 15.

*Rumpler, Franz, Maler, geb. zu Tachau am 4. December 1848, Schüler der k. k. Akademie der bildenden Künste in Wien unter Prof. Ed. v. Engerth, hat sich dem Genre zugewendet, worin er besonders das Volksleben seiner Heimat cultivirt; jedoch ist ihm auch das Portrait nicht fremd, welches er, namentlich Kinderportraits, nach Art der alten Niederländer malt. Für sein „Portrait" erhielt R. im Jahre 1882 die Carl-Ludwig-Medaille. Die von ihm gemalten Bildnisse „Karoline und Peter Sanctty", Gründer des städt. Waisenhauses, befinden sich im neuen Rathhause (Adlerzimmer). R. ist auch Professor der k. k. Wiener Akademie. G. IV., Goldeggasse 1.

*Ruß, Robert, Landschaftsmaler, geb. zu Wien am 7. Juni 1847, Schüler der k. k. Akademie der bildenden Künste in Wien, unter A. Zimmermann, welchen er auf einigen Studienreisen begleitete. Für seine „Landschaft" erhielt R. im Jahre 1880 die Carl-Ludwig-Medaille und für sein Oelgemälde „Wildbach"(1879)den Reichel-Preis. Seine Bilder „Fürstenburg bei Burgeis" und „Schloß Heidelberg" befinden sich im Besitze der Gemälde-Gallerie des allerh. Kaiserhauses in Wien, seine Oelgemälde „Motiv aus Eisenerz", „Mühle im Walde" und „Vorfrühling" in der k. k. Akademie der bildenden Künste. R. hat auch das k. k. Hofburgtheater mit Lunetten-bildern, Blumen u. Pflanzen in Verbindung mit Thieren und Kindern darstellend, geziert. Im naturhistor. Museum befinden sich von ihm die Bilder: „Erzberg bei Eisenerz", „Mangrowe=Wald", „Brasilianischer Urwald", „Ruine Hartenstein", „Tumulus von D.=Altenburg", „Nonnentempel von Chlichenitza", „Kriegsgott, Merico", „Koloß von Collo=Collo",

„Ruinen von Pachacamac", „Ansicht von Rio de Janeiro". Mehrere seiner Bilder befinden sich auch im Besitze unseres Kaisers. R. ist Ehrenmitglied der Akademie. G. III., Münzgasse 3.

Rybkowski, Thaddäus v., Maler, geb. zu Kielce (Russisch-Polen) am 30. März 1848, hatte sich ursprünglich der Architektur gewidmet, trat jedoch 1872 in die Krakauer Kunstschule ein, woselbst er einige Jahre Unterricht im Malen und Zeichnen erhielt. Nach Wien übersiedelt, wurde R. Privatschüler im Atelier des Prof. Löffler=Radymno und vollendete später als Schüler Makart's seine Studien. Sein Fach ist das Genre, in welchem er besonders Darstellungen aus dem Landleben in Galizien u. Russisch-Polen, vor allem Markt= und Volks=Scenen sorgfältig cultivirt. G.1V., Starhemberggasse 16.

*Saar, Ferdinand v., Schriftsteller, geb. zu Wien am 30. September 1833, trat 1849 in die Armee, wurde 1854 Officier und nahm 1859 nach dem Feldzuge seinen Abschied, um ganz seiner wissenschaftlichen Ausbildung, dichterischen Neigung und literarischen Thätigkeit leben zu können. Er veröffentlichte: „Kaiser Heinrich IV." (Trauerspiel in zwei Abtheilungen: Hildebrand, Heinrich's Tod 1863—1867), „Innocenz" (Lebensbild, 1866), „Marianne" (Novelle, 1873), „Die beiden de Witt" (Trauerspiel, 1875), „Novellen aus Oesterreich" (1876), „Tempesta" (Trauerspiel, 1881), „Gedichte" (1882), „Drei Novellen" (1883), „Tassilo" (Trauerspiel, 1886), „Eine Wohlthat"(Drama, 1887), „Schicksale" (1888). S. ist auch Verfasser des Prologes für die Festvorstellung im Hofburgtheater am Abende der Enthüllung des Maria-Theresien=Denkmales. Seit seiner Verheiratung (1881) lebt S. theils in Wien, theils auf Schloß Blansko in Mähren.

*Salaba, Carl, Musiker, geb. zu Wien im Jahre 1828, ist als Violinist thätig und war früher Orchestermitglied des k. k. Hofopern-Theaters. VII., Neustiftgasse 24.

*Salamon, Johann, Musiker, geb. zu Klausenburg am 16. Mai 1853, ist Mitglied des k. k. Hofopern-Orchesters (1. Violine) und seit 16. Februar 1886 im Engagement genannten k. k. Kunstinstitutes. V., Krongasse 20.

*Salkind, Leo, Publicist, ist Mitarbeiter und Correspondent in- und ausl. Zeitungen. IX., Harmoniegasse 5.

Salter, Julie, Sängerin, geb. zu Czernowitz am 20. August 1862, Schülerin von Albert Grünals in Czernowitz und des Wiener Conservatoriums (Prof. Reß). Sie tritt in eigenen Concerten u. bei den Productionen anderer wiederholt in die Oeffentlichkeit und wirkt auch als Gesanglehrerin. VIII., Albertgasse 27.

*Sandrock, Wilhelmine, Schauspielerin, geb. zu Rotterdam im Jahre 1865, gehört seit 1884 dem k. k. Hofburgtheater als Mitglied an. I., Rathhausstraße 20.

Saphir, Alexander, Publicist, geb. zu Budapest am 4. September 1833, ist Eigenthümer u. Herausgeber des humoristisch-politischen, illustrirten Wochenblattes "Saphir's Wizblatt". S. ist ein Neffe des bekannten verstorbenen Dichters und Humoristen M. G. Saphir. I., Seilerstätte 10.

Saphir, Josef, Musiker, geb. zu Pest am 17. Jänner 1859, Schüler des Conservatoriums unter Prof. Door (Clavier) und Kreun (Contrapunkt und Composition). Er componirte Lieder und Clavierstücke, eine Violinsonate, Variationen und Fuge über ein eigenes Thema, welche Musikwerke theils im Druck erschienen, theils in des Componisten eigenen Concerten zur Aufführung gelangten. S. ist seit 1879 auch als Lehrer thätig. IX., Liechtensteinstraße 11.

*Sartori, Carl, Schriftsteller, geboren in Ungarn im Jahre 1857. Neulerchenfeld, Hasnergasse 45.

*Satory, Hermann, Musiker, geb. zu Wien am 1. Februar 1840, ist Mitglied des k. k. Hofopern-Orchesters (Viola) und seit 1. September 1869 im Engagement genannten k. k. Kunstinstitutes. VIII., Josefstädterstraße 29.

*Saezinger, Franz, Publicist, geb. zu Wr.-Neustadt im Jahre 1864, war früher in seiner Geburtsstadt journalistisch thätig und ist seit 1. Jänner 1889 Redacteur (Polizei und Vereine) des "Deutschen Volksblatt".

Schachner, Friedrich, Architekt, geb. zu Altenbrugg am 14. December 1841, Schüler des k. k. Oberbaurathes August v. Schwendenwein und der Wiener Akademie unter Van der Nüll, hat u. a. das Administrations-Gebäude der "Allg. Verkehrsbank", die Palais Nako, Erlanger, Pranter (jetzt Ph. Haas) in Wien, den "Kaiserhof" in Klagenfurt, das Hotel "Austria" in Gmunden, die Villa "Hohenhof" auf dem Kahlenberg erbaut. In Gemeinschaft mit Streit vollführte er den ersten Umbau des Künstlerhauses. Ausl. decor. G. IV., Schwindgasse 14.

Schadek, Moriz, Schriftsteller, geb. zu Horn (Nieder-Oesterreich) am 28. August 1849, ist Verfasser von Gedichten in niederösterreichischer Mundart, welche er in Buchform in drei Bändchen unter dem Titel: "A bisserl was", "Daß d' Zeit vergeht" und "Hausmannskost" veröffentlichte. Er verfaßte auch die Libretti zu den Singspielen "Tannhäuser", "Aus der Vorstadt", "Raub der Sabinerinnen", sowie eine Reihe burlesker Gedichte, die in den "Münchener Fliegenden

„Plättern" erschienen. Sch. gehört dem Richterstande als k. k. Landesgerichtsrath an. VIII., Piaristengasse 17.

Schaden, Karl, Architekt, geb. zu Döbling am 8. Juni 1843, studierte bis 1864 an der technischen Hochschule in Wien, dann bis 1868 an der k. k. Wiener Akademie (Architekturschule unter Van der Müll und Schmidt), hatte in den Jahren 1868—1873 die Bauführung an der Weißgärberkirche (III. Bez.) inne und übernahm u. a. in den Jahren 1872—1876 den Ausbau des Pfarrthurmes in Friedeck. Sch. ist gegenwärtig k. k. Oberingenieur im Ministerium des Innern. Oesterr. decor. G. IV., Große Neugasse 1.

*Schaff, Adalbert, Bildhauer, geb. zu Policka (Böhmen) im Jahre 1866, Schüler Kundmann's. III., Einnengasse.

*Schaeffer, August, Landschaftsmaler, Custos und Directorstellvertreter der Gemälde-Gallerie des allerh. Kaiserhauses in Wien, geb. zu Wien am 30. April 1833, Schüler der k. k. Akademie der bild. Künste in Wien unter J. Steinfeld, bildete sich sodann selbst auf verschiedenen Studienreisen in den österr. und bayer. Hochalpen, in Ungarn, Frankreich, Belgien und Italien und an der Nordsee aus. Im Jahre 1876 hat Sch. mit Pausinger zwölf Orig.-Zeichnungen in Kupferdruck aus dem kaiserl. Thiergarten herausgegeben und im Jahre 1876—1877 im Auftrage des Oberstkämmereramtes Ansichten aus dem kaiserl. Lustschlosse Laxenburg radiert. Im Besitze der Gemälde-Gallerie des allerh. Kaiserhauses befindet sich sein Bild „Auf dem Heimwege von der Weltausstellung" (1874) und in der Gallerie der k. k. Akademie in Wien seine Oelgemälde „Ungarischer Wald" und „Abendstimmung im Eichenwalde". Im Besitze der Kaiserin sind: „Morgenstimmung am Altan-See" (1874), „Der St. Gilg-

nersee" (1874), „Der St. Peterweiher in Salzburg" (1870), im Besitze unseres Kaisers: „Anlandschaft aus der Umgebung von Salzburg" (1880), „Der St. Gilgnersee von Lueg aus gesehen" (1883), „Motiv aus dem alten Prater" (1887) und im naturhistor. Museum zehn Bilder: „Rotomahama", „Georgs-Vulkan auf Santorin", „Solfaterr. auf Java", „Der Riesendamm von Irland", „Das Wyoming-Gebiet", „Der Chimborasso", „Der Fusy-Yama in Japan", „Der Adamspik", „Der Ararat", „Der Kilimandjaro". Sch. ist auch auf graph. Gebiete thätig und Mitarbeiter und Correspondent (kunstliterar. Gebiet) vieler ausl. Zeitungen, sowie Mitglied des Künstler-Comité's bei dem Kronprinzenwerke „Die Oesterr.-Ungar. Monarchie in Wort und Bild". Oesterr. und ausl. decor. G. I., Bellariastraße 6.

*Schäffer, Erich, Publicist, geb. zu Bielitz (Schlesien) im Jahre 1844, ist Herausgeber und Redacteur der „Politischen Correspondenz". Ausl. decor. IX., Währingerstraße 1.

Schalk, Hugo, siehe Czedik Emil.

*Schalk, Josef, geb. zu Wien am 4. März 1857, wirkt als Pianist, Dirigent und Musik-Schriftsteller und ist Lehrer am Wiener Conservatorium. Er schreibt vorzugsweise musikkritische Abhandlungen und verfaßte u. a. auch: „Anton Bruckner und die moderne Musikwelt" (1885). I., Jordangasse 7.

*Schamann, Anton, Musiker, ist als Oboeist Mitglied der k. k. Hofmusikkapelle. Mödling, Enzersdorferstraße 28.

*Schandl, Josef, Architekt, geb. zu Brünn im Jahre 1837, ist gegenwärtig Chef-Architekt der Allg. österr. Bau-Gesellschaft und hat in dieser Eigenschaft für das genannte Institut zahlreiche Bauten aufgeführt und geleitet. III., Rochusgasse 7.

Schantl, Josef Hermann, Musiker, geb. zu Graz am 8. Februar 1842, ist als erster Waldhorn-Solist Mitglied des k. k. Hofopern-Orchesters (seit 1. October 1870), sowie Mitglied der k. k. Hofmusikcapelle und Professor am Conservatorium. Derselbe gründete nach seinem Eintritte in die Hofoper das nach ihm benannte Waldhornquartett. Er ist Componist und schrieb mehrere Waldhorn-Quartette. Im Jahre 1880 errichtete er den I. Wiener Hornistenclub und wurde später berufen, im k. k. Oberstjäger-meister-Amte eine aus Jägern bestehende Jagdmusik zu errichten. Einem gleichen Auftrage kam Sch. auch bei mehreren Cavalieren nach. Ausl. decor. VII., Kaiserstraße 12.

*Scharf, Alexander, Publicist, geb. zu Budapest im Jahre 1834, ist Herausgeber der „Sonn- und Montagszeitung". I., Wipplingerstraße 38.

Scharf, Ludwig, Dr., Schriftsteller, geb. zu Lemberg am 25. März 1844, ist Verfasser der „Studien und Skizzen" (1882), „Literary Impressions" (1882) und anderer, jedoch fachwissenschaftl. Werke. (Siehe „Das geistige Wien", II. Band.) Sch., welcher Mitarbeiter verschiedener Fachzeitungen ist, hat auch einige Romane aus dem Englischen und Italienischen in's Deutsche übersetzt. Sch. ist Oberrealschul-Professor. III., Barmherzigengasse 21.

Scharff, Anton, k. k. Kammer-Medailleur, geb. zu Wien am 10. Juni 1845, studierte an der k. k. Akademie der bild. Künste, bildete sich unter Radnitzky für das Fach der kleinen Plastik, der Medailleurkunst aus, wurde 1862 als Kunsteleve im k. k. Münz-Amte aufgenommen, im Jahre 1868 zum k. k. Münz-Graveur und im Jahre 1881 zum Leiter der Graveur-Akademie des Haupt-Münzamtes ernannt. Sch. hat über 50 Medaillen, Portraits, Reliefs, Münzen selbständig gearbeitet und wurde im Jahre 1886 durch Verleihung der Carl Ludwig-Medaille ausgezeichnet. Oesterr. und ausländ. decor. G. III. K. k. Münze.

*Scharm, Gabriele, Schriftstellerin, geb. zu Mailand am 19. Jänner 1849, schreibt Feuilletons und Uebersetzungen aus dem Englischen und Französischen. I., Rothgasse 11.

*Schaumburg, Gustav, Architekt, geb. zu Wien am 6. December 1836, Schüler der k. k. Akademie der bild. Künste in Wien. III., Hauptstraße 84.

Schauta, siehe Pseud. Moos Friedr.

Scheerenberg, Hanns, siehe Scherer J. K. E.

Scheffel, Reinhold, siehe Neumann Bertha.

Scheffler, Karl, Architekt und k. k. Hofgebände-Inspector, geb. zu Wien am 14. August 1838, Schüler der technischen Hochschule und der Architekturschule in Wien unter den Professoren Siccardsburg und Van der Nüll. Sch. hat größere Kunstreisen durch Deutschland, Italien und Frankreich unternommen und vor seiner kaiserl. Anstellung eine bedeutende Anzahl von Familien- und Zinshäusern, sowie Villen in Wien und dessen Umgebung erbaut. Ausländ. decor. G. K. k. Belvedere (Rennweg 6).

Scheibe, Theobald, siehe Pollak Ignaz.

Scheidlein, Cäsar Edler von, (C. von Chatelain), Schriftsteller, geb. zu Wien am 24. April 1843, veröffentlichte: „Die Tochter des Comödianten" (Roman, 1874), „Die Wiener Volksmuse" (Broschüre, 1880), „Charlotte Wolter", Festblatt zu ihrem 25jährigen Jubiläum (Broschüre) 2c., ist Mitarbeiter des „Jungen Kikeriki" (Feuilleton, Humoreske, Lyrik und Novelle) und Declamationslehrer.

12*

Ausländ. decor. I., Sonnenfels=
gasse 23.

*Scheidlein=Wenrich, Karo=
line Edle von, Schriftstellerin, geb.
zu Hermannstadt am 10. Juli 1824,
schreibt Novellen, lyrische Gedichte,
Feuilletons, sowie Bühnenwerke und
ist auch als Uebersetzerin aus dem
Englischen und Französischen schrift=
stellerisch thätig. I., Sonnenfels=
gasse 23.

Scheiner, Leopold, Dr. (Pseud.
Karl Poll), Schriftsteller, geb. zu
Lemberg am 7. Februar 1847. Von
demselben erschienen Gedichte erzäh=
lenden und lyrischen Inhalts unter
dem Titel: „Spätherbst" (Wien, 1884)
und „Allein" (Stuttgart, 1886).
I., Franzensring 24.

Schels, Anton, Schriftsteller, geb.
zu Wien am 1. Juni 1857, ist externer
Mitarbeiter diverser Wiener Wih=
blätter, sowie der „Flieg. Blätter"
in München, Verfasser von „Ephen=
blätter" (Gedichte) und einer größeren
Anzahl humoristischer Poemata für
verschiedene Journale und Samm=
lungen („Wiener Humor"). Mehrere
seiner lyrischen Arbeiten wurden durch
M. J. Beer, v. Zois, H. Reinhold c.
in Musik gesetzt. Sch. ist Staats=
bahnbeamter, IV., Starhemberg=
gasse 10.

*Schembera, B. K., Publicist,
geb. zu Wien am 6. März
1841, war vom Jahre 1863 – 1871
Redacteur beim „Wanderer", trat
hierauf in den Verband des „Neuen
Wiener Tagblatt", welchem er bis
heute angehört. Als Feuilleton=Re=
dacteur letzteren Blattes hatte er das
Bestreben, jüngere, unbekannte Au=
toren in die Oeffentlichkeit zu bringen
und mancher der heutigen Feuilleto=
nisten danken seiner Förderung ihr
publicistisches Fortkommen. Sch. be=
kleidete in den Jahren 1886 und
1887 das Amt eines Präsidenten
des Journalisten= und Schriftsteller=

Vereines „Concordia" und ist seit
12 Jahren unter dem Pseudonym
Friedrich Petz, unter welchem er auch
kunstkritische Essays c. veröffentlichte,
Herausgeber und Redacteur des bei
Perles erscheinenden „Oesterr. Volks=
Kalender". I., Steyrerhof.

Schenk, Heinrich, siehe Haber=
landt, M.

*Scheuner, Wilhelm, Musiker,
geb zu St. Agath bei Salzburg im
Jahre 1840, ist als Concert=Pianist
künstlerisch thätig und wirkt als
Prof. am Wiener Conservatorium.
VI., Getreidemarkt 1.

Scherb, Friedrich Edler von,
Schriftsteller, geb. zu Wien im Jahre
1830, ist Mitarbeiter der „Humorist.
Blätter", der „Neuen Fliegenden
Blätter" u. des „Wiener Humor". Er
redigirt das „Humoristische Lericon",
war ehemals k. k. Officier, ist Mit=
verfasser der „Militärischen Beschrei=
bung der Herzegowina u Crnagora"
und schrieb verschiedene Novellen und
Feuilletons. IX., Pramergasse 13.

Scherer, Franz Karl Eduard
(Pseudonym Hanns Scheerenberg),
Schriftsteller, geb. zu Lemberg am
16. December 1846, hat 1882 die
„Kleine illustrirte Zeitung" heraus=
gegeben und redigirt, welche er unter
dem Titel „Ost und West" bis Ende
1884 fortführte, gab 1885 das humo=
ristische Blatt „Till Eulenspiegel"
heraus und gründete anläßlich der
Jubiläums = Kunst=Ausstellung die
„Jubiläums=Kunst-Ausstellungs=Zei=
tung". Sch., welcher Mitarbeiter vieler
größerer Zeitschriften des In= und
Auslandes ist, hat außer einigen
wissenschaftlichen Arbeiten auch noch
folgende Bücher veröffentlicht:
„Bilder aus dem serbischen Volks=
und Familienleben", die Novelle
„Verschlungene Wege", das Lustspiel:
„Luftschlösser" (1888). VII., Mechita=
ristengasse 2.

Scherf, Emil, Schriftsteller, geb. zu Wien am 1. Mai 1858, hat sich der Novellistik zugewendet. VI., Corneliusgasse 1.

*Scherpe, Johann, Bildhauer, geb. zu Wien am 18. December 1855, Schüler der k. k. Akademie der bild. Künste in Wien unter Prof. Kundmann, hat u. a. auch die Figuren für das neue k. k. Marine-Ministerium und die Damböck-Statue ausgeführt. Seine Gipsstatue „Sterbender Krieger" befindet sich in dem k. k. Akademie-Gebäude.

*Schickh, Charlotte von (Marguerite Hagen), Schriftstellerin, ist sowohl auf novellistischem, wie feuilletonistischem Gebiete thätig. VIII., Josefsgasse 1.

*Schiedt, Josef, Architekt und k. k. Baurath. K. V., Wehrgasse 22.

Schiel, Adolf, Publicist, geb. zu Wien am 8. April 1841, ist Herausgeber der „Correspondance Politique". VIII., Florianigasse 48.

Schier, Benjamin, Schriftsteller, geb. zu Wien am 2. November 1849, veröffentlichte nebst verschiedenen Texten zu Chören und Tanzstücken: „Der Vereins-Humorist" (gesammelte Humoristica), sowie mehrere Arbeiten in Friese's „Wiener Humor". Von seinen Bühnenwerken wurden wiederholt aufgeführt: „Der Lumpenball" (Posse in vier Acten), „Der Marquis von Rivoli" (Operette in drei Acten, mit Genée), sowie zahlreiche Gelegenheitsschwänke für die Gesellschaftsabende der Musikfreunde, den Wiener Männergesangverein 2c. und die einactige Posse „Die schwarze Kiste" und „Der Schlosserkönig" (Operette mit Ludwig Held). Seine Humoresken trägt Sch. in Vereinen und Akademien selbst vor. IV., Mühlgasse 3.

Schiffer, Therese, Schriftstellerin, geb. zu Jassy am 27. No-

vember 1862. Sie veröffentlichte in der „Oesterreichischen Volkszeitung", deren Mitarbeiterin sie ist, mehrere Romane und Erzählungen. I., Wollzeile 28.

*Schild, Karl, Bildhauer, geb. zu Wien im Jahre 1831, Schüler der Akademie. Von ihm ist u. a. die Büste des Bürgermeisters Dr. Andreas Zelinka (Wiener Stadtpark). VII., Kaiserstraße 31.

Schild, Th. F., Musiker, geb. zu Wien am 26. August 1859. Von demselben sind bis jetzt über 500 Tonstücke (Couplets, Märsche, Tänze 2c.) erschienen. Eine größere Anzahl derselben wurde allgemein bekannt und populär, darunter: „Die Banda kommt", „Frauenlieb", „Dem Weaner sein Schan", „Alter Steffel", „Glatzen-Polka", eine Serie Henrigenlieder 2c. 2c. Sch., dessen Musikstücke in vielen Wiener Singspielhallen — besonders im Orpheum — wiederholt zur Aufführung gelangen, ist Schüler des Chormeisters A. Rotter. VIII., Stolzenthalergasse 19.

*Schindler, Jacob Emil, Maler und Zeichner, geb. zu Wien im Jahre 1842, Schüler der k. k. Akademie der bild. Künste in Wien unter Prof. Alb. Zimmermann, widmete sich mit besonderer Vorliebe Naturdarstellungen und illustrirte u. a. „Das Waldfräulein" von Zedlitz, vierundzwanzig Kohlenzeichnungen. Für sein Bild „Abend" erhielt Sch. im Jahre 1878 die Carl Ludwig-Medaille und für das Oelgemälde „Landschaft an der Donau" 1881 den Reichel-Preis. Sein Oelgemälde „Waldfräuleins Geburt" befindet sich in der Gallerie der k. k. Akademie in Wien. Seine Bilder: „Tafelberg am Cap", „Sonnmarg in Himalaya", „Tempelruinen von Mahamalaipur", „Tempelruinen von Angkor-Wat", „Mansoleum zu Alwar" sind im naturhist. Museum. K. VI., Mariahilferstraße 37. Am

21. März 1889 ist Sch. von Wien nach Dalmatien gereist, um an Ort und Stelle die geeigneten landschaftl. Aufnahmen zu machen, welche dem von Erzherzog Johann für die „Oesterr=ung. Monarchie in Wort und Bild" über Dalmatien zu verfassenden Aufsatz als Illustrationen beigegeben werden.

*Schindler, Johann, Bildhauer, geb. zu Taschendorf (Schlesien) am 15. Mai 1822. **G. VII.,** Kaiserstraße 96.

Schittenhelm, Anton, Sänger, geb. zu Olbersdorf (Oesterr.=Schlesien) am 14. Februar 1849, war, für den Kaufmannstand bestimmt, zwei Jahre in der steiermärkischen Escompte= Bank zu Graz, dann drei Jahre beim Länderbanken=Verein in Wien als Beamter thätig. Sch. wurde durch Director Jauner vom Wiener Männergesangvereine, woselbst er in Concerten als Solist mitwirkte, für die k. k. Hofoper engagirt; er debutirte am 7. Juni 1875 als „Walter von der Vogelweide" in „Tannhäuser" und gehört seit dem Herbst des genannten Jahres dem Verbande dieses Kunst=Institutes ununterbrochen an. **VI.,** Dreihufeisengasse 3.

*Schlaf, Ferdinand, Architekt, geb. zu Wien im Jahre 1839, hat zahlreiche Bauten, darunter viele nach eigenen Plänen, ausgeführt und ist auch ein sehr beschäftigter Baumeister. **G. I.,** Giselastraße 4.

*Schläger, Antonie, recte Lautenschläger, Sängerin, geb. am 4. Mai 1860. Schon frühzeitig machte sich eine starke Neigung zum Theater bei ihr bemerkbar. Capellmeister Brandl wurde auf ihre Stimme aufmerksam, ertheilte ihr Gesangunterricht und in kurzer Zeit wurde Sch. als Choristin an's Carltheater engagirt. Sie fiel dort durch ihre schöne Stimme auf, wurde bald erste Operetten=Sängerin an dieser Bühne und trat nach kurzer Zeit zur Oper über,

debutirte im Jahre 1882 als „Valentine" in „Die Hugenotten" und ist seit dieser Zeit als erste Sopran= und Mezzosopran=Sängerin Mitglied des k. k. Hofoperntheaters. **II.,** Novaragasse 55.

*Schlechta=Wssehrd, Ottokar Freiherr von, Schriftsteller, geb. zu Wien am 20. Juli 1825, erhielt seine Ausbildung an der Orientalischen Akademie, trat dann als Tragoman bei der Internuntiatur in Constantinopel ein, wurde 1860 Legations=Rath, 1870 General=Consul in Bukarest, und wirkt gegenwärtig als k. u. Gesandter und bevollm. Minister, sowie Hof=Dolmetsch für die orientalischen Sprachen. Neben streng wissenschaftlichen Arbeiten, so einer Bearbeitung des Völkerrechtes in türkischer Sprache und vielen Studien zur orientalischen Literatur und Geschichte (siehe „Das geist. Wien", II. Band), veröffentlichte er auch zahlreiche Dichtungen der Perser in metrischer Nachdichtung, so: „Der Frühlingsgarten von Mewlana", „Abduhraman Dschami" (1846), „Der Fruchtgarten von Saadi" (1852), „Ibn Jemin's Bruchstücke" (1852), „Neue Bruchstücke orientalischer Poesie" (1881) u. a. m. Oesterr. und ausländ decor. **I.,** Nibelungengasse 10.

Schleicher, Wilhelm, Schriftsteller, geb. zu St. Pölten am 4. April 1826, ist Chefredacteur der vom Niederösterr. Obstbauvereine herausgegebenen Zeitschrift „Der praktisch= Obstzüchter" und Mitarbeiter der „Wiener landwirthschaftl. Zeitung". Im Druck erschienen: „Rosenhof", „Zwei Brüder" und andere, meist volkswirthschaftliche Erzählungen. Oesterr. decor.

*Schlesak, Franz, Publicist, geb. zu Schönwiese (Schlesien) am 8. Mai 1839, ist als Redactionsmitglied der k. k. „Wiener Zeitung" journalistisch thätig. **I.,** Wollzeile 17.

Schlesinger, Ferdinand, Schriftsteller, geb. zu Budapest am 16. August 1830, war 1848 Lieutenant in der (ung.) Honved-Armee, dann Hauptmann in der Armee S. Annas in Mexico, Oberst in Nicaragua (unter dem Präsidenten Miras und General Jeres, dessen Flügeladjutant er gewesen) und Festungs-Commandant auf der Insel Cardon. Sch. ist Mitbegründer des ersten deutschen Blattes in S. Francisko, des „S. Francisko Journal", Mitarbeiter der „New-Yorker Staatszeitung", wurde nach seiner Uebersiedlung nach Wien, und nachdem er die „Lästerschule" herausgegeben und die „Ill. Plaudereien" gegründet hatte, Eigenthümer der „Bösen Zungen" und ist u. a. Verfasser der Werke: „Die letzten Tage des ungar. Aufstandes" (1850), „Sechs Monate in Bidifo" (1850). Ausl. decor. IX., Grünethorgasse 15.

*Schlesinger, Max, Publicist, geb. zu Wien am 15. Mai 1846, ist Mitredacteur des „Wiener Tagblatt", in welcher Zeitung er alljährlich im Fasching ausführliche Berichte über sämmtliche Wiener Bälle unter „Max" veröffentlicht, sowie Mitarbeiter der „Salonblatt" und mehrerer anderer Tages- und Wochenblätter. IX., Nußdorferstraße 23 (Hotel Union).

*Schlesinger, Sigmund, Schriftsteller, geb. zu Waag-Neustadtl (Ungarn) am 15. Juni 1832, ist seit 1856 publicistisch thätig, trat in diesem Jahre in die Redaction der „Wiener Morgenpost", welcher Zeitung er bis 1863, angehörte, wurde dann Redacteur des „Fremdenblatt" und 1867 Redactionsmitglied des „Neuen Wiener Tagblatt". Sch. ist nicht nur als Feuilletonist literarisch thätig gewesen, sondern erschien auch v'elfach als Dramatiker vor dem Publicum und entfaltete namentlich als solcher sein Talent. Er schrieb unter anderem die Lustspiele „Mit der Feder", „Die

Gustel von Blasewiz", „Nicht schön", „Wenn man nicht tanzt", „Der Graf aus dem Buche", „Mein Sohn", „Der Hausspion", „Am Freitag", „Ein liberaler Candidat", die Schauspiele: „Die Schwestern von Rudolfstadt" und „Das Trauerspiel des Kindes", sowie das Genrebild „Liselotte". Seine gesammelten Feuilletons erschienen unter dem Titel „Wiener Tageblätter". III., Kegelgasse 8.

*Schlesinger, Wilhelm, Dr., geb. zu Preßburg im Jahre 1816, ist praktischer Arzt und als Mitarbeiter (Feuilletonist) der „Neuen Freien Presse" auch schriftstellerisch thätig. Oesterr. und ausl. decor. I., Fleischmarkt 12.

Schlesinger, Samuel, Schriftsteller, geb. zu Wien am 13. Mai 1855, ist gegenwärtig externer Mitarbeiter der „Wiener Allg. Zeitung", seit 1882 Herausgeber und Redacteur der von Sch. gegründeten „Vororte-Correspondenz", betheiligte sich in den Jahren 1875 und 1885 an der Bearbeitung des von seinem Vater Josef Sch. herausgegebenen Werkes „Kataster der Stadt Wien". Unter-Meidling, Theresienbad.

Schlierholz, Gustav, Architekt, geb. zu Wien am 19. Juli 1846, Schüler des Polytechnikum und der Akademie der bild. Künste in Wien, hat, nach längerem Aufenthalt in Paris von dort zurückgekehrt, eine Anzahl von Familien- und Zinshäusern ausgeführt, u. a. das Palais Linzer (Neugasse), das „Bärenhaus" (II., Taborstr.), die Central-Mädchenschule (IX. Bez.) 2c. I., Mölkerbastei 14.

Schließmann, Hanns, Zeichner, geb. zu Mainz am 6. Februar 1852, kam 1857 nach Oesterreich, wurde 1866 Lehrjunge in der xylographischen Anstalt Waldheim, kam 1874 als Zeichner zu Kli's „Humoristische Blätter" u. „Neue Fliegende", später zum „Kikeriki", wurde dann externer Mitarbeiter der „Münchener Fliegenden Blätter" und ist seit 1881 ständiger Zeichner der „Wiener Luft" (Figaro) und dermalen auch noch für verschiedene andere in- und ausl. Blätter („Wiener Illustr. Zeitung". „Ueber Land und Meer", „Leipziger Illustr." thätig. Im Werke „Die österr.-ungar. Monarchie in Wort und Bild" hat Sch., welcher mit Vorliebe Wiener Typen zu Vorwürfen seiner meist humoristischen Zeichnungen nimmt, das Wiener Volksleben dargestellt. **6. I., Predigergasse 5.**

Schlimp, Karl, Architekt, geb. zu Welletiß (Böhmen) am 13. Jänner 1834, war 1856—1857 Assistent am Wiener Polytechnikum, 1858—1868 Ingenieur der Südbahn, 1868—1872 Architekt und Vorstand der Hochbau-Abtheilung der österr. Nordwestbahn u. ist seit 1873 selbständig. Nach den Entwürfen Sch.'s wurden sämmtliche Hochbauten der österr. Nordwestbahn (mit Ausnahme der Aufnahms-Gebäude in Wien und Tetschen) und verschiedene Privatbauten in Wien ausgeführt. **III., Strohgasse 24.**

Schlinkert, Franz, Schriftsteller, geb. zu Mödling am 27. Mai 1858, befaßt sich vorzugsweise mit volks-wirthschaftl. Arbeiten (siehe „Das geistige Wien, II. Band), ist Heraus-geber des „Großen Bauern-Kalen-der mit Bildern" und Mitarbeiter der „Teutschen Zeitung", „Teutsche Worte", „Grader Michel", „Heim-garten" 2c Rudolfsheim, Pareirag. 14.

Schlögel, Ludwig, Musiker, geb. zu Aussig am 6. Mai 1855. Von dem-selben erschienen zahlreiche Compo-sitionen (Arrangements, Tänze und Märsche). Sch. ist Schüler des Prager Conservatoriums, war als Wald-hornist (in der komischen Oper), als Capellmeister im Victoria-Theater in Frankfurt und im Residenz-Theater

in Hannover thätig und ist seit 1879 Militär-Capellmeister (derzeit im k. k. Inf.-Rgmt. Freiherr v. Heß). Oesterr. und ausl. decor. **III., Trann-gasse 1.**

Schlögl, Friedrich, Schrift-steller, geb. zu Wien am 7. December 1821, hatte sich schon im Vormärz als Schriftsteller versucht und schrieb, obwohl im Staatsdienst, in welchen er 1840 eintrat, doch für zahl-reiche Zeitschriften. Sammelwerke, Kalender 2c., Gedichte, Humoresken und Aufsäße bio- und topographischen oder culturhistorischen Inhaltes. Er ist der Gründer der Wochenschrift: „Wiener Luft", welche hauptsächlich Beiträge seiner Feder enthielt. Seine Buchpublicationen, in welchen er mit Vorliebe das Wiener Genre behan-delt und das Wiener Volksleben zu schildern versteht, sind: „Wiener Blut" (1873), „Wiener Luft" (1876), „Alte und neue Historien von Wiener Weinkellern" (1875), „Das kuriose Buch" (1882), „Aus Neu- und Alt-wien" (1882), „Wienerisches" (1883), „Vom Wiener Volkstheater" (1884), „Ferdinand Sauter" (1882), „Wien" (Illustrirte Städtebilder, 1887), „Führer von und durch Wien" 2c. Sch. schrieb in früheren Jahren auch vielfach für den „Figaro", „Wanderer", das „Neue Wiener Tagblatt" und ist noch gegenwärtig Mitarbeiter der „Teutschen Zeitung" und Rosegger's „Heimgarten". Seit 1870 lebt der-selbe als k. k. Militär-Rechnungs-beamter i. P. gänzlich der Schrift-stellerei. **VI., Gumpendorferstr. 10.**

Schloißnigg, Karl Ritter v., Publicist, geb. zu Wien am 9. Jänner 1829. Nach Absolvirung der juridischen Studien trat er 1848 in die öster-reichische Armee, nach dem Frieden von Villafranca in die päpstliche Armee und nach der Schlacht von Castelfidar in neapolitanische Dienste. Nach seiner Rückkehr aus der Kriegsgefangenschaft in Genua und Alessandria widmete er sich (1864) der Journalistik, war Mitarbeiter der "Glocke", des "Publicist", der "Gegenwart", trat 1866 in die Redaction der (Gemeinde=Zeitung" und ist seit 1874 Redacteur des "Neuigkeits=Weltblattes" (Fachreferat: Nationalökonomischer, handelspolitischer und finanzieller Theil, sowie Sport). Oesterr. und ausl. decor. VII., Westbahnstraße 33.

Schlosser, Julius Ritter v., Dr., Schriftsteller, geb. zu Wien am 23. September 1866, veröffentlichte "Moderne Märchen" (Leipzig, 1887) und ist Mitarbeiter verschiedener Zeitschriften. VIII., Florianigasse 48.

Schmal, Adolf, Schriftsteller, geb. in Rhei preußen im Jahre 1844, ist Redacteur des "Neuen Wiener Tagblatt", veröffentlichte Märchen und Gedichte, sowie das Schauspiel in 3 Acten "Die Erstürmung Schwabach's". IX., Pramergasse 10.

*** Schmid,** Ernst, Musiker, geb. zu Geras (Niederösterreich) am 4. Jänner 1835, widmete sich frühzeitig dem musikalischen Lehrfache und ist gegenwärtig an einer städt. Mädchen=Volksschule als Oberlehrer thätig. Als Componist schuf er eine große Anzahl Lieder (u. a. ein= bis vierstimmige Schullieder für Volks= und Mittelschulen, Kindergartenlieder, sowie Koselieder für Kinder des zartesten Alters), Männer= und gemischte Chöre und eine deutsche Messe. Sch. ist Chormeister des Schubertbundes und auch schriftstellerisch thätig. IX., Hahngasse 35

*** Schmid,** Julius, Maler, geb. zu Wien am 3. Februar 1854, Schüler der k. k. Akademie in Wien, hat u. a. vier Deckengemälde für die restaurirte Schottenkirche (in Ovalen: "Die Geburt Christi", "Die Grablegung", "Die Auferstehung" und der "Heil. Bene-

diens" ausgeführt. Sch. ist Assistent an der Wiener Akademie. G. IV., Heugasse 52.

*** Schmidgruber,** Anton, Bildhauer, geb. zu Wien am 26. März 1837, Schüler der k. k. Akademie der bild. Künste in Wien unter Prof. Bauer, begründete seinen Ruf mit dem preisgekrönten Entwurf zu einem (nicht ausgeführten) Denkmal für die in Schleswig=Holstein gefallenen österreichischen Krieger, vollendete das Hilfsmodell in 2 Jahren im Atelier des Prof. Hähnel in Dresden u. kehrte im Jahre 1866 nach Wien zurück. Ein Staatsstipendium ermöglichte ihm 1868 den Aufenthalt in Rom, von wo zurückgekehrt, er die Ausführung der 4 Propheten (Portale der Votivkirche in Wien) übernahm. Seit dieser Zeit hat Sch. eine große Anzahl von Figuren, Statuen, Portraitbüsten u. dgl. ausgeführt Von seinen vielen Arbeiten besitzen locales Interesse: "Die Wiener Freiwilligen 1809 und 1848", 2 Figuren an der Außenseite des neuen Wiener Rathhauses, "Albrecht Dürer=Standbild" (Wiener Künstlerhaus), die Colossalfiguren "Handel" und "Gewerbe" (Westportale der Rotunde im Prater), die Figuren "Klio", "Mnemosyne", "Apollo" und "Heleta" (k. k. Universitätsgebäude), 2 geflügelte Wappenhalter (Façade des Hofburgtheaters), die Statue "Albrecht Dürer" (Façade des kunsthistor. Museums). G. III., Seidlgasse 21.

*** Schmidt,** A von, ist Mitarbeiter ausländ. Zeitungen. I., Mölkerbastei 12.

*** Schmidt,** Adolf (Schmidt= Dolf), Musiker, geb. zu Breitenfurt (Nied=österreich) am 23. April 1845, Schüler des A. Thuma, F. A. Bacher (Clavierspiel), Friedrich Schmidt (Gesang), F. Sechter und A. Bruckner (Theorie), wurde 1867 Musikdirector im Collegium zu Kalksburg, später Chormeister und Diri= gent mehrerer Singvereine, wirkt seit 1879 als Leiter der Horak'schen Clavierschulen und gründete 1886 den Wiener Damen=Gesangverein. Er componirte Männer=, Frauen= und gemischte Chöre, sowie einstimmige Lieder; einige seiner Tonwerke wurden allgemein bekannt. IV., Dannhanser= gasse 9.

Schmidt, Amelie Charlotte, Schriftstellerin, geb. zu Wien am 31. December 1861, hat verschiedene Gedichte lyrischen Charakters und einige Novellen in Zeitschriften ver= öffentlicht. Währing, Gürtelstraße 61.

*Schmidt, Friedrich Freiherr von, Architekt, geb. zu Frickenhofen (Württemberg) am 22. October 1825, studirte an der Polytechnischen Schule in Stuttgart unter Mauch und Breymann und erlernte sodann die Steinmetzkunst, wandte sich, um die Gothik praktisch zu studiren, 1843 nach Köln (an Zwirner), wo er als Steinmetzgeselle eintrat, wurde 1848 Steinmetzmeister, 1856 Stadt= baumeister in Berlin, erbaute nun eine große Anzahl Kirchen, erhielt 1857 von Wien aus einen Ruf an die Mailänder=Akademie und wurde 1859 Professor der Architektur an der Wiener Akademie. Zu seinen be= deutendsten Bauten zählen: Die La= zaristen=Kirche (Wien), die Pfarr= kirche zu Fünfhaus, ist goth. Kirche (Graz), der Dom (Fünfkirchen), das Rathhaus (Wien), das akadem. Gym= nasium (Wien), das Administrations= Gebäude der österr.=ung. Bank (Wien), das kais. Stiftungshaus (Sühnhaus) u. v. a. Sch., welchen die Neuzeit zu den hervorragendsten Vertretern der Gothik zählt, ist auch Dombau= meister zu St. Stefan (seit 1862), dessen Thurm er 1864 vollendete, k. k. Ober=Baurath, Ehrenmitglied der Genossenschaft der bildenden Künstler in Wien, deren Vorstand er längere

Zeit gewesen, Ehrenbürger von Wien rc. rc. Anläßlich der Vollendung des Sühnhauses wurde Sch. in den österr. Freiherrnstand erhoben Sch. ist auch Mitglied des Redactions= Comités (für Architektur) bei dem Werke weiland unseres Kronprinzen „Die österr.=ungar. Monarchie in Wort u. Bild". Oesterr. und ausländ. decor. I., Schottenring 7.

*Schmidt, Karl, Architekt, geb. in Ungarn am 30. Juli 1824, baute u. a. mehrere Ringstraßenpalais und Villen in der Umgebung Wiens. Er ist Professor der k. k. Staats= Gewerbeschule. IV., Hauptstraße 22.

*Schmidt, Leopold, Kupfer= stecher, geb. zu Prag am 16. November 1824, Schüler der k. k. Akademie der bild. Künste in Wien. Von seiner bedeutenden Stichen seien hier erwähnt: „Bretislav I. Einzug in Prag" (nach Ruben), das Blatt zur „Säcular= feier der Geburt Mozart's" (nach Geiger) und „Jupiter und Io" (nach Correggio). 6. III., Löwengasse 28.

Schmidt, Victor Christian, Sänger, geb. zu Frankfurt a. M. am 25. November 1844, betrat 1865 als „Gomez" im „Nachtlager v. Granada" im Freiburger Stadttheater (Baden) die Bühne, sang den „David" in der ersten „Meistersinger"=Aufführung am Hoftheater in Dessau (1869) und die gleiche Partie ebenfalls bei der ersten Aufführung der „Meistersinger" im Stadttheater in Hamburg (1871). Im k. k. Hofopernheater debutirte er als „Jonas" im „Profet" im August 1875 und ist seit dieser Zeit Mitglied unserer Hofbühne. IV., Hengasie 54.

Schmidt=Dolf, siehe Schmidt Dolf.

*Schmiedell, F. W., Schriftsteller, geb. in Mecklenburg=Schwerin im Jahre 1857, diente als Officier in der k. k. Armee, quittirte jedoch 1888 den Dienst, um sich gänzlich der Schrift=

stellerei widmen zu können. Er ist Mit=
arbeiter verschiedener Zeitschriften u.
Verfasser mehrerer Bühnenwerke, dar=
unter des Libretto zu der Operette
„Bureau Malicorne" (Musik von
H. Berté). I., Bellariastraße 10.

*Schmitt, Hanns, Musiker, geb.
zu Roken (Böhmen) am 14. Jänner
1835, Schüler des Prager Conser=
vatoriums und des Professor J. Dachs,
wurde 1851 Oboist am Operntheater
in Bukarest, 1876 Mitglied des
k. k. Hofburgtheater=Orchesters und
1867 der Hofcapelle; er ist als Lehrer
(Professor des Wr. Conservatoriums),
Componist (er schrieb Lieder, Concert=
und Clavierstücke und die vieractige
Oper „Bruna"), und als Musikschrift=
steller (mehrere Clavierunterrichts=
werke) thätig. I., Löwelstraße 12.

*Schnabl, Karl, Dr., Schrift=
steller, Redacteur des „St. Leopolds=
blatt", Organ des christlich=religiösen
Kunstvereines in Niederösterreich, ist
k. k. Hofcaplan und Vicar der Hof=
und Burgpfarre. K. k. Hofburg.

Schneeberger, Franz Julius
(Pseudonym Arthur Storch), Schrift=
steller, geb. zu Wien am 7. Septem=
ber 1827, ist der Regenerator der
Freimaurerei in Oesterreich=Ungarn
in der Form eines nicht politischen
Vereines (in Oesterreich) und von
gesetzlich anerkannten Logen (in
Ungarn). Sch. ist Verfasser vieler
Romane („Banditen im Frack", „Frei=
maurer und Jesuit", „Die Geheim=
nisse der Wiener Hofburg", „Die
Katakomben von Wien", „Die Welt
in Waffen", „Mexico, oder Republik
und Kaiserreich", „Der Arbeiterkönig"
2c. 2c., der Theaterstücke „Schwester
Therese", „Ein verkanntes Genie",
„Geheime Verdienste", „Himmel und
Hölle" (nur in Ungarn aufgeführt,
in Oesterreich verboten), ist in seiner
Eigenschaft als Telegraphen=Inge=
nieur Mitarbeiter div. Fachblätter
und seit 1880 Herausgeber und Re=

bacteur der „Deutsch=italien. Corre=
spondenz". Ober=Döbling, Marien=
gasse 19.

Schneider, José, Baronin,
Schriftstellerin, geb. zu Wien, ist Stifts=
dame, veröffentlicht Feuille'ons, No=
vellen und Gedichte in verschiedenen
in= und ausländischen Zeitungen.
I., Mansedergasse 6.

Schnitzer, Ignaz, Schriftsteller,
geb. zu Budapest im Jahre 1839,
war seinerzeit Redacteur der „Debatte"
in Wien und Mitarbeiter des „Pester
Lloyd", gründete 1869 das „Neue
Pester Journal", dessen Chefredacteur
er bis 1880 blieb. In diesem Jahre
übersiedelte er nach Wien und war
noch weitere fünf Jahre Wiener
Wochen=Feuilletonist des genannten
Blattes. Von ihm erschienen in freier
Bearbeitung aus dem Ungarischen
die Bühnenwerke „Der Prätendent"
(Drama), „Rauschgold" (Lustspiel),
„Der Goldmensch" (Schauspiel), sowie
„Held Palffy" und das ungarische
Volksmärchen „Held Janos". Sch.
ist Verfasser der Libretti von „Der
Zigeunerbaron" (Musik von Johann
Strauß), „Die Königsbraut" (Musik
von Robert Fuchs), „Muzzedin" (Mu=
sik von S. Bachrich) u. v. a. I., Kant=
gasse 3.

Schnitzer, Manuel, Schrif=
steller, geb. zu Andrychau (Galizien)
am 14. Februar 1861, ist Redacteur
der „Wiener Mode" und veröffentlicht
in den verschiedenen Zeitschriften
humoristische Erzählungen. VII.
Lerchenfelderstraße 31.

Schnürer, Franz, Dr., Schrift=
steller, geb. zu Wien am 10. Februar
1859, ist Verfasser von „Die Wirths=
tochter von Abjan", „Franz Lorenz"
und mehrer wissenschaftlicher, zu=
meist topographischer Werke. (Siehe
„Das geistige Wien, II. Band.) Er
ist Mitarbeiter der „Presse", einiger
Fachzeitschriften und als Scriptor
bei der Allerhöchsten Privat= und

Familien=Bibliothek Sr. Majestät thätig. III., Uchatiusgasse 3.

Schödl, Max, Maler, geb. zu Wien am 2. Februar 1834, Schüler der k. k. Wiener Akademie und Friedrich Friedländer's, besuchte später Paris, London und Italien, widmete sich anfänglich dem Genre, malt jetzt fast ausschließlich „Stillleben" (darunter besonders orientalische Stoffe, Gefäße, Antiquitäten), deren eine bedeutende Anzahl sich in englischem, russischem und amerikanischem Privatbesitz befinden. G. I., Kohlmarkt 10.

*****Schöfmann,** Karl, Musiker, geb. zu Gmunden am 6. Februar 1855, ist Mitglied des k. k. Hofopern=Orchesters (Clarinette) und seit 1. Februar 1882 im Engagement genannten Kunstinstitutes. Währing, Hauptstraße 17.

*****Scholz,** Johanna, Malerin, geb. zu Lemberg im Jahre 1848, Schülerin Schaeffer's, wirkt hauptsächlich als Copistin. III., Marokkanergasse 5.

*****Scholz,** Josef, Dr., Maler, geb. zu Wagstadt (Schlesien) im Jahre 1845, malt hauptsächlich Früchte und Stillleben und ist auch Gemeinderath der Stadt Wien. IV., Waaggasse 1.

Schön, Karl, Musiker, geb. zu Bielitz (Schlesien) am 24. October 1855, Schüler Hanslick's und Nettelbohm's. Derselbe ist nicht nur als Liedercomponist künstlerisch thätig, sondern wirkt auch als Musiklehrer, Operncorrepetitor und Musikschriftsteller; in letzterer Eigenschaft ist er Mitarbeiter der „Lyra" (für Concert und Oper), und „Musikalische Rundschau" (für musikalische Novitäten). III., Parkgasse 20.

Schön, Lorenz, Maler, geb. zu Budapest am 10. September 1847, Schüler der Professoren Steinfeld,

Mesmer und Ender an der Wiener Akademie, hat 15 Jahre hindurch eine eigene große Zeichenschule geleitet, war dann k. k. Realschulprofessor und lebt dermalen in Pension. Sch. hat viele Landschaften gemalt und radiert. G. II., Franzensbrückengasse 11.

*****Schönberger,** Benno, Musiker, geboren zu Wien, ist Schüler des Wiener Conservatoriums und als Concertpianist seit einer Reihe von Jahren in Wien und London, woselbst er auch das Lehramt ausübte, thätig. Er unternahm wiederholt Kunstreisen und concertirte in den größten Städten Deutschlands und Oesterreichs. IX., Roßauergasse 4.

*****Schönbrunner,** Ignaz, Decorations=Maler und Zeichner, geb. zu Wien am 1. Mai 1835. Ausländ. recor. G. VI., Mollergergasse 1.

Schönbrunner, Josef, Zeichner, geb. zu Wien am 14. Februar 1831, besuchte 1845—1849 die Wiener Akademie unter Führich, ward 1863 im Kupferstich=Cabinete des Erzherzogs Albrecht angestellt, woselbst er im Jahre 1884 zum Inspector ernannt wurde. Sch. hat eine größere Anzahl Kunstreisen unternommen und sich der Kritik zufolge durch seine trefflichen Zeichnungen nach alten Meistern (z. B. „Dreifaltigkeit nach Dürer") hervorgethan. I., Hofgartengasse 1.

Schoene, Hermann, Schauspieler, geb. zu Dresden am 24. October 1836, trat zum ersten Male im Reißwitzer Sommertheater bei Dresden am 17. Mai 1853 auf, spielte anfänglich Naturburschen und jugendliche Liebhaber, wirkte auch als Opernsänger, gieng später (1859) in das komische Fach über, war an den Bühnen in Chemnitz, Erfurt, Rostock, Bremen und Mainz im Engagement, ist seit 14. Mai 1863 am Hofburgtheater und erhielt im September 1868 das Decret als k. k. Hofschau=

spieler. Oesterr. decor. VII., Burggasse 24.

Schönerer, Georg (bis zum
5. Mai 1888 Georg Ritter von
Schönerer), geb. zu Wien am
17. Juli 1842, studierte an landwirth-
schaftlichen Akademien. Im Jahre
1873 wurde Sch. für den Landge-
meindebezirk Zwettl-Waidhofen a. d.
Thaya in den österr. Reichsrath als
Abgeordneter gewählt. Er ist Be-
gründer und Führer der Deutsch-
nationalen (antisemitischen) Partei in
Oesterreich, begründete 1883 die Halbmonatschrift „Unverfälschte deutsche
Worte" und ließ eine große Anzahl
Reden über nationale u. sociale Fragen
im Druck erscheinen. Nebst seiner politischen Thätigkeit im Parlamente ist
auch seine nationale Wirksamkeit auf
zahlreichen Wanderversammlungen in
den einzelnen Kronländern zu erwähnen. Sch. lebt theils auf seinem
Schlosse Rosenau bei Zwettl, theils
in Wien. I., Bellariastraße 6.

Schönfeld, Louise, Schauspielerin, debütirte als Hannchen in
„Wollmarkt" von Clauren am Carls-
ruher Hoftheater (2. Februar 1843),
war dortselbst, sowie am Wiener
Stadttheater in Engagement und ist
seit 1. September 1880 im Verbande
des k. k. Hofburgtheaters. Ausl. decor.
Währing, Sternwartestraße 36.

*Schönn, Alois, Maler, geb.
zu Wien am 10. März 1826, studierte
an der k. k. Akademie der bild.
Künste in Wien, woselbst er unter
Führich und Leander Ruß seine Ausbildung erhielt, machte 1848 mit den
Tiroler Schützen den ital. Feldzug
mit, schloß sich sodann dem kaiserl.
Feldlager in Ungarn an und hielt
sich 1850—1851 in Paris auf, bereiste vom Jahre 1852 ab Oesterreich, Italien und den Orient. Für
se'n Bild „Römische Winzer" erhielt
Sch. 1882 die Carl Ludwig-Medaille.
Sein Bild „An der genuesischen

Küste" (1872) befindet sich im Besitze der Gemälde-Gallerie des allerh.
Kaiserhauses, seine Oelgemälde „Türkischer Bazar" und „Markt in Krakau"
sind in der Gallerie der k. k.
Akademie in Wien. Seine Bilder:
„Braunkohlentagbau bei Dux", „Dai-
bus von Kowakura", „Rigistan-
Moschee", „Austral-Neger-Lager",
„Moordorf", „Markt in Tunis" sind
im naturhistor. Museum. Sch. ist
k. k. Professor. Oesterr. und ausländ.
decor. G. I., Schottenring 30.

Schönthaler, Franz, Bildhauer, geb. zu Neusiedel (Niederösterreich) im Jahre 1821, betheiligte
sich an der decorativen Ausschmückung
verschiedener öffentlicher und privater
Gebäude (Arsenal, alte Börse, Opernhaus, K.-F.-Nordbahngebäude, Stefansdom, Liechtenstein-Palais, Wiener
Stadttheater ꝛc.), der Kaiser-Apparte-
ments im neuen Hofburgtheater, des
kais. Jagdschlosses in Lainz ꝛc., ist k. k.
Hofbildhauer und österr. und ausl.
decor. G. II., Aloisgasse 39.

Schönwald, Alfred, Schriftsteller, geb. zu Budapest am 16. April
1835, verfaßte u. a. das Drama
„Maria Antoinette" und das Lustspiel „Ein alter Diplomat" (letzteres
im Wiener Stadttheater aufgeführt),
ist Herausgeber des Prachtwerkes
„Oesterreichs Kaiserhaus" und Chefredacteur von „Wertheimer's Wiener
Geschäfts-Bericht". III., Ungergasse 1.

Schönwald, Karl, Publicist,
geb. zu Pest im Jahre 1826, ist
Herausgeber und Chefredacteur des
„Wiener Punsch" und „Punsch-
kalender". II., Tempelgasse 7.

Schönweiler, Karl, Publicist, geb. zu Wien am 26. April
1846, ist Redacteur der „Niederösterreichischen Gemeinde-Revue" und
Mitarbeiter verschiedener gewerblicher
Fachblätter des In- und Auslandes.
Fachreferat: Innere Politik, Ge-

meinde = Verwaltung und Gewerks=
wesen. VII., Myrthengasse 2.

*Schörk, Hanns, Bildhauer, geb.
zu Wien am 6. December 1849,
Schüler der k. k. Akademie der bild.
Künste in Wien, hat u. a. die im
Eigenthume der„Neuen Freien Presse“
befindliche Portrait=Büste des Schrift=
stellers Johannes Nordmann in
Marmor ausgeführt. Währing, The=
resiengasse 53.

Schram, Alois Hanns, Maler,
geb. zu Wien am 20. August 1864,
Schüler der k. k. Akademie der bild.
Künste in Wien unter den Prof.
Makart und Trenkwald, bereiste
Italien, Deutschland, Belgien und
Holland, woselbst er die Anregung
zu vielen seiner Arbeiten erhielt.
Sch. malt Historien= und Genrebilder,
sowie Portraits, und erhielt für sein
Bild: „Kaiser Max wird sein Erst=
geborenes entgegengebracht“, den
Rom=Preis. Im Vereine mit L. Burger
hat Sch. u. a. die decorative Aus=
schmückung des Palais Fränkel (IV.,
Wohllebengasse) besorgt. VI., Theater=
gasse 2.

Schram, Karl, Schriftsteller,
geb. zu Randnitz (Böhmen) am
12. Juni 1828. Von demselben er=
schienen im Buchhandel: „Der Ad=
ministrator“ (1851), „Bilder aus dem
Volksleben“ (1856), „Aus dem Elb=
thal“ (1856), „Verrufen“ (1860),
„Das gestohlene Lied“ (1864),
„Kampf um den Namen“ (1872).
Sch. hat viele Jahre hindurch Ro=
mane im „Neuen Wiener Tagblatt“
veröffentlicht, ist jetzt Mitarbeiter des
„Wiener Tagblatt“ und verschiedener
anderer Zeitschriften, in welchen seine
Romane und Erzählungen zum Ab=
drucke gelangen. IV., Trappelgasse 8.

*Schrammel, Johann, Musiker,
geb. zu Neulerchenfeld am 22. Mai
1855, Schüler des Conservatoriums
unter Josef Hellmesberger, ist so=
wohl als Primarius des nach ihm

benannten beliebten Tanzmusik=Quar=
tetts, sowie als Componist echter
Wiener Weisen thätig, von denen
einige allgemein bekannt und populär
wurden (u. a. „Wien bleibt Wien“,
Marsch, „’s Herz von an echten
Weana“, Walzer und Lied). Hernals,
Herrengasse 8.

*Schrammel, Josef, Musiker,
geb. zu Ottakring am 3. März 1852,
ebenfalls Schüler des Wiener Con=
servatoriums, Componist und in
gleicher Weise wie sein Bruder Jo=
hann thätig. Hernals, Sterngasse 13.

Schratt, Katharina, Schau=
spielerin, geb. zu Baden bei Wien
1857, Schülerin von Alexander Stra=
kosch, spielte einige Zeit in der Kirsch=
ner'schen Theater=Akademie; ihr erstes
Engagement war am Berliner Hof=
theater, wo sie als „Gustel von
Blasewitz“ debütirte; nach kurzem
Engagement (nach einem Jahre) trat
sie am Wiener Stadttheater als
„Käthchen von Heilbronn“ auf, und
wurde sofort von Laube für seine
Bühne gewonnen. Sie verblieb am
Wiener Stadttheater bis Laube sich
von der Direction zurückzog, gastirte
dann in den verschiedensten Städten
von Europa und Amerika und trat
1883 in den Verband des k. k. Hof=
burgtheaters. I., Nibelungengasse 10.

*Schreiber, Rudolf, Musiker,
geb. zu Wiener=Neustadt am 6. Sep=
tember 1862, Schüler von A. M.
Storch. Er componirte eine große
Anzahl Chorwerke, viele Clavier=
stücke ernsten und heiteren Genres
(Romanzen, Walzer, Polka française,
Polka Majur’s 2c.), im Ganzen mehr
als 120 Werke. Sch. ist auch Musik=
referent der „Lyra“. III., Nasimofstu=
gasse 14.

Schreiner, Jacob, Schauspieler,
geb. zu Gannersdorf (Niederöster=
reich) am 14. Juni 1854, trat zuerst
in „Lustspiel auf Reisen“ am Wiener
Carltheater auf (1. September 1872),

war dortselbst, sowie am k. Hoftheater in München im Engagement und ist seit 1. Juli 1878 im Hofburgtheater thätig. Sch. wurde am 16. November 1883 zum k. k. Hofburgschauspieler ernannt. IX., Ferstelgasse 3.

Schreyer, Hanns, Schriftsteller, geb. zu Wien am 19. April 1837, Redacteur und Herausgeber des „Aristokraten-Almanach". Sch. ist bei verschiedenen Zeitschriften des In- und Auslandes schriftstellerisch thätig, veröffentlichte Feuilletons und Novellen, und die Romane: „Die Verschwörer auf dem Throne" und „Geheimnisse von Neu-Wien". Ausländ. decor. V., Margarethenplatz 2.

*****Schrödel,** Leopold, Bildhauer, hat sich u. a. auch an der sculpturellen Ausschmückung des naturhist. Museums „Theophrastes Eresios" an der Balustrade) betheiligt. X., Columbusgasse 5.

*****Schrödl,** Anton, Maler, geb. zu Schwechat bei Wien im Jahre 1823, Schüler der k. k. Akademie der bildenden Künste in Wien, malte zuweilen Still ben, hat sich jedoch vornehmlich als Thiermaler (insbesondere in der Darstellung von Kleinviehheerden, Schafställen) hervorgethan. Seine Bilder „Ochs n im Stall" und „Schafe" befinden sich in der Gemälde-Gallerie des allerh. Kaiserhauses. G. II., Kaiser Josefstraße 20.

*****Schrödter,** Fritz Ernst Richard, Sänger, geb. zu Leipzig am 15. März 1855, sollte sich dem Studium der classischen Baumalerei widmen, besuchte zu diesem Zwecke die Akademie in Düsseldorf, welche er jedoch bald verließ und durch einen Zufall in die Chorschule des Cölner Stadttheaters kam, woselbst er im Gesange ausgebildet wurde, und sich bald hierauf der Bühne zuwendete. Er gastirte als jugendlicher Liebhaber, Tenorist und Komiker an den verschiedensten Bühnen Deutschlands,

kam an das Friedrich Wilhelmstädtertheater in Berlin und wurde von dort auf Anregung von Johann Strauß zuerst als Operettensänger nach Budapest und von da an das Theater an der Wien engagirt, war 1876—1877 am Ringtheater und 1877—1885 als erster Operettensänger, jugendlicher Komiker und Naturbursche am Prager Landestheater in Engagement. Von dort wurde er im Jahre 1886 als lyrischer und Spieltenor an die Hofoper berufen. Sch. ist auch Mitglied der k. k. Hofcapelle. IV., Hengasse 18.

Schroer, Karl Julius, Dr., Schriftsteller, geb. zu Preßburg am 11. Jänner 1825, war 1848—1849 Supplent seines Vaters, des bekannten Schulmannes und Dichters Tobias Gottfried Sch. am „Licenm" in Preßburg, später Professor in Pest, 1852 in gleicher Eigenschaft in Preßburg und 1862—1872 Director der evangelischen Schulen in Wien; er ist Redacteur und Herausgeber der „Chronik des Wiener Goethe-Vereines" und Mitarbeiter der „Neuen Freien Presse", „Deutschen Zeitung", „Presse", „Westermann's Monatshefte" rc. Sch., welcher u. a. einen Band Gedichte (1862), das Epos „Alphart's Tod" (1874) veröffentlichte, ist auch Autor der „Geschichte der deutschen Literatur" (1853) und vieler anderer sprachwissenschaftlicher oder dieser Disciplin verwandter Werke. (Siehe „Das geistige Wien", II. Band.) Sch. ist k. k. Professor an der technischen Hochschule in Wien. Ausländ. decor. III., Salesianergasse 3.

*****Schubert,** Ferdinand, Musiker, geb. zu Krems am 8. November 1855, ist Mitglied der k. k. Hof-Musikcapelle, Professor am Conservatorium und seit 15. August 1879 im Verbande des k. k. Hofopern-Orchesters (Posaune). VI., Hofmühlgasse 1.

*Schuch, Franz Xaver, Publicist, geb. zu Wien am 8. Juni 1831, Herausgeber des „Volksblatt für Stadt und Land" und des „Pilger". Ausl. decor. III., Marrergasse 18.

Schuldes, Julius, Schriftsteller, geb. zu Hettau (Nordböhmen) am 2. März 1849, war von 1875—1883 Redacteur der „Tetschen-Bodenbacher Zeitung" und Mitarbeiter mehrerer inländischer Zeitschriften. Im Drucke erschienen: „Die böhmische Schweiz" (1879), „Nordböhmische Volkssagen" (1881) und episch-lyrische Gedichte: „Iduna" (1883). Sch. ist k. k. Postofficial. Währing, Johannesgasse 2.

Schultheiß, Ernst, Publicist, geb. zu Biberach (Württemberg) im Jahre 1842, ist Redacteur der „Deutschen Zeitung" (Fachreferat: localer und communaler Theil) und Correspondent mehrerer Provinzblätter. II., Aloisgasse 6.

*Schultner, Adolf Ritter von, Musiker, geb. zu Wien am 30. November 1838, ist als Concertsänger und Gesanglehrer thätig. IX., Schwarzspanierstraße 3.

*Schulz, Franz, Architekt, geb. zu Wien am 12. Juli 1833, ist Schüler der k. k. Akademie der bild. Künste, Gemeinderath der Stadt Wien. Oesterr. decor. G. I., Opernring 23.

Schumann, Karl, Architekt, geb. zu Eßlingen (Württemberg) am 5. December 1827, war von 1850 bis 1855 im Atelier von Förster und und Hansen, von 1855—1869 Chef der Architektur-Abtheilung der österr. ungar. Staatseisenbahn-Gesellschaft und ist seit dem Jahre 1869 Baudirector und Verwaltungsrath der Wiener Bau-Gesellschaft. Sch. hat gegen 120 Wohnhäuser in Wien und dessen Umgebung aufgeführt und ist k. k. Baurath. G. IV., Taubstummengasse 6.

*Schuster-Hilary, Adele, verehelichte Glintiewicz, Blumenmalerin, geb. zu Wien am 29. September 1845, Schülerin ihres Vaters Josef Schuster. I., Elisabethstraße 13.

*Schuster, Heinrich Maria, Dr., geb. zu Tabor im Jahre 1847, wirkt als Pianist und Musikschriftsteller. Ueber seine Thätigkeit als Universitäts-Professor für deutsches Recht, bezw. über seine fachwissenschaftlichen Schriften siehe „Das geistige Wien", II. Band. IX., Lackirergasse 4.

*Schuster, Josef, Stillleben- und Blumenmaler, hat sich als letzterer besonders die uncultivirte Alpenflora zum Gegenstand seiner Darstellungen erwählt. G. IV., Theresianumgasse 6.

Schuster, Robert von Bärnrode, Maler, geb. zu Podgórze (Galizien) am 28. März 1845, erhielt seine fachliche Ausbildung an der Wiener Akademie unter v. Engerth, unternahm einige Kunstreisen nach Italien, welchen er eine reiche Ausbeute an Skizzen verdankt. Sch. arbeitet vornehmlich im Genre. G. IV., Weyringergasse 15.

*Schuster-Seydel, Theresine, geb. im Jahre 1854, ist als Violin-Virtuosin künstlerisch thätig. Unter-Döbling, Langegasse.

Schütt, Eduard, Musiker, geb. 31 St. Petersburg am 20 October 1856, Schüler des Petersburger Conservatoriums, von Richter und Jadasohn in Leipzig und von Leschetizky. Er unternahm mehrere Concertreisen in Deutschland und Rußland und war 1885—1887 Dirigent des akademischen Wagner-Vereines. Sch. bethätigte sich auch als Componist und schrieb ein Clavierconcert, Clavier-Violinsonate, Gesänge, Lieder, Clavierstücke verschiedenen Inhaltes, welche Tonwerke sämmtlich im Druck erschienen.

und größtentheils wiederholt zur Aufführung gelangten.

*Schütz, Friedrich, Schriftsteller, geb. zu Prag am 25. April 1845, war früher in seiner Vaterstadt publicistisch thätig und ist gegenwärtig Redacteur (innere Politik) bei der "Neuen Freien Presse". Er ist Verfasser der Bühnenwerke: "Gegenseitig" (Lustspiel, 1868), "Täuschung auf Täuschung" (Schauspiel, 1869), "Kabale" (Schauspiel, 1870), "Systematisch" (Lustspiel, 1870), "Zu alt" (Lustspiel, 1871), "§ 92" (Lustspiel, 1871), "Von der Redoute" (Lustspiel, 1872), "Wilhelm der Eroberer" (Lustspiel, 1877), "Alte Mädchen" u. v. a., die wiederholt an ersten Bühnen zur Aufführung gelangten. Sch. ist mit der früheren Hofopernsängerin Bertha v. Dillner vermält. Währing, Frankgasse 16.

Schütz, J. F., siehe Jveié F.

*Schütz, Marie, Schauspielerin, geb. am 10. Juni 1865, debutirte im October 1886 im Josefstädtertheater (in "Stabstrompeter") und ist seit dieser Zeit Mitglied der genannten Bühne.

*Schwaneberg, Wilhelm, Musiker, geb. zu Havelberg am 28. Jänner 1857, ist Mitglied des k. k. Hofopern-Orchesters (Posaune) und seit 16. Mai 1884 im Engagement genannten Kunst-Institutes VII., Döblergasse 6.

*Schwarz, Stefan, Bildhauer und Ciseleur, geb. zu Neutra (Ungarn) am 20. August 1851, Schüler des Prof. Otto König in Wien, gründete im Jahre 1870 mit E. Mayer ein Atelier für kunstgewerbl. Arbeiten, wurde 1876 zum prov. Leiter der von ihm eingerichteten "Ciseleur-Schule" und im Jahre 1884 zum Professor dieses Faches ernannt. Sch. ist auch Professor an der k. k. Kunstgewerbeschule. Oesterr. decor. K. IV., Schleifmühlgasse 4.

Schwarz, E. von (Leo Norberg), Schriftsteller, geb. zu Cöln am Rhein am 15. Juli 1848, veröffentlichte: "Süß Oppenheimer" (Schauspiel in fünf Acten) und die Zeitungs-Romane "Tochter Antonelli's", "Millionenbraut", "Frauenliebling", "Romantiker auf dem Throne", "Mirabeau's erste Liebe", "Jesuit und Anarchist", "Moderne Glücksritter", "Gespenst des Wucherers", "Bürgermeister von Wien", "Durch eigene Schuld", "Urbild der Angot", "Aus dem Bagno", "Eine Vergessene", "Gustave Flaubert und die Naturalisten". IX., Porzellangasse 41.

*Schwarz, Jacob, Publicist, geb. zu Rohatetz (Mähren) im Jahre 1845, Redacteur der "Presse". II., Untere Donaustraße 33.

*Schwarz, Rudolf, Bildhauer, geb. zu Wien am 13. Juni 1865, Schüler der k. k. Akademie der bild. Künste in Wien unter Prof. Zumbusch.

Schwarz, Samuel, Schriftsteller, geb. zu Groß-Magendorf (Ungarn) am 22. April 1853, war eine Zeit lang Mitarbeiter Theodor Scheibe's, gab 1877 die Anregung zur Begründung des österr. Gastwirthe-Verbandes und ist Redacteur bezw. Mitarbeiter der Zeitschriften: "Gasteria", und "Neues Wiener Verkehrs-Journal" 2c., in welch' letzterem Blatte er wiederholt größere Erzählungen und Novellen veröffentlichte. II., Rueppgasse 15.

Schwarz, Wenzel, Musiker, geb. zu Brunnersdorf (Böhmen) am am 3. Februar 1830, Schüler der Prager Orgelschule (unter E. Pietsch), war vielfach als Musikmeister und Pädagoge thätig und gründete im Jahre 1864 ein Musikinstitut in Wien. Sein Hauptwerk ist die große theoretisch-praktische "Clavierschule". Nebst mehreren anderen Compositionen veröffentlichte derselbe auch mehrere

Abhandlungen musikpädagogischen Inhaltes. Hietzing, Lainzerstraße 19.

Schwarzbauer, Hanns, Schriftsteller, geb. zu Wien im Jahre 1839, war bis zum Jahre 1859 österr. Officier. Sch. ist unter dem Pseudonym „Fossati" Mitarbeiter vieler, meist humoristischer Blätter und hat im Jahre 1871 einen Band Gedichte „Annengrüße", im Jahre 1884 einen solchen unter dem Titel „Ein Strauß" herausgegeben. I., Elisabethstraße 2.

*Schwarzenberg, Maria, Malerin, geb. zu Teschen am 11. März 1850, Schülerin des S. Arváy, dann des W. Kray. IV., Schwindgasse 16.

Schwarzkopf, Gustav, Schriftsteller, geb. zu Wien am 7. November 1853, widmete sich frühzeitig dem Schauspielerstande und war an den hervorragendsten Bühnen Deutschlands (u. a. auch in Berlin) künstlerisch thätig. Der Schriftstellerei wandte er sich 1884 zu und erschien sein erster größerer literarischer Aufsatz in der „Deutschen Wochenschrift". Im Buchhandel erschienen: „Die Bilanz der Ehe", I. Band: Passiva, II. Band: Dubiosa, „Durch scharfe Gläser" (Satiren) und „Lebenskünstler" (Sittenbild). Sch ist Feuilletonist des „Wiener Tagblatt" und veröffentlichte in dem literarischen Unternehmen: „Gegen den Strom" die Broschüren: „Der Roman, bei dem man sich langweilt", „Nach der Schablone", „Das Vorrecht der Frau", „Der Leitfaden der Reclame" und „Raubbau". I., Seilergasse 7.

*Schwegler, Johann, Musiker, geb. zu Wien am 4. Juni 1861, ist Mitglied des k. k. Hofopern-Orchesters (2. Violine) und seit 16. October 1886 im Engagement genannten k. k. Kunstinstitutes. IV., Kettenbrückengasse 12.

Schweiger-Lerchenfeld, Amand Freiherr von, Schriftsteller, geb. zu Wien am 7. Mai 1846, bereiste Studiumshalber Kleinasien, Griechenland, Südrußland, Syrien, Palästina ꝛc. und legte seine daselbst gesammelten Erfahrungen und Kenntnisse in zahlreichen Werken nieder. Sch. veröffentlichte eine sehr bedeutende Anzahl fachwissenschaftlicher Werke, deren Anführung im „Das geistige Wien", II. Band, erfolgen wird, schrieb verschiedene Reisehandbücher und ist ferner Mitarbeiter der „Presse", des „Fremdenblatt", von „Ueber Land und Meer", der „Deutschen Familienzeitung", der „Münchener Allgemeinen Zeitung" ꝛc., sowie Pierer's Conversationslexikon, und Redacteur der Zeitschrift „Stein der Weisen". IV., Taubstummengasse 3.

Schweitzer. Josef, Schriftsteller, geb. zu Wien im Jahre 1853, ist Verfasser von: „Der Heiratsvermittler" (Orig.-Posse in 1 Act), „Tenor und Liebe" (Schwank in 1 Act), „Don Ranudo" (Lustspiel in 1 Act) und Mitarbeiter mehrerer humoristischer Blätter. Wildemanngasse 5.

*Schwendt, Theodor, Musiker, geb. zu Winzendorf bei Wr.-Neustadt am 6. November 1865, ist Mitglied des k. k. Hofopern-Orchesters (2. Violine) und seit 1. Mai 1886 im Engagement genannten k. k. Kunstinstitutes. VI., Magdalenenstraße 68.

Schweninger, Karl, Maler, geb. zu Wien im Jahre 1854, hat sich dem Genre und der Historienmalerei zugewendet. VII., Hofstallstr. 5.

Schweninger, Rosa, Malerin, geb. zu Wien am 11. Februar 1849, malt Portraits in Oel, Pastell und Aquarell, und Genrebilder in Oel. VI., Hofstallstraße 5.

*Schwerdtner, Johann, Graveur und Medailleur. Er bekleidet das Amt eines Schätzmeisters und ist österr. decor. S. VI., Mariahilferstraße 47.

*Schwerzel, Karl, Bildhauer,

geb. zu Friedek (Schlesien) am 16. October 1848, Schüler der Akademie, hat u. a. die k. k. Universität mit vier Nischenfiguren und der Colossalfigur Rudolf der Stifter" und das neue Parlamentsgebäude mit der Marmorstatue „Cato" geschmückt. Für seine Gipsgruppe „Bacchus und Ariadne", welche sich im Gebäude der k. k. Wiener Akademie befindet, erhielt er 1877 den Reichel=Preis. 6. IV., Technikerstraße 4.

*Schwetz, Franz, Musiker, geb. zu Wien am 14 December 1845, ist Mitglied des k. k. Hofopern=Orchesters (Cinellen) und seit 16. Juli 1885 im Engagement genannten Kunst=Institutes. VII., Bernardgasse 20.

*Schwetz, Leopold, Musiker, geb. zu Wien am 17. September 1851, ist seit 1. April 1881 als Orchestermitglied (kl. Trommel) im Verbande des k. k. Hofoperntheaters. VII., Bernardgasse 11.

*Schwitzer, Ludwig, Dr., Publicist, geb. zu Wien am 7. September 1850, ist Redacteur der „Neuen Freien Presse" (Volkswirthschaft und Börse). I., Wipplingerstr. 28.

Schytte, Ludwig, Musiker, geb. zu Aarhus (Jütland), studierte Pharmacie und widmete sich erst später der Musik. Von ihm erschienen mehr als sechzig Musikwerke, darunter ein Clavierconcert, Sonaten, Etuden und Tonstücke verschiedenen Inhaltes, welche auch wiederholt in öffentlichen Concerten zur Aufführung gelangten. Sch. ist auch Mitarbeiter dänischer Musikzeitungen und Tagesblätter. I., Judenplatz 6.

*Seeböck, Ferdinand, Bildhauer, geb. zu Wien am 27. März 1864, hat u. a. das Hebbeldenkmal an dessen Sterbehaus in Wien, IX., Liechtensteinstraße 13 ausgeführt. I., Bäckerstraße 24.

*Seebold, Emma, Schauspielerin, geb. zu Frankfurt a. M. im Jahre 1861, war früher in Amerika, und in Berlin am Walhallatheater engagirt und ist seit 1887 als erste Operettensängerin im Verbande des Carltheaters. II., Weintraubengasse 9.

*Seelos, Gottfried, Maler und Zeichner, geb. zu Bozen (Tirol) am 9. Jänner 1829, Schüler Seleny's, bereiste Tirol und Italien, wo er nach der Natur studierte. S. malt größtentheils Landschaften in Oel und Aquarell, insbesondere Ansichten von Tirol und Oberitalien. In Gemeinschaft mit seinem Bruder Ignaz hat er den Frescen=Cyclus des Schlosses Runkelstein bei Bozen nach mittelalt. Dichtungen in 23 Tafeln gezeichnet und lithographirt. Sein Oelgemälde „Im Eisackthale" befindet sich in der Gallerie der k. k. Akademie in Wien, seine Bilder „Stonehenge" und „Tumuli von Rosegg" sind im naturhistor. Museum; seine „Waldlandschaft" ist im Besitze der Gemäldegallerie des allerh. Kaiserhauses. 6. IV., Theresianumgasse 4.

Segel, Olga, geb. zu Kertsch (Rußland), Schülerin des Conservatoriums in Petersburg und des Professor Leschetitzky. Sie wirkte als Concertpianistin in den philharmonischen Concerten in Moskau und Budapest und tritt auch in Wien als Clavirtuosin vor die Oeffentlichkeit. I., Gonzagagasse 12.

*Segner, Moriz, Musiker, ist als Trombonist Mitglied der k. k. Hof=Musikcapelle.

Sehnal, Eugen, Architekt, geb. zu Kufstein am 22. December 1851, Schüler des Wiener Polytechnikums (Ferstl's) hat die St. Josefskirche in Mödling (1886), die neuen Rath= und Amthäuser in Sechshaus und Meidling erbaut, das Sparcassegebäude in St. Pölten ausgeführt und nach seinen eigenen Entwürfen eine

13*

Anzahl Schulbauten in den Wiener Vororten, sowie diverse Privatbauten in Wien und dessen Umgebung erbaut. V., Wildenmanngasse 1 a.

Seib, Wilhelm, Bildhauer, geb. zu Wien am 18. Mai 1854, Schüler der k. k. Akademie der bild. Künste in Wien unter Prof. Kundmann. Seine Reiter-Statuette in Bronze „Graf Starhemberg" befindet sich im Besitze unseres Kaisers. IV., Weyringergasse 4.

Seidel, Eduard, Publicist, ist Redacteur des „Illustr. Extrablattes" (Gerichtssaal = Berichterstatter). IX., Alserbachstraße 30.

Seidl, Karl, Architekt, geb. zu Schönberg (Mähren) am 13. März 1858, studierte am Polytechnikum in Zürich und an der k. k. Akademie der bild. Künste in Wien. G. IV., Theresianumgasse 2 b.

Seifert, Franz, Bildhauer, Schüler der k. k. Akademie der bild. Künste in Wien.

Seis, Eduard jun., geb. zu Wien am 28. December 1842, ist als Schriftsteller sowohl kunstgeschichtlich, topographisch, wie belletristisch thätig und veröffentlichte den Roman: „Der Abgrund" (1868), „Führer durch Wien" (1873—1882), Humoristika, Dialoge u. v. a. S. ist Adjunct an der Wiener Stadtbibliothek. Ober-Döbling, Cottagegasse 40.

Seitz, Alexander, Musiker, geb. zu Wien am 20. Februar 1829, ist Mitglied der k. k. Hofopern-Orchesters (Viola) und seit 1. April 1850 im Engagement genannten Kunstinstitutes. VII., Siebensterngasse 30.

Seitz, Jacob Josef, Schriftsteller, geb. zu Wien am 6. Jänner 1840, seit 1856 abwechselnd als Schauspieler und Regisseur, Impresario ꝛc. thätig, ist Mitarbeiter (Theaterwesen, Humoristika) verschiedener

Wiener und ausländ. Zeitungen und Autor der i. Wien, Budapest, Berlin ꝛc. aufgeführten Bühnenwerke: „Eine Wiener Bürgerstochter" und „Tausender und Guldenzettel", welch' letzteres allegor. Zeitbild er in Gemeinschaft mit Josef Wimmer verfaßte. V., Wehrgasse 26.

Selb, Victor Emil, Schriftsteller, geb. zu Brünn am 20. December 1844, Herausgeber d. „Wiener Wochenblattes". S. war früher in Pest als Theaterdirector und Zeitungsherausgeber thätig und veröffentlichte zwei Bände Novellen und den Roman: „Erworben". IX., Prechtlgasse 3.

Seligmann, Adalbert Franz, Historien-Maler, geb. zu Wien am 2. April 1862, Schüler der Akademien in Wien und München. G. Döbling, Neugasse 29

Selzer, J. Publicist, geb. zu Czernowitz im Jahre 1848, Redacteur der „Deutschen Zeitung", Fachreferent für ausländische Correspondenz. II., Kleine Pfarrgasse 14.

Sendach, Ludwig, siehe Déschán Ludwig Edler von Hanusen.

Senger, Julius, Dr., Publicist, geb. in Preußen am 25. Juli 1822, ist Redacteur des volkswirthschaftlichen Theiles des „Neuigkeits-Weltblatt". III., Blumengasse 7.

Serres, Karoline de, geb. in Frankreich im Jahre 1844, war früher unter dem Namen Montigny-Remaury als eine der ersten Concert-Pianistinnen Frankreichs künstlerisch thätig und tritt auch jetzt noch, nach ihrer Vermälung mit A. de Serres, Präsident der österr.-ung. Staats = Eisenbahn = Gesellschaft, zumeist in Wohlthätigkeits-Concerten in die Oeffentlichkeit. I., Schwarzenbergplatz 3.

Seuffert, August, Publicist, geb. zu Wien am 30. März 1844, ist Mitredacteur der „Wiener Zeitung". III., Wassergasse 33.

Sibby, siehe Eisenschütz, Sibby.

Sieben, Gottfried, Maler und Zeichner, geb. zu Stockerau am 16. März 1856, Schüler der Wiener Akademie, war privater Verhältnisse halber gezwungen, seine Studien zu unterbrechen und trat 1880 als Zeichner beim „Floh" ein, um bei Gründung der „Wiener Caricaturen" zu diesem Blatte überzutreten. Seit 1884 arbeitet S. nur für große illustrirte Zeitungen des In- und Auslandes, in welchen er Städte-Bilder aus Oesterreich-Ungarn veröffentlichte, sowie andere sensationelle Ereignisse wie z. B. die Kaiser-Entrevuen in Kremsier und Skierniewice zum Gegenstande seiner Darstellungen nahm. S. ist auch schriftstellerisch thätig. Weinhaus, Herrengasse 8.

Siebenlist, Josef, Schriftsteller, geb. zu Preßburg am 9. Februar 1847, ist Mitarbeiter des „Neuigkeits-Weltblatt", Fachreferat: Politik und Feuilleton. Er übersetzte das dramatische Gedicht „Die Tragödie des Menschen" von Emerich Madách aus dem Ungarischen (1886), verfaßte im Vereine mit C. L. Zwerenz die Gesangposse: „Die ältere Schwester" (1888), und die bisher noch ungedruckte aber aufgeführte Gesangposse „Vom Brettl auf die Bretter". IV., Mühlbachgasse 12.

*Siebert, August, Musiker, geb. zu Wien am 7. December 1856, ist Mitglied der k. k. Hof-Musikcapelle des k. k. Hofopern-Orchesters (1. Violine) (seit 1. März 1878) und des „Quartettvereines Kreuzinger". VIII., Lerchenfelderstraße 69.

*Siebert, Hermine, geb. zu Wien im Jahre 1863, ist Concertsängerin und geprüfte Gesanglehrerin. VII., Burggasse 37.

*Siebert, Rudolf, Musiker, geb. zu Wien am 17. März 1855, ist Mitglied der k. k. Hof-Musikcapelle und des k. k. Hofopern-Orchesters (Contrabaß) seit 1. Jänner 1879. IX., Währingerstraße 76.

Siebek, Victor, Architekt, geb. zu Napagedl (Mähren) am 19. März 1856, hat als Oberlieutenant den Feldzug 1878 in Bosnien mitgemacht, sich nach dessen Beendigung in Wien niedergelassen und daselbst diverse Bauten, u. a. das Palais des Grafen Stockau (Praterstraße), die Villa Hanns Richter's im Cottage-Viertel (Währing) ausgeführt. VII., Siebensterngasse 16a.

*Siegl, Karl, Ritter v., Kupferstecher, geb. am 6. Juni 1842, Schüler des Professor William Unger. C. Währing, Ferstelgasse 10.

*Silbernagl, Johann, Bildhauer, geb. zu Bozen, hat seine künstlerische Ausbildung in Wien erhalten. U. a. Arbeiten sind auch die überlebensgroßen Büsten „Meyerbeer" und „Boildieu" aus istrischem Marmor im Foyer der k. k. Hofoper in Wien, die Statuen „Otto Leop. Graf von Daun" und „Otto Graf Abensberg-Traun" im k. k. Arsenal, die Figuren „Urania", „Gaea", „Neptun", „Prometheus" in dem k. k. Universitätsgebäude und die Portraitstatuen „Sonnenfels" und „Schreyvogel" im Hofburgtheater, die Figuren „Gaea", „Hephaistos", „Urania" und „Poseidou" am Fuße der Kuppel des naturhistorischen Museums von diesem Künstler. C. I., Ballgasse 6.

*Silberstein, August, Dr., Schriftsteller, geb. zu Ofen am 1. Juli 1827, war anfangs Kaufmann, widmete sich jedoch trotz dieses Berufes dem Studium der Literatur und war schon frühzeitig Mitarbeiter verschiedener Zeitungen. 1848 wurde er zum Schriftführer in das Comité der akademischen Legion gewählt, mußte Oesterreich verlassen und verblieb lange Jahre in Deutschland. Nach der Heimat zurückgekehrt, er-

211

folgte seine Verhaftung und, vor ein Kriegsgericht gestellt, seine Verurtheilung zu fünf Jahren Kerker. Seit seiner Freilassung lebt er ausschließlich seinen schriftstellerischen Arbeiten. Er redigirte (ab 1858) den „Oesterreichischen Volkskalender" und seit 1877 den „J. N. Vogl'schen Volkskalender". In Buchform erschienen die Werke: „Trutznachtigall" (Lieder, 1859), „Dorfschwalben aus Oesterreich" (Geschichten, 1862), „Herkules Schwach" (Roman, 1863), „Lieder" (1864), „Die Alpenrose von Ischl" (1866), „Land und Leute im Naßwald" (1868), „Mein Herz in Liedern" (1868), „Der Hallodri" (Dorfgeschichte, 1868), „Glänzende Bahnen" (Roman, 1872), „Deutsche Hochlandsgeschichten" (1875), „Denksäulen im Gebiete der Cultur und Literatur" (1879), „Büchlein Klinginsland" 1879), „Hauschronik im Blumen= und Dichterschmuck" (1881), „Hochlandsgeschichten" (1882), „Die Rosenzauberin" (Erzähl., Gedichte, 1884), „Frau Sorge" (Märchendichtung, 1886) und „Landläufige Geschichten" (1886). Ausl. decor. II., Novaragasse 49.

Siller, Leopold, Publicist, geb. zu Kreuz am 17. April 1855, Redacteur der „Heimat". I., Grünangergasse 1.

*****Simandl,** Franz, Musiker, geb. zu Pisek (Böhmen) am 1. August 1840, ist Mitglied der k. k. Hof-Musikcapelle, Professor am Conservatorium und seit 13. December 1860 im Verbande des k. k. Hof-Opernorchesters (Contrabaß). VI., Corneliusgasse 9.

Singer, Eduard, Publicist, geb. in Ungarn im Jahre 1844, war ehemals Eigenthümer des „Pester Journals", nachher Herausgeber der „Extrapost" (Budapest), übernahm später die Correspondenz der „Wiener Allgemeinen Zeitung" für Budapest

und wurde Ende 1884 in die Redaction genannten Blattes berufen, in welcher er erfolgreich wirkte. S. schreibt vorwiegend politische und Finanzartikel und ist derzeit externer Mitarbeiter für verschiedene in= und ausländische Journale. I., Annagasse 6.

Singer, Emanuel, Publicist, geb. zu Bisenz (Mähren) im Jahre 1846, ist Redacteur des „Neuen Wiener Tagblatt" (Politik), Preßleiter des „Deutsch=österreichischen Club" und Correspondent mehrerer Provinzblätter. IX., Kolingasse 11.

Singer, Fritz (S. Fritz), Schriftsteller, geb. zu Wien am 14. Juni 1841. Wenngleich den Finanzkreisen angehörig, beschäftigt sich derselbe seit längerer Zeit eingehend mit der Schriftstellerei. Er ist Mitarbeiter (Feuilletonist) des „Neuen Wiener Tagblatt" und Verfasser mehrerer Lustspiele („Die Herren d. Schöpfung", „Die Zauberformel", „Wie du willst", und „Ein lieber Mensch"), welche sämmtlich zur Aufführung gelangten, schrieb Gedichte unter dem Titel „Lieder eines Träumers" (1879) und „Aus ungleichen Tagen" (1887), sowie die 1888 erschienenen Stimmungsbilder „Briefe eines Junggesellen". Mehrere seiner Gedichte wurden von Raoul Mader in Musik gesetzt. I., Singerstraße 32.

Singer, Josef, Musiker, geb. zu Prag im Jahre 1841, Schüler des Prager Conservatoriums unter Prof. J. N. Vogl, ist seit 1880 Obercantor der israel. Cultusgemeinde in Wien und wirkt überdies als Gesanglehrer an mehreren Instituten und als Componist. Er componirte eine große Festhymne (für Baritonsolo, Chor und Orgel) und schrieb eine Serie Aufsätze über die Entwicklung des Synagogengesanges ꝛc. I., Seitenstettengasse 4.

*****Singer,** Maximilian, Dr.,

Schriftsteller, geb. zu Leipnik am 6. Februar 1857, ist Verfasser des Schauspieles: „Junius Brutus", des Librettos „Esther" und anderer Bühnenwerke. I., Annagasse 6.

*Singer, Rudolf, Dr., Publicist, geb. zu Troppau (Schlesien) am 18. März 1866, ist Mitredacteur des „Wiener Tagblatt". I., Salvatorgasse 8.

*Sioly, Johann, Musiker, geb. zu Wien am 25. März 1843, ist Capellmeister und Componist mehrerer populär gewordener Lieder und Tänze u. a.: „Das hat kein Goethe g'schrieb'n" und „Die Deutschmeister sind da". VII., Myrthengasse 5.

Sitte, Camillo, Architekt, geb. zu Wien am 17. April 1843, Schüler des Polytechnikums und der von Professor Ferstel baselbst geleiteten Bauschule, hörte die archäolog. und kunstgeschichtlichen Vorträge an der Wiener Universität, nahm durch drei Wintersemester hindurch an der med. Facultät, an den Secirübungen unter Leitung Hyrtl's Theil, gieng wiederholt nach Italien, incl. Sicilien, Frankreich und Deutschland, vollendete im Laufe der Jahre eine bedeutende Anzahl von Original-Aufnahmen architekt. und kunstgewerbl. Gegenstände für das k. k. österr. Museum und für die k. k. Central-Commission und hat u. a. in den Jahren 1873 bis 1874 die Kirche der Mechitaristen (Wien) in deutscher Renaissance gebaut, 1877 das „Salzburger Gewerbeblatt" gegründet, u. drei Jahre geleitet. S. ist auch schriftstellerisch thätig, und hat zahlreiche Studien, wie z. B.: „Richard Wagner und die deutsche Kunst", „Ueber österr. Bauern-Majoliken", „Ueber die Rundeisengitter der Renaissance", „Die neue kirchliche Architektur in Oesterreich" 2c. in Buchform veröffentlicht. S. ist k. k. Regrs. Rath. Ausl. decor. I., Schellinggasse 13.

*Skalitzky, Josef Ferdinand,

Musiker, geb. zu Wischau am 15. December 1863, ist Componist, spielt Orgel und Clavier und wirkt als Lehrer der Harmonielehre und des Contrapunktes. II., Taborstraße 64.

*Skokib, Karoline, Tänzerin, geb. zu Wien am 24. April 1863, ist als Mimikerin im Verbande des des k. k. Hofoperntheaters seit 1876. IV., Schwindgasse 19.

*Skrein, Sigmund, Publicist, geb. zu Holleschau (Mähren) im Jahre 1859, Redacteur der „Wiener Allg. Zeitung". II., Rembrandtstraße 35.

*Skrein, Stefan, Publicist, geb. zu Holleschau (Mähren) im Jahre 1858, Redacteur der „Wiener Allg. Zeitung". II., Rembrandtstraße 9.

*Slanetz, Franz, Bildhauer, geb. zu Wien am 10. Juni 1852, S. hat die Stuccotechnik der früheren Jahrhunderte wieder erfunden und dieselbe, durch Unterweisung vieler seiner Collegen, allgemein eingeführt. Von ihm sind die Innen-Decorationen in Stucco an dem neuen Universitäts-Gebäude in Wien und ein großer Theil der Ornamentik am Maria Theresien-Denkmal modellirt. IV., Weyringergasse 22.

*Slopi, Carlo, Edler von Montecandine, Schriftsteller, geb. zu Trient am 6. April 1855, veröffentlichte Feuilletons sowie Uebersetzungen aus dem Italienischen und Französischen, ist Correspondent ausl. Zeitungen und Professor der ital. Sprache u. Literatur. I., Kärntnerstraße 31.

*Smattosch, Johann, ist Civilarchitekt und k. k. Hofarchitekt. Mehrere größere Wiener Bauten wurden nach seinen Plänen aufgeführt. II., Fischergasse 4.

*Smolski, Gregor, Ritter von, Publicist, ist Correspondent der Zeitungen „Nowa Riforma" (Krakau),

"Kuryer Cozienneki" (Warschau) 2c. VIII., Bennoplatz 1.

Sochor, Johann, Musiker, geb. zu Jung = Wozic (Böhmen) am 16. December 1861. Er ist Capell= meister im k. k. 12. Inf.=Rgt., und wurden von demselben mehrere Tanz= piecen und Märsche öffentlich aufge= führt. Franz Josefskaferne.

Sokol, Josef, Schriftsteller, geb. zu Hadres (Niederösterreich) am 22. Juni 1840, veröffentlichte Ro= mane, Novellen, Erzählungen, Feuille= tons 2c. Im Buchhandel erschienen von demselben u. a.: "Die Fischerin von Brienz", "Ein deutscher Dichter", "Der Stern von Neapel", "Die Rose von Königsee", "Der Bauernstudent", "Ein Augenblick des Glücks", "Die Tochter des Buchenmüllers" 2c. S. ist Mitarbeiter mehrerer Blätter des In= und Auslandes. Rudolfsheim, Arn= steingasse 15.

Sommer, Karl Marcell, Sänger, geb. zu Klagenfurt am 15. Jänner 1855, debutirte am 25. November 1877 am Hoftheater in Sondershausen, war später in Altenburg und drei Jahre in Dresden (stets als erster Bariton) engagirt und ist seit 1. Mai 1881 k. k. Hofopern= sänger. (Antrittsrolle: "Valentin" in "Margarethe".) Oesterr. decor. I, Opernring 5.

Sommer, Rudolf, Schauspieler, geb. zu Wien am 3. Februar 1857, debutirte als "Friedrich Schiller" in "Die Guytel von Blasewitz" am Wischauer Theater, war hierauf an dem deutschen Theater in Budapest und im Carltheater im Engagement und gehört seit 1887 dem Verbande des k. k. Hofburgtheaters an. VIII., Josefsgasse 8.

*Sonnenleitner, Johannes, Kupferstecher, geb. zu Nürnberg am 20. Februar 1825, Schüler der Kunstanstalt des C. Mayer, studirte sodann in Leipzig und Dresden. Von

1852—1856 leitete er die Kunst= anstalt des österr. Lloyd in Triest, unternahm eine größere Studienreise und ließ sich dann in Wien nieder, woselbst er 1882 zum Professor an der Kupferstecherei an der Akademie er= nannt wurde. Seine Hauptblätter sind: "Die ereilten Flüchtlinge" (nach Kurzbauer), "Boreas entführt die Orithhia" (nach Rubens), "Venus= fest" (nach Rubens), "Die Uebergabe von Calais"(nach Lansberger), "Speck= bacher und Sohn (nach Defregger). S. ist Professor an der k. k. Akademie. Oesterr. und ausl. decor. G. IV., Favoritenstraße 1.

Sonnenschein, Sigmund, Schriftsteller, geb. zu Schönbrunn (Schlesien) am 18. Juli 1861, ist Mitredacteur der "Presse" und Re= dacteur der "Zeitschrift für Eisen= bahnen und Dampfschifffahrt". Von demselben erschienen verschiedene fach= wissenschaftliche Werke. (Siehe "Das geistige Wien", II. Band. IX., Türkenstraße 10.

Sonnenthal, Adolf Ritter von, Schauspieler, geb. zu Budapest am 21. December 1834, kam als junger Schneidergeselle nach Wien, besuchte damals zum ersten Male das Burg= theater (man gab den "Erbförster") und als das Stück zu Ende war stand sein Entschluß fest — Schauspie= ler zu werden. Gar bald lenkte er die Aufmerksamkeit Dawison's auf sich, der frühzeitig sein großes Talent er= kannte und ihm die weiteren Wege ebnete. Er wurde sein Lehrer und stellte ihn Laube vor. Dieser ge= stattete, daß der junge Schauspieler als unbesoldeter Statist am Burg= theater für einige Zeit mitwirke. Seine eigentliche künstlerische Lauf= bahn begann er am 30. October 1851 als "Phöbus" im "Thürmer von Notre=Dame" am Stadttheater in Temesvar. Ueber Hermannstadt Graz und Königsberg führte sein Weg zum Burgtheater, woselbst er am 18. Mai

1856 als „Mortimer" unter Laube's Auspicien debutirte. Seine zweite Gastrolle war „Der geheime Agent" und nach seinem dritten Debut „Don Carlos" wurde er sofort auf drei Jahre, und nach Ablauf dieser Zeit auf Lebensdauer engagirt. Im Jahre 1870 erfolgte seine Ernennung zum Regisseur, 1882 zum Oberregisseur und fungirte er nach dem Abgang Wilbrandt's bis zur Berufung Förster's als provisorischer Leiter des Burgtheaters. Seine Specialität sind Rollen im Conversationsstück, und besteht dieselbe besonders in der Conversation im modernen Lustspiele und in den dem Pariser Repertoire entlehnten Schauspielen, jedoch nicht minder auch in classischen Rollen. Zu seinen beliebtesten Partien zählen u. a. „Graf Waldemar", „Uriel Acosta", „Clavigo", „Othello", „Wallenstein", „Risler", „Philipp Derblay", in „Der Hüttenbesitzer", „Bolingbroke", in „Ein Glas Wasser", „Ein Attaché", „Fabricius" 2c. 2c. Er absolvirte erwähnenswerthe Gastspiele in Amerika, Rußland und Deutschland und wurde 1881 in den Adelsstand erhoben. Oesterr. und ausländ. decor. IX., Liechtensteinstraße 11.

Soukup, Franz, Musiker, geb. zu Wien am 14. Mai 1861, Schüler des Josef Forster. Er componirte nebst mehreren Tanzstücken und Märschen die Operetten: „Der Königspage" und „Der Sklavenhändler" (Text von Bohrmann und Paul von Schönthan). Er ist Beamter der k. k. priv. Südbahn. Ausländ. decor. IV., Belvederegasse 7.

Sowinski, Ignaz, Architekt, hat u. a. den Umbau der protestantischen Kirche in der Dorotheergasse ausgeführt. IV., Wohllebengasse 10.

Spatz, Philipp, Publicist, geb. zu Königswart (Böhmen) am 3. September 1857, ist Redacteur der „Oest.

Volkszeitung. Fachreferat: Localer Theil. III., Kollergasse 9.

Spätlein, Dr. (siehe Sperling Rudolf).

*Speidel, Ludwig, Schriftsteller, geb. zu Ulm am 11. April 1830. Er studierte in München Philosophie und kam etwa in der Mitte der Fünfzigerjahre nach Wien, woselbst er bald bei den verschiedensten Wiener Zeitungen („Presse", „Vaterland", „Fremdenblatt" und „Teutsche Zeitung") als Burgtheaterkritiker, Musikreferent und Feuilleton-Redacteur, thätig war. In den Sechzigerjahren bildete er mit dem Dichter Bernhard Scholz (damaligen Redacteur des „Fremdenblatt") den Mittelpunkt eines regsamen literarischen Kreises. Sein erstes Feuilleton in der „Deutschen Zeitung" behandelte einen offenen Brief des berühmten Aesthetikers Th. Vischer an ihn. Von der „Deutschen Zeitung" kam er zu Weihnachten 1872 zur „Neuen Freien Presse" und begann seine publicistische Thätigkeit bei dieser Zeitung mit dem Feuilleton „Zu Weihnachten" (welches bedeutendes Aufsehen erregte), wendete sich jedoch bei diesem Blatte bald vornehmlich der Burgtheater-Kritik zu und ist gegenwärtig auch noch Musikberichterstatter des „Fremdenblatt". 1887 wurde Sp. nach dem Abgange Wilbrandt's, der Directorposten des Hofburgtheaters angeboten, den er jedoch in einem Briefe an die Intendanz, welcher Brief nachträglich in der „Neuen Freien Presse" veröffentlicht wurde, ablehnte. In Buchform veröffentlichte er (mit Hugo Wittmann) „Bilder aus der Schillerzeit". Sp. ist auch Verfasser der Abhandlung „Theater" in der vom Gemeinderathe der Stadt Wien anläßlich des 40jähr. Regierungs-Jubiläums unseres Kaisers herausgegebenen Festschrift „Wien 1848—1888". III., Strohgasse 1.

*Sperling, Rudolf (Pseudonym Dr. Spätzlein), Schriftsteller, geb. zu Warnkenhagen (Mecklenburg) am 25. März 1835, studierte zuerst Philologie, dann Architektur und Humaniora in Berlin und Zürich, lebt seit 1861 in Wien und ist ständiger Mitarbeiter, bezw. Redactionsmitglied des „Wiener Tagblatt", der „Neuen Illustr. Zeitung", „Blauen Donau", „Ueber Land und Meer" 2c. Sp. hat auch eine Anzahl Dramen geschrieben, von welchen einige wiederholt zur Aufführung gelangten. Durch seine vielen, im Laufe der Jahre in Wiener Journalen unter Dr. Spätzlein oder R. Sp. veröffentlichten Räthsel, Rösselsprünge 2c., wurde der Name Sp.'s auch in weiteren Kreisen bekannt. VII., Hôtel Höller.

Spiegel, Edgar von, Schriftsteller und Publicist, geb. zu Eger (Böhmen) am 1. Mai 1839, ist Herausgeber und Chefredacteur des „Illustrirten Wiener Extrablattes". I., Wallfischgasse 6.

*Spielmann, Moriz, ist Herausgeber und Redacteur des „Wiener Specialblatt". II., Darwingasse 35.

Spielmann, Sigmund, christl. Schriftsteller, geb. zu Esacza (Ungarn) am 3. September 1862, ist Herausgeber des „Volapük=Almanachs", Verfasser einer Volapük=Grammatik und Vorstand des Wiener wissenschaftl. Weltsprachenvereines. Sp. ist auch Berichterstatter der „Deutschen Zeitung" in München und Beamter der Länderbank. IX., Währingerstraße 3.

*Spielter, Karl, Genre=Maler, geb. zu Bremen am 1. Februar 1851, Schüler der Münchener Akademie. 6. III., Metternichgasse 2.

Spigl, Friedrich, Musiker, geb. zu Wien am 15. Jänner 1860, schreibt Essays musikalischen, belletristischen und kritischen Inhaltes in mehrere Zeitschriften, und gab Clavierarrangements verschiedener Orchester-

werke, sowie die „Etuden" von Czerny (mit Eduard Horak) heraus (instructive Ausgabe). Sp., welcher auch in Concerten öffentlich auftritt (Clavier), wirkt auch als Lehrer an den Horak'schen Clavierschulen. Währing, Herrengasse 48.

*Spiller, Karl, ist Herausgeber des „Volksfreund" und der „Oesterr.=ung. Kellner=Zeitung". VI., Engelgasse 8.

*Spitz, Friedrich, Publicist, geb. zu Lichtenstadt (Böhmen) im Jahre 1846, war Redacteur des „Fremdenblatt" und ist am 5. Februar 1889 gestorben.

*Spitz, Sigmund, Publicist, geb. zu Wien am 18. August 1830, Herausgeber des „Oesterr.=ung. Volksblatt für Stadt und Land" und der Brauer= und Hopfenzeitung „Gambrinus". V., Grüngasse 13.

*Spitzer, Alois, Publicist, übersiedelte vor mehreren Jahren von München nach Wien, trat in die Redaction des „Neuigkeits=Weltblattes", welcher Zeitung er noch heute als Berichterstatter für die Verhandlungen bei den Vororte=Bezirksgerichten angehört.

*Spitzer, Berthold, Publicist, geb. zu Baden (N. Oe.) am 29. September 1840, ist Chef=Redacteur und Herausgeber der „Humoristischen Blätter", der „Neuen Fliegenden" und der volkswirthschaftlichen Beilage „Der Interessenschutz". IX., Liechtensteinstraße 47.

*Spitzer, Daniel, Schriftsteller, geb. zu Wien am 3. Juli 1835, widmete sich dem Studium der Rechte und wurde Concipist bei der n. ö. Handelskammer. Schon während dieser Zeit war er publicistisch thätig und schrieb wiederholt Artikel (volkswirthschaftlichen und national-ökonomischen Inhaltes) in den „Wanderer" und „Figaro". Seine Feuilletons

„Wiener Spaziergänge" veröffentlichte er zuerst (1865) in der „Presse", später in der „Deutschen Zeitung", und erscheinen diese gegenwärtig in der „Neuen Freien Presse", welchem Blatte Sp. als Mitredacteur angehört. In Buchform erschienen seine Feuilletons: „Wiener Spaziergänge" (1869), „Wiener Spaziergänge" (Neue Sammlung, 1873), „Wiener Spaziergänge" (Dritte Sammlung, 1877), sowie „Das Herrenrecht" (Eine Novelle in Briefen, 1877) und „Verliebte Wagnerianer" (1880). Sp. veröffentlichte auch lyrische Gedichte, welche im „Illustr. Familienbuche des österr. Lloyd" erschienen. I., Schottenhof.

Spitzer, Leopold, Publicist, geb. zu Bisenz (Mähren) am 11. April 1839, ist Herausgeber und Chefredacteur der illustr. Wochenschrift „Wiener Wespen". I., Wollzeile 18.

*Spitzer, Robert, Schriftsteller, geb. zu Wien am 25. März 1861. I., Zelinkagasse 3.

Spitzer, Rudolf, Dr. (Rudolf Lothar), Schriftsteller, geb. zu Budapest am 23. Februar 1865, schreibt Theaterstücke, Novellen, Erzählungen und Feuilletons und veröffentlichte die Lustspiele: „Satan" und „Tantaliden" (1886). Sp. war 1887 bis 1888 im Redactionsverbande der „Allg. Kunst-Chronik". II., Asperngasse 5.

*Stadler, Johann, Porzellan- und Portrait-Miniatur-Maler, geb. zu Bamberg am 20. April 1841, Schüler der Münchener Akademie unter Prof. Hildensberger u. Raab. G. V., Hundsthurmerstraße 28.

*Standhartner, Henriette, Concertsängerin, geb. zu Wien im Jahre 1866.

Stark, Paul, Schriftsteller, geb. zu Adony (Ungarn) am 6. Jänner 1866, war früher in Budapest und Agram journalistisch thätig, schreibt meistens Novellen und Humoresten mit ungarischen oder slavischen Sujets und ist Mitarbeiter einiger hiesiger und auswärtiger Zeitschriften. VIII., Haspingergasse 5.

*Starzengruber, Theodor, Publicist, geb. zu Hall am 5. Juli 1839, Mitredacteur der „Neuen Freien Presse" für den localen Theil (speciell communale Angelegenheiten). III., Schützengasse 3.

Stätter, Philipp, Schauspieler, geb. zu Darmstadt am 18. October 1843. Er begann seine theatralische Laufbahn als „Schüler" in „Faust" am Stadttheater in Crefeld (1863). Nach längerem Wirken an den Hoftheatern in Wiesbaden und München erfolgte 1868 sein Engagement an das k. k. Hofburgtheater. Zu seinen bekannteren Rollen zählt u. a. „Didier" in „Die Grille". St. führt in freien Stunden auch den Pinsel und ist als Makartcopist auch in weiteren Kreisen bekannt. VI., Mariahilferstraße 33.

*Stattler, Karl, Architekt, geb. zu Wien am 20. September 1834, Schüler der k. k. Akademie der bild. Künste in Wien. St. ist k. k. Baurath und österr. decor. G. III., Heumarkt 5.

*Stauffer, Josef, Architekt, geb. zu Wien am 19. März 1817, ist beh. autor. Civil.-Ing. III., Ungarg. 9.

Stauffer, Victor, Maler, geb. zu Wien am 20. November 1852, absolvierter Hörer der phil. Facultät, Schüler Canon's, pflegt das Portrait und die Figurenmalerei und hat u. a. die Lunetten für das Stiegenhaus des naturhistor. Museums, das Portrait des Minister Kalnoky für die k. k. Oriental. Akademie, das Portrait des Bürgermeisters Uhl für das Wiener Rathhaus ausgeführt. G. III., Rasumoffskygasse 27.

*Stecher, Anton, Musiker, geb. zu Salzburg am 2. December 1852, ist Mitglied des k. k. Hofopern-Orchesters (1. Violine) und seit 1. October 1881 im Engagement genannten Kunstinstitutes. St. ist auch im Quartettverein Kreuzinger künstlerisch thätig und Mitglied der k. k. Hof-Musikcapelle. IV., Wienstraße 15.

*Stein, Alwin v., Maler, geb. zu Kiel am 31. Juli 1848, begab sich nach zweijährigem Besuche der k. k. Akademie der bild. Künste in Wien nach Brüssel, wo er an der dortigen Akademie unter de Keyser seine Kunststudien fortsetzte, übersiedelte im Jahre 1872 nach Weimar, 1874 nach Rom und lebt jetzt in Wien, woselbst er sich hauptsächlich mit dem Portrait, der Historie und mit Costümstudien befaßt. S. VII., Mariahilferstraße 4.

Stein, Bertha, Schauspielerin, geb. zu Prag, war Schülerin des Wiener Conservatoriums und debütirte als „Amneris" (Aida) in der Oper und im „Spitzentuch der Königin" in der Operette am Stadttheater in Brünn im September 1882. Seit 28. August 1886 ist dieselbe im Engagement des Theaters a. d. Wien.

*Stein, Lorenz Ritter von, Dr., Schriftsteller, geb. zu Holstein am 15 November 1815, reiste nach Absolvierung seiner juridischen Studien (1840) nach Paris, wurde 1846 Prof. an der Kieler Universität, gieng 1848 als Beauftragter der Regierung nochmals nach Paris, kehrte bald nach Kiel zurück, welche Stadt er 1854 verlassen mußte. Hierauf wandte er sich nach Wien und wurde 1855 ordentl. Professor an der Universität daselbst; er schrieb nebst einer großen Anzahl staatswissenschaftlicher, nationalökonomischer, historischer und volkswirthschaftlicher Werke und Abhandlungen (siehe „Das geist. Wien", II. Band) im Jahre 1873 einen Band (Gedichte unter dem Titel „Alpenrosen". St. ist Chefredacteur der „Zeitschrift für Eisenbahnen und Dampfschifffahrt."

Oesterr. und ausländ. decor. VI., Amerlingstraße 3.

*Steinbach, Gustav, Dr., Schriftsteller, geb. zu Preßburg am 12. Februar 1848, ist Redacteur der „Neuen Freien Presse" (Fachreferat: Parlament und innere Politik). St. ist Verfasser der im Buchhandel erschienenen Schrift „Franz Deak". III., Schützengasse 9.

Steinbach, Josef, Dr., Schriftsteller, geb. zu Fünfkirchen (Ungarn) am 3. Jänner 1850, ist Arzt und publicistisch und literarisch thätig. Von ihm erschienen die Dichtungen: „Eigenes und Fremdes", „Heimatsklänge" (eine Sammlung von Uebersetzungen der hervorragendsten ungarischen Poesien) und Kiß' Gedichte. St. redigiert auch die „Oesterr.-ung. Badezeitung". I., Hohenstaufengasse 12.

Steinebach, Friedrich, Schriftsteller, geb. zu Wien am 27. October 1821, widmete sich dem Staatsdienste bei der Kriegsmarine und schied als Mil.-Oberrechnungsrath a. d. Reichs-Kriegsministerium. Als Schriftsteller machte sich derselbe wiederholt bemerkbar. Er veröffentlichte u. a. die Bühnenwerke: „Der Liebestraum", „Leni Wind" und das historische Trauerspiel „John Norbi", die Romane: „Der Verräther", „Engel und Dämon", „Ein tiefes Geheimniß" und in jüngster Zeit den Wiener Criminalroman „Unschuldig verurtheilt" ꝛc. Die „Salonbilder aus der vornehmen Welt" erschienen 1860. Seine erzählenden Dichtungen allein umfassen 26 Bände. St. ist auch wiederholt als Redacteur thätig gewesen und veröffentlichte zahlreiche Novellen, Erzählungen, Geschichten und historische Genrebilder in hervorragenden Zeitschriften. Oesterr. decor. I., Michaelerplatz 6.

Steiner, Alois, Publicist, geb. zu Lubenz (Böhmen) am 18. März 1857, war Herausgeber und Redacteur der „Wiener Specialitäten", ist gegenwärtig beim „Neuen Wiener Tagblatt" und Mitarbeiter mehrerer Provinzjournale (Novellist). IX., Währingerstraße 48.

*Steiner, Hugo von, Musiker, geb. zu Zara am 2. December 1862, ist Mitglied des k. k. Hofopern-Orchesters (Viola) und seit 1. November 1883 im Engagement genannten Kunstinstitutes. IV., Hauptstraße 78.

Steiner, Josef, Musiker, geb. zu Agram am 8. April 1835, war 31 Jahre hindurch Mitglied des k. k. Hofopern-Orchesters (Violine). IV., Hungelbrunngasse 20.

Steiner, Sigmund, Schauspieler, geb. zu Linz am 8. Jänner 1854, debutirte als „Ajax" in „Die schöne Helena" im Jahre 1874 im Budweiser Stadttheater, war später in der komischen Oper, am Carltheater und Theater an der Wien, sowie auch am Friedrich Wilhelmstädttertheater in Berlin im Engagement und ist seit 1. September 1888 wieder im Verbande des Theaters an der Wien künstlerisch thätig. VII., Zollergasse 6.

Steininger, Emil Maria, Dr., Schriftsteller, geb. zu Wien am 16. Mai 1860, ist Verfasser von „Leidenschaft und Liebe" (Novelle), „Die Schatten der Vergangenheit" (Roman), „Der Weiberfeind" (Erzählung) und der Bühnenwerke: „Ein Vermächtniß" (Drama), „Man muß sich nur zu helfen wissen" (Schwank). St. war früher Feuilletonist, Leitartikler, sowie Chefredacteur verschiedener Zeitschriften („Wiener Leben", „Neue Welt", „Internationale Revue") und ist Beamter des Wiener Magistrats. VI., Spittelberggasse 33.

*Steinling, Josef, Historienmaler, geb. zu Wien am 12. April

1846. Ausst. decor. G. L., Regierungsgasse 10.

Stelzer, Sebastian, Schauspieler, geb. zu Linz am 26. October 1849, erlernte in seiner Vaterstadt die Schriftsetzerei und trat am 1. October 1870 als „August Sturm" in Morländer's Posse „Kling Kling" am Stadttheater in Cilli zum ersten Male auf. Seit jener Zeit übt er ausschließlich den schauspielerischen Beruf aus und ist seit 1. September 1886 im Verbande des k. k. priv. Theater an der Wien. IV., Kleine Neugasse 12.

*Stelzig, Josef, Musiker, geb. zu Tetschen-Bersdorf (Böhmen) am 9. October 1841, ist Mitglied des k. k. Hofopern-Orchesters (1. Violine) und seit 15. September 1870 im Engagement genannten Kunstinstitutes. IV., Hechtengasse 13.

Stepanoff-Hirschfeld, Barette von, Tonkünstlerin, geb. in Rußland am 9. November 1855, ist als Pianistin und Lehrerin thätig. I., Universitätsstraße 11.

*Stephann, Karl, Architekt, geb. zu Wien im Jahre 1842. Eine große Anzahl von Privatbauten sind von ihm projectirt und auch ausgeführt worden. Er hatte besonders Gelegenheit, in den Bezirken Neubau und Mariahilf seine Bauthätigkeit zu entfalten. VII., Lindengasse 11.

Stern, Friedrich, Publicist, geb. zu Proßnitz am 2. Juli 1848, Redacteur des „Neuen Wiener Tagblatt" (Localrubrik) und als verantwortlicher Redacteur der „Montags-Revue" auch Referent f. bildende Kunst. I., Kohlmessergasse 3.

Stern, Josef, Musiker, geb. zu Rechnitz (Ungarn) am 22. December 1838, ist durch mehr als 30 Jahre Regiments-Capellmeister (gegenwärtig beim Inf.-Reg. Nr. 86) und componirte Lieder, Salonpiècen, Walzer, Märsche ꝛc. Rudolfskaserne.

Stern, Julius, Musiker, geb. zu Wien am 13. Mai 1858, Schüler von Bruckner und Krenn. Derselbe ist seit 1879 Theater-Capellmeister. war 1884—1888 am Theater an der Wien und ist gegenwärtig Capellmeister des Carltheaters. Er componirte eine große Anzahl Lieder, Claviersiücke und Couplets, unter welchen namentlich eines, mit dem Refrain „Das is halt weanerisch" (Text von Oskar Hoffmann), allgemein bekannt wurde. Er schrieb auch die Musik zu mehreren Possen. IV., Laimgrubengasse 29.

*****Stern,** Julius, Publicist, geb. zu Rudolfsheim im Jahre 1865, ist Redacteur der „Wiener Allg. Zeitung". I, Wipplingerstraße 33.

Sternau, Louise, siehe Jenisch Louise.

*****Sterne,** Felix, Schriftsteller, ist Mitarbeiter der „Presse", „An der schönen blauen Donau" und veröffentlichte Novellen und Erzählungen in den verschiedensten Zeitschriften.

*****Sterrer,** Karl, Bildhauer, geb. zu Wels (Ob.-Oesterr.) am 25. Mai 1844, Schüler der k. k. Akademie der bild. Künste in Wien und des Bildhauers Melnitzky. Seine, von R. v Klinkosch in Silber ausgeführte Gruppe „Heimkehr d. Schützenkönigs" befindet im Besitze unseres Kaisers. G. VII., Kaiserstraße 96.

*****Stiaßny,** Hanns, Musiker, geb. zu Wien am 25. Februar 1855, ist Mitglied des k. k. Hofopern-Orchesters (Clarinette) und seit 1. März 1884 im Engagement genannten Kunst-Institutes. St. wurde durch die Verleihung der silbernen Medaille der Gesellschaft der Musikfreunde ausgezeichnet. VII., Kaiserstraße 70 a.

Stiaßny Wilhelm, Architekt, geb. zu Wien am 15. October 1842, Schüler des Wiener Polytechnikums

und der k. k. Wiener Akademie unter den Professoren van der Null und Siccardsburg, Rösner und des Dombaumeisters Schmidt, gründete im Vereine mit einigen Genossen die „Wiener Bauhütte", deren Präsident er eine Zeitlang gewesen. Im Jahre 1866 begann St.'s Thätigkeit als selbständiger Architekt, als welcher er über 150 Paläste, Schulen, Spitäler, Fabriken und Wohnhäuser, u. a. das israelitische Spital (Währing), das Blindeninstitut (Hohe Warte), die Villen in der Hermanusgasse, (Döbling), den Kindergarten im II. Wr. Bezirk, sowie das Rothschild-Spital in Smyrna, das Seehospiz Rovigno, die Synagoge in Malaczka ꝛc. ꝛc. erbaut hat. Seit 1878 ist St. auch Gemeinderath der Stadt Wien und k. k. Baurath. Oesterr. decor. G. I., Rathhausstraße 13.

*****Stiegler,** Adolf, Musiker, geb. zu Wien am 18. August 1868, ist Mitglied des k. k. Hofopern-Orchesters (Trompete) und seit 1. Februar 1888 im Engagement genannten Kunst-Institutes. IV., Technikerstraße 9.

Stieglitz, Nikolaus, Schriftsteller, geb. zu Hannover am 5. Februar 1833. Von ihm sind im Drucke erschienen: „Gedichte" (1869), „Novellen", „Ritetis" (dramat. Gedicht in fünf Acten), „Moses Mendelssohn" (Schauspiel in einem Act), „Die Gräfin von Wildenström (Schauspiel in vier Acten), „Die Spectralanalyse" (Lustspiel in einem Act), „Der Adoptivsohn" (Lustspiel in vier Acten), „Zwischen Paris und Versailles" (Lustspiel in vier Acten) und „Gräfin Olga" (Schauspiel in vier Acten). IV., Schwindgasse 6.

Stillfried, Raimund, Baron, Maler und Photograph, geb. zu Komotau am 6. August 1839, malt vornehmlich Landschaften, wozu ihm die auf seinen zwanzigjährigen Reisen durch China, Siam, Japan, Sibirien ꝛc.

angefertigten Skizzen die Unterlage boten. I., Reichsrathsstraße 7.

*Stiz, Amalia, Malerin, geb. zu Wien im Jahre 1869. Untermeidling, Kirchenplatz 2.

*Stöber, Johann M., ist Herausgeber und Redacteur der Monatsschrift „Die christliche Familie" mit der Beilage „Das gute Kind". St. ist fürsterzbischöfl. Curpriester I., Stefansplatz 3.

Stocker, Eduard, Musiker, geb. zu Pest am 20. Juni 1844. Er wirkt als Componist, Claviervirtuose und Lehrer, und erschienen von demselben mehrere Lieder im Druck. VII., Mariahilferstraße 4.

Stocker, Stefan, Musiker, geb. zu Budapest am 10. Mai 1846, componirte eine große Anzahl Clavierstücke verschiedenen Inhaltes, Lieder, Violinsonaten 2c., welche Werke vielfach in Concerten zur Aufführung gelangten. St. übt auch das Lehramt aus. (Clavier, Harmonielehre, Contrapunkt). IV., Hauptstraße 67.

*Stoff, Alois, Portrait-Maler, geb. zu Korneuburg im Jahre 1846. Währing, Hauptstraße 38.

Stoffella d'alta Rupe, Marie von, Schriftstellerin, geb. zu Olmütz (Mähren) im Jahre 1843, veröffentlicht unter dem Pseudonym Edith Helmers, Feuilletons und Novellen, und ist Herausgeberin der „Wiener Geschäftszeitung" u. des „Börsen-Courier". I., Schottenbastei 12.

*Stoiber, Ernst, Musiker, geb. zu Hütteldorf im Jahre 1833, componirte geistliche Lieder, Männerchöre 2c., ist Chormeister und Professor an der Cäcilien-Orgelschule für Harmonielehre und Orgel. St. ist auch Beamter der Wr. Sparcasse. V., Wildenmanngasse 7.

*Stolba, Leopold, Bildhauer, geb. zu Gaudenzdorf bei Wien am 11. November 1863, Schüler der k. k.

Akademie der bild. Künste in Wien unter Prof. Kundmann. Gaudenzdorf, Jacobstraße 22.

*Stoll, August, Sänger, geb. zu Hermannstadt am 3. Jänner 1854, gieng bereits im jugendlichsten Alter zur Bühne; er versuchte sich zuerst in Pest und trat in Laibach das erste Mal öffentlich auf. Viele Jahre hindurch spielte er komische Rollen, wurde später Operetten- u. Spieltenor und sang schließlich (am deutschen Prager Landestheater) Heldentenorpartien. 1884 wurde St. zum Mitglied der k. k. Hofoper und ein Jahr später zum Regisseur dieses Hoftheaters ernannt. IV., Margarethenstraße 52.

Storch, Arthur, siehe Schneeberger F. J.

*Storch, Minna, Schauspielerin, geb. zu Wien am 5. Juli 1845, betrat bereits 1855 in Linz die Bühne und ist seit 1885 im Verbande des Josefstädtertheaters.

*Storck, Josef, Architekt, geb. zu Wien am 22. April 1830, Schüler der k. k. Wiener Akademie, lernte Blumenmalen bei Prof. Wegmayer, Ornamentik bei Bongiovanni, Compositionen für textile Industrie bei Prof. Gruber, ward hierauf Schüler Van der Nüll's, 1862 dessen Supplent, und übernahm 1866 die Docentur für Ornamentik an der Wiener techn. Hochschule. Nach dem Tode Van der Nüll's und Siccardsburg's wurde ihm die Vollendung des inneren Ausbaues der Hofoper übertragen, und erfolgte im Jahre 1868 seine Ernennung zum Professor für Architektur an der Kunstgewerbeschule in Wien. Nach dem Ableben Teirich's übernahm St. die Redaction der „Kunstgewerblichen Blätter". Seine künstlerische Thätigkeit umfaßt beinahe das Gesammtgebiet der Kunstindustrie, und wußte er seinen Entwürfen einen bedeutenden Einfluß auf die österreichische Kunstindustrie zu sichern. St. hat

u. a., in Gemeinschaft mit Laufberger, die Ausstattung der Hul-
digungs = Adresse des Wiener Gemeinderathes anläßlich der Feier der
der silbernen Hochzeit Ihrer Majestäten übernommen, ist Director der
Kunstgewerbeschule und k. k. Hofrath.
Oesterr. und ausl. decor. **G.** Hohe
Warte 36.

*Strabal, August, Musiker, geb.
zu Teplitz am 17. Mai 1860, ist als
Pianist künstlerisch thätig und wirkt
u. a. auch als Lehrer an den Musik-
instituten Horak. III., Beatrixgasse 26.

*Strabal, Hildegarde (geb.
Zweigelt), geb. am 5. Mai 1864, ist
Concertsängerin. III., Beatrixgasse 26.

*Straka, Josef, Maler, geb. zu
Schloß Saar in Mähren am 12. Februar 1864, Schüler der k. k. Akademie unter Prof. Eisenmenger, lieferte
u. a. zwei Bilder für die restaurirte
Schottenkirche („heil. Anna" und
„heil. Barbara"). V., Rüdigergasse 4.

*Strakosch, Alexander, Reci-
tator, geb. zu Sebes bei Eperies am
3. December 1845, war Kaufmann;
die Liebe zum Theater, und die Fähig-
keit zu declamiren, machte sich jedoch
schon frühzeitig bei ihm geltend und so
betrat er im September 1862 in Reichenberg zum ersten Male die Bühne; St.
kam später als Tänzer, Chorist und
Charakterspieler nach Troppau, wurde
von dort für das Hoftheater in Hannover engagirt, beschloß zu Pest 1864
seine Thätigkeit als Schauspieler;
gieng dann nach Paris, um das französische Theater kennen zu lernen
und hielt dort Vortragsabende, in
welchen er dramatische Scenen aus
deutschen und französischen Classikern
recitirte. 1867 kam Laube nach
Paris, bot ihm das Amt eines Vor-
tragsmeisters am Stadttheater zu
Leipzig an und engagirte ihn in
gleicher Eigenschaft später auch für
das Wiener Stadttheater. Seine
Specialität, das Einstudieren von
Rollen mit Schauspielern und Schau-
spielerinnen, hat Laube wiederholt,
selbst in seinen Büchern, gerühmt.
1879 schied St. aus dem Verbande
des Stadttheaters und begann seine
Wanderungen als Recitator durch den
größten Theil Europas. Er recitirt
zumeist frei aus dem Gedächtnisse,
vorwiegend Dramen und Balladen
und erzielte auch anläßlich seiner
amerikanischen Tourné künstlerischen
Erfolg. IX., Türkenstraße 25.

*Strampfer, Friedrich, Schau-
spieler und Theaterdirector, geb. zu
Grimma in Sachsen 1823, wurde
frühzeitig Schauspieler, gastirte an
den verschiedensten Theatern Deutschlands und Oesterreichs, wurde 1850
Director einer wandernden Schau-
spieltruppe, erlangte 1862 die Direction des Theaters an der Wien und
übernahm später auch das Carltheater.
1870 wurde der alte Musikvereins-
saal von ihm in ein Theater (Strampfer-
Theater) umgebaut, dessen Direction
er bis 1874 führte. 1878 übernahm
er die komische Oper unter dem
Titel „Ringtheater", trat jedoch von
der Leitung dieses Kunstinstitutes zurück, übernahm noch für kurze Zeit
die Direction des Carltheaters und
gieng nach Amerika, von wo er nach
mehrjährigem Aufenthalte 1888 wieder
nach Wien zurückkehrte, um sich hier
dem dramatischen Unterrichte zu widmen. St. ist auch schriftstellerisch thätig.

*Stransky, Josef, Musiker, geb.
zu Wien im Jahre 1810 war erster
Cellist im Hofburgtheater, wurde nach
43jähriger Dienstzeit pensionirt und
wirkt noch gegenwärtig als Professor
der Musik. St. componirte sehr viele
pädagogische Werke (für Cello), die
in den meisten Conservatorien eingeführt wurden. VII., Schottenfeldgasse 3.

Straßer, Alfred, Musiker, geb.
zu Lettowin (Mähren) am 4. September 1854, componirte eine große

Anzahl beliebter Tänze, Chöre, Lieder, sowie die dreiactigen Operetten „Fioretta" und „Page Fritz" (letztere zwei Bühnenwerke in Gemeinschaft mit Max v. Weinzierl). I., Rathhaus-straße 19.

*Straßer, Arthur, Bildhauer, geb. zu Adelsberg in Krain im April 1854. Autodidact. G. IV., Fleisch-manngasse 1.

*Strähle, Josef, Publicist, geb. zu Binzwangen, (Württemberg) am 4. Jänner 1830. Mitredacteur der „Wiener Zeitung". III., Gärtner-gasse 20.

Strauß, Eduard, Musiker, geb. zu Wien am 15. März 1835, Schüler des Hofcapellmeisters Preyer, sollte sich der diplomatischen Laufbahn zu-wenden, widmete sich jedoch aus-schließlich dem musikalischen Studium und trat 1862 als Capellmeister in die Oeffentlichkeit. Seine eigene Ca-pelle, mit welcher er den größten Theil Europas bereiste, leitet er seit 1870. St. ist seit 1871 k. k. Hofball-musik-Director und verfaßte bis jetzt gegen 300 Musikwerke, Er führt den Titel eines kaiserl. brasilianischen Ehren-Hofcapellmeisters und ist öster-reichisch und ausländisch decor. I., Reichsrathsstraße 9.

*Strauß, Johann, Musiker (genannt „der Walzerkönig"), geb. zu Wien am 25. October 1825. Bevor er sich gänzlich der Musik widmete, war er Prakticant in der Sparcasse. Er erhielt seine musikalische Ausbil-dung durch seinen Vater, den Be-gründer der Strauß'schen Popularität, und war später Schüler des Dom-capellmeisters Josef Drechsler. Als zwölfjähriger Knabe componirte er seinen ersten Walzer und trat am 15. October 1844 bei Dommauer in Hietzing zum ersten Male mit der Strauß'schen Capelle öffentlich auf. Nach dem Tode seines Vaters (1849) übernahm er die Leitung derselben

und absolvirte Kunstreisen durch ganz Deutschland, Rußland, Eng-land, Frankreich, Wallachei. Italien und Amerika; 1863 erfolgte seine Er-nennung zum k. k. Hofballmusik-Director. Bis zum Jahre 1871 wid-mete er sich ausschließlich der Tanz-composition und wendet sich seither mit demselben großen Erfolge, den er mit dieser feierte, fast ausschließ-lich der Operettencomposition zu. Er schrieb die Operetten: „Indigo", (1871), „Der Carneval in Rom" (1873), „Die Fledermaus" (1874), „Cagliostro" (1875), „Prinz Methu-salem" (1875), „La Tsigane" (1876), „Blinde Kuh" (1878), „Das Spitzen-tuch der Königin" (1880), „Der lustige Krieg" (1881), „Eine Nacht in Vene-dig" (1883), „Der Zigeunerbaron" (1885) und „Simplicius" (1887). Die Tanzwerke Strauß' beherrschen die Bälläle der ganzen Welt, so daß an eine Aufzählung derselben (er schrieb nahezu ein halbes Tausend) nicht geschritten werden kann; jedoch seien nebst dem populären Walzer „An der schönen blauen Donau", welcher dazu beitrug, seinen Weltruhm zu begründen, als besonders bekannt hervorgehoben: „Wiener Blut", „Mor-genblätter", „Sängerlust", „Wein, Weib und Gesang", „Hesperuspolka", „Tausend und eine Nacht", „Marche persanne", „Bei uns z'Haus", „Freut Euch des Lebens", „G'schichten aus dem Wienerwald", „Myrthenblüthen", „Frühlingsstimmen". St. giebt auch die gesammelten Werke seines Vaters heraus. Oesterr. und ausländ. decor. IV., Igelgasse 4.

Strauß, Isidor, Musikschrift-steller, geb. zu Szambokreth (Ungarn) am 12. Juni 1849, war Schüler des Wiener Conservatoriums und widmete sich Anfangs der Bühne; gieng nach Paris, wurde dort Musiklehrer und wirkt gegenwärtig in Wien in gleicher Eigenschaft (Clavier und Theorie), sowie als Musik- und Theaterreferent

223

für in- und ausländische Tages- und Fachblätter. IX., Bramergasse 5.

Streben, Maximilian, Schauspieler und Recitator, geb. zu Kobonin (Mähren) am 12. Juni 1841, betrat am 20. April 1868 am Stadttheater in Brünn zum ersten Male die Bühne, blieb daselbst bis 1871, war später in Breslau, Prag, Nürnberg und Pest im Engagement und trat am Stadttheater in Wien 1876 zum letzten Male als Schauspieler auf. Von dieser Zeit an zog sich St. von der Bühne gänzlich zurück, widmete sich dem Recitationsfache und wurde als Lehrer an das Wiener Conservatorium berufen. St. ist seit 1881 Director des fürstl. Sulkowsky'schen Theaters. II., Praterstraße 15.

*Strebinger, Franz, Musiker, geb. zu Wien am 10. August 1855, ist Mitglied der k. k. Hof-Musikcapelle und des k. k. Hofopern-Orchesters (1. Violine), seit 1. März 1876. IV., Starhemberggasse 15.

*Strebinger, Rudolf, Musiker, geb. zu Wien am 24. August 1862, ist Mitglied des k. k. Hofopern-Orchesters (Viola) und seit 1. October 1885 im Engagement genannten Kunstinstitutes. St. ist auch Mitglied der k. k. Hof-Musikcapelle. IV., Paniglgasse 2.

*Strecker, Emil, Maler, geb. zu Dresden am 30. September 1841, bildete sich zuerst in Dresden zum Bildhauer aus, gieng hierauf nach Düsseldorf und widmete sich unter W. Sohn der Genremalerei. G. III., Reisnerstraße 13.

*Streit, Andreas, Architekt, geb. zu Czabendorf am 25. Juli 1840, ist sowohl als Architekt, wie durch sein anderweitiges künstlerisches Wirken bekannt. Er führte eine Anzahl größerer Privat-Palais u. a. aus, Miller von Aichholz' aus, und baut gegenwärtig den Palast der „Equitable" auf dem Stock-im-Eisenplatz. St. ist

auch Redactionsmitglied bei dem Werke weiland unseres Kronprinzen „Die österr.-ung. Monarchie in Wort und Bild", k. k. Baurath, Gemeinderath und war längere Zeit Präsident und Vice-Präsident der Künstler-Genossenschaft. Oesterr. und ausländ. decor. G. III., Rennweg 7.

*Streitmann, Karl, Sänger, geb. zu Wien am 6. December 1858, betrat das erste Mal als Volontär in Charakter- und Intriguantenrollen die Bühne, wurde für das gleiche Rollenfach von Laube an das Stadttheater und von da von Jauner an das Carltheater engagirt, woselbst er mehrere Jahre zumeist in kleineren Gesang- und Sprechpartien auftrat. 1882 kam St. als Operettentenor an das Prager Landestheater, sang daselbst auch lyrische Opernpartien und wurde 1884 Mitglied des Wiedener Theaters, an welcher Bühne er bis 1888 als Operettentenor künstlerisch wirkte. Nach einem Gastspiel an der königl. Hofoper in Berlin trat er noch in demselben Jahre in den Verband des Carltheaters. St. war kurze Zeit Schüler Victor Rokitansky's, verdankt jedoch die Ausbildung seiner Stimme zum Bühnensänger größtentheils seinem eifrigen Selbststudium. Ausländ. decor. II., Cirensgasse 11.

*Strenit, Alexander, Zeichner der „Fliegenden Blätter" (humorist. Genre). VII., Mariahilferstr. 94.

Stur, Karl Edler von, Maler, geb. zu Wolfsberg (Kärnten) am 10. Febr. 1840, widmete sich nach vollendeten Gymnasialstudien dem Apothekerfache, besuchte jedoch über Ermunterung des Director Ruben die k. k. Akademie in Wien, nachdem er vorher die Vorbereitungsschule und Polytechnikum absolvirt hatte. Bald jedoch glaubte St. den Beruf als Schauspieler in sich zu fühlen, Lewinsky ertheilte ihm in uneigennützigster Weise Unterricht und so trat denn St. in Troppau und Neutitschein in Engagement. Die Erkrankung seines Vaters führte ihn nach Wien, hier widmete sich St. wieder anschließlich der Malerei. Mit O. F. Berg befreundet, wurde St. bald als Zeichner für den neugegründeten „Kikeriki" gewonnen, als welcher er von 1861—1872 wirkte. Von 1872—1875 war St. Zeichner und Illustrator des „Floh", 1875 bis 1880 der „Wiener Luft", von 1880 bis Mitte 1881 des „Puck" (New-York), von Juli 1881 bis August 1887 und ab Juni 1888 bis jetzt des „Floh". In den Jahren 1887 und 1888 war er auch als Zeichner der „Lustigen Blätter" in Berlin thätig. III., Strohgasse 2.

Sturm, August, Musiker geb. zu Wien am 13. Juli 1854, ist Prof. des Conservatoriums und Componist. Seine Werke erschienen sämmtlich in Druck und gelangten zur Aufführung. Derselbe gab Arrangements mehrerer Werke für Clavier (u. a. eine Symphonie von Herbeck) heraus und ist Mitarbeiter an der Classikerausgabe des Wiener Conservatoriums. III., Uchatinsgasse 3.

Sturm, Eduard, Freiherr von, Schriftsteller, geb. zu Wien am 14. Jänner 1823, ist kaiserlicher Rath und päpstlicher Kämmerer. Seine gesammelten Gedichte gab er unter dem Titel „Wahn und Wahrheit" heraus. I., Maximilianstraße 14.

*Sturm, Friedrich, Maler, geb. zu Wien im Jahre 1823, Schüler der k. k. Akademie in Wien, lernte ursprünglich auf Porzellan malen, gravieren und emailliren, wendete sich sodann der Blumenmalerei zu, war auf seinen Studienreisen durch Ungarn und Serbien Portrait-, Heiligen- und Decorations-Maler, betrieb eine Zeit lang das Genre, um sich sodann vornehmlich der Decorationsmalerei zu widmen, durch

welche er vielen Palästen und Villen in- und um Wien Wand- und Plafond-Schmuck verlieh. St. ist Professor an der Kunstgewerbeschule des k. k. österr. Museums für Kunst und Industrie. Oesterr. decor. VII., Burggasse 61.

*Zuchanek, Richard, Publicist, ist u. a. Mitarbeiter des „Neuigkeits-Weltblatt". Währing, Zimmermanngasse 16.

Sueti, Friedrich, Dr., Publicist, geb. zu Graz im November 1853, studierte Philosophie und Germanistik und beschäftigt sich seit 1875 auch mit politischer Journalistik. Er gehörte von 1880—1882 dem Verbande der „Deutschen Zeitung" an, übernahm später die Redaction von deutschen Provinzblättern und beabsichtigt in nächster Zeit ein die Richtung der „Deutschen nationalen Vereinigung" des Parlaments vertretendes Blatt herauszugeben. IV., Schäfergasse 24.

*Sulzer, Josef, Musiker, geb. zu Wien am 11. Februar 1850, ist Mitglied des k. k. Hofopern-Orchesters (Violoncell) und seit 15. August 1880 im Engagement genannten k. k. Kunstinstitutes. I., Wallfischgasse 14.

Sulzer, Julius, Musiker, geb. zu Wien im Jahre 1837, Schüler seines Vaters Salomon Sulzer und Simon Sechter's. Seine Compositionen gelangten 1861 im Musikvereinssaale zur ersten Aufführung. Er machte Kunstreisen durch Europa und Asien und wurde 1868 Capellmeister der italienischen Oper in Bukarest, war Dirigent verschiedener größerer Theater-Orchester und wurde 1875 Capellmeister am k. k. Hofburgtheater. Er componirte die Opern „Johanna von Neapel", „Sardanapal" und die Nationaloper „Held Michael", sowie viele Lieder, Chöre und eine große Anzahl Orchester- und Tanzstücke, darunter für das k. k. Hofburgtheater und andere Hofbühnen Deutschlands.

14*

die vollständige Orchester- und Bühnen=
musik zu den Königsdramen Shake=
speare's und zu „Faust" (I. u. II. Theil).
Ausl. decor. IX., Berggasse 7.

*Sulzer, Salomon, Musiker,
geb. zu Hohenems (Vorarlberg) am
30. März 1804. Schon mit 15. Jahren
geistlicher Functionär der israelitischen
Gemeinde daselbst, war er als Sänger
thätig, erhielt 1825 den Ruf nach
Wien, wo er bis jetzt das Amt eines
Obercantors bekleidet. Er gilt als
Reformator des israelitischen Cultus=
gesangs und war überdies einer der
gefeiertsten Sänger seiner Zeit. S.
wurde zum Ehrenbürger der Stadt
Wien ernannt und ist österr. und
ausl. decor. I., Seitenstettengasse 4.

*Suppé, Franz von, Musiker,
geb. zu Spalato am 18. April 1820,
ist ein Neffe des berühmten italieni=
schen Opern-Componisten Donizetti.
Er sollte sich dem Staatsdienste wid=
men, studirte jedoch frühzeitig Har=
monielehre, componirte bereits mit
15 Jahren eine in der Franziskaner=
kirche zu Zara aufgeführte Messe und
wählte sich später die Musik zu seinem
Lebensberufe. Er kam 1839 nach Wien,
war Schüler des Conservatoriums
unter Sechter und Seyfried, und
wurde zuerst Capellmeister am Josef=
städter Theater, hierauf an den
Bühnen in Preßburg und Baden,
1862 Capellmeister am Theater an
der Wien, 1865—1882 am Carltheater
und später nochmals am Theater an
der Wien. Seine Compositionen er=
freuten sich im Publicum bald großer
Beliebtheit und machten den Namen
Suppé's weit und breit bekannt. Auf
seine erste Oper „Gertrud und Vir=
ginia" folgte eine große Reihe von
Singspielen, Operetten, Liedern, Tän=
zen, viele Märsche, Couplets, Possen=
musik ꝛc. ꝛc. Die Gesammtzahl seiner
Compositionen beträgt über 1000,
welche theils gedruckt, theils aufge=
führt wurden; darunter sind zwei

große Opern, an 200 Operetten und
Possen, eine Messe, ein Psalm, ein
Requiem, sowie Ouverturen und Quar=
tette. Von den bekanntesten Operetten
seien erwähnt: „Zehn Mädchen und
kein Mann" (1862), „Flotte Bursche"
(1863), „Die schöne Galathea" (1865),
„Leichte Cavallerie" (1866), „Fati=
niza" 1876, „Boccaccio" (1879),
„Donna Juanita" (1880), „Die
Afrikareise" (1883), „Die Jagd nach
dem Glücke" (1888) ꝛc. S. ist auch
Componist des patriotischen Liedes
„O, Du mein Oesterreich". Oesterr.
und ausländ. decor. I., Laurenzer=
berg 5.

*Suttner, Bertha Freiin von,
geb. Gräfin Kinsky (Pseud. B. Oulot),
Schriftstellerin, geb. zu Prag am 9. Juni
1843, entwickelte frühzeitig poetische
Neigungen und war bald schrift=
stellerisch thätig; 1876 vermälte sie
sich mit Gundacker Freiherrn v. S.
und lebte mit demselben lange Zeit
im Kaukasus; sie veröffentlichte die
Romane: „Inventarium einer Seele"
(1882), „Hanna"(1882), „Ein schlechter
Mensch" (1884), „High life" (1884),
„Ein Manuscript" (1884), „Daniela
Dormes" (1885), „Treute et Qua=
rante" (1885), „Schriftsteller-Roman"
(1886), „Träumereien" (1886), „Ver=
kettungen" (1887). S. lebt den größten
Theil des Jahres auf Schloß Har=
mannsdorf.

*Suttner, Gundacker Frei=
herr von, Schriftsteller, Gatte der
Vorigen, geb. zu Wien am 21. Fe=
bruar 1850, schreibt ethnographische
Abhandlungen, Romane und Novellen.
In Buchform erschienen: „Daredjan"
(Rom., 1884), „kaukasische Novellen"
(1884), „Am Berge Urta" (Roman,
1885), „Ein Aznaour" (Roman, 1885),
„Feuilletons aus dem Kaukasus"
(1885), „Eine moderne Ehe" (1886),
„Hart am Abgrunde" (1886), „Die
Adjaren" (1887), „Friedenthal" No=
velle, 1887). I., Krugerstraße 4.

*Svoboda, Leopold, Musiker, geb. zu Wien am 18. October 1851, ist Mitglied der k. k. Hof-Musik- capelle und des k. k. Hofopern- Orchesters (Oboe) seit 1. Jänner 1872. V., Hartmanngasse 17.

*Svoboda, Eduard, Maler, geb. zu Wien am 14. November 1814, Schüler der k. k. Akademie der bild. Künste in Wien, erhielt 1833 den ersten Gundel'schen Preis in der historischen Zeichenschule, arbeitete später unter der Leitung des Maler J. Schilcher, lernte in Oel, mit Wasserfarben und al Fresco malen und lieferte eine Anzahl von kleinen Genrebildern und Altargemälden. S. begab sich 1835 nach Karlsbad, 1836 nach Pest, und hielt sich 1842 in Preßburg, Frank- furt a. M. und Wiesbaden auf. Nach Wien zurückgekehrt, machte in den Fünfziger-Jahren sein Bild „Ansicht der Börse" mit einer Gruppe von porträtgetreu gemalten Börseanern viel von sich reden. Im Jahre 1870 erhielt Sw u. a. den Auftrag, die schadhaft gewordenen Fresken in der großen Gallerie des Lustschlosses zu Schönbrunn zu restauriren. Sein Bild „Va banque" befindet sich im Besitze der k. k. Gemälde-Gallerie in Wien. 6. VI., Gumpendorferstr. 57.

*Svoboda, Emerich A., Bild- hauer, Schüler der k. k. Akademie in Wien, arbeitete im Jahre 1879 in Atelier Zumbusch's an der Portrait- büste des Fürsten Wenzel Liechten- stein für das Maria Theresien-Mo- nument. Von ihm ist auch die Gips- statue „Nymphe dem Echo lauschend", welche sich im Gebäude der k. k. Wiener Akademie befindet. 6. Hietzing, Lainzerstraße 51.

*Svoboda, Johann, Musiker, geb. am 9. März 1807, ist Mitglied der k. k. Hof-Musikcapelle (Trompete). VIII., Tigergasse 13.

Svoboda, Josefine, Malerin, geb. zu Wien am 29. Jänner 1861

Schülerin der Kunstgewerbeschule in Wien unter Prof. Jul. Berger, widmete sich mit Vorliebe der Aqua- rellmalerei und arbeitet, theils nach Lichtbildern, theils nach der Natur im Genrefache.

*Svoboda, Margarethe, Schauspielerin, geboren zu Wien im Jahre 1872, Tochter des bekannten sächs. Hofschauspielers Albin Swo- boda, ist seit 1. Jänner 1889 im Verbande des k. k. Hofburgtheaters, woselbst sie als „Melitta" in „Sappho" am 10. Februar 1889 debütirte; sie betrat in dieser Rolle überhaupt zum ersten Male die Bühne.

Sykora, Franz, Musiker, geb. zu Maria Culm (bei Eger) am 1. Juni 1856, Schüler des Prager Conserva- toriums unter Prof. Bennewitz. Er componirte verschiedene Märsche und Tänze und ist gegenwärtig Capell- meister des k. k. 83. Infanterie-Reg. Gumpendorferkaserne.

Syrinek, Adalbert, Musiker, geb. zu Prag am 24. April 1847, ist Mitglied des k. k. Hofopern-Or- chesters (Clarinette) und der k. k. Hofcapelle und seit 1. Mai 1879 im Engagement genannten Kunstinsti- tutes. VII., Burggasse 83.

*Szczepanski, Alfred, Publi- cist, ist Präsident des Vereines der auswärtigen Presse und Mitarbeiter ausl. Zeitungen. Sz. ist auch Secretär der k. k. priv. Länderbank. I., Hohen- staufengasse 1.

Szeps, Moriz, Schriftsteller, geb. in Galizien am 5. November 1835, widmete sich ursprünglich dem ärztlichen Beruf. Seine ersten schrift- stellerischen Arbeiten veröffentlichte er 1853 im „Wanderer", übernahm 1855 die Chefredaction der „Morgen- post", welche Zeitung er bis 1867 leitete. In diesem Jahre gründete er das „Neue Wiener Tagblatt", ver- kaufte dasselbe sodann der Actien- gesellschaft „Steyrermühl", verblieb

jedoch als Herausgeber und Chef=
redacteur im Verbande dieses Unter=
nehmens. 1886 trat S. aus dem
Verbande dieser Zeitung und grün=
dete das „Wiener Tagblatt", als
dessen Herausgeber er nunmehr
fungirt IX., Liechtensteinstraße 51.

Sziglávy, siehe Bors, August
Baron von.

*Szily, Adolf, Ornament=Bild=
hauer, geb. zu Wien am 14. August
1842. S. führt seine Arbeiten nach
eigenen Entwürfen aus, indem er sie
den Ideen der Architekten anpaßt.
U. a. Arbeiten sind, nach eigenen
Compositionen, von ihm die Deco=
rationen an und in den Gebäuden
der Boden=Credit=Anstalt, des Giro=
und Cassen=Vereines, der Länder=
bank, in den Bureaux des obersten
Gerichtshofes, der Escompte=Bank,
sowie der neue Altar in Heiligenkreuz
und der Brunnen im Kreuzgange zu
Lilienfeld. IV., Alleegasse 57.

*Szotyory, Edler von Lißnyo,
Johann, Publicist, geb. zu Wien
am 4. November 1840, ist Heraus=
geber der „Gemeindezeitung". VIII.,
Langegasse 60.

Talab, siehe Fuchs Otto.

Tambour, Rudolf, Schriftsteller,
geb. zu Lemberg am 24. December
1858, ist Mitarbeiter reichsdeutscher,
belletristischer Zeitschriften. Im Druck
erschien: „Die literarische Hnkiosherr=
schaft unserer Zeit" in drei Büchern.
T. ist Revident im Central=Abrech=
nungsbureau der österreich. Eisen=
bahnen. IV., Technikerstraße 5.

Tandler, Josef Ritter von
Tanuingen, Schriftsteller (Pseud.
Florus Antland), geb. zu Prag am
2. Jänner 1807, wurde im Jahre
1850 in das Ministerium für Cultus
und Unterricht berufen, aus welchem
Amte er 1870 als Ministerialrath
schied. Er betheiligte sich an der Re=
daction der „Tiostureu" von 1872

bis 1875, ist Mitarbeiter zahlreicher
in= und ausländischer Zeitschriften,
in welchen von T. Novellen, Er=
zählungen, Essays u. dgl. erschienen,
und veröffentlichte im Jahre 1864
Gedichte unter dem Titel „Gesungenes
und Verklungenes", 1875 die Poesien
„Spruchbüchlein" und 1879 „Apho=
rismen über die Seele". Sämmtliche
Werke erschienen in mehreren Auf=
lagen. Oesterr. und ausländ. decor.
III., Ungargasse 27.

Tann, Ottokar, siehe Bergler
Hanns.

*Tannenzapf, Jonas Johann,
Publicist, geb. in Galizien am
29. September 1854, ist Herausgeber
der „Wiener Volkszeitung". II.,
Rueppgasse 7.

Tauner, Mathias, Schrift=
steller, geb. zu Budapest am 17. Sep=
tember 1860, ist Redacteur der „Neuen
Wiener Theaterzeitung", Mitarbeiter
des „Neuen politischen Volksblattes"
in Budapest, des „Figaro" in New=
York. Von seinen Bühnenwerken ge=
langten zur Aufführung: „Der Herr
Secretär" (Lebensbild), „Die Frau
Baronin" (Volksstück), „Die schöne
Sarah" (Gesangsposse) und „Ein
alter Sünder" (Faschingsposse). V.,
Krongasse 5.

*Tarnóczy, Bertha v., Malerin,
geb. zu Innsbruck am 1. April 1846,
Schülerin des Theodor Her in
München.

*Taschner, Franz, Publicist,
geb. zu Wien im Jahre 1848, Re=
dacteur des „Vaterland". III., Mar=
rergasse 13.

Taube, Theodor, siehe Herd=
liška Th.

*Tauschinski, Hippolyth, Dr.,
Schriftsteller, geb. zu Wien am
9. September 1839, wurde nach Absol=
virung seiner Studien Docent an
der k. k. Wiener Akademie, dann an
der technischen Hochschule in Graz,

verlor seine öffentliche Stellung in Folge wiederholter Betheiligung an Arbeiterbewegungen, wurde mehrere Male ob politischer Delicte verurtheilt, lebte einige Zeit in Paris, war 1879 als Chefredacteur des „Prager Tagblattes" thätig und hat sich seit 1885 dauernd in Wien niedergelassen. T. hat in verschiedenen Zeitungen eine größere Anzahl von Novellen und Feuilletons veröffentlicht und ist Autor einer Serie fachwissenschaftlicher Arbeiten (siehe „Das geinige Wien", II. Band). IV., Große Neugasse 13.

*Taußig, Adolf, Publicist, geb. zu Wien am 28. Jänner 1838, Eigenthümer und Herausgeber der „Hausfrauen-Zeitung" und Redacteur der „Neuen Freien Presse" (Fachreferat: Volkswirthschaft). I., Salvatorgasse 6.

*Tautenhayn, Josef, Bildhauer, geb. zu Wien am 5. Mai 1837, Schüler der k. k. Akademie der bild. Künste in Wien, unter den Professoren Radnitzky und Bauer. Unter der Leitung der Letzteren wendete sich T. der Antike zu. Nach kurzem Studium im Atelier Hähnel's in Dresden, verlegte sich T. auf die Kunst des Gravirens verschiedener Metalle, womit er sich schon früher zeitweilig beschäftigt hatte, wurde Eleve an der Graveur-Akademie des k. k. Hauptmünzamtes, bereiste auf Grund einer Subvention Italien, avancirte 1862 zum Münzgraveur, wurde 1869 zum k. k. Kammer-Medailleur, 1873 zum k. k. Münz- und Medaillen-Graveur ernannt. Von den zahlosen Medaillen, die der Künstler ausgeführt, wollen wir hier speciell der Weltausstellungs-Medaillen „für Kunst", „dem Fortschritte" (Reverse), und der österr. Kriegs-Medaille Erwähnung thun. Für sein Modell eines Schildes „Kampf der Centauren mit den Lapithen" erhielt T. 1878 die Carl Ludwig-Medaille.

T. hat sich auch an der Ausschmückung des kunsthistor. Museums betheiligt und ist k. k. Hof- und Kammer-Medailleur und Professor. Oesterr. dec. G. IV., Starhemberggasse 31.

*Teibler, Georg, Maler, geb. zu Wien am 4. December 1854, Schüler der Akademie unter Prof. v. Engerth von 1870—1877, bereiste auf Grund eines Staatsstipendium Italien und Deutschland. Perchtoldsdorf.

*Telle, Johanna (geb. Dolan), Tänzerin, gehört seit 1860 als Solotänzerin und Mimikerin dem Verbande des k. k. Hofoperntheaters an, woselbst sie auch als Vorstand der Ballettschule thätig ist. IV., Wiedner Hauptstraße 22.

*Telle, Karl, geb. zu Berlin am 12. October 1826, ist als Ballett-Regisseur und Vorstand der Ballettschule des k. k. Hofoperntheaters, Mitglied dieses Kunstinstitutes. Oesterr. und ausl. decor. IV., Wiedner Hauptstraße 22.

*Temple, Hanns, Maler, geb. zu Littau (Mähren) am 7. Juli 1857, Schüler Canon's und der k. k. Akademie der bild. Künste in Wien unter Prof. v. Angeli. T. ist vorzugsweise Genremaler und erhielt den Munkacsy-Preis. G. IV., Belvederegasse 22.

*Tetzlaff, Karl, Schauspieler und Regisseur, geb. zu Thüringen, widmete sich im Jahre 1856 der dramatischen Laufbahn und wurde Schauspieler, kam 1863 an das deutsche Theater in Paris (Direction Ida Schuselta-Brünning) und begann seit dieser Zeit seine Thätigkeit als Regisseur; als solcher war er in Zürich, Augsburg und Mainz im Engagement, später am Hoftheater in Dessau, am Friedrich Wilhelmstädtertheater in Berlin, woselbst er bis 1879 als artistischer Leiter fungirte. 1879 bis 1881 war er Regisseur des Dresdener

Hoftheaters, und erfolgte am 1. Mai des letztgenannten Jahres seine Berufung als Ober-Regisseur an das k. k. Hofoperntheater. Ausl. decor. I., Lobkowitzplatz 1.

*Teuber, Oscar Karl, Schriftsteller, geb. zu Weckelsdorf (Böhmen) am 11. December 1852, ist Redacteur des „Fremdenblatt" seit 1883 (Fachreferat: Politik, Theater und Militärangelegenheiten), war früher Redactionsmitglied der „Bohemia" in Prag. T. wendete sich ursprünglich dem geistlichen Berufe zu, vertauschte diesen mit dem österreichischen Militärdienst, welchen er jedoch bald quittirte und sich gänzlich der schriftstellerischen Thätigkeit (er war Mitarbeiter der „Grazer Tagespost" und der „Grazer Zeitung") widmete. Im Drucke erschienen bisher „Ulrich von Hutten" (dramatisches Gemälde deutscher Vergangenheit, 1873), „Im Cadetteninstitut" (Skizzen) und „Tschan" (lose Skizzen aus der Militärakademie) sowie „Aus dem militär. Jugendleben" (1881). Im Jahre 1884 veröffentlichte er neue Skizzen aus dem militärischen Jugendleben unter dem Titel „Grüß' Dich" und 1888 den letzten Band des dreibändigen Werkes: „Geschichte des Prager Theaters". Ausländisch decorirt. I., Wollzeile 17.

Thalboth, Heinrich (Familienname Heinrich Rázga von Rasztola), Schauspieler und Schriftsteller, geb. zu Prag am 15. Juli 1841, debutirte am 15. Mai 1865 im deutschen Sommertheater zu Ofen, war von 1868—1877 im Verbande des Theaters an der Wien, von 1877—1884 am Wiener Stadttheater thätig und ist seit letztgenanntem Jahre wieder als Regisseur und Schauspieler Mitglied des Theaters an der Wien. Th. ist der Verfasser verschiedener Schauspiele, Possen, bezw. Charakterbilder wie: „Ein wahrer Demokrat", „Ein Wiener Briefträger", „Troppmann",

„Die lustigen Weiber von Wien", „Eine heimliche Leidenschaft", „Der Wiener Festzug", „Eine Kleinigkeit" ꝛc. III., Strohgasse 4.

Thaler, Karl (von, Dr.), Schriftsteller, geb. zu Wien am 30. September 1836, trat in die Journalistik im Herbst 1860 ein, war Redacteur des „Botschafter" bis 1865, der „Presse" (1871) und der „Deutschen Zeitung" von November 1872 bis Mai 1873. Gegenwärtig ist Th. Redacteur der „Neuen Freien Presse" (seit 1873), schreibt Leitartikel über auswärtige Politik und Feuilletons ꝛc. und ist Mitarbeiter der Zeitschriften „Deutsche Dichtung", „Bazar", „Gegenwart" ꝛc., sowie der „Breslauer Morgenzeitung" (Wiener Feuilletons). Im Buchhandel ließ er bisher erscheinen: im Jahre 1860 „Sturmvögel" (politische Sonetten) und „Michel's Versucher" (sat. Zeitkomödie), sowie 1870 „Aus alten Tagen", epische Dichtungen in zwei Theilen (Germania und die Fahrt nach Canossa). VI., Gumpendorferstraße 29.

*Thallmayer, Julius, Architekt, geb. zu Hermannstadt im Jahre 1831, war Schüler der k. k. Akademie der bild. Künste in Wien und ist k. k. Oberbaurath. Oesterr. decor. IX., Berggasse 4.

Theer, Albert, Maler, geb. zu Johannisberg (Oesterr.-Schlesien) am 15. October 1815, Schüler der k. k. Akademie in Wien, ist hauptsächlich als Portraitmaler thätig. I., Schottenbastei 3.

Thelen=(Rüden), Friedrich von, Schauspieler und Maler, geb. zu Laibach am 28. Februar 1836, Schüler der k. k. Wiener Akademie unter den Professoren Blaas, Wurzinger und Geiger, trat 1859 zum ersten Male mit einem Portrait in die Oeffentlichkeit, malte einige Genrebilder, kehrte jedoch bald wieder zum Portrait zurück, wendete sich sodann der Bühne zu, trat 1864 zum ersten Male als „Paul" in „Filz als Praffer" im Theater an der Wien auf, und debutirte im October 1871 als „Graf Oskar Steinhausen" in „Der geheime Agent" an dem k. k. Hofburgtheater, in deffen Engagement Th. bis heute verblieb. IV., Klagbaumgasse 17.

Themer, Johann, Schriftsteller, geb. zu Güns (Ungarn) am 10. Mai 1832, war früher Herausgeber der historischen Zeitschrift „Die Oftmark" und veröffentlichte mehrere Gedichte und historische Studien.Th.war seinerzeit Lehrer an der Militärakademie in Pest, diente in der öfterr. Armee und lebt gegenwärtig als k. k. Obertelegraphist in Pension. Oefterr. und ausl. decor. X., Larenburgerftraße 15.

*Themen, Julie, Schriftstellerin, geb. zu Lemberg am 4. September 1835, ist seit dem Jahre 1860 schriftstellerisch thätig. Sie schrieb zuerst Skizzen und Humoresken für Tagesblätter und später Schilderungen der jüdischen Sitten und Gebräuche, sowie Erzählungen aus dem Volksleben der Juden. Sie veröffentlichte: „Der Wunder-Rabbi" (Roman, 1880), „Fräulein Doctor im Irrenhaufe" (1881), „Sohn der Schrift" (Novelle, 1883), „Die Wunderthäter von Koßl und Ploßl" (1883). VIII., Stobagasse 6.

*Thern, Louis, Musiker, geb. zu Budapeft am 18. December 1848, Concertpianift, erhielt mit seinem Bruder Willi die mufikalische Ausbildung von seinem Vater Karl Thern, der namentlich das Zusammenspiel auf zwei Clavieren mit seinen Söhnen pflegte. 1855 traten beide Brüder zum ersten Male öffentlich auf und unternahmen 1864 die erste Kunftreise, welcher eine große Anzahl bis auf die Gegenwart folgte. 1880 kamen die Brüder nach Wien zurück und wurden Beide Lehrer an den Horak'fchen Clavierfchulen. III., Beatrixgasse 19.

*Thern, Willi, Musiker, geb. zu Budapeft im Jahre 1847, Bruder des Vorigen, wirkt ebenfalls als Concertpianift, siehe Thern Louis. I., Schottenring 15.

*Thieme, Otto, Tänzer, geb. zu Berlin im Jahre 1855, gehört als Solotänzer dem Verbande des k. k. Hofoperntheaters feit 1885 an. Th. hat auch ein kleines Ballett „Der hüpfende Freier" componirt. IV., Schäfergasse 24.

Thienemann, Otto, Architekt, geb. zu Gotha am 11. Auguft 1827, Schüler der Akademien in Berlin und Wien, ift feit vielen Jahren als Architekt ftark beschäftigt, führte zahlreiche Bauten in und außerhalbWien auf, u. a. Kärtner-Hof, Stefans-Hof, Graben-Hof in Wien und die Häuser des öfterr. Ingenieur- und Architektenvereines,des öfterr.Gewerbevereines 2c. Th. ift k. k. Baurath. Oefterr. decor. 6. III., Rabekhftraße 1.

*Thimig, Hugo, Schauspieler,geb. zu Dresden am 16. Juni 1858, trat zum ersten Male als „Lancelot Gobbo" im „Kaufmann von Venedig" am Bauzener Stadttheater auf (15. October 1872). Hierauf wurde er an's Lobe-Theater in Breslau engagirt, wofelbft er von Dingelftedt, welcher, damals auf einer Reife fich in Breslau kurze Zeit aufhielt und Th. spielen fah, perfönlich zu einem viermaligen Probegaftspiel am k. k. Hofburgtheater eingeladen wurde. Am 1. October 1874 trat er in den Verband unserer Hofbühne, und erfolgte wenige Jahre später seine Ernennung zum k. k. Hofschauspieler. Th. spielt jugendlich komische Partien sowie schüchterne Liebhaber. Zu seinen beliebteften Rollen zählen u. a. „Der Bibliothekar", „Camouflet" in „Taffe Thee", in jüngfter Zeit „Truffaldino" in Goldoni's „Diener zweier

Herren" u. v. a. Währing, Gürtelstraße 52.

Thurn, Erwin (siehe Gruß A.,
Tr.).

Tiefenbacher, Ludwig, Schriftsteller, geb. zu Graz am 1. Juli
1843, ist Verfasser der Poesien „Na-
menlos", sowie mehrerer technischer
Werke, Mitarbeiter der Wochenschrift
des „Oesterreichischen Ingenieur- und
Architektenvereines" und Beamter der
k. k. österreichischen Staatsbahnen.
IX., Alserbachstraße 8.

*Tilgner, Victor Oscar, Bildhauer, geb. zu Preßburg am 25. October 1844, Schüler der k. k. Akademie der bildenden Künste in Wien,
war anfänglich bemüßigt, sich durch
unbedeutende Arbeiten das Leben zu
fristen, bis er durch Creirung der
intimen „Portrait-Büste" die Aufmerksamkeit auf sich lenkte und für
eine Reihe von Büsten mit der
Carl Ludwig-Medaille ausgezeichnet
wurde. Nach dem Jahre 1874 trat
T. in Gesellschaft Makart's eine
längere Reise nach Italien an, welche
seine Bestrebungen, ein größeres Werk
zu schaffen, beeinflußte und zu der
Ausführung der Gruppe „Triton mit
der Nymphe" im (Wiener Volksgarten) die Anregung bot. T., welcher
im Jahre 1880 für die Statuette
„Modell einer Brunnengruppe" den
Reichel-Preis erhielt, kehrte jedoch
wieder zu dem ihm eigenen Fache,
der Portraitbüste, zurück und wird
hierin jetzt von der Kritik als einer
der ersten Meister auf dem Continente
bezeichnet. Von der großen Anzahl
Arbeiten, die T. ausgeführt, seien hier
erwähnt die Büste des „Mich. Etienne",
die Statuen des „Mor. Schwind",
„Corn. Rauch" und „Luk. Führich"
(kunsthistor. Museum Wien), des
„Alex. v. Humboldt", „L. v. Buch",
„Newton" und „Linné" (naturhistor.
Museum Wien) die Statuen „Archimedes", „Varro", „Homer" und „Phi-

dias" (Parlamentsgebäude Wien),
die Nischengruppen „Wiener Hannswurst", „Phädra" und „Falstaff",
sowie die Dichter-Büsten „Calderon",
„Shakespeare", „Molière", „Lessing",
„Goethe", „Schiller", „Hebbel", „Grillparzer" und „Halm" (Hofburgtheater),
die Rubens-Statue vor dem Künstlerhause in Wien, der Brunnen in der
kais. Villa zu Ischl ꝛc. ꝛc. T. ist k. k.
Professor. Oesterr. und ausl. decor.
G. IV., Wohllebengasse 8.

Tilkowski, Albert, Dr., Ma-
gister, geb. zu Georgenberg (Ungarn)
am 20. Juli 1840. Er studirte Medizin, wurde Secundararzt in der
Wiener Irrenanstalt und 1886 Director der niederösterr. Landes-
Irrenanstalt in Klosterneuburg. Er
componirte Clavierstücke und Männerchöre (meist Walzeridyllen), welche
sämmtlich vom Wiener Männergesangverein und akademischen Gesang-
verein zur ersten Aufführung gebracht
wurden. Währing, Martinstraße 30.

*Till, Johann, Maler, Schüler
seines Vaters und der k. k. Akademie
in Wien unter Anpelwieser. Sein
Oelgemälde „Heimkehrende Kreuz-
fahrer um Gastfreundschaft in einem
Kloster bittend" befindet sich in der
Gallerie der k. k. Akademie der bild.
Künste. G. VI., Hornbostelgasse 2.

Tischler, Charlotte, Schauspielerin und Sängerin, geb. zu
Wien am 18. April 1865, debutirte
am 19. Jänner 1886 in Brünn, war
von 10. Februar 1886 bis 23. August
1887 an der Wiener Hofoper und
gehört seit 1. September 1887 dem
Verbande des Carltheaters an. II.,
Praterstraße 58.

Tischler, Ludwig, Architekt, geb.
zu Triest am 6. August 1840, Schüler
der polytechnischen Schule in Wien
(1860 bis 1869), pflegte besonders das
Studium des Baufaches und wirkte
zumeist im Interesse der Wiener
Baugesellschaft, deren Chef-Architekt

er von 1869—1874 war. Er verband sich mit Karl von Lützow zur Herausgabe des architektonischen Sammelwerkes „Wiener Neubauten" und „Wiener Monumentalbauten" (von welchen je zwei Bände bisher erschienen sind), welche Werke eine bildliche Geschichte des Aufschwunges der Baukunst in Oesterreich und namentlich in Wien darstellen. T. hat mehr als 150 Bauten, darunter die Wiener Hôtels: „Metropole", „Kummer", „Tegetthof", „Goldene Ente", den „Maria Theresien-Hof", das „Goldene Kugelhaus" am Hof ꝛc. aufgeführt, und ist Verwaltungsrath der allg. österr. Baugesellschaft. G. I., Schottenring 19.

*Titz, Emma, Schauspielerin, geb. zu Wien am 28. Juli 1870; debutirte 1887 im Theater in der Josefstadt und ist seit dieser Zeit Mitglied der genannten Bühne.

*Tobisch, Heinrich, Schriftsteller, ist sowohl fachschriftstellerisch (Philologie)(siehe „Das geistige Wien", II. Band), als auch belletristisch (lyrische Gedichte) thätig. Rudolfsheim, Arnsteingasse 30).

*Toms, Franz, Musiker, geb. zu Zatwor am 9. December 1837, ist Mitglied der k. k. Hof-Musikcapelle und des k. k. Hofopern-Orchesters (Trompete) seit 15. October 1872. III., Heumarkt 9.

*Tóth, Stefan, Bildhauer, geb. zu Steinamanger am 9. November 1861, Schüler der k. k. Akademie der bild. Künste in Wien unter Prof. Zumbusch. III., Arsenalweg (Bildhauergebäude).

Trauner, Adolf, Publicist, geb. zu Schwarzenberg (Oberösterreich) am 9. März 1848, trat nach Absolvierung der philosophischen Studien an der Wiener Universität im Jahre 1874 in den Redactions-Verband des „Neuigkeits-Weltblattes", woselbst er seit diesem Jahre für die verschiedensten Fächern thätig ist. Er schreibt politische und belletristische Artikel, Feuilletons, liefert auch poetische Beiträge und Uebersetzungen ꝛc. VI, Millergasse 4.

*Trebitsch, Emanuel, Publicist, Redacteur der „Blätter für Stadt und Land" und der „Oesterr.-ung. Politik". II., Darwingasse 21.

*Trebitsch, Josef, Publicist, geb. zu Budapest im Jahre 1848, ist Mitredacteur des „Illustrirten Wiener Extrablatt". IX, Seegasse 4.

Trenkwald, Josef Mathias, Historienmaler, geb. zu Prag am 13. März 1824, war Schüler der Akademie in Prag unter Ruben (1841—1851) und vervollkommnete sich an der k. k. Akademie in Wien, wo Rahl wesentlichen Einfluß auf die künstlerische Entwicklung des Malers nahm. Nach einer Studienreise durch Italien nach Wien zurückgekehrt, wurde Th. mit verschiedenen ehrenvollen Aufträgen betraut, wurde 1865 als Nachfolger (Engerth's) zum Director der Akademie in Prag, 1872 zum Professor der k. k. Wiener Akademie ernannt. T. widmete sich in den ersten Jahren seiner Thätigkeit dem höheren Genre, ging jedoch zur Historie und in den letzten Jahren zur Kirchenmalerei über. Für seine Cartons zu den Glasmalereien der 19 Marienfenster in der Votivkirche (ausgeführt in der Geyling'schen k. k. Hofglasmalerei in Wien) wurde T. 1883 durch Verleihung der Carl Ludwig-Medaille ausgezeichnet. Sein Gemälde „Einzug Herzog Leopold des Glorreichen in Wien", befindet sich im Besitze der Gemälde-Gallerie des allerh. Kaiserhauses. Von ihm sind u. a. auch der Fresken-Cyclus („Die Kirchenväter") im akademischen Gymnasium zu Wien, und sämmtliche Fresken in der Votivkirche. T. ist k. k. Professor. Oesterr. u. ausl. decor. G. IV., Alleegasse 41.

*Treuschiner, Jakob, Publicist, geb. zu St. Gotthart (Ungarn) im

Jahre 1852, ist Redacteur des „Illustr. Wr. Extrablatt". III., Regelgasse 15.

Trentin, Angelo, Maler, geb. zu Udine am 2. September 1850, Schüler der Akademie in Wien und von 1876—1880 der in München, hat sich dem Portrait und Genre — in letzterer Zeit vielfach in Pastell — zugewendet. S. IV., Mayerhofg. 9.

Treulich, Adolf, Publicist, geb. zu Wien am 20. Mai 1857, ist seit 1881 Mitarbeiter des „Neuigkeits-Weltblatt" und war früher als Feuilletonist beim „Extrablatt" thätig. VII., Schottenfeldgasse 48a.

Triesch, Friedrich Gustav, Schriftsteller, geb. zu Wien am 16. Juni 1845. Wenngleich zum Bildhauer bestimmt, wendete er sich schon frühzeitig dem Kaufmannstande zu, ohne daß dabei seine lebhafte Neigung zur Poesie und sein Interesse für das Theater unterdrückt wurden. Er trat bald mit literarischen und dramatischen Arbeiten vor die Oeffentlichkeit, und sind von seinen Bühnenwerken zu nennen: „Amalie Welden" (Lustspiel, 1865), „Im 19. Jahrhundert" (Preislustspiel, 1868, Burgtheater), „Träume sind Schäume" (Lustspiel, 1873), „Die Wochenchronik" und „Höhere Gesichtspunkte" (Preislustspiele, 1877, Wiener Stadttheater), „Neue Verträge" (Preislustspiel, 1880, Münchener Hoftheater), „Ein Anwalt" (Schauspiel mit Ad. Sonnenthal), „Der Hexenmeister" (Lustspiel, 1886) und „Die Nixe" (Lustspiel, 1887). Seine lyrischen Gedichte hat T. bisher noch nicht gesammelt herausgegeben. I., Elisabethstraße 22.

Trocase, Francois, Publicist, Herausgeber der „Correspondance Austro-Hongroise", Mitarbeiter des „Economiste français" und Vertreter französischer Journale. Er war ehemals Chefredacteur des „Messager de Vienne," eines in Wien erschienenen französischen Blattes politischer Tendenz, welches kurze Zeit nach Gambetta's Tod eingieng. Unter-Döbling, Herrengasse 143.

Trojan, Karl (Pseud. Tr. Gustav Bernd), Publicist, geb. zu Wien, ist Mitarbeiter auswärtiger Zeitungen (darunter der „Independ. Belge"), sowie Redacteur der Zeitschrift „Kaufmännische Post". Hernals, Stiftgasse 11.

Tschampa, Fanny, Sängerin, geb. zu Gonobitz (Steiermark) am 27. März 1856, Schülerin des steirischen Musikvereines in Graz. Sie ist Dirigentin (1. Sopranistin) des österr. Damenquartetts, mit welchem sie größere Kunstreisen nach Deutschland, Frankreich, Spanien, Italien, Rußland ze. unternimmt. IV., Favoritenstraße 27.

*****Tscherne**, Georg, Bildhauer, geb. zu Wien am 25. Mai 1852, Schüler der k. k. Akademie der bild. Künste in Wien. Seine Gipsgruppe „Mignon und der Harfner" befindet sich im Besitze der k. k. Wiener Akademie. I., Sterngasse 6.

*****Tullinger**, Karl Franz, Publicist, Redacteur der „Vororte-Blätter". Hernals, Annagasse 16.

Tumlirz, Karl, Dr., Schriftsteller, geb. zu Moldau bei Teplitz (Böhmen) am 24. März 1854, ist verantwortlicher Redacteur der Zeitschrift „Mittelschule" in Wien und Mitarbeiter der Zeitschrift für österr. Gymnasien, für das Realschulwesen und des „Dichterheim" (Dresden). Von T. erschienen im Druck: „Gedichte" (Krumau 1879), sowie eine Anzahl fachwissenschaftlicher Werke (siehe „Das geistige Wien", II. Bd.). T. ist auch Professor am Staatsgymnasium im II. Bezirke. II., Taborstraße 28.

*****Turek**, August, Musiker, geb. zu Wien am 25. August 1831, war als Posaunist Mitglied des k. k. Hof-Opernorchesters und ist gegenwärtig noch Mitglied der k. k. Hofcapelle. VIII., Tigergasse 11.

Tuwóra, Maurice Julius, Schriftsteller, geb. zu Schärding am Inn am 26. Jänner 1856. Von demselben erschienen: das Lustspiel "Ein Willkommener" (Berlin 1879), sowie diverse Fachschriften. (Siehe "Das geistige Wien", II. Band). T. war früher activer Officier und ist gegenwärtig bei der "Neuen illustrirten Zeitung" thätig. Er ist Mitarbeiter der "Internationalen Revue für die gesammten Armeen und Flotten" (Dresden), der "Deutschen Heeres-zeitung" (Berlin), des Kalender-verlages Dittmarsch (Wien) 2c. und schreibt über Volkswirthschaft, Politik und Theater, sowie Feuilletons in mehreren Tageszeitungen. III., Kolo-nitzplatz 8.

Tyberg, Marcell, Musiker, geb. zu Oswiecim (Galizien) am 18. November 1858, war Schüler des Wiener Conservatoriums (am längsten unter Director Hellmesberger). Er ist als Violin-Virtuose thätig und trat zum ersten Male in einem selbständigen Concerte 1881 in Wien auf, wurde später Opernconcertmeister am Nationaltheater in Lemberg und lebt seit 1887 wieder in Wien als Virtuose und Lehrer des Violinspiels. VI., Mollardgasse.

Tyberg-Paltinger, Wanda, Gattin des Vorigen (seit 1887), ist als Concertpianistin tonkünstlerisch thätig. VI., Mollardgasse.

Tyrolt, Rudolf, Dr., Schau-spieler u. Schriftsteller, geb. zu Rotten-mann am 23. November 1848; am 8. October 1870 betrat er in Olmütz zum ersten Male die Bühne, war längere Zeit am Wiener Stadttheater (unter Laube) künstlerisch thätig und trat am 1. September 1884 in den Verband des k. k. Hofburgtheaters,

aus welchem er nach vierjährigem En-gagement, im December 1888, schied. T. ist auch Bühnenschriftsteller. Er schrieb u. a: "Aus der Theaterwelt", "Die öffentlichen Angelegenheiten" (Lustspiel mit R. Löbl), "Meister Potier" (Lustspiel). IX., Wasagasse 2.

Udel, Karl, Musiker, geb. zu Warasdin am 6. Februar 1844, war 1859 Mitglied des Orchesters des Theaters a. d. Wien und (im Fasching 1860) Violaspieler bei Johann Strauss; er wurde im gleichen Jahre an's Quai-Theater engagirt, ver-tauschte 1861 die Viola mit dem Cello, war später an mehreren Theatern (Carl- und Josefstädter-, sowie Na-tionaltheater in Budapest) als Pri-marius und 1868—1881 im k. k. Hofopern-Orchester thätig. 1877 er-folgte seine Ernennung zum Professor am Conservatorium. U. cultivirt als Specialität das heitere Genre des Männerquartetts, ist Primarius eines solchen (Udel-Quartett) und wurde in dieser Eigenschaft allgemein bekannt und wiederholt in die Allerhöchsten Kreise gezogen. Auch ließ derselbe eine Sammlung niederösterr. Volks-lieder (für 4 Männerstimmen) im Mu-sikalienverlag erscheinen. I., Nibe-lungengasse 4.

Uhl, Alois, Maler, geb. zu Strixy im Jahre 1851. Neulerchenfeld, Neu-mayergasse 27.

Uhl, Friedrich, Schriftsteller, geb. zu Teschen am 14. Mai 1825. Seine erste literarische Arbeit, eine schlesische Dorfgeschichte, veröffentlichte er in Ludwig August Frankl's "Sonntags-Blättern" im Jahre 1845, und ist seit 1848 ununterbrochen publicistisch thätig. Er übernahm 1861 die Chef-Redaction des Partei-Blattes "Der Botschafter", welche er bis 1865 führte und wurde 1872 in die Redaction der amtlichen "Wiener Zeitung" berufen, deren Chef-Re-dacteur er gegenwärtig ist; er schrieb

hauptsächlich Romane, Novellen und Essays und erschienen von demselben in Buchform: „Märchen aus dem Weichselthale" (1847), „Aus dem Banate" (Reisebilder, 1848), „An der Theiß" (Stillleben, 1851), „Die Theaterprinzessin" (Roman in zwei Bänden, 1863), „Das Haus Fragstein" (Roman, 1878), „Die Botschafterin" (Roman in zwei Bänden, 1880) und „Farbenrausch" (Roman, 1887); aus seiner Feder stammt auch der Aufsatz „Die Gesellschaft" in der vom Gemeinderathe der Stadt Wien anläßlich des 40jährigen Regierungs-Jubiläums unseres Kaisers herausgegebenen Festschrift „Wien 1848 1888". U. ist k. k. Regierungsrath, österr. und ausländ. decor. II., Weintraubengasse 7.

*Uhlen, Erwin Hanns, Schriftsteller, geb. zu Wien im Jahre 1867, schreibt vornehmlich Novellen und Feuilletons in verschiedene Zeitungen und Zeitschriften. II., Lichtenauergasse 7.

Ullmann, Karl, Publicist, geb. zu Iglau am 24. August 1860, ist Redacteur des „Neuen Wiener Tagblatt" (Fachreferat: Localer Theil). II., Rembrandtstraße 22.

*Ulrich, Christian, Architekt, geb. zu Wien im Jahre 1836, Schüler der k. k. Akademie unter van der Nüll und Siccardsburg. Sein Concurrenzentwurf für das Gebäude der Deputirten-Kammer in Bukarest verschaffte ihm 1878 den ersten Preis in der Architekturschule. Oesterr. und ausländ. decor. I., Maximilianstr. 6.

Umlauf, Karl J. F., Musiker, geb. zu Baden bei Wien am 19. September 1824. Er ist Gründer der Wiener Methode für Zither, Verfasser der „Wiener Zitherschule" und Herausgeber des Salonalbum für Zitherspieler. U. ist Componist zahlreicher Musikstücke für Zither und Streichzither, sowie Liedercomponist.

Auch als Zithervirtuose ist derselbe künstlerisch thätig und tritt als solcher wiederholt in die Oeffentlichkeit (im Musikvereinssaale allein concertirte er über hundert Male). I., Laurenzerberg 5.

Unger, Anton, Musiker, geb. zu Gottesgab am 13. April 1842, ist Mitglied des k. k. Hofopern-Orchesters (Flöte) und seit 18. Juli 1863 im Engagement genannten Kunst-Institutes. V., Mittersteig 17

*Unger, Karl, Musiker, geb. zu Gottesgab am 23. Mai 1846, ist seit 1. November 1876 im Verbande des k. k. Hofopern-Orchesters (Contrabaß). VII., Bernardgasse 9.

*Unger, William, Radirer und Kupferstecher, geb. zu Hannover am 11. September 1837, Schüler der Akademien in Düsseldorf (unter Keller) und München (unter Thaeter), gieng 1863 nach Leipzig, übersiedelte später nach Weimar, war 1871—1872 in Holland und ließ sich Ende 1872 in Wien nieder, wo er besonders für die Gesellschaft d. vervielfältigenden Kunst (die k. k. Gemälde-Gallerie in Wien, Text von Lützow) thätig war. Von seinen zahlreichen Arbeiten seien hier die vielen Blätter für Lützow's „Zeitschrift für bild. Kunst", 18 Blätter nach der Gallerie in Braunschweig, 44 nach der in Kassel, sowie Blätter nach neueren Meistern, Makart, Lenbach ꝛc. erwähnt. U. ist auch k. k. Professor an der Kunstgewerbeschule des österr. Museums. Oesterr. u. ausl. decor. G. I., Stubenring (K. k. Museum).

*Urban, Karl, Musiker, geb. zu Wien am 13. September 1832, ist als Pianist, Contrabassist und Flügelhornist (für türkische Musik), sowie als Lehrer thätig. Fünfhaus, Renbaugürtel 30.

*Valdeck, Rudolf (Rudolf Wagner), Schriftsteller, geb. zu Wien. wurde bereits in den Fünfziger-jahren publicistischer Mitarbeiter der „Ostdeutschen Post" und ist seit dieser Zeit als Feuilletonist und Theater-Referent thätig. Nach dem Eingehen erwähnten Blattes trat er in die Redaction der „Presse" und später in die der „Neuen Freien Presse" über. Gegenwärtig vielfach literarisch thätig, ist V. auch Mitarbeiter (Feuilletonist) des „Neuen Wr. Tagblatt". III., Veithgasse 4.

*Varrone (auch Varoni), Johann, Landschafts-Maler, geb. zu Bellinzona im Canton Tessin im Jahre 1832, Schüler der k. k. Akademie in Wien, bildete sich im Atelier Höger's aus, unternahm Studienreisen nach Italien, in die Schweiz und in die österr. Alpen, von wo er größtentheils die Motive zu seinen Bildern holte. G. IV., Weyringergasse 10.

Verden, E. v., siehe Vincenti k.

*Veith, Eduard, Maler, geb. zu Neutitschein im Jahre 1858, studierte in Paris, hat u. a. den Vorhang und die Deckengemälde für das deutsche Volkstheater in Wien ausgeführt. VII., Neustiftgasse 10.

*Vergani, Ernst, geb. im Jahre 1848, war zuerst in kaiserl. Diensten (Saline Wieliczka), und später Verwalter des Graphitwerkes in Mühldorf. V. ist Mitbegründer und Herausgeber des „Deutschen Volksblatt", Reichsrath-Abgeordneter, Landtags-Abgeordneter von Niederösterreich, Bürgermeister von Mühldorf, Obmann des Schulvereines für Deutsche, sowie Verfasser der Flugschrift „Wahlreform" (1886). VI., Magdalenenstraße 26.

*Vernet, Hermine, Sängerin, geb. zu Marburg im Jahre 1855, tritt zumeist auf Kunstreisen als Concert- und Opernsängerin vor die Oeffentlichkeit.

Vetter, Cornelius, Publicist und Musiker, geb. zu Trencsin am 3. Jänner 1853, Herausgeber des „Oesterreichischen Reformer" und Mitarbeiter auswärtiger, deutschnationaler und antisemitischer Zeitungen. Fachreferat: Leitartikel, Feuilleton und socialpolitische Abhandlungen. V. ist auch Cellist und als solcher Mitglied der Domcapelle der Metropolitane St. Stefan zu Wien. Schüler von J. J. Hummel, Hilpert und Kretschmann. V. ist Buchhändler und seit dem Jahre 1888 Wiener Gemeinderath. III., Hauptstraße 68.

Vincent, Heinrich Josef, Musiker, geb. zu Theilheim bei Würzburg am 23. Februar 1819, sollte Theologe werden, studierte jedoch Jus und wurde später bestimmt, zur Bühne zu gehen. Er gastierte an den ersten Bühnen Deutschlands (1847 am Kärntnerthortheater) und blieb bis 1870 Opernsänger. Er componirte eine große Anzahl Lieder, zwei Opern, Chöre ꝛc., schrieb auch mehrere Operetten-Libretti, ist Verfechter einer Notenschrift ohne Versetzungszeichen, bereiste Schlesien, um daselbst Vorlesungen über die Neu-Claviatur und Neu-Notation zu halten, ist Musikreferent der „Deutschen Kunst- und Musikzeitung", sowie anderer Fachzeitschriften, und Musiklehrer. VII., Mariahilferstraße 110.

*Vincenti, Karl Ferdinand, Ritter von (Pseud. C. von Verden), Schriftsteller, geb. in Baden, am 14. December 1835. Er widmete sich frühzeitig umfassenden Studien und trat bald Jahre während Forschungsreisen, besonders durch den Orient an. Durch dieselben gewann er eingehende Kenntnisse von Land und Leuten und verwertete seine daselbst gesammelten Erfahrungen vielfach in seinen Werken. Nach Wien zurückgekehrt, trat er in die Redaction des „Wanderer", wurde später Chefredacteur der „Heimat" und einige Zeit nachher Redacteur der „Neuen

Freien Presse", bei welcher Zeitung er noch heute publicistisch (für äußere Politik) thätig ist. B. wirkt auch seit einer Reihe von Jahren als Vorleser, in welcher Eigenschaft er mehrere Wochen im Winter die größten Städte Teutschlands u. Oesterreichs bereist u. zumeist über den Orient, dessen Kunst, Land und Bewohner Vorträge hält. Im Buchhandel erschienen: „Der Roman eines Gefolterten" (1870), „Die Tempelstürmer Hocharabiens" (Roman, 1873), „Unter Schleier und Maske" (Oriental Nov. 1874), „Wiener Kunst-Renaissance" (Studien und Charakteristiken, 1876), „In Gluth und Eis" (Novellen, 1876), „Auferstanden" (Roman, 1877), „Wundergeschichten der Liebe" (1880). W. ist Correspondent der „Allgem. Zeitung" (München), Mitarbeiter der „Kunst für Alle", „Allgem. Kunst-Chronik" und mehrerer anderer Zeitschriften. Oesterr. und ausl. decor. III., Reisnerstraße 36.

*Vita, Wilhelm, Portraitmaler, geb. zu Zauchtl (Mähren) am 5. Mai 1846, Schüler der k. k. Wiener Akademie, bildete sich in seinem Fache unter Professor von Angeli's Leitung aus. G. III., Kollonitzgasse 7.

*Vital, N., Bildhauer, geb. zu Wien im Jahre 1857, Schüler Zumbusch's. IV., Goldegggasse 31.

*Vockner, Josef, Musiker, geb. zu Ebensee (Oberösterr.), am 18. März 1842, Schüler Bruckner's, ist sowohl als Orgelvirtuose, als auch als Componist und Musiklehrer künstlerisch thätig. Als Componist cultivirt er vornehmlich Kammer- und Kirchenmusik, und wurden seine Werke im Concertsaal und in vielen Kirchen Wiens zur Aufführung gebracht. Oesterr. decor. VII., Breitegasse 5.

Vogel, Anna (Pseud. A. Vogel vom Spielberg), Schriftstellerin, geb. zu Brünn am 12. Juli 1860, ist Mitarbeiterin von: „Ueber Land und Meer", „Deutsches Volksblatt", „Schorer's Familienblatt", „Kindergartenlaube", „Neues Blatt" :c. IV., Igelgasse 13.

Vogel, Hilarius, Schriftsteller, geb. zu Lustenau (Vorarlberg) am 13. Jänner 1828, Mitarbeiter verschiedener in- und ausländ. Blätter, Verfasser der epischen Gedichte „Die Schlacht bei Aspern", „Die Schlacht bei Custozza" und mehrerer sachwissenschaftl. Arbeiten (siehe „Das geistige Wien", II. Band). B. ist k. k. Realschul-Professor i. P. X., Wielandgasse 17.

*Vogelsang, Karl Freiherr von, Schriftsteller, geb. zu Liegnitz (Herzogthum Liechtenstein) am 3. September 1818, ist vielfach literarisch thätig (schreibt zumeist über Gesellschafts-, wissenschaftliche, volkswirthschaftliche und verwandte Fragen), Redacteur des „Vaterland" und Herausgeber der „Oesterreichischen Monatsschrift für christliche Socialreform". V., Laurenzgasse 3.

*Vogelsinger, Gustav Emil (Regnis Legov), geb. zu Wien am 2. August 1852, ist Verfasser der Dichtungen: „Lieder aus der Heimat" (1883), „Aus längst verwischter Zeit" (1884) :c. B. ist berufsmäßig Bautechniker. III., Hauptstraße 97.

*Vogl, Franz, Bildhauer, geb. zu Wien im Jahre 1861, Schüler der Akademie (Bildhauerschule von Prof. Helmer), dann Schüler Weyr's, erhielt den zweiten Preis beim Wettbewerb für die Ausschmückung des Prager deutschen Theaters und führte einen großen Theil der dortigen Bildhauerarbeiten aus. B. war auch für das Theater in Odessa künstlerisch thätig und hat den figuralen Giebelschmuck an der Vorderfaçade des deutschen Volkstheaters in Wien ausgeführt.

*Völkl, Reinhold, Decorations-Bildhauer geb. zu Neurode

(Schlesien) im Jahre 1834. Von ihm ist u. a. das Werk „Plafond= und Wand=Decorationen des 19. Jahr= hunderts" (mit erläuterndem Texte von Dr. A. Ilg). 6. IV., Hungel= brunngasse 5.

Wächtler, Ludwig. Architekt, geb. zu St. Pölten am 9. März 1842, Schüler der Akademie unter Van der Rüll, Siccardsburg und Schmidt, war Bauführer bei dem Baue des Wiener Künstlerhauses und der Bri= gittenauer Pfarrkirche unternahm so= dann eine Studienreise nach Teutsch= land und wurde, zurückgekehrt, Nach= folger des mittlerweile verstorbenen Hugo Ernst, legte jedoch die Stelle eines Dombauführers bald nieder und wendete sich selbständigen Arbeiten zu; von den vielen Bauten, die W. ausgeführt, erwähnen wir hier: Re= doute und Casino in Oedenburg, Rathhaus in Siegrub, Gruft Arco zu Ebreichsdorf, Kirche zu Ste= fanau b. Olmütz, Entw. f. d. Militär= Casino in Wien, Entwurf für das Jagdschloß des Fürsten Windischgrätz in Tachau. W. ist k. k. Baurath IV., Theresianumgasse 31.

*Wagner, Alexander, Archi= tekt, geb. zu Leipzig am 23. Mai 1840. 6. IV., Wenringergasse 3.

*Wagner, Anton Paul, Bild= hauer, geb. zu Königinhof (Böh= men) im Jahre 1834, Schüler der k. k. Akademie in Wien. Von den vielen Werken, die er geschaffen, dürfte das „Gänsemädchen", (Brunnen nächst der Nahlstiege), die Statuen „Ru= dolf der Stifter" und „Franz Josef I." für das akademische Gym= nasium in Wien, die Kolossal= statue „Michel Angelo" (Wiener Künstlerhaus, die Figuren „Orpheus", „Medea", „Circe", „Herkules" und zwei Nischenfiguren in dem k. k. Uni= versitätsgebäude, sowie die Statuen „S. di Prato", „Calderon" „Mo= lière und „Garrick" (Hofburgtheater),

„Rafael" und „Rubens" (Façade des kunsthistor. Museum) am meisten das locale Interesse erregen. 6. III., Hainburgerstraße 32.

*Wagner, Camillo v. (Karl Gundram), Schriftsteller, geb. zu Frankenburg in Oberösterreich am 22. Juni 1843. studierte Philosophie und Jurisprudenz, sowie Forstwissen= schaft und wurde 1840 Bergbeamter zuerst in Joachimsthal, dann in Steyr. Später wirkte er als höherer Gerichts= beamter in mehreren Städten Oester= reich=Ungarns, wurde Oberlandes= gerichts= und Hofrath. Er ist nicht nur auf rechtswissenschaftlichem (unter seinem wahren Namen), sondern auch auf schöngeistigem Gebiete unter dem Pseudonym Carl Gundram, schrift= stellerisch thätig. Seine ersten poeti= schen Versuche erschienen im Schade= schen Musen=Almanach, welchen verschiedene Aufsätze in der „Augs= burger Allg. Zeitung" und im „Stutt= garter Morgenblatt" folgten. Im Buch= handel veröffentlichte er: „Drei Ge= schwister" (Roman, 1847), „Schatten= spiele" (Roman, 1853). Die Novellen= sammlung „Felicitas" (1873), die epischen Dichtungen: „Sandwirth Hofer" (1867) und „Kaiser Karl V." (1865), sowie den Roman: „Mit dunklem Hintergrunde". Währing, Anastasius Grüngasse 42.

Wagner, Franz, Musiker, geb. zu Wien am 23. August 1853. Er schrieb über 200 Compositionen und Transcriptionen für Zither, Clavier und Orchester und die dreiactige Operette: „Die schöne Wittwe". W. ist auch Verfasser einer großen Anzahl populär gewordener Liedertexte, da= runter „Nur für Natur" (Musik von Joh. Strauß), „Liesette", „Liebes= brief" (Musik von Ziehre), der hu= moristischen Sammlung „Mein Wien", der Possen: „Eine gute Partie" (mit Carl Lindau) und ist Herausgeber der „Wiener Zitherzeitung". Als Zither=

virtuose bereiste er Teutschland, Belgien, Dänemark, Frankreich ꝛc. Ausl. decor. II., Praterstraße 35.

Wagner, Karl Josef, Schauspieler, widmete sich anfänglich der Rechtswissenschaft, wendete sich jedoch bald der Bühne zu und debutirte als „Ferdinand" in „Egmont" im Casseler Hoftheater (5. Juni 1882). Seit 1. September 1888 ist W. im Verbande des k. k. Hofburgtheaters. W. ist ein Sohn des verstorbenen Hofschauspielers Josef Wagner.

Wagner, Otto, Architekt, geb. zu Penzing bei Wien am 13. Juli 1841, studierte an den techn. Hochschulen in Wien und Berlin und an der k. k. Akademie der bild. Künste in Wien. Von seinen vielen Bauten seien hier erwähnt: Der Neubau des Dianabades in Wien, die Synagoge in Budapest und das Administrations-Gebäude der Länderbank in Wien. W. hatte auch wesentlichen Antheil an den zur Feier des silbernen Hochzeit des österr. Kaiserpaares unternommenen Decorations-Arbeiten. W. ist k. k. Baurath. 6. I., Stadiongasse 6—8.

*****Wagner,** Rosa, Schauspielerin, gehört seit 1872 dem Verbande des k. k. Hofburgtheaters als Mitglied an. I., Seilerstätte 12.

Wagner, Rudolf (siehe Waldeck Rudolf).

*****Wagner,** Wenzel, Musiker, geb. zu Böhm.-Brod am 26. September 1826, ist als Clarinetist Mitglied des Orchesters des k. k. Hofburgtheaters. X., Himbergerstraße 36.

*****Wahl,** Stefan, Musiker, geb. zu Brzezan (Galizien) am 27. März 1859, ist Mitglied des k. k. Hofopern-Orchesters (1. Violine) und seit 15. August 1879 im Engagement genannten Kunst-Institutes. Währing, Wildemanngasse 26.

Wahle, Fritz, Musiker, geb. zu

Wien am 4. August 1859, ist als Violinist tonkünstlerisch thätig und Mitglied des Quartett-Vereines Winkler. I., Ebendorferstraße 4.

Wailand, Friedrich, Maler, geb. zu Drasenhofen (Niederösterreich) am 16. Juli 1821, pflegt das Portrait und hat sich mit Vorliebe der Miniatur-Malerei zugewendet. 6. IV., Hundsthurmerstraße 2.

Walbeck, Fanny, Schauspielerin, geb. zu Wien am 11. October 1856, debutirte im Königsberger Stadttheater (3. Mai 1871) als „Mathilde" in „Gleich und Gleich", war längere Zeit am deutschen Hoftheater in St. Petersburg im Engagement und gehört seit 1. Jänner 1874 dem Verbande des k. k. Hofburgtheaters an. I., Schellinggasse 7.

Wald, Alexander, Schriftsteller, geb. zu Dresden am 29. Juli 1851, verfaßte eine Anzahl Bühnenwerke und Opernlibretti, u. zw. mit G. Lange die Possen: „Der Salonzigeuner" und „Der akademische Krieg"; dann „Die Kinder des Hauses" (Schauspiel), „Heinrich Heine" (Singspiel), „Das Schweine-Sextett" (Musikalischer Scherz), „Fürst von Bulgarien" (Lustspiel mit G. Lange) und die Libretti: „Das Amazonenduell" (Musik von Klüppel) und „Belphegor" (Musik von August Heuser). Unter der Presse befinden sich ein Wiener Roman: „Die Kindesmörderin" und die philosophische Studie „Der jüdische Mythos". W. ist auch Mitarbeiter mehrerer ausländischer Journale. IV., Goldeggasse 29.

Waldberg, Heinrich Freih. v., Dr., Schriftsteller, geb. zu Jassy am 2. März 1861, verfaßte in Gemeinschaft mit Victor Léon mehrere Bühnenwerke und Opernlibretti, u. a. „Die Rheintöchter" (Lustspiel), „Wir Bulgaren" (Schwank), „O du Million" (Volksstück), „Der bleiche Gast" (Operette), sowie den Einacter: „Nach einer älteren Idee". W. schrieb auch humoristische Gedichte und Couplets. I., Bankgasse 8.

*Walden, Bruno (Fl. Gallinn), ist Mitarbeiter der „Wiener Zeitung", der „Norbb. Allg. Zeitung", „Ueber Land und Meer" 2c. (hauptsächlich literarische Kritik). I., Seilerstätte 19.

Waldheim, Rudolf (Schürer), von, geb. zu Wien am 12. December 1832, ist Begründer folgender Zeitschriften: „Figaro", „Wiener Luft", „Blätter für Kunst-Gewerbe" (1872 bis 1888) „Mußestunden" (1859 bis 1863), „Waldheim's illustr. Zeitung" (1862—1863) „Waldheim's illustr. Blätter" (1864—1866) und des „Conducteur" (1871—1888). II., Taborstraße 52.

Waldstein, Max, Schriftsteller, geb. zu Dörzbach a. d. Jart (Württemberg) am 30. December 1836, wollte Schauspieler werden und debutirte am Carltheater (mit Scholz und Nestroy). Er wandte sich jedoch bald der Schriftstellerei zu und entfaltete eine sehr productive literarische Thätigkeit. Er debutirte im Carltheater mit dem Schwank „Anstoßen", welchem das Lustspiel „Er liest den Livius" folgte. Im Ganzen verfaßte W. mehr als fünfzig Lustspiele, sowie das Trauerspiel „Die Bürger von Hannover". Seine gesammelten Lustspiele erschienen 1860. Weiters schrieb er „Gedichte" (1859), „Volkslieder der Portugiesen und Katalanen" (1865), „Theatergeschichten" (1876), „Bekenntnisse eines Hoftheater-Directors" (Roman, 1883), „Aus Wien's lustiger Theaterzeit" (1885), „Humoristische Theatergeschichten" (1887), „Bühnenhistorietten" (1888). Er war früher Mitarbeiter fast aller Wiener Blätter und ist gegenwärtig k. k. Beamter der statistischen Centralcommission im Ministerium für Cultus und Unterricht. Ausl. decor. I., Minoritenplatz 2.

Walter, Georg, Publicist, geb. zu Wien im Jahre 1830, ist vornehmlich als Reiseschriftsteller Mitarbeiter (Feuilletonist) in- und ausl. Zeitschriften. Er bereiste außer Europa u. a. Egypten und Palästina und führte auch eine größere Anzahl Reliefkarten aus, von welchen die Dachstein- und Schafberggruppe für die kaiserl. Villa in Ischl angekauft wurden. V., Franzensgasse 6.

*Walter, Gustav, Sänger, geb. zu Bilin am 11. Februar 1836, Schüler des Prager Conservatoriums (Violinschule) und des Professor Vogel (Gesang). Sein erstes Debut absolvirte er als Tenorist im Theater in Brünn. Von dort wurde er durch Intervention Rosa Csillag's im Jahre 1856 an die Wiener Hofoper engagirt, woselbst er bis zu seiner 1887 erfolgten Pensionirung als Tenor wirkte. W. trat jährlich wiederholt als Liedersänger in Concerten (hauptsächlich als Interpret Schubert'scher Lieder) auf, in welcher Eigenschaft er auch noch heute künstlerisch thätig ist. Er unternahm häufig Gastspielreisen nach den größten Städten Deutschlands sowie nach London und wurde mit dem Titel eines k. k. Kammersängers ausgezeichnet. W. ist auch als Tenorist Mitglied der k. k. Hof-Musikcapelle. Oesterr. und ausl. decor. VI., Magdalenenstraße 16.

*Walter, Julius (Fleckles Ferdinand, Dr.), Schriftsteller, geb. zu Karlsbad am 2. April 1836. Er schrieb mehrere Werke, die namentlich die Bäder Böhmens behandeln und biographisches Material enthalten: „Querfeldein" (1873), „Sprudelsteine" (ein Karlsbader Bilderbuch, 1872) und „Neue Sprudelsteine" (1876). W. ist Mitarbeiter (Feuilletonist) des „Neuen Wiener Tagblatt", Herausgeber des Badejournals „Der Sprudel" und im Sommer Brunnenarzt in Karlsbad. Ausl. decor. I., Fleischmarkt 2.

15*

Walter, Minna, Sängerin, geb. zu Wien am 20. September 1864, debutirte als „Margarethe" am Preßburger Stadttheater (7. Februar 1881), war in den Jahren 1881 bis 1885 in Frankfurt am Main, 1885 bis 1886 in Graz im Engagement und gehört seit 15. Mai 1887 dem Verbande der k. k. Wiener Hofoper an. W. ist eine Tochter des Sängers Gustav W. VI., Magdalenenstraße 16.

*Walter, Ottokar, Maler, geb. zu Wien am 30. October 1853, oblag seinen Studien als Schüler der k. k. Akademie der bild. Künste in Wien unter den Prof. Eisenmenger, Wurzinger und E. Plaas und cultivirt mit Vorliebe den Pferdesport. **G.** IV., Wohllebengasse 3.

Walter, Raoul, Jr., Schauspieler, geb. zu Wien am 16. August 1863, war bis 23. März 1888 als Concipient in der n. ö. Finanzprocuratur thätig, debutirte als „Nanki Poh" in Sullivan's „Mikado" am 16. April 1888 im Theater an der Wien, welchem Institute er seit 1. September 1888 angehört. W. ist ein Sohn des Sängers Gustav W. VI., Magdalenenstraße 16.

Walzel, Camillo (F. Zell), Schriftsteller, geb. zu Magdeburg am 11. Februar 1830, war ehemals Officier und Schiffscapitän, in welch' letzterer Eigenschaft er im Jahre 1873 in den Ruhestand trat. Bereits früher vielfach literarisch thätig widmete er sich nun ausschließlich der dramat. Production. Er schrieb eine großeAnzahl Lustspiele, welche wiederholt im Burgtheater zur Aufführung gelangten, Singspiele, Ballette und Parodien. Seine Haupthätigkeit jedoch entfaltete er bei der Bearbeitung französischer Stücke für die deutsche Bühne, deren er eine ganz außerordentlich große Anzahl schrieb, welche wiederholt an verschiedenen Theatern Wien's aufgeführt und von denen einige Zugstücke ersten Ranges wurden. Es seien erwähnt: „Reise in den Mond", „Niniche", „Papa's Frau", „Coco" (Carltheater), „Lili", „Die Kindsfrau" (Wiedener Theater) etc. etc. Nicht minder productiv ist W. als Verfasser von Operettentexten, die er zumeist in Gemeinschaft mit Gènèe lieferte. Er ist Mitbegründer der sogenannten Wiener Operette und Mitverfasser der Libretti von: „Cagliostro in Wien", „Carneval in Rom", „Fatinitza", „Der Seecadet", „Nanon", „Boccaccio", „Donna Juanita", „Die Jungfrau von Belleville", „Der lustige Krieg", „Eine Nacht in Venedig", „Apajune", „Der Bettelstudent" und zahlloser anderer einschlägiger Arbeiten. Nebst seinen dramatischen Werken veröffentlichte W. u. a. auch das Reisehandbuch „Donaufahrten". Im Jahre 1884 übernahm er die Direction des Theaters a. d. Wien. Oesterr. decor. IV., Nesselgasse 5.

*Wappler, Moriz, Architekt, geb. zu Wien am 30. April 1821, befaßt sich vornehmlich mit Anlagen von Fabriksgebänden. Er war früher in Graz thätig, von wo er an die Wiener Technik als Professor berufen wurde, an welcher Hochschule er gegenwärtig noch wirkt. Ausl. decor. I., Dorotheergasse 8.

*Warhanek, Friedrich Wilhelm, Publicist, ist Redacteur des „Fremdenblatt" für den volkswirthschaftlichen Theil, ein Gymnasialprofessor und Präsident des Pensionsfondes des Journalisten- und Schriftstellervereines „Concordia". III., Hauptstraße 33.

*Warlich von Bubna, Josef Freiherr, Schriftsteller, geb. zu Wien am 27. November 1853, schreibt Novellen, Erzählungen sowie lyrische Gedichte und ist auch als Uebersetzer aus dem Französischen schriftstellerisch thätig. W. ist Ministerial-Vicesecretär im k. k. Ackerbau-Ministerium. IV., Favoritenstraße 10.

Warmholz, Hugo, Publicist, geb. zu Ladenberg (Preußen). Mitarbeiter der „Wiener Mode", der „Neuen Illustrirten Zeitung", des „Daheim" sowie der Zeitschrift „Vom Fels zum Meer". W. ist auch Verfasser zweier Reisebücher: „Führer an der österr. Nordwestbahn" und „Führer an der Kaiser Ferdinands-Nordbahn". W. ist Beamter der Nordwestbahn. II., Obere Donaustraße 1.

Wartenegg, Wilhelm von, Schriftsteller, geb. zu Wien am 24. Juni 1839, war Officier und wurde im Jahre 1878 Custos der kaiserlichen Gemälde-Gallerie. Er schrieb eine Anzahl Bühnenwerke u. a. „Maria Stuart in Schottland" (Trauerspiel), „Rosamunde" (Tragödie), „Andreas Baumkirchner" (historisches Trauerspiel), das moderne Stück: „Ein Blick in die Welt" und viele kleinere Lustspiele und historische Dramen. Weiters veröffentlichte er im Buchhandel „Deklamationen". Von seinen Romanen und Novellen sind viele in Familien-Journalen und anderen Zeitschriften, deren Mitarbeiter W. ist, veröffentlicht worden, als: „Hamburger Nachrichten", „Ueber Land und Meer", „Deutsche Roman-Bibliothek", „Neue illustrirte Zeitung", „Deutsche Worte", „Die Dioskuren", „Schöne blaue Donau". Für die Künstlernovelle „Welcher von Beiden?" wurde W. anläßlich einer Preisausschreibung der „Allgemeinen Kunstchronik" ehrenvoll erwähnt. Oesterr. decor. III., Heugasse 3.

*Waschmann, Karl, Ciseleur, G. III., Kandlgasse 32.

*Wasserburger, Lina (Pseud. L. W. Burger), geb. zu St. Thomas am 9. September 1841; nach dem Tode ihres Vaters wendete sie sich der Bühne zu und nahm bei Ludwig

Löwe dramatischen Unterricht, entsagte jedoch bald dieser Laufbahn und widmete sich der Schriftstellerei. Sie schrieb: „Ein modernes Geheimniß", Lustspiel, 1869), „Dichtungen" „Ein Wiegengeheimniß" (Epos), „Hilda" (Drama, 1878), „Ein versenktes Eden" (Erzählung, 1880) ꝛc. VI., Getreidemarkt 3.

Wasserburger, Paul, Architekt, geb. zu Wien am 4. November 1824, Schüler der Akademie, war in den Jahren 1860—1868, als Schätzungs-Commissär rücksichtlich der zu verkaufenden Baugründe für die Stadterweiterungs-Commission thätig und ist seit 1868 Mitglied der k. k. Bau-Commission des Ministerium des Innern. W. ist k. k Baurath und k. k. Hofbau- und Steinmetzmeister. Oesterr. decor. G. IV., Schwindgasse 8.

Weber, Anton, Architekt, geb. zu Leitmeritz am 3. December 1858, Schüler der Wiener Akademie, war von 1883 bis zur Vollendung des Rathhausbaues, sowie auch beim Ausbau des Sühnhauses im Atelier des Baron Schmidt beschäftigt, betheiligte sich an der Concurrenz für die Façade des Mailänder Domes (III. Preis), entwarf den Restaurations-Pavillon in der Jub.-Gewerbe-Ausstellung, führte die Innen-Decorationen der Pfarrkirche zu Meran aus und übernahm den Ausbau des romanischen Thurmes im Dorfe Tirol und Maria Trost in Untermais. G. VIII., Josefstädterstraße 81.

*Weber, Franz Xaver, Musiker, geb. zu Raab am 2. December 1857, ist Mitglied des k. k. Hofopern-Orchesters (Pauken) und seit 1. October 1879 im Engagement genannten k. k. Kunstinstitutes. VIII., Laudongasse 14.

Weber, Samuel, Publicist, geb. zu Kremsier, gab mit Schönwald das „Oesterreichische Kaiseralbum" heraus und ist Herausgeber und Redacteur der „Wiener Communalpresse". IX., Garnisonsgasse 1.

*Wechsel, Josef Moriz, Publicist, geb. zu New-York im Jahre 1859, Mitredacteur des „Illustr. Wiener Extrablatt", Währing, Cottagea 30.

*Wechsler, Adolf, Publicist, geb. zu Berlad (Rumänien) am 25. April 1856, war ursprünglich für den Kaufmannstand bestimmt und ist jetzt Redacteur und Eigenthümer des „Wiener Witzblatt". IV., Karlsgasse 16.

*Weeber, Eduard v., Oel- und Aquarell-Maler und Radierer, geb. zu Wien im Jahre 1834, Schüler von Josef Höger und P. J. N. Geiger, ist auch als Restaurator thätig. IV., Belvederegasse 2.

Weeber, Emil, Musiker, geb. zu Brünn am 21. December 1851, bereiste als Clavier-Virtuose mit Stelka Gerster, Gustav Walter, Paul Bulß und anderen Künstlern Deutschland und Rußland. W. componirt auch und erschienen von ihm eine Anzahl Lieder. VII., Burggasse 51.

*Weidinger, Ferdinand sen., Musiker, geb. zu Wien, war als Paukenschläger Mitglied des Orchesters der k. k. Hofoper und ist noch gegenwärtig Mitglied der k. k. Hof-Capelle. VIII., Piaristengasse 9.

*Weidinger, Ferdinand jun., Musiker, geb. zu Wien am 22. September 1849, ist seit 1. September 1869 Mitglied der k. k. Hof-Musikcapelle u. des k. k. Hofopern-Orchesters (Bioloncell). VIII., Piaristengasse 9.

*Weidner, Josef, Musiker, geb. zu Wien am 1. September 1834, wirkt als Professor am Conservatorium (Clavier) und componirte zumeist Clavierstücke. III., Seidlgasse 28.

*Weigand, Friedrich, Xylograph geb. zu Wien am 11. November 1842,

Schüler von R. v. Waldheim. II., Laborstraße 61.

*Weigl, Robert, Bildhauer, geb. zu Wien am 16. October 1851, Schüler der k. k. Akad. der bild. Künste in Wien, betheiligte sich u. a. an der Ausschmückung des naturhist. Museums, für deren Ballustrade er die Statue „Kosmos Alexandrinos" schuf. IX., Währingerstraße 74.

Weiglein, Ludwig, Sänger, geb. zu Laibach am 14. December 1849, war ursprünglich für den geistlichen Stand bestimmt, studierte aus Liebe zur Musik im Wiener Conservatorium, trat am 9. Juni 1885 als „Comthur" in „Don Juan" in der k. k. Hofoper auf und ist seit diesem Tage im Verbande dieses k. k. Institutes. W. ist auch Mitglied der k. k. Hofcapelle (seit 1888). III. Hafengasse 24.

Weilen, Alexander Ritter von, Dr., Schriftsteller, geb. zu Wien am 4. Jänner 1863, seit 1887 Privatdocent an der Wiener Universität, ist Mitarbeiter der „Neuen Freien Presse" (Feuilleton) und mehrerer literarhistorischer Zeitschriften d. Auslandes. Ueber seine fachwissenschaftlichen Arbeiten siehe „Das geistige Wien", II. Band. VII., Burggasse 22.

*Weilen, Josef, Ritter von, Schriftsteller, geb. zu Tentin bei Prag am 28. December 1828, widmete sich ursprünglich, doch nur für kurze Zeit, dem Kaufmannstande, und gieng bald nach Wien, um daselbst Philosophie zu studieren. Anläßlich der März-Revolution wurde er assentirt und kam nach Komorn. Bereits 1849 wurde er Officier, drei Jahre später Lehrer an der Cadettenschule zu Hainburg, 1854—1861 wirkte er als Scriptor an der Hofbibliothek, 1862 erfolgte seine Ernennung zum Professor der deutschen Literatur an der Generalstabsschule. Er ist seit 1873 Director der Schauspielschule am

Conservatorium, seit 1883 Präsident des Schriftsteller = Vereines „Concordia" und seit jüngster Zeit Director der Redaction des Kronprinzenwerkes „Die österr. = ungar Monarchie in Wort und Bild". Er veröffentlichte eine große Anzahl poetischer und dramatischer Werke. „Phantasien und Lieder" (1859), „Männer vom Schwerte"(Epos,1855), „Tristan" (Trauerspiel, 1860), „Am Tage von Oudenarde" (dram. Gedicht, 1865), Die dramatischen Dichtungen: „Edda" 1865), „Drahomira" und „Rosamunde", ferner: „Graf Horn"(Drama, 1871, „An der Pforte der Unsterblichkeit" (dramat. Gedicht, 1872), „An der Grenze" (Schauspiel 1873), „Der neue Achilles" (Schauspiel, 1872, „Dolores" (Drama, 1874), „Heinrich von der Aue" (Schauspiel, 1874), „Aus dem Stegreif" (Festspiel zur Säccularfeier des k. k. Hofburgtheaters,1876), „König Erich"(Trauerspiel, 1881), „Daniela" (Roman, 1884), sowie viele Gelegenheits= und Festgedichte. (u. a. „Epilog für das alte Burgtheater" und „Prolog für das neue Burgtheater") W. ist k. k. Hofrath und österr. und ausl. decor. VII., Burggasse 22.

*Weinberger, Alois, Schriftsteller. ist Verfasser des Liederspiels „Heinrich Heine", der Operndichtung „Mercedes" xc. IV., Ziegelofengasse 6.

Weinberger, Karl Rudolf, Musiker, geb. zu Wien am 3. April 1861, war nach Absolvirung der Hochschule für Bodencultur kurze Zeit Bankbeamter, wendete sich jedoch bald gänzlich der Musik (Composition) zu. Er schrieb mehrere Tanzcompositionen (Walzer und Märsche) für Orchester und Clavier, die wiederholt öffentlich zur Aufführung gelangten, sowie Lieder, Couplets und 1888 die dreiactige Operette „Pagenstreiche" (Text von Hugo Wittmann). I., Schottenhof.

*Weinbrodt, Dr., ist Correspondent auswärt. Zeitungen. I., Rothenthurmstraße 15.

Weinreb, Leo, geb. zu Wien am 30. März 1857, Redacteur und Herausgeber des „Wiener Orientirungs=Journals" und Berichterstatter der Wiener Tagesblätter (Local= und Militärreferat) xc. II. Taborstraße 48.

Weinwurm, Rudolf, Musiker, geb. zu Scheiblsdorf bei Wa'bhofen an der Thaya im Jahre 1835, war Capellknabe der kaiserl. Hofcapelle in Wien, 1864--1879 Dirigent der Wiener Singakademie, 1866—1880 Chormeister des Wiener Männergesang=Vereines (welchen Verein er im Jahre 1857 mitbegründete), wurde bereits 1871 k. k. Professor an der Lehrer= und Lehrerinnen=Bildungsanstalt und 1880 Universitäts=Musikdirector. W. veröffentlichte nicht nur eine große Anzahl Tonwerke (namentlich Männerchöre und Lieder, sowie Bearbeitungen irischer, schottischer und walisischer Lieder), sondern auch mehrere musikpädagogische Werke, als „Methodik des elementaren Gesangunterrichtes", „Allgem. Musiklehre", „Großes Gesangbuch in acht Abtheilungen" u. v. a. Oesterr. und ausl. decor. IV., Mühlfeldgasse 1.

Weinzierl, Antonie Louise. Schriftstellerin, geb. zu Lemberg (Galizien) im Jahre 1835, schrieb unter dem Pseudonym A. Beer verschiedene Novellen und übersetzte unter eigenem Namen den Roman „Malgrétout" von George Sand aus dem Französischen.

*Weinzierl, Max, Ritter von, Musiker. geb. zu Bergstadtl (Böhmen) am 16. September 1841, Schüler des Conservatoriums. Er war Capellmeister an der „Komischen Oper" (Ringtheater) und an dem „Brünner Stadttheater", 1882—1884 Chormeister des „Wiener Männergesangvereines" und ist gegenwärtig artistischer Director der Wiener Sing-

akademie, Chormeister des Gesang-
vereines der österr. Eisenbahn-
beamten 2c. W. componirte das
Oratorium „Hiob", die Operetten:
„Don Quixote", „Fioretta", mit
Alfred Straßer, „Page Fritz", sowie
die „Rattenfängerlieder", „Die Lieder
eines fahrenden Gesellen", und
Messen, Chöre, Bühnenmusik u. v. a.
Tonwerke. VIII., Skodagasse 5.

*Weippert, Moriz Ferdi-
nand, Musiker, geb. zu Wien am
16. Februar 1850, ist Mitglied des
k. k. Hofopern-Orchesters (Violoncell)
und seit 1. August 1872 im Engagement genannten k. k. Kunst-Institutes. I., Getreidemarkt Nr. 3.

Weiß, Julius, Publicist, geb.
zu Budapest am 6. März 1859, ist
seit 1879 als Redacteur und seit
1886 als Herausgeber des politischen
Witzblattes „Die Bombe" thätig.
I., Himmelpfortgasse 17.

Weiß, Karl, siehe Karlweis C.

*Weiß, Laurenz, Musiker, geb.
zu Wien am 10. Mai 1810, kam
als dreizehnjähriger Knabe in die
Knaben-Gesang- und Violinschule
des Conservatoriums, und absolvirte
auch den Curs für Harmonie- und
Compositionslehre; 1831 wurde er Professor des Conservatoriums, welchen
Posten er nahezu ein halbes Jahrhundert bekleidete; er wurde 1880
pensionirt. Seit 1845 wirkt er auch
als Chordirector der griechisch-nicht-
unirten Kirche und entfaltete auch
als Componist eine vielseitige Thätigkeit; er componirte zahlreiche Chöre
und Vokal-Chöre, that sich besonders als Lieder- und Kirchen-
Componist (Graduale und Offertorien)
hervor, und sind seine Tonwerke noch
heute Repertoirstücke der Kirchen
Wiens. Auch als Theoretiker — er
schrieb eine Anzahl Unterrichtsbücher
des Gesanges — war er in früheren
Jahren thätig. Oesterr. decor. I.,
Weihburggasse 9.

Weiß, Otto, Schriftsteller, geb.
zu Wien, verfaßte in Gemeinschaft
mit F. Mamroth die Bühnenwerke:
„Die Unzufriedenen" (Volksstück),
„Der weiße Paganini" (Lustspiel),
„Die Reise nach Sumarra" (Lustspiel), „Der Fuchsmajor" (Operette)
und „Eine Allianz" (Lustspiel). VII.,
Siebensterngasse 2.

Weiß, Samuel A., Publicist,
geb. zu Budapest am 28. November
1844, ist Herausgeber der Wochenschrift „Wiener Leben". II., Novaragasse 48.

Weißenthurn, Max von (Maxi-
miliane Frannl von W.), Schriftstellerin (Pseudonym Hugo Faltner),
geb. zu Wien am 1. März 1851,
ist Mitarbeiterin verschiedener Zeitungen und Zeitschriften des In-
und Auslandes, schreibt Novellen,
Essays und Feuilletons und bearbeitet
vornehmlich Romane aus fremden
Sprachen. (Aus dem Englischen,
Italienischen und Französischen.) Im
Buchhandel erschienen u. a.: „Auf
einsamen Felsenriff" (Roman, frei
nach dem Englischen bearbeitet, 1878),
„Frauenliebe" (Novelle, 1882), „Lebensbilder" (Novellen, 1884), „Infe-
lice" (Roman, 1885), „Standesge-
mäß" (1885), „Lose Blätter für Herz
und Haus" (1886) 2c. III., Ungargasse 36.

*Weitmann, Josef, Bildhauer,
geb. zu Gmünd (Württemberg) am
9. März 1811, Schüler der k. k. Akademie der bildenden Künste in Wien,
ist hauptsächlich als Klein-Plastiker
thätig und pflegt mit Vorliebe das
Thier-Genre. S. II., Treustraße 18.

*Weiz, Richard Julius,
(Weizlgärtner), Maler u. Zeichner,
geb. zu Wien. V., Straßenhof 5.

*Weizlgärtner, J., Lithograph,
hat sich mit Vorliebe der Wiedergabe
Gauerman'scher Thierstücke und der

Genrebilder von Waldmüller zugewendet. V., Rüdigergasse 9.

Weixlgärtner, R., siehe Weir R.

*Well, Franziska, Tänzerin,
ist seit 1880 als Solotänzerin im
Verbande des k. k. Hofoperutheaters.
I., Hegelgasse 17.

*Welte, Christine, Tänzerin,
geb. zu Wien, war als Mimikerin
seit 1868 im Verbande des k. k.
Hofoperutheaters und trat Ende
Jänner 1889 in den Ruhe-
stand. Eine der Repräsentations-
Rollen von W. war die „Titania“
in Weber's „Oberon“, in welcher sie
am 2. Februar 1888 zum letzten
Male vor dem Publicum erschien.
I., Opernring 13.

Weltner, Albert Josef,
(Pseud Oscar v. Eichentreu), Schrift-
steller, geb. zu Wien am 6. November
1855, ist Archivar und Official der
k. k. Hoftheater-Intendanz, hat als
Mitarbeiter der „Wiener Illustr.
Zeitung“, der „Heimat“, des „Wr.
Salonblatt“, der „Deutschen Zeitung“,
des „Fremdenblattes“ 2c. verschiedene
literarhistorische u. theatergeschichtliche
Feuilletons, lyrische Gedichte u. dgl.
veröffentlicht. In Buchform erschienen:
„Auf den ersten Moment“ (1880),
„Das Weihgeschenk des Genius“
(Lustspiel, 1882) 2c. Seine zahlreichen Gedichte sind gesammelt bisher nicht erschienen. VII., Stiftgasse 29.

*Wendeler, Ferdinand, Architekt, geb. zu Köln am 13. Jänner
1834, hat in Gemeinschaft mit Hieser,
sowie selbständig, mehrere Wiener
Bauten ausgeführt und bei Concurrenz-Arbeiten Preise gewonnen. Ausl.
decor. VIII, Laudongasse 6.

*Wendlich, C., Musiker, geb. zu
Eisgrub am 25. Jänner 1839, ist
als Componist und Concertsänger
thätig. I., Bankgasse 9.

Wengraf, Edmund, Dr.,

Schriftsteller, geb. zu Nikolsburg am
9. Jänner 1860, hat sich ursprünglich der juristischen Praxis zugewendet,
ist jedoch seit einer Reihe von Jahren
ausschließlich schriftstellerisch thätig
und hat in verschiedenen Tagblättern
und Zeitschriften Gedichte, Skizzen
und Aufsätze veröffentlicht. Ueberdies
entstammen seiner Feder: Drei
Brochüren in der Flugschriften-
Sammlung „Gegen den Strom“ und
zwar „Die gebildete Welt“ (1886),
„Wie wir wirthschaften“ (1887),
„Größenwahn“ (1888) und die
Tendenzschriften „St. Georg von
Zwettl“ (1887) und „Wie man
Socialist wird“ (1888). Bei der von
der „Deutschen Zeitung“ für eine
„Hymne der Deutschen in Oesterreich“
(1881) eingeleiteten Preisconcurrenz
gewann W. den dritten Preis. Seine
Gedichte erschienen bisher noch nicht
gesammelt. IV., Nesselgasse 6.

Wengraf, Moriz, Publicist,
geb. zu Nikolsburg am 26. November
1830, Chefredacteur des „Neuen
Wiener Tagblatt“. I., Schottenring 5.

*Werner, Emma, Schauspielerin, geb. am 8. November 1863,
trat im Jahre 1880 in Klagenfurt
zum ersten Male auf, war drei Jahre
beim Ballett und ist seit 1888 im
Verbande des Theaters in der Josefstadt.

*Werner, Julius, Musiker,
geb. zu Olmütz am 7. April 1843,
ist Mitglied des k. k. Hofopern-
Orchesters (2. Violine) und seit
1. September 1869 im Engagement
genannten k. k. Kunstinstitutes. VIII.,
Zeltgasse 8.

*Wertheim, A., Publicist, ist
Herausgeber von: „Der Bote“, Redacteur der „Signale“ und Correspondent der „Siebenbürger Tag-
blätter“. II., Gabelsbergergasse 4.

Werther, F., Publicist, geb. zu
Wien am 27. Juli 1848, Redacteur

des „Hans Jörgel von Tribus=
winkel". I., Bäckerstraße 22.

*Werthner, Adolf, Publicist,
geb. zu Breslau am 29. Mai 1828,
ist Herausgeber der „Neuen Freien
Presse", welche Zeitung er gemein=
schaftlich mit Max Friedländer und
Michael Etienne im Jahre 1864
gründete und bekleidet die Stelle
eines Präsidenten der Oesterr. Jour=
nal = Actien = Gesellschaft 2c. Ausl.
decor. II., Praterstraße 38.

*Werthner, Georg, Sänger,
ist seit 1888 im Verbande des k. k.
Hofoperntheaters. II., Praterstr. 38.

*Werthner, Pauline, Musikerin,
wirkt als Concert = Sängerin. III.,
Hauptstraße 51.

*Werthner, Rudolf, Dr.,
Schriftsteller, geb. zu Wien im Jahre
1857. Redacteur der „Neuen Freien
Presse" (innere Politik). IV., Karls=
gasse 7.

*Wesemal, Adele, Schrift=
stellerin, geb. zu Malines (Belgien)
im Jahre 1825. Sie veröffentlicht
Novellen und Erzählungen (vor=
nehmlich in der „Gartenlaube") und
ist Mitarbeiterin verschiedener Zeit=
schriften.

*Wesseln, Anton, Thiermaler,
geb. am 25. Februar 1848. VII.,
Breitegasse 4.

*Westermayer, Vincenz, Mu=
siker, geb. zu Wien am 2. October
1821, ist Mitglied der k. k. Hof=
Musikcapelle (Bassist) und Ober=
ingenieur in der Dicasterial=Gebäude=
direction i. P. III., Hauptstraße 33.

*Weyl, Josef, Schriftsteller,
geb. zu Wien am 9. März 1821,
betrat die schriftstellerische Laufbahn
schon im Vormärz, und erschien seine
erste Publication im schöngeistigen
Tagblatte „Das Vaterland" in
Raab. Er war später bei mehreren
Zeitungen thätig und hatte sich
schon damals auf lyrischem Gebiete

versucht. Er wurde Beamter der
Polizei=Direction und gab eine Reihe
humoristischer, lyrischer, belletristischer
und dramatischer Werke heraus. Von
denselben seien erwähnt: „Gesam=
melte heitere Vorträge", „Erhen=
ranken", „Am Fuße der Habsburg"
(1852), „Passifloren des Jahres
1848", „Kurzweiliges" (1856), „Hu=
moristischer Almanach" (1861—1866),
„Prosit Neujahr" (komischer Kalender
für 1870), „Jurbrevier" (humoristische
Vorträge 1863), „Mephisto" (humo=
ristischer Kalender für 1868), sowie
eine große Anzahl ernster und heiterer
Gedichte, Gesangstexte, Pro= und Epi=
loge 2c. 2c. W. übertrug auch für
Wiener Bühnen eine größere Anzahl
Theaterstücke und Opern aus dem
Französischen. Oesterr. und ausländ.
decor. IV., Preßgasse 28.

Weyr, Rudolf, Bildhauer, geb.
zu Wien am 22. März 1847, Schüler
der k. k. Akademie der bild. Künste
in Wien und des Prof. Jos. Cesar,
erhielt für seine Gruppe in Thon
„Samson und Delila" den Reichel=
Preis (1870), begründete seinen Ruf
durch das unserem Kaiser 1875 vom
niederösterr. Gewerbe=Verein darge=
brachte Jubiläumsgeschenk, bestehend
aus einem Tafelaufsatz (Gold und
Silber), dessen Hauptfigur die Sta=
tuette Sr. Majestät ist, betheiligte
sich sodann an verschiedenen Concur=
renz=Entwürfen, zu deren monumen=
talen Ausführungen er bald über=
gieng. Von seinen größeren Arbeiten
seien hier erwähnt: „Das Denkmal
der gefallenen Zöglinge in Wr.=Neu=
stadt", „Grabdenkmal für die im
Ringtheater Verunglückten" (Central=
friedhof), „Bacchuszug", Fries auf
dem neuen Hofburgtheater, die
plastische Ausschmückung eines Theiles
des kunsthistor. Museums, der Decke
und des Proscenium (Hofburg=
theater), die Gruppen „Justitia" und
„Medicin" in dem k. k. Universitäts=
gebäude und die neun dichtergefeierten

Liebespaare: „Rosanra und Sigismund", „Hamlet und Ophelia", „Harpagon und Rosine", „Minna von Barnhelm und Tellheim", „Fauſt und Gretchen", „Johanna d'Arc und Talbot", „Siegfried und Chriemhild", „Jaſon und Medea", „Ingomar und Parthenia" als Zwickelfiguren über den Fenſtern der Hauptfront des Hofburgtheaters. Für den obgenannten „Bacchuszug" erhielt W. 1884 die Carl Ludwig-Medaille. W. iſt auch Profeſſor an der k. k. techn. Hochſchule. Oeſterr. decor. S. III., Kegelgaſſe 2.

*Wehringer, Joſefine, geb. zu Wien 1840, wirkt als Opern= und Concertſängerin. VI., Mariahilferſtraße 19—21.

*Wichera, R. v., Maler, geb. zu Frankſtadt (Mähren) im Jahre 1862, Schüler der k. k. Akademie in Wien unter Makart. IX., Waſagaſſe 24.

Wickenburg = Almáſy, Wilhelmine Gräfin v., Schriftſtellerin, geb. zu Ofen am 8. April 1845, iſt Verfaſſerin von „Gedichte" (1866), „Neue Gedichte" (1869), „Nymphidia" (Nachdichtung aus dem Engliſchen, 1873, in Gemeinſchaft mit ihrem Gatten Albrecht), „Erlebtes und Gedachtes" (Gedichte, 1873), „Emmanuel d'Aſtorga" (Erzählendes Gedicht, 1875), „Der Graf von Remplin" (Erzählung, 1874), „Marina" (Erzähl. Gedicht, 1876), „Rabegundis" (dramat. Gedicht, 1880) „Ein Abenteuer des Dauphin" (Luſtſpiel, 1882) und „Das Dokument" (Schauspiel). Die letzten zwei dramatiſchen Arbeiten der Verfaſſerin gelangten auch auf die Bühne.

*Widter, Conrad, Bildhauer, geb. zu Wien im Jahre 1862. Von ihm iſt die „Liebenberg=Gedenktafel" am Hof. III., Hauptſtraße 19.

*Wiedebuſch, Henriette, Malerin, geb. zu Kiel im Jahre 1825,

malt vorzugsweiſe Stillleben. V., Margarethenſtraße 72.

Wiedenfeld, Hugo P. Ritter von, Architekt, geboren zu Wien am 3. April 1852, Schüler der techniſchen Hochſchulen zu Wien und Aachen, war 6 Jahre hindurch als Bauleiter bei der Union Baugeſellſchaft in Verwendung, hat u. a. den türkiſch=iſraelitiſchen Tempel (II., Circusgaſſe) und das Laboratorium für Unterſuchung von Nahrungsmitteln (IX., Bezirk) erbaut. Ausl. decor. S. VI., Amerlinggaſſe 19 (Mariahilferhof).

Wielemans, Alexander Edler von Monteforte, Architekt, geb. zu Wien am 4. Februar 1843, Schüler der Prof. van der Nüll, v. Siccardsburg und Fr. Freiherrn v. Schmidt, arbeitete bei demſelben bis zum Herbſte 1874. In der Folge betheiligte ſich derſelbe durch Entwürfe bei verſchiedenen Concurrenzarbeiten. U. a. erbaute er den Juſtizpalaſt in Wien (1876—1881), die Villa W. Ritter von Gutmann in Baden (1881—1882), das Haus „zum goldenen Becher" (Stock = in=Eiſenplatz, 1882—1883), das Palais des Baron Wodianer in Budapeſt, das Redoutengebäude in Innsbruck (Umbau), und das Rathhaus in Graz (mit Th. Reuter). In Projectirung iſt auch mit Reuter der Bau der Rudolfskirche in Ottakring. W iſt k. k. Baurath. Oeſterr. und ausl. decor. S. L., Rathhausſtr. 17.

*Wien, Heinrich, Dr., Publiciſt, geb. zu Prag am 20. November 1839, iſt Herausgeber der Correſpondenz „Varia" und k. k. Regierungsrath. I., Stadiongaſſe 4.

Wiener, Wilhelm Ritter von, Publiciſt, geb. zu Prag am 7. September 1828, iſt ſeit 1854 publiciſtiſch thätig (vornehmlich für Wiener Journale), begründete das „Neue Wiener Fremdenblatt", begab ſich als Berichterſtatter zur Eröffnung des Suezkanales und veröffentlichte als Frucht dieser Reise das Werk „Nach dem Orient" (Reiseskizzen, 1870). Er ist gegenwärtig Herausgeber und Chefredacteur der „Presse" und k. k. Regierungsrath. Oesterr. und ausl. decor. IX., Berggasse 31

Wiesberg, Wilhelm, Musiker und Schriftsteller, geb. zu Wien am 13. September 1850, wurde durch die Ungunst der Verhältnisse dem Volkssängerthum zugeführt, auf welches er nach Kräften reformatorisch einwirkte, war von 1875—1879 in der Singspielhalle Anton thätig, wurde in letzterem Jahre selbständig und gründete mit Seidl die Volkssänger-Gesellschaft „Seidl und Wiesberg". W. ist erneuer Mitarbeiter des „Kikeriki", „Figaro", „Floh", des „Wiener Extrablatt", „Wiener Tagblatt" ꝛc. und Verfasser des Lieferungswerkes „Mein' Vaterstadt in Lied und Wort", hat 12 Bände Wiener Duetten, 13 Bände Wiener Couplets herausgegeben, mehrere Einacter für das Fürsttheater, die Kinderkomödien „Die Erdbeerensee (1865 Theater an der Wien) „Roland's Knappen", „Das tapfere Schneiderlein" und „Peter Bloch" (1867—68 Josefstädter Theater), sowie Romane für das „Extrablatt" und die „Vorstadt-Zeitg. verfaßt. VII., Neustiftg. 86.

*Wieser, Josef Ritter v., Architekt, geb. zu Wien im Jahre 1853, war Schüler der k. k. Akademie der bild. Künste in Wien und hat in Firma Wieser & Lotz eine größere Anzahl Häuser in Wien erbaut. G. III., Beuthgasse 4.

*Wiesner Josef, Schauspieler, ist für kleine Rollen und Comparserie seit 1880 am k. k. Hofburgtheater engagirt. VI., Laimgrubengasse 29.

Wiesinger, Albert, Dr., Schriftsteller, geb. zu Wien am 12. August 1830, wurde 1855 zum Priester geweiht, ob seiner literar. Leistungen

zum Kämmerer Seiner Heiligkeit ernannt, und ist gegenwärtig Dechant und Stadtpfarrer bei St. Peter. W. ist seit 30 Jahren ununterbrochen Journalist, war jahrelang Chef-Redacteur des Tagblattes „Die Gegenwart", 13 Jahre hindurch Chef-Redacteur der „Wiener Kirchen-Zeitung" unter Card. Rauscher, Chef-Redacteur des „Volksfreund", als welcher er zum Consistorialrath ernannt wurde, leitete 10 Jahre lang die „Gemeinde-Zeitung" und ist seit 21 Jahren bis heute Chef-Redacteur des Halb-Monatblattes „Kapistran", kathol. Volksblatt. Außer einer Anzahl theologischer Werke (siehe „Das geistige Wien", II. Band, hat W. auch folgende historische Romane verfaßt: „Die Geheimnisse des Margarethen-Hofes", „Das Crucifix des Juden", „Die Tempelritter und Aristokraten des alten Wiens", „Der Mord in der Judenstadt". I., Petersplatz 9.

Wild, C., siehe Kohl Camilla.

Wilda, Charles, Maler, geb. zu Wien am 20. December 1854, erhielt seine Ausbildung an den Akademien zu Wien und Paris, besuchte hierauf den Orient, woselbst er den Impuls für seine Richtung (orientalisches Genre) erhielt. W. malt auch Portraits und wurde im Pariser Salon prämiirt. G. III., Untere Weißgärberstraße 6.

Wildau, Fanny, Schauspielerin, geb. zu Wien am 16. Juni 1858, betrat in der Wintersaison 1872 in Essegg zum ersten Male die Bühne und ist gegenwärtig im Verbande des Theaters an der Wien. Lerchenfeld.

*Wilheim, Sigmund, Publicist, geb. in Ungarn im Jahre 1849, Redacteur des „Fremdenblatt" (localer Theil). II., Rembrandtstraße 35.

Wilhelm, Ignaz, Publicist, geb. zu Boskowitz (Mähren) am 28. Jänner 1842, ist seit 1865 Herausgeber der „Correspondenz Wilhelm", und, als solcher, Mitarbeiter sämmtl. Wiener Tages-Journale (Hof- und Personal-, Local- und militärische Nachrichten 2c. 2c.). IX., Kolingasse 13.

Willfort, Ferdinand, Schriftsteller, geb. zu Wien am 2. Jänner 1825, begann seine journalistische Laufbahn als Mitarbeiter des „Wanderer" (1854), war publicistisch in Frankreich, Italien und Deutschland thätig und später Redacteur der Zeitschriften „Telegraph", „Volkszeitung", „Sonn- und Montagszeitung". Gegenwärtig ist W. Correspondent verschiedener politischer und schöngeistiger Zeitschriften. Gersthof bei Wien, Johannesgasse 3.

Willibald (siehe Granichstädten (F., Dr.)

Willner, Alfred M., Dr., Musiker und Schriftsteller, geb. zu Wien am 11. Juli 1859, ist Herausgeber des politischen Informationsblattes „Correspondance de l'Est". Er verfaßte Clavierwerke verschiedenen Inhaltes, die Musik zum Ballett: „Der Vater der Debutantin" oder „Die Ballettprobe" und das Libretto zu „Ein Märchen aus der Champagne" (Musik von Brühl). Die beiden letzteren Werke sind Repertoirestücke des k. k. Hofoperntheaters. I., Giselastraße 7.

Willum, Heinrich, Schriftsteller, geb. zu Wien am 30. Juni 1858, war bereits frühzeitig literarisch thätig und verfaßte u. a. die satirische Novelle „Im Zeitgeist" (1882) und einige Bühnenwerke, wie z. B. „Der Bräutigam als Schwiegervater", „Der Vivisector", welche zumeist an deutschen Bühnen zur Aufführung gelangten. Alle Schriften W.'s behandeln mehr oder weniger die sociale Frage. Währing, Stiftgasse 26.

Wilt, Franz, Architekt, geb. zu Aversa (bei Neapel) am 22. Jänner 1825, Schüler des Polytechnikums in Wien, trat 1846 in den Staats-

baudienst (Galizien), wurde 1850 nach Wien berufen, war beim Baue des Garsteuer Strafhauses thätig und wurde 1855 in Dalmatien mit der Ausarbeitung verschiedener Straßenprojecte und deren Durchführung, 1858 mit der Leitung der Stadterweiterungs-Arbeiten betraut und fungirte als Vertreter des Staates bei dem Baue des Hofoperntheaters, der Akademie für bild. Künste, des Parlamentes und als technischer Consulent bei dem Baue des Musikvereins-Gebäudes und der Börse. W., welcher von 1870—1873 mit den Organisirungs-Arbeiten für den Bau des Parlaments betraut war, hat auch verschiedene Privatarbeiten entworfen und ausgeführt (diverse Stadthäuser in Wien, Reconstruction der evangelischen Kirche in Goisern 2c.). W. ist auch k. k. Oberbaurath i. P Oesterr. decor. III., Radetzkygasse 11.

*Wilt, Marie, Sängerin, geb. zu Wien im Jahre 1840, Gattin des Vorigen, widmete sich erst nach ihrer Verheirathung der Bühne, nachdem sie wiederholt im Singverein unter Herbel's Leitung mit Solopartien bedacht worden war. 1863 sang sie die Partie der „Jemina" in Schubert's „Lazarus", wurde Schülerin von Professor Gänsbacher und Professor Wolf, und debutirte im December 1865 in Graz als „Donna Anna", sang später in Berlin (unter dem Namen Bild a) als „Norma" im Conventgadentheater in London, wo sie besonders gefeiert wurde und kehrte 1867 nach Wien zurück; sie gastirte als „Leonore" in „Troubadour" am k. k. Hofoperntheater, wurde engagirt und 1869 zur k. k. Kammersängerin ernannt. 1878 schied sie wieder aus dem Verbande der Wiener Hofoper. Seit dieser Zeit lehnt sie jedes feste Engagement ab und verwerthet ihre Stimme nur auf Gastspielreisen. Das große Repertoire der Künstlerin umfaßt ebenso Rollen

welche die höchste Sopranlage er-
fordern, als auch solche, welche für
Altstimmen geschrieben sind. W.
gilt als die letzte Vertreterin der
bel canto der ital. Schule und sang
vornehmlich in Meyerbeer'schen und
Mozart'schen Opern, sowie in letzterer
Zeit in den ungarischen National-
opern „Bankban" (Melinda) und
„Huoyady László" (Elisabeth). I.,
Kärntnerring 2.

Wimmer, Adolf (Pseudonym
Oscar Linden), Schriftsteller, geb.
zu Wien am 3. Mai 1857, wurde
1875 Schauspieler, wendete sich jedoch
bald der lit. Thätigkeit zu, war von
1877—1878 Kriegsberichterstatter der
„New-Yorker deutschen Zeitung", in
welcher Eigenschaft er den russ.-türk.
Krieg mitmachte, ist seit 1885 Mitarbeiter der „Oesterr. Volkszeitung"
und liefert Beiträge für verschiedene
in- und ausl. Zeitschriften W. ist
Verfasser von „Aus dem Tagebuche
eines alten Komödianten" (1877),
„Kleine Geschichten" (1881), „Touristen-Liederbuch" (1888). III., Beatrixgasse 5.

Wimmer, Josef, Schriftsteller,
geb. zu Wien am 23. Jänner 1834,
begann seine Thätigkeit im Jahre
1856 in Bäuerle's Theaterzeitung,
war von der Gründung (März 1872)
bis Ende 1875 Local-Redacteur des
„Illustr. Wiener Extrablatt" und ist
gegenwärtig externer Mitarbeiter
Feuilletonist, des „Neuen Wiener
Tagblatt" und des „Fremdenblatt".
W., welcher eine bedeutende Anzahl
von localhistor. und theatergeschicht-
lichen Feuilletons und Essays in den
hervorragendsten Wiener Blättern veröffentlichte, hat außer den in Buchform erschienenen Arbeiten: „Dornbach und die Pferdebahn" (1866),
„Zur Jubelfeier der Margarethner
Kirche" (1871), „Der Prater" (1873)
und zwölf Einactern, noch folgende zur Aufführung gelangten

Theaterstücke verfaßt: „Ein lockerer
Vogel vom Strozzi'schen Grund",
„Zacherl", „s'Muttersöhnerl", „Tau-
senber und Guldenzettel" (mit Seitz),
„Die Höll' auf Erden", „Eine ruhige
Partei", „Die lieben Schwiegereltern",
„Die Gigerln von Wien" (sämmtlich
aufgeführt im Josefstädtertheater),
„Der Teufel im Herzen" (mit Flamm)
und „Ein eigener Kerl" (aufgeführt
im Theater a. d. Wien.) VIII., Rother
Hof 16.

Winkelmann, Hermann,
Sänger, geb. zu Braunschweig am
8. März 1849, sollte wie sein Vater
Pianofortefabrikant werden, widmete
sich jedoch der Musik. Seinen Gesang-
Unterricht nahm er bei italienischen
Sängern in Paris und später bei
Professor Koch in Hannover. Im
Theater zu Mühlhausen betrat er
zum erstenmale die Bühne am 1. No-
vember 1875 als „Manrico" im
„Troubadour", von da kam er an
das Theater in Altenburg, an das
Hoftheater in Darmstadt, an das
Theater in Leipzig, war hierauf fünf
Jahre in Hamburg (bei Director
Pollini) engagirt und folgte nach Ab-
lauf seiner Hamburger Verpflichtungen
einem Rufe an die Wiener Hofoper,
welcher er seit 1. Juni 1863 als
Mitglied angehört. W. creirte in
Bayreuth im Jahre 1882 den „Parsival", gastirte an allen großen Bühnen
Deutschlands, in London und an
verschiedenen Theatern Nordamerika-,
ist Mitglied der k. k. Hof-Musikcapelle
und wurde durch die Ernennung zum
k. k. Kammersänger ausgezeichnet.
Oesterr. decor. I., Stabiongasse 4.

Winkler, Anton, Schriftsteller,
geb. zu Salzburg am 6. März 1830,
war in der Landarmee von 1848 bis
1852 als Officier, dann bis 1878 in
der Kriegsmarine als Officier und
Beamter thätig, ist Mitarbeiter verschiedener Marine-Zeitschriften und
conservativer Journale. Von 1873

bis 1878 gab W. den „Marine=Notiz=Kalender" heraus, nach dessen Muster dann der „Marine-Almanach" entstand. Gegenwärtig ist W. Chefredacteur der „Illustrirten Wiener Volks=Zeitung". Währing, Theresiengasse 51 2'b.

*Winkler, Josef, Tänzer, geb. zu Wien im Jahre 1822, ist als Mimiker im Verbande des k. k. Hofopern=Theaters seit 1838. IV., Mozartgasse 9.

*Winkler, Julius, Musiker, geb. zu Raab im Jahre 1835, Schüler von Prof. Heißler, ist als Violinist künstlerisch thätig und Primarius des nach ihm benannten Quartett=Vereins. I., Schwarzspanierstraße 3.

*Winter, Hanns, Musiker, geb. zu Ebensee am 12. October 1857, ist Mitglied des k. k. Hofopern=Orchesters (Viola) und seit 1. Jänner 1879 im Engagement genannten Kunst=Institutes. Währing, Johannesgasse 13.

Winter, Josef, Dr., Schriftsteller, geb. zu Wien am 2. Februar 1857, absolvirte die medicinischen Studien und ist als praktischer Arzt thätig. Bei der von der „Deutschen Zeitung" 1881 ausgeschriebenen Preis=Concurrenz „Lies der Deutschen in Oesterreich" erhielt er den ersten Preis, ferner erschienen von ihm „Gedichte" (1885) und „Deutsche Puppenspiele" (1886). I., Löwelstraße 14.

Winter, Karl, Schriftsteller, geb. zu Wien am 8. April 1845, war Officier in der k. k. Armee und ist gegenwärtig Redacteur des „Neuen Wiener Tagblatt" (Fachreferat: Militärisches, auswärtige Leitartikel und Feuilletons). Im Buchhandel erschienen die Werke: „Militärische Spaziergänge", „Die centralamerikanischen Republiken" und „Der letzte Orientkrieg". Oesterr. decor. II., Nordbahnstraße 26.

*Winternitz, Felix, Musiker, geb. zu Linz am 19. Mai 1872, ist Mitglied des k. k. Hofopern=Orchesters (2. Violine) und seit 16. October 1887 im Engagement genannten k. k. Kunstinstitutes. VI., Engelgasse 9.

*Winternitz, Jakob, Schriftsteller, geb. zu Horazbowitz (Böhmen) im Jahre 1843, ist im literarischen Bureau des Ministerium des Auswärtigen thätig, und bekleidet die Stelle eines Vicepräsidenten des Journalisten= und Schriftstellervereines „Concordia" W. ist k. k. Regierungsrath. Oesterr. und ausl. decor. III., Thongasse 8.

*Wintersperger, Anton, Schriftsteller, geb. in Nied.=Oesterr. im Jahre 1827. Hernals, Gürtelstraße 7.

*Wipperich, Emil, geb. zu Havelberg (Preußen) am 5. October 1854, ist Mitglied des k. k. Hofopern=Orchesters (Horn) und seit 1. April 1882 im Engagement genannten k. k. Kunstinstitutes. VII., Siebensterngasse 2.

Wirth, Bettina, Schriftstellerin, geb. zu München am 7. Februar 1849, ist seit elf Jahren Correspondentin der Londoner „Daily News", schreibt Romane und Novellen für die „Gartenlaube", „Ueber Land und Meer", „Heimat" und andere Zeitschriften. Mehrere ihrer Arbeiten erschienen in Buchform, u. a. „Künstler und Fürstenkind" (Novelle, 1876), „Hohe Lose" (Roman, 1883), „Die Stiefgeschwister" (Roman, 1877) und übersetzte sie u. a. Novellen von Bret Harte. VI., Dreihufeisengasse 1.

Wirth, Max, Schriftsteller, geb. zu Breslau am 27. Jänner 1822. Gatte der Vorigen, hat nach größeren langjährigen, national=ökonomischen Studien durch Herausgabe seiner „Grundzüge der National-Oekonomie" (4 Bände) auch die literarische Laufbahn betreten und bis jetzt 11 größere

Werke, welche sich mit National-Oekonomie und ihr nahverwandten Fächern beschäftigen (siehe „Das geistige Wien", II. Band) der Oeffentlichkeit übergeben. W. ist seit Jahren Mitarbeiter des Londoner „Economist" und der „Neuen Freien Presse", in welch' letzterer Eigenschaft er Finanz- und wirthschaftliche Artikel schreibt und der Redaction der „Verkehr- und Industrie-Zeitung" dieses Journales vorsteht. W. ist auch Verfasser der Abhandlung „Volkswirthschaftliche Entwicklung" in der vom Gemeinderathe der Stadt Wien anläßlich des 40jährigen Jubiläums unseres Kaisers herausgegebenen Festschrift „Wien 1848—1888". VI., Dreihufeisengasse 1.

Wisinger-Florian, O., Malerin, geb. zu Wien am 1. November 1844, Schülerin des August Schaeffer und Emil Schindler in Wien, hat sich ausschließlich der Blumen- und Landschafts-Malerei zugewendet. IV., Wienstraße 9.

*__Wittek,__ Johanna von, Landschaftsmalerin, geb. zu Wien am 19. October 1863, Schülerin J. E. Schindler's in Wien. I., Stefansplatz 6.

Wittels, Julius, Schauspieler, geb. zu Oberdöbling am 18. October 1860, debutirte in Oedenburg als „Hausl" in „Ungeschliffener Diamant" (1880), wurde 1885 von Blasel für das Josefstädter Theater engagirt und gehört seit 1886 dem Verbande des Carltheaters an. II., Schöllerhof, 8. Stiege.

*__Wittmann,__ Carl, Musiker, geb. zu Ringendorf am 30. September 1853, ist Mitglied des k. k. Hofopern-Orchesters (Fagott) und seit 1. October 1884 im Engagement genannten k. k. Kunstinstitutes. Ottakring, Laudongasse 21.

*__Wittmann,__ Hugo Dr., Schriftsteller, geb. zu Ulm 1839, lebte längere Zeit in Paris als Mitinhaber der Buchhandlung Mottu und hat schon damals Musikberichte in französischen Journalen veröffentlicht. Im Jahre 1869 wurde er Pariser Feuilletonist der „Neuen Freien Presse" und erfolgte im Sommer 1872 seine Berufung in die Redaction dieser Zeitung (als Feuilletonist). W. ist Correspondent des „Figaro", schreibt Sonntagsbriefe unter dem Titel „Courrier de Vienne" für das „Journal de St. Petersbourg" und zweimal monatlich Sonntags-Feuilletons für die „Breslauer Morgenzeitung". In Buchform veröffentlichte er „Musikalische Momente", „Erlebtes und Fabulirtes", und mit Ludwig Speidel: „Bilder aus der Schillerzeit". W. verfaßte auch eine große Anzahl Operettentexte u. zw. „Der kleine Herzog", „Der Feldprediger", „Der Hofnarr", „Die sieben Schwaben", „Pagenstreiche", „Der Liebeshof" ꝛc. Die satirische Komödie „Adam und Eva" (mit Julius Bauer) befindet sich im Theater an der Wien in Vorbereitung.

*__Wlzek,__ Sophie, ist großherzogl. badische Hofopernsängerin, Gesangslehrerin und Professorin am Conservatorium. III., Radetzkystraße 8.

*__Wöber,__ Ottokar, Musiker, componirte Lieder und Clavierstücke verschiedenen Inhaltes und versuchte sich auch auf dem Gebiete der Oper. W. ist Lehrer am Theresianum. I., Plankengasse 7.

Wobiczka, Victor, Schriftsteller, geb. zu Schloß Liechtenstein (Nieder-Oesterreich) am 9. Jänner 1851, schrieb u. a. „Dramatische Märchen" (1869), „Sturm im Frühling" (Novelle, 1882), „Der schwarze Junker" (historische Erzählung) und „Aus Herrn Walther's jungen Tagen" (historischer Roman, 1886). W. ist Beamter der österr.-ungar. Staatseisenbahn-Gesellschaft. Brünn a. Ge-

birge bei Wien. (Im Winter: Grand
Hotel Wien.)

Wohlmuth, Eugenie, Schrift=
stellerin, geb. zu Brünn am 6. De=
cember 1860, hat sich die Schilderung
von Sitten und Gebräuchen der Be=
wohner Oesterr.=Ungarns und seiner
Nachbarländer zum Vorwurfe ihrer
Arbeiten genommen. In Buchform
sind von ihr erschienen: „Was Moidl
erzählt" (1882), „La Christana" (1884),
und ihre Gedichte aus dem serbischen
Volks= und Kriegsleben „Im Frei=
heitskampfe" (1888), welch' letzteres
Werk bereits in die serbische Sprache
übertragen wurde. III., Beatrixg. 6.

*Wojtowicz, Peter, Bildhauer,
geb. zu Przemysl (Galizien) am
10. Juni 1862, Schüler der k. k.
Akademie der bild. Künste in Wien
unter Prof. Zumbusch. IV., Goldegg=
gasse 8.

Wokurka, Johann, Publicist,
geb. zu Wien am 13. December 1853,
ist Redacteur des politischen Volks=
blattes „Der Freimüthige". III.,
Klimschgasse 1.

Wolf, Cyrill, Musiker, geb. zu
Müglitz am 9. März 1825, Schüler
des Conservatoriums (unter G.
Preyer). Er war in vielen Kirchen
Wiens als Chordirigent thätig und
bekleidet dieses Amt noch gegenwärtig
bei der Dominicaner=Pfarr= und der
italienischen National=Kirche. Als
Musikpädagoge wirkt W. an der
Orgelschule des Wiener Cäcilien=
Vereines. W. schrieb hauptsächlich
Kirchencompositionen (7 Messen, eine
große Anzahl Chöre, Lieder und
Einlagen). Oesterr. decor. I., Schön=
laterngasse 7.

*Wolf, Egmont, Publicist, geb.
zu Gewitsch (Mähren) am 3. Juni
1854. Herausgeber der „Correspon=
denz Wolf" und der „Wiener illu=
strirten Kriminalzeitung". VIII., Koch=
gasse 32.

Das geistige Wien. 16

Wolf, Hanns, Schriftsteller, geb.
zu Mährisch=Weißkirchen am 4. Juli
1868, Sohn des im März 1886 ver=
storbenen bekannten Operettencompo=
nisten Max Wolf, veröffentlichte Ge=
dichte, Feuilletons und Novellen in
verschiedenen belletristischen Zei=
tungen. I., Teinfaltstraße 7.

Wolf, Hedwig, Schriftstellerin,
geb. zu Wien am 15. April 1831,
veröffentlicht Romane, Erzählungen
und Novellen in verschiedenen Jour=
nalen des In= und Auslandes. I.,
Schönlaterngasse 13.

*Wolf, Hugo, Musiker, geb.
zu Windischgräz (Steiermark) am
13. März 1860, ist als Componist
und Claviervirtuose (als welcher er
wiederholt vor die Oeffentlichkeit
trat) tonkünstlerisch thätig. Von dem=
selben erschienen eine größere Anzahl
Lieder für eine Singstimme und
Clavier. W. war früher auch Mit=
arbeiter des „Wiener Salonblatt"
(Musikreferat). Ober=Döbling, Hir=
schengasse 68.

Wolf, Karl Hermann, Publi=
cist, geb. zu Eger am 27. Jänner
1862, studierte Philosopie an der
Prager Universität, wo er in den
Jahren 1883—1884 die Stelle des
ersten Obmannes der Lese= und Rede=
halle der deutschen Studenten be=
kleidete. Er übersiedelte später nach
Leipzig, wo er in der Redaction des
Spamer'schen Conversations=Lexikons
thätig war. 1886 übernahm er die
Redaction der „Deutschen Wacht" in
Cilli, folgte aber nach drei Monaten
einem Rufe nach Reichenberg, wo er
als Chef=Redacteur bis 1888 die
„Deutsche Volkszeitung" leitete und
eine rege politische Thätigkeit ent=
faltete. Seit 1. Jänner 1889 ist er
Redacteur des „Deutschen Volks=
blattes" (Leitartikel, innere Politik,
Burgtheaterkritik und innere Leitung.)
VI., Magdalenenstraße 26.

Wolf, Robert, Publicist, geb.

zu Gewitsch (Mähren) am 29. Jänner 1849, ist Redacteur des „Wiener Tagblatt" (Fachreferat: locale Angelegenheiten). Er war früher beim „Extrablatt", der „Presse" und der „Wiener Allg. Zeitung" journalistisch thätig. II., Nestroygasse 9.

Wolff, Franz, Schriftsteller, geb. zu Wien am 18. April 1858; er veröffentlichte Gedichte und kleinere Novellen in verschiedenen Zeitschriften, ist ständiger Mitarbeiter der „Allgemeinen Kunst-Chronik" und verschiedener belletrist. Blätter. W. ist auch als dram. Schriftsteller thätig. Seine Lustspiele „Tugendhafte Männer" und „Am häuslichen Herd" gelangten an mehreren Bühnen zur Aufführung. Sein Trauerspiel „Theoderich" wurde bei der Mannheimer Preisconcurrenz zur Aufführung empfohlen. W. ist Beamter der k. k. General-Direction der österr. Staatsbahnen. Hernals, Zimmermannsplatz 2.

*****Wolff**, Karl, Schriftsteller, ist Autor folgender, gemeinsam mit L. Krenn verfaßter und aufgeführter Bühnenstücke: „Falsches Spiel"(1876), „Schwere Zeit — leichte Leut", „Ein Mann für Alles" (1877), „Schwester Lori", „Die Vorstadt-Prinzessin", „Helden von heut"(1878), „Die Liebe war schuld daran", „Die Jockeys", „Ein optischer Telegraph" (1879), „Wiener Kinder" (Operette, Musik von Ziehrer, 1881), „Sie", „Auf goldenem Boden" (1882), „Ein häßlicher Mensch oder die Nani" (1883). W. ist Zahntechniker.

Wolff, Karl, Publicist, geb. zu Breslau am 6. Jänner 1830, ist Mitarbeiter des „Neuen Wiener Tagblatt". I., Eßlinggasse 9.

*****Wolter**, Eduard, Musiker, geb. zu Wien am 18. Jänner 1841, ist Mitglied des k. k. Hofopern-Orchesters (Oboe) und seit 1. Jänner 1867 im Engagement genannten Kunstinstitutes. I., Predigergasse 3.

Wolter, Rudolf, Schauspieler und Schriftsteller, geb. zu Mainz am 17. April 1839, sollte Buchhändler werden, wendete sich jedoch im Jahre 1854 dem Schauspielerstande zu. Nach Absolvirung zahlreicher Engagements ist er seit 1887 Mitglied des Theaters in der Josefstadt und auch als Bühnenschriftsteller thätig. Er schrieb mehrere Einacter, darunter: „Amor in der Küche", „Das erste weiße Haar", „Armenvater", „Uns haben s' b'halten" ꝛc. W. ist auch Mitarbeiter mehrerer inländischer Zeitschriften. VII., Mariahilferstraße 10.

*****Wollner**, Josef, Publicist, geb. zu Wien im Jahre 1855, Herausgeber des „Oesterr. Fremdenblattes". Hernals, Alsbachstraße 18.

*****Wolter**, Charlotte, Schauspielerin, geb. zu Cöln am 1. März 1834, kam frühzeitig nach Wien und genoß hier dramatischen Unterricht bei der Burgschauspielerin Frau Gottdank, welche derselben auch ein Engagement in Pest (woselbst sie zum erstenmal auftrat) vermittelte; sie blieb daselbst nur kurze Zeit und schloß sich bald einer reisenden Schauspieler-Truppe an, mit welcher sie an größeren und kleineren Bühnen Ungarns spielte und zuletzt in Stuhlweißenburg auftrat; von dort kehrte sie nach Wien zurück und fand am Carltheater Engagement; hier wurde Laube auf sie aufmerksam und veranlaßte sie, nochmals in die Provinz zu gehen, um sich weiter auszubilden; sie trat in ein Engagements-Verhältnis zum Brünner-Theater, und erhielt bereits 1861 eine Anstellung am Victoria-Theater in Berlin und später am Thalia-Theater in Hamburg. Im Juni 1861 debutirte sie in vier Gastrollen („Adrienne Lecouvreur", „Jane Eyre", „Maria Stuart" und „Lady Rutland", am

Hofburgtheater, fand stürmischen Bei-
fall, kehrte jedoch in ihr aus-
ländisches Engagement zurück und
debutirte ein Jahr später nochmals
(als „Iphigenia", „Adrienne" und
als „Eugenie" in „Fabrikant"), welches
Gastspiel ihr definitives Engagement
(1862) zur Folge hatte. Ihre erste
Rollen-Schöpfung am Hofburgtheater
war die „lachende Witwe" im Schauspiele „Die Eine weint, die Andere
lacht". Das Repertoire der Künstlerin
umfaßt tragisch-heroische Rollen, und
bestehen ihre Partien sowohl aus
classisch antiken Heroinen (Sappho,
Iphigenia, Medea, Messalina 2c.) als
auch aus neueren historischen Heldin-
nen oder mythischen Gestalten (besonders Kriemhild). Ferner zählen zu
ihren erfolgreichsten Rollen „Eglantine", „Lady Macbeth", „Adelheid"
in „Göz" 2c. Gegenwärtig spielt W.
Salondamen von ernsterem dramatischen Charakter. W. war mit Grafen
O'Sullivan vermält und ist seit 1888
verwittwet. Oesterr. und ausl. decor.
I., Lobkowitzplaz 3 und Hietzing, Alleegasse 31.

Woudra, Hubert, Musiker, geb.
zu Klein-He.msdorf (Schlesien) am
30. October 1859, ist vielfach tonkünstlerisch thätig. Er componirte
gemischte Chöre, Männerchöre, Lieder
und Clavierstücke verschiedenen Inhaltes; auch bearbeitete er (mit
Josef Krenn) Henize's Harmonielehre für öster. Lehrerbildungs-
anstalten. W. ist Chordirector der
k. k. Hofoper.

Worel, Karl, Architekt, geb. zu
Kremsier am 3. September 1839,
war Mitarbeiter der Professoren
Van der Nüll und Siccardsburg
(Palais Larisch), der Architekten
Romano und Schwendenwein bei
dreißig Ringstraßenhäusern (Palais
Schen, Königswarter 2c.), bei diversen
Bauten Ferstel's und W. Bäumer's
aus Stuttgart und hat als selb-

ständiger Architekt mehrere Zinshäuser in Wien aufgeführt. III.,
Ungargasse 23.

Worell, Stefan, Publicist, geb.
zu Wien am 1. Juli 183 , war bei verschiedenen Journalen thätig. Er trat
im Jahre 1860 in die Redaction des
„Oesterreichischen Volksfreund", war
verantwortlicher Redacteur der „Gemeinde-Zeitung" (1861—1870) und
in gleicher Eigenschaft beim „Wiener
Volksblatt für Stadt und Land",
beim „Vaterland" (1871), sowie beim
„Mährisch - schlesischen Botschafter"
(1872) und gehört seit Gründung des
„Renigkeits-Weltblatt" (Ende 1873)
diesem publicistischen Unternehmen als
Redacteur an. (Fachreferat: Politik
und Gewerbeangelegenheiten.) W. entfaltet auch eine reiche humanitäre und
Vereinsthätigkeit. Oesterr. und ausl.
decor. VI., Gumpendorferstraße 40.

Worms, Ferdinand, Schauspieler, geb. zu Köln am 20. September 1847, trat zum ersten Male
als „Roland" in „Berlin wird Welt-
stadt" am Düsseldorfer Thaliatheater
auf (December 1873), war 1882 in
Köln, 1885 in Mannheim und Baden-
Baden und ist seit 1. September
1887 Mitglied des Carltheaters. II.,
Praterstraße 60.

*Wörndle, Aug. v. Adels-
fried, Historienmaler, geb. zu Wien
im Jahre 1827, besuchte die akad.
Landschaftsschule unter Prof. Steinfeld und Th. Ender, schloß sich 1855
einer Pilgerfahrt nach Palästina an,
von wo er zwölf große Kohlezeichnungen mitbrachte. Nach einem
zweieinhalbjährigen Aufenthalte in
Italien kehrte W. nach Wien zurück,
übersiedelte sodann nach Innsbruck,
woselbst er am Gymnasium Zeichen-
unterricht ertheilte. W., dessen Parsi-
fal-Cyclus von der Kritik sehr anerkannt wurde, hat eine bedeutende
Anzahl im Privatbesitze befindlicher
Bilder gemalt. U. a. entstammt das

16*

vom tirol. Landesausschuß dem Kron=
prinzen Rudolf als Hochzeitsgeschenk
überreichte „Schloß Tirol" seiner kunst=
geübten Hand. Sein Gemälde „Zug
der heiligen drei Könige" befindet sich
im Besitze der Gemäldegallerie des
allerh. Kaiserhauses in Wien. W. ist
k. k. Professor. G. L., Freiung 6.

*Woernle, Wilhelm, Maler
und Kupferstecher, geb. zu Stuttgart
am 23. Jänner 1849, Schüler des
Prof. W. Unger in Wien, übte schon
im 14. Jahr seine Kunst in der
Werkstätte des Kupferstechers B. Froer
in Stuttgart, besuchte die dortige
Kunstschule unter B. v. Neher, ar=
beitete sodann im Atelier von A.Wagen=
mann und errichtete hierauf ein Ate=
lier in Nürnberg. Nach einem Jahre
wendete sich W. unter Leitung seines
Freundes Zügel der Malerei zu,
unternahm 1873 eine Studienreise
nach Italien, begann, nach München
gekommen, dortselbst Versuche im
Radieren und übersiedelte sodann zu
bleibendem Aufenthalte nach Wien,
woselbst er u. a. einen Theil der
ungar. Landes=Gallerie in Budapest
radierte. W.'s größtes Werk ist die
Radierung des Gabriel Mar'schen
„Jesus Christus". G. III., Haupt=
straße 33.

*Woerz, Johann Georg Ritt.
v., Dr., geb. zu Innsbruck am 12. Juli
1829, ist als Musik=Referent bei der
Sonn= und Montags=Zeitung thätig,
und k. k. Ministerial=Rath im Han=
dels=Ministerium. Oesterr. u. ausl.
decor. I., Himmelpfortgasse 9.

*Wunderer, Anton, Musiker,
geb. zu Wien am 5. April 1850, ist
Capellmeister der Bühnenmusik am
k. k. Hofburgtheater und auch als
Componist thätig. VII., Burgg. 43.

Wurm, Alois, Architekt, geb.
zu Wien am 26. Jänner 1843,
Schüler der Wiener Akademie, be=
theiligte sich an verschiedenen Con=
currenzen, welche prämiirt wurden

und führte u. a. das Militär=Curhaus
in Marienbad, das Theater in Bad
Hall, das Gebäude der Gartenbau=
Gesellschaft in Moskau, das Palais
des Herzogs von Nassau (III., Reis=
nerstraße), die fürstl. Schwarzen=
berg'sche Häusergruppe (IV., Hen=
gasse) ꝛc. aus. W. ist Mitbegründer des
Vereines „Wiener Bauhütte", Ge=
meinderath der Stadt Wien. Oesterr.
decor. K. L., Kolowratring 4.

Wurmbrand=Stuppach, Grä=
fin Stefanie (S. Brand=Prabély),
geb. zu Preßburg am 26. December
1849. Sie concertirte bereits im Jahre
1867 unter Herbek's Leitung wieder=
holt öffentlich mit anerkanntem Erfolge
in Wien, sowie später in den größten
Städten Europas. Auch ihr Compo=
sitionstalent machte sich frühzeitig
bemerkbar. Sie componirte eine große
Anzahl Charakterstücke für Piano=
forte: Walzer, Quintette, Romanzen,
ein Concertstück im ungarischen Stil,
die musikalische Illustration zu: „Die
schöne Melusine", Lieder, Tanz=
weisen ꝛc. III., Rennweg 4.

*Württemberg, Eberhard=
Graf, Musiker, geb. zu Eßlingen im
Jahre 1834, schrieb mehrere zur Auf=
führung gelangte Compositionen, meist
Militärmusik. X., Himbergerstraße 8.

Wurzbach, Alfred, Dr., Ritter
von Tannenberg, Schriftsteller, geb.
zu Lemberg am 22. Juli 1846, trat
nach Absolvirung der juridischen
Studien in den Staatsdienst, in
welchem er bis 1876 thätig war. Seit
dieser Zeit widmete er sich gänzlich
der literar. Thätigkeit war bis 1887
als Kunstreferent bei der „Wiener
Allgemeinen Zeitung" und veröffent=
lichte zahlreiche kunstkritische und
historische Aufsätze in verschiedenen
Revuen und Zeitschriften. W., welcher
außer seiner Novelle „Lama" (1874)
und „Lieder an eine Frau" (1881) ꝛc.,
größtentheils fachwissenschaftl. Werke,
edirte (siehe „Das geistige Wien",

II. Band), ist gegenwärtig mit der Ausarbeitung eines „lexikograph. Handbuch der niederl. Malerschulen" und einer „Geschichte des deutschen und niederländischen Kupferstiches im 15. und 16. Jahrhunderte" beschäftigt. I., Am Hof 3.

Young, Gustav, Schriftsteller, geb. zu Wien am 10. October 1845, veröffentlichte eine große Anzahl humoristischer Vorträge, ferner den Cyklus „Aus meinem Soldatenleben", die Erzählungen „Der Christus-Sepp", „Das Stubenkätzchen", „Abgeblitzt", „Das Ständchen", „Aus unseren Bergen", „Die Aumühle", „Freigesprochen und doch verurtheilt", „Der türkische Schlafrock". Im Hause der Citate" (Lustspiel), „Der Günstling" (Schauspiel), sowie kleinere Gelegenheitsstücke. Derselbe ist auch Mitarbeiter von: „Münchener Fliegende Blätter", „Alte Presse", „Die Bombe", „Der Patriot" und „Lyra". Währing, Wienerstraße 47.

*Zach, Adalbert, Publicist, Mitredacteur der „Wiener Allgemeinen Zeitung". IX., Hörlgasse 16.

Zafaurek, Gustav, Maler und Zeichner, geb. zu Wien am 20 October 1841, pflegt das Genre und hat viele Jahre hindurch „Die Gartenlaube", „Die deutsche Verlags-Anstalt", „Chronik der Zeit", „Leipziger Illustr. Zeitung" 2c. mit Original-Zeichnungen versehen Währing, Martinstraße 14.

Zafouk, Rudolf, Bildhauer, geboren zu Komorau im Jahre 1830, Schüler von Josef May in Prag, Hanns Gasser und der Akademie in Wien, hat u. a. die Statuen „Giotto", „Van Euk" und „Erwin von Steinbach" (Façade des kunsthistor. Museums) ausgeführt, sowie die Denkmäler von „Freiherr von Roggendorf" u. „Jan Giskra von Brandeis" für die Feldherrenhalle im k. k. Arsenal, und 4 Statuen am Portikus des

Ackerbauministeriums angefertigt Z. lieferte auch eine große Anzahl figuraler Arbeiten für viele Kirchen Wien's (darunter Votivkirche). III., Ungargasse 47.

Zajaczkowski, Theodor, Maler und Zeichner, geb. zu Brünn am 26. Jänner 1852, Schüler von Blaas und Laufberger, cultivirt meistens das humoristische Genre als Illustrator und ist seit mehr als zehn Jahren Illustrator des „Floh" und ständiger Mitarbeiter und Zeichner der „Münchener Fliegenden Blätter". IV., Schleifmühlgasse 20.

*Zamara, Alfred, Musiker, geb. zu Wien im Jahre 1863, ist Lehrer am Conservatorium (für Clavier), Mitglied der k. k. Hof-Musikcapelle und Componist. Er schrieb u. a. die Operetten: „Der Sänger von Palermo" (Text von V. Buchbinder, im Carltheater aufgeführt), „Der Doppelgänger" (Text von V. Léon, aufgeführt im Theater an der Wien). „Die Königin von Arresa" (Text von V. Léon) 2c. IV., Hauptstraße 51.

*Zamara, Anton, Musiker, geb. zu Mailand am 3. April 1823, ist als Harfenspieler seit 1. April 1842 Mitglied des k. k. Hofopern-Orchesters, k. k. Kammervirtuos, Professor am Conservatorium 2c. Ausl. decor. IV., Hauptstraße 51.

*Zamara, Therese, geb. im Jahre 1859, ist als Harfenvirtuosin künstlerisch thätig. IV., Hauptstr. 51.

Zappert, Bruno, Schriftsteller, geb. zu Sechshaus bei Wien am 28. Jänner 1845 Aus seiner Feder stammen mehr als fünfzig Bühnenwerke, theils Originalien, theils Bearbeitungen, theils Compagniearbeiten, von denen einige sich besonderer Popularität erfreuen, darunter „Ein Böhm' in Amerika", „Ein junger Drahrer", „Auf zum Harem" (mit

Dr. Oeribaner), „Ein Deutschmeister" (mit Genée), „Der Glücksritter" (mit Mannstädt und Genée), „Der Freibeuter" (mit Genée), „Ein gemachter Mann", „Das fünfte Rad", „Sein Spezi", „Der Susi ihr Gspusi", „Minischerl" (Parodie), „Das lachende Wien" (mit Julius Rosen), „Der Walzerkönig" (mit Costa und Mannstädt), „Wollzeile 47", „Die Jagd nach dem Glücke" (mit Genée) u. v. a. Z. ist auch Mitredacteur mehrerer Wochenblätter. II., Praterstraße 36.

Zbekauer, Conrad, Ritter von, Dr. (Curt von Zelau), Schriftsteller, geb. zu Prag am 13. Mai 1847, trat 1872 in den Staatsdienst, wurde 1878 Leiter des Preßbureaus im Hauptquartier der Occupationsarmee in Bosnien und ist gegenwärtig Hofsecretär im Ministerium des Aeußern. Z. ist vielfach literarisch thätig, Mitarbeiter mehrerer belletristischer Zeitschriften und veröffentlichte folgende Bühnenwerke: „Er kann nicht lachen", „An der Grenze" (dramatische Scherze in einem Aufzuge) und „Dr. Johanna" (Lustspiel in drei Aufzügen), ferner eine autorisirte Uebersetzung (in Versen) der vieractigen Komödie von Emil Augier „Die Abenteuerin". Weiters erschienen im Drucke „Kriegs- und Friedensfahrten", „Von der Adria und aus den schwarzen Bergen", sowie eine autorisirte Uebersetzung des Werkes „Philosophische Dialoge und Fragmente". Oesterr. decor. I., Babenbergerstraße 5.

Zechner, Cornelius, Publicist, geb. zu St. Georgenthal am 27. Mai 1847. Redacteur der „Eleganten Welt", (Fachreferat: Kunst, Literatur und Mitarbeiter der „Wiener Mode", des Weimarer „Frauenberuf" &c. Z. ist seit 1870 Professor der Literatur und Psychologie in Wien. IV., Mayerhofgasse 9.

Zelau, Curt von, siehe Zbekauer Conrad.

Zell, F., siehe Walzel Camillo.

*Zeller, Karl, Dr., Musiker, geb. zu St. Peter in der Au (Niederösterreich) im Jahre 1842, ist vielfach tonkünstlerisch thätig und componirte nebst einer großen Anzahl von Liedern und Chören die Operetten: „Joconde", „Die Carbonari", „Der Vagabund", sowie das Liederspiel „Die Thomasnacht". Z. ist k. k. Sectionsrath im Ministerium für Cultus- und Unterricht. Ausl. decor. II., Asperngasse 3.

Zellner, Albin, Musiker, geb. zu Wien im Jahre 1851, ist Mitglied der k. k. Hofcapelle, und Lehrer für Gesang und Harmonium. Z. ist Beamter der k. k. Staatsbahnen. Ausl. decor. I., Naglergasse 2.

Zellner, Julius, Musiker, geb. zu Wien im Jahre 1832. Bevor sich derselbe (1851) der Musik zuwandte, war er Techniker und Kaufmann; er ist Verfasser von drei u. a. auch in den philharmonischen Concerten aufgeführten Symphonien, darunter „Melusine", verschiedener Quintette, Quartette, Trios und Sonaten für Clavier und Streichinstrumente, Clavierstücke, mehrstimmiger Gesänge und zweier Streichquartette, deren eines den vom Wiener Tonkünstler-Verein (1887) ausgeschriebenen Preis errang. IV., Theresianumgasse 6.

Zellner, Karl, Maler, geb. zu Wien am 27. März 1856, Schüler von Aug. Schaeffer, Haunold, Darnaut, widmete sich bei Vita der Portraitmalerei, ist Herausgeber des Werkes: „Die österr. Jagdmusik", dessen literar. und künstl. Theil aus seiner Feder stammt. I., Maximilianstraße 13.

*Zellner, Leopold Alexander, Musiker, geb. zu Agram (Croatien) am 23. September 1823, Schüler seines Vaters, wurde 1838 Organist der Katharinenkirche. Nachdem Z. über zehn Jahre beim k. k. Verpflegs-

amte gedient hatte, wurde er 1849
Musikreferent der „Süddeutschen Post"
in Wien, gründete 1855 die „Blätter
für Musik" und 1859 die „Historischen
Concerte". Er trat auch selbst, und
zwar als Harmoniumspieler, wiederholt öffentlich auf, verfaßte eine
Schule für Harmonium, arrangirte
zahlreiche Stücke für dieses Instrument, componirte Messen, Oratorien,
Lieder ꝛc., und gab viele ältere
Werke neu heraus. Die Professur für
Harmonielehre am Conservatorium
legte er seiner Zeit nieder und
wirkt gegenwärtig (seit 1868) als
General = Secretär der Gesellschaft
der Musikfreunde. Z. ist k. k. Regierungsrath. Oesterr. und ausl.
decor. I., Maximilianstraße 13.

Zemlinsky, A d o l f, von, Schrift-
steller, geb. zu Wien am 23. April 1845,
ist Redacteur des „Wiener Punsch", u.
Verfasser von „Jehuda ben Halevi",
„Der Verfluchte", „Salomo Molcho",
„Bankier und Handelsjude", „Der
Vagabund", „Geschichte der türkischen
Gemeinde in Wien". II., Pillersdorf-
gasse 3.

Zetsche, Eduard, Maler und
Schriftsteller, geb. zu Wien am
22. December 1844, widmete sich anfänglich dem kaufm. Berufe, dann
erst der Kunst, wurde Schüler der
Akademien in Wien und Düsseldorf
und hat sich ausschließlich der Landschaftsmalerei zugewendet. Z. ist auch
schriftstellerisch thätig und schreibt für
verschiedene Wiener und ausl. Blätter
Feuilletons, Reiseskizzen ꝛc. 6. IV.,
Mayerhofgasse 5.

Zettl, Ludwig Ritter von,
Architekt, geb. zu Jbozy (Böhmen)
am 5. Mai 1821, hat u. a. die
Palais Leitenberger (Ringstraße),
Wehli (Elisabethstraße), das Ministerium des Auswärtigen und des
kaiserlichen Hauses, die Pathologische
Anstalt des Allgemeinen Krankenhauses
ausgeführt. Z. ist auch k. k. Ober-

baurath. Oesterr. und ausländ. decor.
6. III., Lagergasse 1.

Zewy, Karl Maler, geb. zu
Wien am 21. April 1855, Schüler
der k. k. Akademie der bild. Künste
in Wien, erhielt seine Ausbildung
in der Specialschule des Prof. Eisenmenger, hielt sich einige Zeit studienhalber in München auf und hat sich
vollständig dem Genre zugewendet.
6. III., Marzergasse 16.

Ziegler, Ernst, Schriftsteller,
geb. zu Stettin am 22. November
1847, war ursprünglich Buchhändler,
Besitzer einer Kunsthandlung in
Paris, verkaufte dieselbe 1882 und
zog nach Wien. Hier wurde er Mitarbeiter des „Pester Lloyd" und der
Prager „Politik", in welchen Blättern
er eine große Anzahl Essays über
französische Literatur veröffentlichte.
Im Buchhandel erschienen: „Mein
Debut" (Novellen und Studien
1886), „Monte Carlo" (ein Spiel-
roman, 1888); eine Uebersetzung von
Emile Zola's „Germinal" und „Aus
der Werkstatt der Kunst" (L'Oeuvre).
Z. gibt seit 1. Jänner 1888 in Gemeinschaft mit Karl Colbert die
„Wiener Mode" heraus. II., Wasnergasse 5.

Ziegler, Johannes, Schriftsteller, geb. zu Hamburg am 8. Februar 1838, ist Herausgeber des
„Archivs für Seewesen" 9 Bände)
und der „Denkwürdigkeiten der Gräfin Leonora Christina Ulfeldt" (nach
dänischem Manuscripte aus dem
17. Jahrhundert). Zu Studienzwecken
unternahm er wiederholt ausgedehnte
Reisen und verwendete größtentheils
die daselbst aufgenommenen Eindrücke
zu seinen Arbeiten. Verschiedene Zeitschriften Deutschlands und Oesterreichs, sowie die großen Wiener
Tagesblätter, für welche er vornehmlich Feuilletons schreibt, zählen Z. zu
ihrem Mitarbeiter. III., Thongasse 8.

Ziehrer, Carl Michael, Musifer, geb. zu Wien im Jahre 1843, ist seit 1885 Capellmeister des Regimentes Hoch- und Deutschmeister. Früher war derselbe, theils als Militär-Capellmeister bei den Regimentern Nr. 55 und 76), theils als Dirigent einer eigenen (Civil)-Capelle, mit welcher er Kunstreisen im In- und Auslande unternahm, künstlerisch thätig. Im Jahre 1863 trat er zum ersten Male mit seiner Capelle im Dianasaale öffentlich auf. Von Z. sind bis jetzt 406 Tonstücke (vornehmlich wienerischen Genres), darunter die populär gewordenen Tanzpiècen: „Liebesbrief", „Lisette", „WeanerMadeln" im Druck erschienen, sowie die Operetten: „König Jerome" (Ringtheater), „Wiener Kinder" und „Ein Deutschmeister" (Carltheater). Er führt den Titel eines k. rumänischen Hof-Capellmeisters und ist ausländ. decor. III., Gärtnergasse 17.

Zillinger, Eduard, Schriftsteller, geb. zu Wien am 23. April 1849, veröffentlichte mehrere Erzählungen und Skizzen in hiesigen und auswärtigen Zeitungen, sowie die Novelle „Eine Gefallene". IV., Schlüsselg. 5.

Zimmermann, B., siehe Bermann Moriz.

Zimmermann, Gusti, Schauspielerin, geb. zu Großwardein, betrat am 12. September 1883 als „Königin" in der Operette „Das Spitzentuch der Königin" im Linzer Stadttheater zum ersten Male die Bühne, absolvirte mit Girardi verschiedene Gastspiele und ist seit 1. September 1885 im Verbande des Theaters an der Wien. VI., Magdalenenstraße 16.

Zimmermann, Robert, Dr., Schriftsteller, geb. zu Prag am 2. November 1824, studierte Philosophie und wurde 1847 Assistent an der Sternwarte, 1849 Priv.-Docent an der Wiener Universität, 1850 a. o. Professor an der Universität zu Olmütz, 1852 Professor in Prag

und lebt seit 1861 als ordentlicher Professor der Philosophie an der Universität in Wien. Er ist vornehmlich als Fachschriftsteller auf philosophisch-ästhethischem Gebiete thätig und liegt seine Bedeutung in grundlegenden, epochemachenden, philosophischen Arbeiten auf dem Gebiete der Aesthetik (siehe „Das geistige Wien", II. Band). Als Dichter veröffentlichte er die anonym erschienene Sammlung politischer Gedichte: „Guerilla-Krieg" (1847) und die epische Dichtung: „König Wenzel und Susanne" (1849). Die gesammelten Gedichte Z.'s erschienen in Zürich, sind aber vergriffen und im Buchhandel nicht erhältlich. Z. übersetzt auch aus dem Spanischen, Englischen, Italienischen und Französischen und ist Verfasser der Abhandlung „Wissenschaft u. Literatur" in der vom Gemeinderathe der Stadt Wien anläßlich des 40jährigen Jubiläums unseres Kaisers herausgegebenen Festschrift „Wien 1848—1888" Z. ist k. k. Hofrath ꝛc. I., Babenbergerstraße 1.

*Zink, Hanns, Musiker, geb. zu Wihram im Jahre 1861, Schüler des Prager Conservatoriums ist Mitglied des k. k. Hofopern-Orchesters (Oboe) seit 1. September 1882. IV., Kettenbrückengasse 10.

Zink, Jenny, Schriftstellerin, geb. zu Dresden. Ihre zahlreichen Skizzen, Erzählungen und Novellen veröffentlichte Z. in den verschiedensten in- und ausländischen Zeitschriften. Die Künstlernovelle „Erweckt" wurde bei der von der „Allg. Kunst-Chronik" im Jahre 1888 ausgeschriebenen Preis-Concurrenz ehrenvoll erwähnt. VI., Esterhazygasse 18a.

*Zips, Marianne, geb. zu Wien am 23. November 1856, wirkt als Concertsängerin und Gesanglehrerin. I., Schottenring 24.

*Zipfer, Josef, Publicist, ist

Correspondent des „Kurier Lwowski"
(Lemberg). I., Wipplingerstraße 26.

Zivný, Karl, Dr., Publicist,
geb. zu Loschitz (Mähren) am 14. November 1858, ist Chefredacteur des
„Parlamentär" in Wien. Fachreferat:
Politik, slavische Geschichte und Linguistik (alle slavischen Mundarten).
VIII., Lerchenfelderstraße 25.

*Zoczek, Johann, Musiker, geb.
zu Wien am 24. Jänner 1833, ist
Singmeister der Hofsängerknaben,
Hofmusikarchivar und als Tenorist
Mitglied der k. k. Hof-Musikcapelle.
VI., Kasernengasse 9.

Zois, Hanns von (Freiherr
von Edelstein), Musiker, geb. zu Graz
am 14. November 1862, Schüler des
Musikdirectors Thieriot und des
Wiener Conservatoriums. Er wirkt
als Concertist und schrieb die Operette „Colombine" (Text von B. Buchbinder) und die Spieloper „Der Venetianer", außerdem Romanzen,
Ouverturen, Chöre, Sonaten und
mehr als 100 Lieder. Hotel Wandl.

*Zottmann, Franz, Musiker,
geb. zu Hainburg am 23. März 1858,
wirkt als Pianist und Lehrer am
Wiener Conservatorium. IV., Floragasse 6.

*Zumbusch, Kaspar K. von, Bildhauer, geb. zu Herzebrock, Westphalen,
am 23. November 1830, Schüler Prof.
Halbig's in München, bei welchem er
bis 1853 arbeitete und mit dem er
auch eine Reise nach Italien unternahm. Nach seiner Rückkunft betheiligte er sich an verschiedenen
Concurrenz-Entwürfen, von welchen

derjenige für das König Max-Denkmal preisgekrönt wurde. Im Jahre
1867 unternahm er eine Studienreise
nach Rom und Neapel, modellirte
dort zahlreiche Statuetten und Büsten
für König Ludwig II., der ihn beauftragte, die Hauptpersonen der
Wagner'schen Dramen in Marmor
darzustellen. In Folge der Ausführung des Max-Denkmales in
München wurde Z. im Jahre 1873
als Professor der Plastik an die
Wiener Akademie berufen. Dem
„Siegesdenkmal in Augsburg" folgte
1880 das „Beethoven-Denkmal" und
1888 das „Maria Theresia-Denkmal" (beide in Wien). An dem Wiener
Rathhausthurm (Osten) befindet sich
eine Reliefsculptur von ihm, „Reiterfigur Kaisers Franz Josef I." und im
k. k. Universitätsgebäude die acht Fuß
hohe Figur „Kaiser Franz Josef I."
(Carrara-Marmor), im Vestibule des
Universitätsgebäudes das Standbild
„Dr. Glaser". Außer anderen zahllosen Arbeiten hat Z. auch die
Marmorstatue „A. G. Werner"
(Stiegenhaus des naturhist. Museums) zc. aufgeführt. Z. ist k. k.
Professor. Oesterr. und ausl. decor.
III., Jacquingasse 11.

*Zürnich, Josef, Portrait- und
Thier-Maler, geb. zu Wien am
29. September 1824, war Schüler
der k. k. Akademie. IV., Lamprechtgasse 4.

*Zverina, Franz, Maler, geb.
zu Hrotowitz (Mähren) am 4. Februar
1835, ist Professor an der Staatsrealschule. VII., Schottenfeldgasse 17.

Berichtigungen.

Auf Seite 26 soll es bei **Buchbinder** Beruh. richtig heißen statt Colombian: Colombine.

Auf Seite 84 soll es statt **Hoffmayer,** Karl heißen:

*Hofmeier, Karl, Architekt, geb. zu Prag im Jahre 1858, wirkt seit mehreren Jahren in Gemeinschaft mit Victor Siedek und hat mit diesem eine Anzahl Privat-Palais und Zinshäuser ausgeführt. (Siehe Siedek Victor.) IV., Carolinengasse 6.

Auf Seite 96 soll es bei **Kauders,** Karl richtig heißen, statt „Redacteur der „Wiener Allgem. Zeitung": Redacteur des „Fremdenblatt" (Kunstreferat, Gerichtssaal). K. ist Componist der Oper „Der Schatz des Rampsinit" (1888).

Auf Seite 156 statt **Plonitz,** richtig **Plowitz.**

Sachregister.

Andreas Hofer. Denkmal. Natter Heinrich.
— Hofer. Marmorstatue. Preleuthner Johann.
— Baumkirchner. Hist. Trauerspiel. Wartenegg, Wilhelm von.
Anfang vom Ende, Der. Lustspiel. Ganzhofer Ludwig.
Angelfischer, Der österreichische. Pfundheller Josef.
Anklänge, Patriotische. Gedichte. Bürger Michael.
Ankunft der Dampierre-Kürassiere in der Wiener Hofburg 1619. Bild.
    L'Allemand Sigmund.
Anna. Tragödie. Lohwag Ernst.
— Rosenberg. Roman. Grotthuß, Elisabeth von.
Annengrüße. Gedichte. Schwarzbauer Hanns.
Anno damals. Volksstück. Dorn Eduard.
Ansicht der Börse. Bild. Swoboda Eduard.
— von Rio de Janeiro. Bild. Ruß Robert.
Antigone, Antike Scenendarstellung aus. Deckenbild. Matsch F.
Antike Scenendarstellung aus „Antigone". Deckenbild. Matsch F.
Antiker Improvisator. Deckenbild. Matsch F.
Anton Bruckner und die moderne Musikwelt. Schalk Josef.
Anwalt, Ein. Schauspiel. Sonnenthal, Adolf von und Triesch F. G.
Anzengruber. Portrait. Mayer George August.
Apajune. Operette. Text: Walzel Camillo, Musik: Millöcker Karl.
Aphorismen. Ebner-Eschenbach, Marie von.
— über die Seele. Poesien. Tandler, Josef von.
Apollo. Figur. Schmidgruber Anton.
— Statue. Düll Alois Franz Xaver.
— Statue. Kundmann Karl.
Apollonius von Tyana, der Heidenheiland. Petterich Karl Hugo.
Apologetik. Plast.-alleg. Figur. Düll.
Apostelstatuen. Erler Franz
Aprilscherz, Ein. Lustspiel. Bombelles, Karl Albert Graf.
Ararat, Der. Bild. Schaeffer August.
Arbeiterkönig, Der. Roman. Schneeberger Franz J.
Archimedes. Statue. Kauffungen Richard.
— Statue. Tilgner Victor.
Architekten-Verein, Ingenieur- und. Gebäude. Thienemann O.
Architektur. Plast.-allegorische Figur. Kundmann Karl.
— Die neuere kirchliche, in Oesterreich. Buch. Sitte Camillo.
Aretino. Cerri Cajetan.
Argonauten, Die. Oper. Bach Otto.
Aristoteles. Statue. Kundmann Karl.
— Statue. Lax Josef.
Arkaden-Häusergruppe. Boguslawski, L. v.
Arme Heinrich, Der. Bühnenwerk. Pöhnl Hanns.
— Hugo, Der. Lustspiel. Elimar von Oldenburg.
Armeenfrage Oesterreich-Ungarns, Die. Tuvóra Maurice J.
Armenvater. Bühnenwerk. Woller Rudolf.
Arminius. Drama. Oberleiter Karl.
Arretirung. Bild. Burger Leopold.
Arsenal, Fresken im. Blaas, Karl von.
— Waffenmuseum des. Hansen, Theophil Freiherr von.

D'Artagnan. Operette. Text: Léon Victor, Musik: Raiman Rudolf.
Artemis. Novelle. Edler Karl.
Artikel V. Genrebild. Reitler Marzellin Adalbert.
Asche, Aus der. Christen Ada.
— der Millionen, Die. Lindner Moriz.
Aspanger Bahnhof. Gruber, Franz Ritter von.
Assecuranzführer, Europäischer. Jahrbuch. Eckstein Julius.
Atelier, Im. Novelle. Kapri, Mathilde von.
Atho, der Priesterkönig. Drama. Mosing Guido C.
Atlantis. Mythol. Märchen. Hoernes Moriz.
Attaché, Ein. Bühnenübersetzung. Förster August.
Auersperg=Palais. Umbau. Kayser Karl Gangolf.
Auf bunten Schwingen. Christel Franz.
— dem Heimwege von der Weltausstellung. Bild. Schaeffer August.
— dem Meere. Novelle. Liebenwein J. R.
— den ersten Moment. Weltner Albert Josef.
— der Bühne und hinter den Coulissen. Bühnenstück. Gottsleben Ludwig.
— der Schneide. Novellen. Hevesi Ludwig.
— der Sonnenseite. Novellen. Hevesi Ludwig.
— der Spur. Schauspiel. Oeribauer Mathias.
— einsamen Felsenriff. Nach dem Englischen bearbeitet. Weißenthurn, Max von.
— ewig gebunden. Roman. Greiner Christine.
— falscher Fährte. Bühnenwerk. Mai Fritz.
— goldenem Boden. Bühnenstück. Krenn Leopold und Wolff Karl.
— nach Norden! Poetisches Werk. Buschmann Gotthard.
— stillen Höhen. Gedichte. Formey Alfred.
— zum Harem. Bühnenstück. Zappert Bruno und Oeribauer.
Auferstanden. Roman. Vincenti, Karl F. von.
Auferstehung Christi. Deckenbild. Schmid Julius.
Aufgebot, Das letzte. Volksstück. Dorn Eduard.
Augarten, Im. Scenischer Prolog. Mautner Eduard.
Augenblick, Ein, des Glücks. Sokol Josef.
Augsburger Siegesdenkmal. Zumbusch, Kaspar Ritter von.
Aug' um Aug'. Bühnenwerk. Mai Fritz.
Augustin, Der liebe. Operette. Brandl Johann.
— Bühnenspiel. Pöhnl Hanns.
Augustini, S. libri duo. Egger Berthold Anton.
Augustinus. Statue. Kauffungen Richard.
Aulandschaft aus der Umgebung Salzburgs. Bild. Schaeffer A.
Aumühle, Die. Erzählung. Young Gustav.
Aus Aegypten. Reiseberichte. Frankl, Ludwig August von.
— alten Tagen. Epische Dichtungen. Thaler, Karl von.
— Cayenne. Volksschauspiel. Dorn Eduard.
— da Hoamat. Matosch Anton.
— dem Bagno. Schwarz, E. von.
— dem Banate. Reisebilder. Uhl Friedrich.
— dem Böhmerwalde. Schilderungen. Rank Josef.
— dem Carneval der Liebe. Gedichte. Grasberger Hanns.

Ausgang des Alcibiades. Tragikomödie. Bauernfeld, Eduard von.
Ausgewählte Novellen, Castelnuovo's. Lederer Siegfried.
Ausgleich mit Ungarn, Der. Friedjung Heinrich.
Ausgrabung des Paradieses. Roman. Lohwag Ernst.
Ausstellung, Plakat der Gewerbe-. Zeichnung. Petrovits.
Austoben. Schwank. Waldstein Max.
Austral-Neger-Lager. Bild. Schönn Alois.
Australischer Urwald. Bild. Otto H.
Austria. Colossalfigur. Hellmer Edmund.
— Figurengruppe, Plastische. Benk Johannes.
— Hotel in Gmunden. Schachner F.
Azienbahof. Hasenauer, Karl Freih. von.
Aznaour, Ein. Roman. Suttner, Gundacker von.
Azteken, Die. Bühnenwerk. Mögele Franz.
Babenberger, Der letzte. Tragödie. Bohrmann Heinrich.
Bacchanale. Relief. Kundmann Karl.
Bacchus und Ariadne. Gipsgruppe. Schwerzel M.
Bacchuszug. Fries. Weyr Rudolf.
Bäcker. Alleg. Figur. Probst J.
Bad, Diana-. Neubau. Wagner Otto.
— Römisches. Claus H., Groß Josef.
Badeanstalt des Garnisonsspitales Nr. 1. Gruber, Franz Ritter von.
Baden, Curhaus zu. Katscher Max.
Badener Neujahrsblätter. Roller Hermann.
Bagno, Aus dem. Schwarz, E. von.
Bahnen, Glänzende. Roman. Silberstein August.
— Neue. Gedichte. Lohwag Ernst.
Bajadere, Die. Lustspiel. Léon Victor.
Bahnhof der Südbahn in Graz, Aussee, Triest, Wien. Flattich W.
— der Wien-Aspang-Bahn. Gruber, Franz Ritter von.
Bahnhofs-Szene. Bild. Karger Karl.
Baldine. Novelle. Edler Karl.
Ballett und Oper. Basreliefs. Preleuthner Johann.
Ballkönigin, Die. Lustspiel-Bearbeitung. Glücksmann Heinrich.
Banate, Aus dem. Reisebilder. Uhl Friedrich.
Banda, kommt, Die. Gesangsmarsch. Schild Th. F.
                          Gesangs-Text von Lorens.
Banditen im Frack. Roman. Schneeberger Franz J.
Banditenkönig, Der. Operettentext. Riedl Willibald.
Bang, Völuspa und das sibyllische Orakel. Aus dem Dänischen.
Poestion J. C.
Bank, Oesterr.-ungar. Administrationsgebäude. Schmidt, Fr. Freiherr v.
Banne des Vorurtheils, Im. Schauspiel. Nötel Louis.
— der Pflicht, Im. Müller-Guttenbrunn Adam.
Banquier und Handelsjude. Zemlinsky, Adolf von.
Bärenhaus, Das. Schlierholz Gustav.
Baron, Der falsche. Roman. Flamm Theodor.
Baronin, Die Frau. Volksstück. Tänzer Mathias.
Bartel, Das Knechtlein. Rank Josef.
Bauernfeld. Porträt. Beyfus Hermann.

Bettelweib von Sievring, Das. Lebensbild. Kohlhofer Josef.
Bettler von Samarkand, Der. Oper. Brüll Ignaz.
— Der stumme. Roman. Bermann Moriz.
Bergvolk, Ein. Bühnenstück. Liebold Eduard.
Bianka. Oper. Brüll Ignaz.
Bibelstudium. Plast.=alleg. Figur. David Werner.
Bibliothek für die Jugend, Historische. Pennersdorfer Ignaz.
— Schwarze. Criminalnovellen. Pfundheller Josef.
Biblische Geschichte für Volks= und Bürgerschulen. Panholzer Johann.
Biedermänner, Die falschen. Roman Kölgen Ferdinand.
Bilanz der Ehe, Die. Schwarzkopf Gustav.
Bilder aus Bosnien und Herzegowina. Jugendschrift. Näckler, Alois
     von.
— aus dem serbischen Volks= und Familienleben. Scherer Franz R. E.
— aus dem Volksleben. Schram Karl.
— aus der römischen Gesellschaft. Frischauer Emil.
— aus der Schillerzeit. Speidel Ludwig, Wittmann Hugo.
Binder, Die lustigen. Operette. Millöcker Karl.
Biographie von Beethoven. Keller Otto.
Biologie. Plast. Figur. Kalmsteiner Hanns.
Birkengräflein, Ein. Dorfgeschichte. Rank Josef.
Bisonjagd. Bild. Blaas, Julius von.
Bitt' um's Abendblatt! Gesangsposse. Chou, Moriz S.
Blätter für Kunstgewerbe. Zeitschrift. Gegründet von Waldheim,
     Rudolf von.
Blätter im Winde. Groß Ferdinand.
— für Herz und Haus, Lose. Novell. Skizzen. Weißenthurn, Max von.
— Lyrische. Rollet Hermann.
— und Blüthen. Gedichte. Cappilleri Wilhelm.
Blaue Nächte. Dichtung. Germonik Ludwig.
Blaubündler. Nesbeda Josef.
Blaustrumpf, Der. Lustspiel. Klein Hugo.
Bleibergbau bei Raibl. Bild. Lichtenfels, Eduard Peithner Ritter v.
Bleiche Gast, Der. Operettentext. Waldberg, Heinrich von.
Blick in die Welt, Ein. Bühnenwerk. Wartenegg, Wilhelm von.
Blinden=Institut auf der Hohen Warte. Stiaßny Wilhelm.
— Spital in Währing, Israelitisches. Stiaßny Wilhelm.
Blinde Kuh. Operette. Strauß Johann.
Blitzaug, der Bettlerkönig. Lustspiel. Radler, Friedrich von.
Blitzmädl, Ein. Bühnenwerk. Costa Karl.
Blöcke, Erratische. Nötel Louis.
Blöde Ritter. Brunner Sebastian.
Blumauer Alois. Volksstück. Radler, Friedrich von.
Blumen Liebe, Der. Gedichte. orn Arthur.
Blumenkaiser, Der. Pfundheller Josef.
Blut, Leichtes. Posse. Plowitz Erwin.
— Wiener. Schlögl Friedrich.
Blutrache, Die. Schauspiel. Heidt Karl Maria.
Boccaccio. Operette. Text: Walzel Camillo, Musik: Suppé, Franz von.
Boden, Auf goldenem. Bühnenwerk. Krenn Leopold und Wolff Karl.

17*

Boden=Credit=Anstalt. Gebäude. Förster, Emil Ritter von.
Böhm in Amerika, Ein. Posse. Musik: Gothov=Grünecke Ludwig.
    Text: Zappert Bruno.
Böhmerwalde, Aus dem. Schilderungen. Rank Josef.
Böhmischer Student, Ein. Roman. Proschko Franz Isidor.
Böhmische Schweiz, Die. Schuldes Julius.
Boildieu. Portraitbüste. Silbernagl Johann.
Boreas entführt die Orithyia. Stich. Sonnenleiter J.
Börse, Ansicht der. Bild. Swoboda Eduard.
Börsengebäude. Hansen Theophil, Freiherr von.
Börse und Arbeit. Bühnenwerk. Dorn Eduard.
Bollmann. Operettenlibretto. Held Ludwig.
Bombardier, Der letzte. Lustspiel. Band Moriz.
Bomben, Wiener. Lustiges vom Donaustrande. Nessel Gustav Anb.
Boshafter Kerl, Ein. Bühnenwerk. Mai Fritz.
Bosnien und Herzegowina, Bilder aus. Jugendschrift. Näckler, Alois von.
Botschafter, Der. Operette. Kreutzer Eduard.
Botschafterin, Die. Roman. Uhl Friedrich.
Božena. Erzählung. Ebner=Eschenbach, M. von.
Brabage N. Statue. Costenoble Karl.
Bräutigam als Schwiegervater, Der. Bühnenwerk. Willum Heinrich.
Brasilianischer Urwald. Bild. Blaas, Julius von.
— Urwald. Bild. Ruß Robert.
Brauer von Gent. Oper. Leschen Ch. J.
Braut von Messina. Ouverture. Rusinatscha J.
Brautfahrt, Waldmeister's. Müller Adolf.
Braunkohlentagbau bei Dux. Bild. Schönn Alois.
Braunschweig, Schloß zu. Klasen Ludwig.
Brennesseln. Gedichte. Cappilleri Wilhelm.
Bretislav I., Einzug in Prag. Stich. Schmidt L.
Brief, Der erste. Lustspiel. Groß Ferdinand.
Briefe aus dem Tagebuche eines Esels. Preißler Heinrich.
— Drei. Lustspiel. Pollak Ignaz.
— eines Junggesellen. Stimmungsbilder. Singer Fritz.
Briefsteller für Liebende. Schwant. Pick Alois.
Briefträger, Ein Wiener. Charakterbild. Thalboth Heinrich.
Brigittabrücke. Köstlin August.
Bronce=Arbeit in deutscher Renaissance. Architektur. Buchwerk. Hof-
    mann W.
Bruchstücke Ibn Jemin's. Aus dem Persischen bearbeitet. Schlechta=
    Wssehrd, Ottokar von.
Bruchstücke orientalischer Poesie, Neue. Aus dem Persischen bearbeitet.
    Schlechta=Wssehrd, Ottokar von.
Brucker Lager=Marsch. Kral Johann Nepomuk.
Bruckner Anton und die moderne Musikwelt. Schalk Josef.
Brüder, Die siamesischen. Drama. Pfeiffer, Karl von.
— Die verfluchten. Roman. Eisner Justus.
Bruder Hanns. Schauspiel. Karlweis C
— Rausch. Epos. Lipiner Siegfried.
— Wenzel. Posse. Doppler Josef.

Bruna. Oper. Schmitt Hanns.
Brunnen auf dem Margarethenplatz. Hauser Alois.
— im Kreuzgange zu Lilienfeld. Szüln A.
— in der kaiserlichen Villa zu Ischl. Tilgner Victor.
— vor der Paulanerkirche, Schutzengel=. Preleuthner Johann.
— =Kapelle in Lilienfeld. Restaurirung. Avanzo Dominik u. Lange Paul.
— =Cur, Rohitscher. Gedicht. Pachler Faust.
Brutus und sein Haus. Trauerspiel. Anschütz Roderich.
Bucarester Nationaltheater. Hefft Anton.
Buch L. v. Statue. Tilgner Victor.
— der Freude. Dichtung. Lipiner Siegfried.
— der Laune. Novellen. Hevesi Ludwig.
— der Narrheit. Novellen. Herzl Theodor.
— der Weltgeschichte für Freunde der Wahrheit, Ein. Historisches Sammelwerk. Doll Franz.
Buch Kassandra. Ein Sonettenkranz. Heidt Karl Maria.
— von uns Wienern, Ein. Bauernfeld, Eduard von.
— von einer Wienerin in lustig gemüthlichen Reimlein, Ein. Bauernfeld, Eduard von.
Bücherei, Aus der. Groß Ferdinand.
— Das kuriose. Schlögl Friedrich.
Büchlein der Unweisheit. Gedichte. Kralik, Richard von.
— Klinginsland. Silberstein August.
Bucquoy, Graf. Statue. Kundmann Karl.
Buffon. Statue. Costenoble Karl.
Bühnenfestspiel in Bayreuth und die bildende Kunst, Das. Berggruen Oscar, Dr.
Bühnen= und Orchestermusik zu Faust I. und II. Theil. Sulzer Julius.
— und Orchestermusik zu den Königsdramen Shakespeare's. Sulzer Julius.
Bühnenhistorietten. Waldstein Max.
Bürger von Hannover, Die. Trauerspiel. Waldstein Max.
Bundesschießen, III. deutsches. Festbauten. Hinträger M.
Bunten Schwingen, Auf. Christel Franz.
Burg in Eger, Die alte. Bild. Alt Rudolf.
Bürgerkinder, Wiener. Lustspiel. Koritz K. L.
Bürgerlich und romantisch. Lustspiel. Bauernfeld, Eduard von.
Bürgerlicher Held, Ein. Bühnenwerk. Mai Fritz.
Bürgermeister von St. Anna, Der. Liederspiel. Koschat Thomas.
— Ein deutscher. Episches Gedicht. Mertens, Ludwig von.
— Tran und Vorlauf. Statuen. Benk Johannes.
— Uhl. Portrait. Stauffer Victor.
— von Wien. Schwarz E., von.
Bürgersoldat. Statue. Düll Alois Franz Xaver.
Bürgerstochter, Eine Wiener. Bühnenwerk. Seitz Jacob Josef.
Bürgerzeitung, Wiener. Klebinder Ferdinand.
Bukowinaer Ruthenen Lieder, Der. Kupezanko Gregor.
Bund der Dreißig. Volksroman. Franz F. G.
Bunte Zeit. Gedichte. Ganghofer Ludwig.
Bureau Malicorne. Operette. Text: Schmiedell F. W., Musik: Berté Harry.

Burg der Markgrafen der Ostmark. Monographie. List Guido.
Burgtheater. Hasenauer, Karl Freiherr von.
Cabinet, Das schwarze. Roman. Bermann Moriz.
Cadetteninstitut, Im. Skizzen. Teuber Oscar Karl.
Cadettenschule, In der. Operette. Krenn Hanns.
Cagliostro. Operette. Text: Walzel Camillo, Musik: Strauß Johann.
Cairo, Markt in. Bild. Ajdukiewicz Thaddäus.
Calais, Uebergabe von. Stich. Sonnenleiter J.
Calderon. Büste. Tilgner Victor.
— Statue. Wagner Anton Paul.
Calvarienberg in der Adelsberger Grotte. Bild. Haich Karl.
Cameliendame, Eine Wiener. Bühnenwerk. Mai Frib.
Camalduli. Bild. Nowopacky Johann.
Canal grande, Partie am. Bild. Alt Franz.
Candidat, Ein liberaler. Lustspiel. Schlesinger Sigmund.
Cannebas, die schöne Spanierin. Operettentext. Doppler Josef.
Canova. Statue. Pönninger Franz.
Cautaenzene, Prinzessin von. Portrait. Fröschl Karl.
Capelle des k. k. Stiftungshauses. Ausmalung. Jobst Franz.
     in der Weilburg. Hefft Anton.
— in Schloß Weikersdorf. Hefft Anton.
Capitän Ahlström. Operette. Hellmesberger Josef jun.
— Ahlström. Theaterstück. Jaris Karl E.
Capri, Grotte von. Panorama. Burghardt H.
Carbonari, Die. Operette. Zeller Karl.
Cardinal Rauscher. Erler Franz.
Carl der Große. Dramatisches Gedicht. Nötel Louis.
Carneval in Rom, Der. Operette. Text: Braun Josef und Walzel
     Camillo, Musik: Strauß Johann.
Carnevalsabenteuer, Wiener. Schwank. Oeribauer Mathias.
Carnuntum. Ausgrabungen. Hauser Alois.
— Historischer Roman. List Guido.
Casino in Oedenburg. Wächtler L.
Castelnuovo's Ausgewählte Novellen. Lederer Siegfried.
Castries, Palais der Herzogin von. Fellner und Hellmer.
Caterina Cornaro. Drama. Forstenheim Anna.
Catilina. Bühnenwerk. Pöhnl Hanns.
Catilinam, In. Sonettenkranz. Mautner Eduard.
Cato. Marmorstatue. Schwerzek K.
— der Weise. Lustspiel. Ehrlich Josef R.
Causa Hirschkorn. Bühnenwerk. Herzl Theodor.
Cayenne, Aus. Volksschauspiel. Dorn Eduard.
Centralamerikanischen Republiken, Die. Winter Karl.
Central-Reitschule im IX. Bezirke. Schlierholz G.
Charlotte Wolter. Eine Künstlerlaufbahn. Ehrenfeld Moriz.
— Wolter. Broschüre. Scheidlein Cäsar von.
Chevalier von St. Marco, Der. Operette. Text: Bohrmann Heinrich,
     Musik: Bayer Josef.
Chimborasso, Der. Bild. Schaeffer August.
Chriemhilde und Siegfried. Zwickelfiguren. Weyr Rudolf.

Christi Auferstehung. Deckenbild. Schmid Julius.
— Geburt. Deckenbild. Schmid Julius.
— Grablegung. Deckenbild. Schmid Julius.
Christoforo Colombo. Romantisches Epos. Frankl, L. A. Ritter von.
Christus. Radierung nach Gab. Max. Woernle.
— -Sepp, Der. Erzählung. Young Gustav.
— und die heiligen Frauen. Bild. Golz Alexander.
— und die Samaritanerin. Bild. Mayer L.
Chrysostomus. Statue. Kauffungen Richard.
Chronik der Zeit. Zeitschrift. Fockl, K. Th.
Chronologie der Briefe Richard Wagner's. Kastner Emerich.
Cid. Decorationen. Brioschi Anton.
Cingara, die Gnomenkönigin. Oper. Fuchs Johann N.
Circe. Statue. Wagner A. B.
Civilrecht. Plast.-alleg. Figur. Beyer Josef.
Clara von Vissegrad. Epos. Foglar Ludwig St.
Classische Kunst. Standbild. Hofmann, Edmund v. Aspernburg.
Clavierschule. Schwarz Wenzel.
Cliffhous von Nordamerika. Bild. Fischer, Ludwig Hanns.
Clythia, siehe Klythia.
Clusius, C. Statue. Hofmann, Edmund v. Aspernburg.
Coco Bühnenwerk. Walzel Camillo.
Coenrbub. Männerchor. Nentwich Josef.
Colombine. Operette. Text: Buchbinder Bernhard, Musik: Zois, Hans von.
Colombo Christoforo. Romantisches Epos. Frankl, L. A. Ritter von.
Colonien in Ungarn, Die deutschen. Bergner Rudolf.
Coloristudien. Novelle. Edler Karl.
Coloß von Collo-Collo. Bild. Ruß Robert.
Colportage-Roman und seine Bedeutung, Der. March Richard.
Commentar zu Schiller's Abhandlung: „Ueber naive und sentimentale Dichtung." Tumlirz Karl.
Commersbuch der Wiener Studenten. Breitenstein Max.
Communalblatt, Wiener. Gall Josef.
Commune, Paris unter der. Lauser Wilhelm.
Comotovia. Geschichtliche und belletr. Jahrbücher. Naaff Anton F.
Compendium der Geschichte der Kalligraphie. Dewald, Friedrich Vincenz von.
Comtesse Dornröschen. Lustspiel. Elimar von Oldenburg.
Concerte, Virtuosen und Componisten. Hanslick Eduard.
Conrad-Eybesfeld, Freiherr von. Portrait. L'Allemand Sigmund
Conservatorium. Siehe Musikvereinsgebäude.
Consilium facultatis. Lustspiel. Rosen Alexander.
Coppelia. Schauspiel. Rosen Alexander.
Coquelin, l'art et le comédien. Uebersetzung. Groß Ferdinand.
Corallenzweige. Meynert Hermann.
Cornaro Carterina. Drama. Forstenheim Anna.
Corporal, Ein alter. Giugno Karl.
Corregidor, Der. Oper. Perger, Richard von.
Correspondance de Vienne, La. Mazzini Gustav.

Demokrat, Ein wahrer. Charakterbild. Thalboth Heinrich.
Demokritos. Plaſt. Figur. Beyer Joſef.
Denkmal Amerling. Benk Johannes.
— Anaſtaſius Grün=, in Graz. Kundmann Karl.
— Andreas Hofer in Innsbruck. Natter H.
— Augsburger Sieges=. Zumbuſch, Kaspar R. v.
— Beethoven. Zumbuſch, Kaspar Ritter von.
— Eitelberger. Klotz Hermann.
— Erzherzog Johann, in Graz. Pönninger Franz.
— der gefallenen Zöglinge zu Wr. Neuſtadt. Weyr Rudolf.
— für die im Ringtheater Verunglückten, Grab=. Weyr Rudolf.
— des Generals Hauslab, Grab=. Mailler Alexander.
— Ghega. Avanzo und Lang=.
— Grillparzer. Kundmann Karl.
— Haydn. Natter Heinrich.
— Hebbel. Seeböck F.
— Kaiſerin Maria Thereſia in Klagenfurt. Pönninger Franz.
— Kaiſerin Maria Thereſia in Wien. Zumbuſch, Kaspar Ritter von.
— Kaiſer Joſef II. Wien (allg. Krankenh.) Kauffungen Richard.
— Kaiſer Joſef II. in Aufſig. Pönninger Franz.
— Kaiſer Joſef II. in Trautenau. Pönninger Franz.
— König Max in München. Zumbuſch, Kaspar Ritter von.
— Lanner in Budweis. Pönninger Franz
— Malart's, Grab=. Hellmer Ed.
— Maria Thereſia in Klagenfurt. Pönninger Franz.
— Maria Thereſia. Zumbuſch, Kaspar Ritter von.
— Staudigl's, Grab=. Pilz Vincenz.
— Der Hoffchauſpielerin Weſſely, Grab=. Bohrn Hermann.
— Dr. Zelinka. Schild K. und Pönninger F.
— Zwingli. Natter Heinrich.
Denkſäulen im Gebiete der Cultur und Literatur. Silberſtein A.
Denkwürdigkeiten der Gräfin Leonora Chriſtine Ulfeldt. Nach dem
  Däniſchen. Ziegler Johannes.
Des Hauſes Fourchambault Ende. Müller=Guttenbrunn Adam.
Deſerteur, Der. Roman. Fockt K. Th.
Deutſch=Altenburg, Kirche und Karner zu. Bild. Alt Rudolf.
— feindlichen Ungarn, An die. Oſtland J. P.
Deutſche Gewerbezeitung. Ortony Alexander.
— Grammatik für Gymnaſien. Tumlirz Karl.
— Hiob, Der. Brunner Sebaſtian.
— Hochlandsgeſchichten. Silberſtein Auguſt.
— Lyrik der Gegenwart, Die. Anthologie. Lemmermaner Fritz.
— Märſche. Ballett: Frappart Louis, Muſik: Bayer Joſef.
— Michel, Der. Schauſpiel. Nötel Louis.
— Minneſänger. Stichwerk. Lüttich v. Lüttrichheim.
— Puppenſpiele. Kralik, Richard von.
— Puppenſpiele. Winter Joſef.
— Schneiderlein, Das. Roman. Proſchko, Franz Iſidor.
— Volkslied in Böhmen, Das. Naff Anton F
— Worte. Anthologie. Gruß A.

Domkirche zu Raab. Restaurierung. Lippert, Josef Erwin von.
Don Juan. Decorationen. Brioschi Anton.
Don Juan. Operntext. Kalbeck Max.
Don Juan d'Austria. Heldenlied. Frankl, L. A. von.
Don Juan der modernen Welt, Ein. Schauspiel. Dorn Eduard.
Don Quixote. Operette. Roth Louis und Weinzierl, Max von.
Don Quixote. Bühnenwerk. Gründorf Karl.
Don Ranudo. Lustspiel. Schweitzer Josef.
Donna Diana. Decorationen. Brioschi Anton.
— Juanita. Operette. Suppé, Franz von, Text: Walzel Camillo.
Donau, An der schönen blauen. Walzer. Strauß Johann.
Donaufahrten. Reisehandbuch. Walzel Camillo.
Donauregulirung, Die. Radierung. Fischer Ludwig Hanns.
Donausagen. Foglar Ludwig St.
Donauweibchen, Beim. Lustspiel. Lobway Ernst.
Donna Maria de Paccheco. Drama. Oberleitner Karl.
Donner R. Statue. Pönninger Franz.
Doppelgänger, Der. Operette. Zamara Alfred. Text von Léon
    Victor.
Doppelselbstmord. Bauernposse. Anzengruber Ludwig.
Dorf der Kitsch-Neger. Bild. Fischer Ludwig Hanns.
Dorf der Niam-Niam. Bild. Grosz August.
Dorf- und Schloßgeschichten. (Ebner=Eschenbach), Marie von.
Dorf und Stadt, Ans. Rank Josef.
Dorfbilder aus Kärnten. Gedichtsammlung. Koschat Thomas.
Dorfdalk Der. Nesbeda Josef.
Dorfbrutus, Ein. Rank Josef.
Dorfgänge. Bauerng'schichten. Anzengruber Ludwig.
Dorfgeheimnisse. Bürger Michael.
Dorfschwalben aus Oesterreich. Geschicht u. Silberstein August.
Dornbach und die Pferdebahn. Wimmer Josef.
Dornröschen, Frau. Roman. Müller=Guttenbrunn Adam.
Dös waaß nur a Weaner. Lied. Pick Gustav.
Drahtbinder und Mädchen. Bild. Brenner Adam.
Dragoner, Der. Lustspiel. Karlweis C.
Drahomira. Dramatische Dichtung. Weilen, Josef von.
Dramatische Märchen. Wobiczka Victor.
Drei alte Junggesellen. Lustspiel. Maublick Hugo.
— Briefe. Lustspiel. Pollak Ignaz.
— Geschichten. Ranzoni Emerich.
— Geschichten. Groß Ferdinand.
— Geschwister. Roman. Wagner, Camillo von.
— Meister der Gemmoglyptik, Die. Rollet Hermann.
— Musketiere, Die. Operette. Raimann Rudolf.
— Paar Schuhe. Bühnenwerk. Berla Alois, Musik: Millöcker Karl.
Dreifaltigkeit, nach Dürer. Stich. Schönbrunner Josef.
Dreißig Tage in Kleinasien. Belolawet M. C.
Dreizehn, Die. Operette. Genée Richard.
Dritte internationale Kunstausstellung, Die. Königstein Josef.
Drittes Buch, Erstes Capitel. Lustspiel. Ginguo Karl.

Dschami Abdulhraman. Aus dem Persischen bearbeitet. Schlechta=Wssehrd, Ottokar von.

Dubarry, Gräfin. Operette. Millöcker Karl.

Duelle. Schauspiel. Reitler Marcellin Adalb.

Dürer Albrecht. Standbild. Schmidgruber Anton.

Düsterer Lebenslauf, Ein. Roman. Mosbragger Franz.

Dunkle Geschichten. Novelle. Bermann Moriz.

Dunkler Stunde, In. Roman. Koberle J. E.

Dunkles Verhängniß, Ein. Roman. Pollak Heinrich.

Durch eigene Schuld. Schwarz, E. von

— scharfe Gläser. Satiren. Schwarzkopf Gustav.

— Wald und Flur. Jugendschrift. Pichler, Theodor von.

Eckhof. Portraitstatue. Lar Josef.

Edda. Dram. Dichtung. Weilen, Josef von.

Edelmann und Bauer. Schauspiel. Dorn Eduard.

Edelweiß, Rhododendron und Enzian. Broschüre. Herz Max Constantin.

— Gedichte. Hauer Hanns Georg.

Edelweißkönig, Der. Roman. Ganghofer Ludwig.

Eden, Ein versenktes. Erzählung. Wasserburger Lina.

Editha. Oper. Gotthard Josef Paul.

Edle Zeitvertreibe. Lustspiel. Oldenburg, Elimar von.

Egerländer Volkslieder. Bearbeitung. Forster Johann.

Eglantine. Schauspiel. Mautner Eduard.

Egyptische Josef im Drama des XVI. Jahrhunderts, Der. Weilen, Alexander von.

Ehe, Eine moderne. Suttner, Gundacker von.

Ehebruch, Der. Frischauer Emil.

Ehestifterin, Die. Lustspiel. Anschütz Roderich.

Ehre des Hauses, Die. Drama. Giugno Karl.

— für Liebe. Drama. Dorn Eduard.

Ehrenbürgerdiplome. Wien. Geiger Karl.

Ehrendiplom der Tiroler Landesschützen (1863). Machold Josef.

Eichenblätter. Proschko, Franz Isidor.

Eichenwald, Abendstimmung im. Bild. Schaeffer August.

Eigener Falle, In. Conimor.

— Kerl, Ein. Bühnenwerk. Wimmer Josef.

— Kraft, Aus. Novelle. Barach Rosa.

— Schuld, Aus. Roman. Kapri, Mathilde von.

Eigenes und Fremdes. Dichtung. Steinbach Josef.

Eilgut. Bühnenwerk. Gründorf Karl.

Eine aus dem Kloster. Bühnenwerk. Eirich Oscar Fried.

Einer aus dem Volke. Bühnenwerk. Gärtner Karl.

— vom alten Schlag. Wiener Volksstück. Chiavacci Vincenz u. Karlweis C.

Einjähriger, Ein. Bühnenwerk. Mai Friz.

Einöd, In der. Bühnenwerk. Gründorf Karl.

Einsamen Felsenriff, Auf. Nach dem Englischen bearbeitet. Weißenthurn, Max von.

Einsamer Stube, Aus. Dichtung. Cerri Cajetan.

Einst und Jetzt. Bilderwerk. Reichert k.

Einzige Tochter, Die. Lustspiel. Rosen Alexander.

Einzug Bretislav I. in Prag. Stich. Schmidt Leopold.
Einzug Herzog Leopold des Glorreichen in Wien. Bild.   Treukwald J.
Eisackthale, Im. Bild. Seelos G.
Eisenbahn- und Telegraphenlieder. Ettel Conrad.
Eisenerz, Motiv aus. Bild. Ruß Robert.
Eisengruben zu Danemora, Die. Bühnenstück. Liebold Eduard.
Eiserne Courtine des Hofburgtheaters, Landschaft auf der. Burgharbt
  Hermann.
Eiserne Haus, Das. Fellner & Helmer.
Eishöhle bei Dobschan. Bild. Lichtenfels, Peithner Eduard von.
Eitelberger. Portrait. Griepenkerl Christian.
Eitelberger. Denkmal. Klot Hermann.
Elbthal, Aus dem. Schram Karl.
Elektra. Ouverture. Bach Otto.
Elementar-Gesangunterricht in Schule und Haus, Der. Bauer Michael.
Elfenwanderung. Männerchor. Rentwich Josef.
Elfriede. Schauspiel. Anzengruber Ludwig.
Elisabeth, Kaiserin. Statue. Erler Franz.
Ella. Erzählung. Christen Aba.
Elliba. Roman. List Guido.
Ellishorn, Das. Operette. Raimann Rudolf.
Elster's Gefährliche Leute. Aus dem Norwegischen. Poestion J. C.
— Sonnenwolken. Aus dem Norwegischen. Poestion J. C.
Emanuel d'Astorga. Erzählendes Gedicht. Wickenburg-Almásy, Gräfin.
Empedokles. Plast. Figur. Beyer Josef.
Encyclopädie des buchhändlerischen Wissens. Band Moriz.
Ende, Hannibal's. Jugendschrift. Pape Paul.
Engel und Dämon. Roman. Steinebach Friedrich.
Englischen Komödianten in Oesterreich zu Shakespeare's Zeiten, Die.
  Meißner Johannes.
Ente, Goldene. Hotel. Tischler Ludwig.
Entfesselte Prometheus, Der. Dichtung. Lipiner Siegfried.
Enthüllungen, Pikante. Schauspiel. Reitler Marzellin Adalbert.
Entlegene Culturen. Goldbaum Wilhelm.
Entsatz von Wien, Der. Volksstück. Ostland J. P.
Entweder — oder. Schauspiel. Namberg Gerhard.
Epheublätter. Gedichte. Schels Anton.
Epheuranken. Weyl Josef.
Ephrussi. Palais. Hansen, Theophil Freiherr von.
Epilog für das alte Burgtheater. Weilen, Josef von.
Episode aus dem deutschen Bauernkriege. Bild. Eichler Hermann.
Episoden aus den Kämpfen der k. k. Truppen. Kandelsdorfer Karl.
Equitable, Palais der. Streit Andreas.
Er experimentirt. Lustspiel. Hollpein Heinrich.
— kann nicht lachen. Bühnenwerk. Adelauer, Conrad von.
— liest den Livius. Lustspiel. Waldstein Max.
— soll sich austoben. Bühnenwerk. Gründorf Karl.
-- weiß Alles. Lustspiel. Pachler Faust.
Erasmus Tattenbach. Proschko Franz Isidor.
Erben, Die. Lustspiel. Piesling Theophil.

Erdbeerenfee, Die. Kinderkomödie. Wiesberg Wilhelm.
Erdbeerenlieferant. Bild Friedländer Friedrich.
Erde, Von schwarzer. Deutsche Volksgeschichte. Raaff Anton F.
Erdölspringquelle bei Baku. Bild. Leopolski.
Ereilten Flüchtlinge, Die. Stich. Sonnenleiter Johann.
Erejios. Statue. Schröbel Leopold.
Erinnerungen an Karl Rahl. Literarische Skizzen. Mayer George
     August.
Erinnerungen aus Serbien. Belolawek Morgan Camillo.
Erinnerungsbilder. Gesammelte Feuilletons. Koschat Thomas.
Erlanger. Palais. Schachner Friedrich.
Erlebtes und Fabulirtes. Wittmann Hugo.
— und Gedachtes. Gedichte. Wickenburg-Almásy Wilhelmine, Gräfin.
Ernestine Sanders. Schauspiel. Nötel Louis.
Erneuerung religiöser Ideen in der Gegenwart, Ueber die. Lipiner
     Siegfried.
Ernn und Humor. Gedichte. Nötel Louis.
Ernste Weisen. Gedichte. Beck Friedrich.
Eröffnung des Akademiegebäudes in Wien. Bild. Alt Rudolf.
Erratische Blöcke. Nötel Louis.
Erste Brief, Der. Lustspiel. Groß Ferdinand.
— Falte, Die. Komische Oper. Leschetitzky Theodor.
— Frau, Die. Roman. Pachler Faust.
— Freund, Der. Bild. Felix Eugen.
— Schnee, Der. Lustspiel. Pollak Ignaz.
— weiße Haar, Das. Bühnenstück. Woller Rudolf.
Ersten Moment, Auf den. Weltner Josef Albert.
Erster chronologischer Richard Wagner-Katalog. Kastner Emerich.
Erstürmung Schwabach's, Die. Schauspiel. Schmal Adolf.
Erwin von Steinbach. Statue. Jakouk Rudolf.
Erworben. Roman. Selb Victor.
Erzählungen aus der Geschichte Oesterr.-Ungarns. Groner Auguste.
Erzherzog Albrecht und sein Stab bei Custozza 1886. Bild. L'Alle-
     mand Sigmund.
— Albrecht's Villa in Arco (Umbau). Hefft Anton.
— Franz Karl. Portraitbüste. Natter Heinrich.
     Johann. Denkmal in Graz. Pönninger Franz.
— Rudolf, Kronprinz von Oesterreich. Jugendschrift. Näckler, Alois von.
— Wilhelm, Palais des. Hansen, Theophil Freiherr von.
— Wilhelm in Baden, Villa des. Neumann, Franz von.
— Wilhelm. Portrait. Ajdukiewicz Thaddäus.
Erzpessimistin, Eine. Merwart Karl.
Escompte-Gesellschaft. Bankhaus. Jelinek Wilhelm.
F. S. S. oder die Ausstaffirung. Posse. Gingno Karl.
Eßlaire. Portraitstatue. Fritsch Josef.
Es stand geschrieben. Operette. Nötel Louis.
Esther. Libretto. Singer Maximilian.
Es war einmal. Trauerspiel. Nötel Louis.
Etienne Michael. Büste. Tilgner Victor.
Eugen, Prinz. Statue. Kundmann Karl.

Euklides. Statue. Kauffungen Richard.
Euphrosine. Plast. Figur. Koch Fr.
Europa und der Congreß. Königstein Josef.
Europäischer Assecuranzführer. Jahrbuch. Eckstein Julius.
Eusebia. Episches Gedicht. Ratzenhofer Wilhelm.
Evangelische Kirche zu Goisern. Reconstruction. Wilt Franz.
— Kirche zu Gunwendorf. Hansen, Theophil Freiherr von.
Evangelischer Friedhof. Hansen, Theophil Freiherr von.
Excellenz. Lustspiel. Bauernfeld, Eduard von.
Export-Waarenhaus. Robitschek & Cie. Richter Ludwig.
Externe Medicin. Plast. Figur. Kalmsteiner H.
Extrablatt, Administrations- und Redactions-Gebäude des. Breßler Emil.
Eyk van. Statue. Jakouk Rudolf.
Fabel und Geschichte. Janko, Wilhelm von.
Fabeln. Ehrlich Josef N.
Fabius Cunctator. Statue. Düll Alois Franz.
Fahrenden Leuten, Unter. Cultur-Erzählungen. Groner Auguste.
Fahrt durch's Land der Rastelbinder, Eine. Berguer Rudolf.
Fährte, Auf falscher. Bühnenwerk. Mai Fritz.
Falado. Episches Gedicht. Merteus, Ludwig Ritter von.
Falle, In eigener. Drama. Conimor.
Falsche Baron, Der. Roman. Flamm Theodor.
— Helena. Bühnenwerk. Lichtblau Adolf.
Falschen Biedermänner, Die. Roman. Kölgen Ferdinand.
Falscher Fährte, Auf. Bühnenwerk. Mai Fritz.
Falsches Spiel. Bühnenstück. Krenn Leopold und Wolff Karl.
Falschverstandene Ehrgefühl, Das. Novelle. Grotthuß, E. von.
Falstaff. Rischengruppe. Tilgner Victor.
Falte, Die erste. Komische Oper. Leschetitzky Theodor.
Familie Hartenberg, Die. Roman. Mataja Emilie.
Familie, Musikalische. Lustspiel. Granichstädten Emil.
— Musikalische. Grutz A.
— Pomeisl. Posse. Horst Julius.
— Robemann. Lustspiel. Reitler Marcellin Adalbert.
— Wasserkopf. Posse. Landesberg Alexander und Schill O. Musik: Stern Julius.
Familiengeheimniß, Ein. Roman. Klopfer C. E.
Fantasie auf Smettana's verkaufte Braut. Ondriček Franz.
Farbenrausch. Roman. Uhl Friedrich.
Fata morgana. Roman. Vors August, Baron v.
— morgana. Lustspiel. Bauernfeld, Eduard von.
— morgana. Oper. Hellmesberger Josef jun.
Fatinitza. Operette. Musik: Suppé, Franz v. Text: Walzel Camillo.
Fauna und Flora der Gaskohle. Bild. Hoffmann Josef.
— und Flora-Miocen. Bild. Hoffmann Josef.
Faust. Erster Theil. Uebersetzung in's Ungarische. Dóczi, Ludwig von.
— Symphonische Dichtung. Goldschmidt, Adalbert von.
— und Gretchen. Zwickelfiguren. Wehr Rudolf.
Faustin. Bürger Michael.
Faustina. Drama. Christen Ada.

Faustrecht, Das moderne. Broschüre. Carneri, Bartholomäus von.
Faustschlag, Ein. Schauspiel. Anzengruber Ludwig.
Farenpolla. Metternich, Fürst von.
Fegefeuer, Das. Orchesterwerk. Mögele Franz.
Fehltritt, Sein. Lustspiel. Reitler Marcellin Adalbert.
Feldblumen. Bürger Michael.
Felber, Dr. Marmorstatue. Kundmann Karl.
Feldmarschall Laudon zu Pferd. Bild. L'Allemand Sigmund.
Feldprediger, Der. Operette. Musik: Millöcker Karl. Text: Witt=
    mann Hugo.
Feldrain und Waldweg. Erzählungen. Anzengruber Ludwig.
Felicitas. Novellensammlung. Wagner, Camillo von.
Felix Rachel. Statue. Kauffungen Richard.
Felsenliederwalzer. Metternich, Fürst von.
Felsenriff, Auf einsamen. Nach dem Englischen bearbeitet. Weißen=
    thurn, Max von.
Fensterscheibe, Geschichte einer. Rascher Eduard.
Feodora. Uebersetzungen. Mautner Eduard.
Ferdinand Mausoleum in Graz, Des Kaisers. Bild. Alt Rudolf.
— Sauter. Schlögl Friedrich.
Fernande. Bühnenwerk. Uebersetzt von Mautner Eduard.
Feuerprobe, Eine. Hardt-Stummer, A. von.
Feuertod, Der. Bühnenstück. Liebold Eduard.
Feuilleton, Ein. Lustspiel. Groß Karl.
Feuilletons aus dem Kaukasus. Suttner, Gundacker von.
Fiaker, Der letzte. Bühnenwerk. Gärtner Karl.
Fiakerlied, Das. Pick Gustav.
Fichte. Bild. Otto Heinrich.
Fidèle. Dichtung. Löwy Bernhard.
Fiesko. Decorationen zu. Brioschi Anton.
Fifi. Schwank. Bearbeitung aus dem Französischen. Davis Gustav.
    Osten Heinrich.
Figaro. Zeitschrift. Gegründet von Waldheim, Rudolf von.
Finanzwolf, Der. Roman. Flamm Theodor.
Fioretta. Operette. Musik: Straßer Alfred und Weinzierl, Max
    von. Text: Landesberg Alexander.
Fisch, Der todte. Lustspiel. Pollak Ignaz.
Fischart Johann und seine Verdeutschung des Rabelais. Ganghofer Ludwig.
Fischerin von Brienz, Die. Sokol Josef.
Fischsee in der Tatra, Großer. Bild. Lichtenfels, Peithner Eduard
    Ritter von.
Flammende Stern, Der. Tragödie. Rötel Louis.
Flattersucht. Bühnenwerk. Uebersetzung. Förster August.
Fleck. Portraitstatue. Fritsch Josef.
Fledermaus, Die. Operette. Strauß Johann.
Flitterwochen, Gestörte. Lustspiel. Epstein Moriz.
Floh, Der. Bühnenwerk. Mai Fritz.
Flombert Gustave und die Naturalisten. Schwarz, E. von.
Florentiner Plaudereien. Uebersetzung aus dem Französischen des
    Julian Klaczko. Lauser Wilhelm.

Florentiner Strohhut, Ein. Posse. Giugno Karl.
Florl. Novelle. Liebenwein J. R.
Flotte Bursche. Operette. Musik: Suppé, Franz von, Text: Braun Josef.
Fluche der Armuth, Im. Charaktergemälde. Riedl Willibald.
Flüchtling, Der. Bühnenwerk. Herzl Theodor.
Flüchtlinge, Die ereilten. Stich. Sonnenleiter Johann.
Flußgebiet des Mains, Das. Dittmarsch Karl.
Fortunat. Schauspiel. Bauernfeld, Eduard von.
— Jonel. Roman. Brociner Marco.
Franz Deak. Broschüre. Steinbach Gustav.
— Josef I., Kaiser. Portrait. lebensgr. Blaas, Karl von.
— Josef I., Kaiser. Portraitstich. Michalek Ludwig.
— Josef I., Kaiser. Mamorstatue. Zumbusch, Kaspar Ritter von.
— Josef I., Kaiser. Portrait. L'Allemand Sigmund.
— Josef I. Reiterfigur (Reliefsculptur). Zumbusch, Kaspar Ritter von.
— Josef I., Kaiser. Statue. Erler Franz.
— Josef I., Kaiser. Statue. Wagner Anton Paul.
— Josef I. verleiht die Verfassung. Giebelgruppe. Hellmer Edmund.
— Josefs-Höhe mit der Pasterze. Bild. Lichtenfels, Peithner Eduard Ritter von.
— Karl, Erzherzog. Portraitbüste. Natter Heinrich.
— Lorenz. Schnürer Franz.
— Rakoczy. Drama. Hülgerth Heribert.
— von Sickingen. Schauspiel. Bauernfeld, Eduard von.
Französischen, Aus dem. Lustspiel. Karlweis C.
Französisch-österreichisch. Pfundheller Josef.
Frau Baronin, Die. Volksstück. Täncer Mathias.
— Dornröschen. Roman. Müller-Guttenbrunn Adam.
— Sorge. Märchendichtung. Silberstein August.
— aus dem Grabe. Roman. Mosbrugger Franz.
— des Verwalters, Die. Friedenstein Wilhelm.
— Die erste. Roman. Pachler Faust.
— vom Theater, Eine. Schauspiel. Nötel Louis.
Frauen und Christus, Die heiligen. Bild. Golz Alexander.
Frauenliebe. Novelle. Winenthurn, Max von.
Frauenfeind. Zeitschrift. Gegründet von Groß Ferdinand.
Frauenfreundschaft. Lustspiel. Bauernfeld, Eduard von.
Frauengrille, Eine. Cappileri Wilhelm.
Fraueninsel, Die. Operette. Millöcker Karl.
Frauenlieb. Musikstück. Schild Th. F.
Frauenliebling. Schwarz, E. von.
Frauenschicksal, Ein. Brix Laura.
Fräulein Doctor im Irrenhause. Thenen Julie.
— von Laury, Das. Drama. Mosing Guido C.
Freda. Lustspiel. Joris Franz.
— Lustspiel. Pauer Ignaz.
Freibeuter, Der. Operettentext: Zappert Bruno und Genée.
Freier, Der hüpfende. Ballett. Thieme Otto.
Freigelassene, Die. Roman. Bauernfeld, Eduard von.

Freigesprochen und doch verurtheilt. Erzählung. Young Gustav.
Freiheitsbrevier. Gedichte. Foglar Ludwig St.
Freiheitskampf, Im. Gedichte Wohlmuth Eugenie.
Freimaurer und Jesuit. Roman. Schneeberger Franz J.
Freischütz. Decorationen zu. Hoffmann Josef.
Freitag, Am. Lustspiel. Schlesinger Siegmund.
Frei will er sein (oder: Von Tisch und Bett). Posse. Kohlhofer Josef.
Freiwillige, Wiener. 1809 und 1848. Figuren. Schmidgruber Hub.
Freiwilliger, Wiener. Statue. Gloß Ludwig.
Fremde und Heim. Brunner Sebastian.
Fresken, Akademie zu Athen. Griepenkerl Christian.
— Akademie der bildenden Künste zu Wien. Eisenmenger August.
— Altlerchenfelder Kirche. Engerth, Eduard von.
— Arsenal. Blaas, Karl von.
— große Gallerie zu Schönbrunn. Restaurierung. Swoboda Eduard.
— Justizpalast. Perger Julius B.
— Großer Rathhaussaal. Mayer L.
— Oesterreichisches Museum. Eisenmenger August.
— »Cyclus auf Schloß Runkelstein. Seelos Gottfried.
— »Cyclus in dem Akademischen Gymnasium. Trenkwald Josef M.
— Votivkirche. Trenkwald.
Freude, Buch der. Dichtung. Lipiner Siegfried.
Freudvoll und leidvoll. Gedichte. Foglar Ludwig St.
Freund, Der erste. Bild. Felix Eugen.
— Jussuf. Novelle. Liebenwein J. R.
— wie er sein soll, Ein. Bühnenwerk. Gründorf Karl.
Freunde, Die. Roman. Rank Josef.
Freundschaftsdienste. Lustspiel. Giugno Karl.
Freut Euch des Lebens. Walzer. Strauß Johann.
Frithjofssaga. Aus dem Altisländischen. Poestion J. C.
Frithjofs-Sage. Uebersetzung nach Tegnér. Leinburg, Gottfried von.
Friedenthal. Novelle. Suttner, Gundacker von.
Friedhof, Evangelischer. Hansen, Theophil Freiherr von.
Friedrich der Dritte. Statue. Erler Franz.
— der Heizbare. Opernparodie. Mögele Franz.
Friesach, Marktplatz in. Bild. Alt Rudolf.
Frische Lieder. Rollet Hermann.
Frou=Frou. Bühnenwerk. Uebersetzung. Mautner Eduard.
Fruchtgarten von Saadi, Der. Aus dem Persischen bearbeitet.
    Schlechta=Wssehrd, Ottokar von.
Frucht= und Mehlbörse. König Karl.
Frühlingsboten aus Oesterreich. Rollet Hermann.
Frühlingsgarten von Mewlana, Der. Aus dem Persischen bearbeitet.
    Schlechta=Wssehrd, Ottokar von.
Frühlingsstimmen. Walzer. Strauß Johann.
Fuchs in der Falle, Der. Posse. Kohlhofer Josef.
— in der Schlinge, Der. Lustspiel. Cappilleri Wilhelm.
Fuchsjagden in Gödöllö. Bild. Richter Wilhelm.
Fuchsmajor, Der. Operette. Musik: Bachrich Sigm. Text: Mamroth F.
    und Weiß Otto.

Führer an der Kaiser Ferdinands-Nordbahn. Reisebuch. Warmholz Hugo.
— an der österreichischen Nordwestbahn. Reisebuch. Warmholz Hugo.
— durch Wien. Seiß Eduard.
— für Trient. Oeribauer Mathias.
— durch Wien und Umgebung, Illustrirter. Bermann Moriz.
— durch die Jugendliteratur, kritischer. Panholzer Johann.
— von und durch Wien. Schlögl Friedrich.
Führich. Portrait. Griepenkerl Christian.
— Statue. Tilgner Victor.
Fünf Sinne, Die. Märchen. Mandlick Hugo.
Fünfhauser Kirche. Schmidt, Fr. Freiherr v.
Fünfte Rad, Das. Bühnenstück. Zappert Bruno.
Fünfzehn Tage auf der Donau. Kronprinz Rudolf.
Für die Mobilisirten. Schwank. Heidrich Franz.
— Kaiser und Reich. Marsch. Kral J. N.
Fürst Kollonitz. Marmorstatue. Pilz B.
— von Bulgarien. Lustspiel. Wald Alexander.
— W. Liechtenstein. Portraitbüste. Swoboda Emerich.
Fürstenburg bei Burgeis. Bild. Ruß Robert.
Fürstenthum in alter Zeit, Ein neues. Forstenheim Anna.
Fürstin Nariskin. Schauspiel. Bohrmann Heinrich.
Fuße der Habsburg, Am. Weyl Josef.
Fusiy-Yama in Japan, Der. Bild. Schaeffer August.
Gábor. Novelle. Edler Karl.
Gaea. Allegorische Figur. Silbernagel Johann.
— Trilogie. Text und Musik: Goldschmidt, Adalbert von.
Galante Geschichten. Novelle. Bermann Moriz.
— Könige. Lustspiel. Granitstätten Emil.
Galathea, Die schöne. Operette. Suppé, Franz von.
Galeere und Salon. Pilcz Moriz Eugen.
Galenus. Standbild. Haerdtl Hugo.
Galilei. Statue. Hofmann, Edmund von Aspernburg.
Galizien, Manöver in. Bild. Ajdukiewicz Thaddäus.
Gall, Correspondenz. Zeitung. Gall Josef.
Gallmeyer und Matras Lebensbild. Beran Arnold, Blau Max und Loew Edmund.
Gambrinus. Zeitung. Gegründet von Lichtblau Adolf u. Spitz Adolf.
Gang durch die Vorzeit, Der. Pfundheller Josef.
Gänsemädchen. Brunnen. Wagner Anton Paul.
Garnisonsspital Nr. 1, Gebäranstalt des. Gruber, Franz von.
Garrick. Statue. Wagner Anton Paul.
Gartenbau-Gesellschaft in Moskau. Gebäude. Wurm Alois.
Gast, Der bleiche. Operette. Waldberg, Heinrich von.
— Der todte. Operette. Millöcker Karl.
— Ein hoher. Uebersetzung. Förster August.
Gasthaus zum grünen Baum. Roman. Grotthuß, E. v.
Gasthaus „zur güldenen Waldschnepfe". Avanzo Dominik und Lange Paul.
Gasparone. Operette. Millöcker Karl.

18*

Gebäranstalt in Prag. Hlávla Josef.
Gebildete Welt, Die. Broschüre. Wengraf Edmund.
Gebrochene Herzen. Barber Ida.
Geburt Christi. Deckenbild. Schmid Julius.
Gedenkblatt an das Jubiläum des Kaisers Franz Josef I. Holz-
schnitt. Vader J. A.
Gedenke des Todes. Roman. Krücken, Oscar von.
Gedenktafel Liebenberg. Wibter K.
Gefährliche Patient, Der. Schwank. Bukorester Adolf.
Gefallene, Eine. Novelle. Zillinger Eduard.
Gefangennahme Helenen's, der Gemalin des Königs Manfred.
Bild. Engerth, Eduard Ritter von.
Gefecht bei Oeversee. Bild. L'Allemand Sigmund.
— bei Veile. Bild. L'Allemand Sigmund.
Gefesselt. Dichtung. Barach Rosa.
Gefiederte Dieb, Der Lustspiel. Kulte Eduard.
Gegenseitig. Lustspiel. Schütz Friedrich.
Geheime Verdienste. Theaterstück. Schneeberger Franz J.
Geheimniß des Dichters, Das. Pachler Faust.
— des Herrn Marchese, Das. Lustspiel. Lederer Siegfried.
— Ein modernes. Lustspiel. Wasserburger Lina.
— Ein tiefes. Roman. Steinebach Friedrich.
Geheimnisse. Lustspiel. Groß Ferdinand.
— des Margarethen-Hofes, Die. Hist. Roman. Wiesinger Albert.
— des Praters. Roman. Bermann Moriz.
— der Wiener Hofburg, Die. Roman. Schneeberger Franz J.
— von Neu-Wien. Roman. Schreyer Hanns.
Gehorsam bis zum Tode. Novelle. Grotthuß, E. von.
Geigenmacher von Mittenwald, Der. Volksschauspiel. Ganghofer
Ludwig.
Geiger aus Tirol, Der. Romant. Oper. Genée Richard.
Geist, Der altindische. Haberlandt Mich.
— des hohen Liedes, Der. Altschul Jacob.
Geistliche Tod, Der. Erzählung. Mataja Emilie.
Gemachter Mann, Ein. Bühnenstück. Zappert Bruno.
Gemäßigte, Der. Zeitschrift. Koschich X K.
Gemeindekind, Das. Ebner-Eschenbach, Marie von.
Gemischte Ehen. Roman. Grotthuß, E. von.
Gemüthliche Wien, Das. Broschüre. Karlweis C.
General Bem. Buchbinder Bernhard.
— Bova's Feldzug in Italien 1848. Goutta Josef.
— =Commando, K. k. Gebäude. Toderer, Wilhelm von.
— Uchatius. Portrait. L'Allemand Sigmund.
Genie, Ein verkanntes. Theaterstück. Schneeberger Franz J.
Genies, Malheur und Glück. Brunner Sebastian.
Genofeva, den Schmerzensreich beten lehrend. Gipsgruppe. Benk
Johannes.
Georgs-Bulkan auf Santorin. Bild. Schaeffer August.
Gerächt, doch nicht gerichtet. Barber Ida.
Gereimtes und Ungereimtes. Kalbeck Max.

Geraubte Kuß, Der. Oper. Leschen Chr. F.
Gerichtshof, Oberster. Gebäude. Claus Heinrich.
Germaniahof. Fränkel Wilhelm.
Germinàl. Aus dem Französischen übersetzt (Zola). Ziegler Ernst.
Gertrud und Virginia. Oper. Suppé, Franz von.
Gesammelte Erzählungen und poetische Schriften. Brunner Sebastian.
— heitere Vorträge. Weyl Josef.
Gesangbuch in 8 Abtheilungen, Großes. Musikpädagog. Werk.
Weinwurm Rudolf.
Gesanges, Geschichte des. Mair Franz.
Geschäft oder Profitängsten, Ein gutes. Bühnenwerk. Bearbeitung.
Eirich Oscar Fried.
Geschichte. Figur. Hofmann, Edmund von Asperuburg.
— der deutschen Literatur. Schroer Karl Julius.
— der türkischen Gemeinde in Wien. Zemlinsky, Adolf von.
— der Wienerstadt und Vorstädte. Bermann Moriz.
— des Gesanges. Mair Franz.
— der Großmutter. Roman. Grotthuß, E. von.
— des österr.-preuß. Krieges, Illustrirte. Huybensz Max.
— des Prager Theaters. Teuber Oscar Karl.
— des Zeitungswesens. Plowitz Erwin.
— des wackern Leonhard Labesam. Die. Loewe Theodor.
— einer Fensterscheibe. Naschér Eduard.
— der k. k. Armee, Illustrirte. Bermann Moriz.
— der Großmutter. Erzählung. Grotthuß, E. v.
— des orientalischen Krieges 1876—1878, Illustrirte. Bermann Moriz.
— des Wiener Concert-Wesens. Hanslick Eduard.
— für Volks- und Bürgerschulen, Biblische. Panholzer Johann.
— in Gedichten, Oesterreichische. Pennersdorfer Ignaz.
Geschichten, Kulke Eduard.
— aus dem Böhmerwalde, Neue. Rank Josef.
— aus dem Traunviertel. Groner Auguste.
— aus dem Wienerwald. Walzer. Strauß Johann.
— aus der Wienerstadt. Löwy Julius.
— aus Stadt und Dorf. Novellensammlung. Karlweis C.
— kleine. Wimmer Adolf.
— landläufige. Silberstein August.
— und Gedenkblätter in Versen. Foglar Ludwig St.
— und Sagen. Foglar Ludwig St.
Geschichtenbuch, Neues. Novellen. Hevesi Ludwig.
Geschwister in Nürnberg, Die. Lustspiel. Bauernfeld, Eduard von.
Geselle, Der neue. Erzählung. Langauer Franz.
Gesellschaft, Aus der. Schauspiel. Bauernfeld, Eduard von.
— Die. Zeitung. Gegründet von Ehrenfeld Moriz.
— Die moderne. Episches Gedicht. Mertens, Ludwig von.
— Die vornehme. Episches Gedicht. Mertens, Ludwig von.
Gesichtspunkte, Höhere. Preis-Lustspiel. Triesch Friedrich Gustav.
Gespenst in der Spinnstube, Das. Müller Adolf.
— des Wucherers. Schwarz, E. von.
Geßner Conrad. Statue. David W.

Gestörte Flitterwochen. Lustspiel. Epstein Moritz.
Gestohlene Lied, Das. Bühnenstück. Schram Karl.
Gesunder im Irrenhaus. Bühnenstück. Buchbinder Bernhard.
Gesungenes und Verklungenes. Gedichte. Taubler, Josef von.
Gewerbe. Statue. David W.
— Colossalfigur. Schmidgruber Anton.
Gewerbe-Ausstellung, Placat der. Zeichnung. Petrovits Ladislaus
    Eugen.
— -Verein, Oesterr. Gebäude. Thienemann Otto
— -Zeitung, Deutsche. Gegründet von Ortony Alexander.
Gewitter, Nach dem. Paoli Betti.
— Vor dem. Bild. Ranzoni Gustav.
Gewöhnlicher Mensch, Ein. Liebold Eduard.
Ghega-Monument. Avanzo Dominik und Lange Paul.
Gift. Drama. Pfeiffer, Karl von.
Gigerl vom Land, Der. Bühnenwerk. Text: Flamm Theodor. Musik:
    Kuhn Leopold
Gigerln von Wien, Die. Bühnenwerk. Wimmer Josef.
Gilgner-See. Der. Bild. Schaeffer August.
— -See von Lueg aus gesehen, Der. Bild. Schaeffer August.
Gimpelmayer beim Concil. Masaidek Franz Friedrich.
Gimpelmayer's Krönungsfahrt nach Pest. Masaidek Franz Friedrich.
Ginevra Contarini. Roman. Grotthuß, E. von.
Gipsbruch im Buchbergthale. Bild. Brunner Josef.
Gipsfigur, Die. Posse. Herblicka Theodor.
Giro- und Cassen-Verein. Gebäude. Förster, Emil Ritter von.
Giotto. Statue. Zafouk Rudolf.
Giovanni Boccaccio, sein Leben und Wirken. Landau Marcus.
Gismunda. Bühnenwerk. Pöhnl Hanns.
Glänzende Bahnen. Roman. Silberstein August.
Glänzendes Elend. Volksstück. Manblick Hugo.
Glaser, Dr. Standbild. Zumbusch, Kaspar Ritter von.
Glasmalereien in der Votivkirche. Trenkwald.
Glasscherbentanz, Der. Novelle. Kulke Eduard.
Glatzen-Polka. Schild Th. F.
Glaubensbekenntniß, Ein. Zeitstrophen. Cerri Cajetan.
Gleiß, Aus g'wohntem. Bühnenstück. Anzengruber Ludwig.
Globes-Theater in London. Deckenbild. Klimt Gebrüder.
Globus, Im. Lustspiel. Dorn Eduard.
Glocknerfahrt. Novelle. Edler Karl.
Gluck. Radierung. Groh Jacob.
— Reliefbild. König Otto.
Glücksritter, Der. Operette. Musik: Czibulka Alfons. Text:
    Zappert Bruno mit Mannstädt und Genée.
Glücksritter, Moderne. Schwarz, E. von.
Glühende Liebe. Gedichte. Cerri Cajetan.
Gluth und Eis, In. Novellen. Vincenti, C. von.
Gnadenbild, Sein. Mascher Eduard.
Göböller Fuchsjagden. Bild. Richter Wilhelm.
Goerbersdorfer Novellen. Fuchs Otto.

Goethe. Büste. Tilgner Victor.
Goethebildnisse. Rollet Hermann.
Goethe's Werther in Frankreich. Groß Ferdinand.
Goldbergbau bei Vöröspatak. Bild. Bernatzik Wilhelm.
Goldene Blätter aus Habsburg's Geschichte. March Richard.
— Ente. Hotel. Tischler Ludwig.
— Kreuz, Das. Oper. Musik: Brüll Ignaz. Text: Eisner Gustav.
— Kugel. Haus. Tischler Ludwig.
— Reif, Der. Drama. Conimor.
Goldenem Boden, Auf. Bühnenstück. Krenn Leopold und Wolff Karl.
Goldener Becher. Haus. Wielemans, Alexander von.
Goldgräber, Die. Bühnenwerk. Gründorf Karl.
Goldmensch, Der. Schauspiel. Aus dem Ungarischen bearbeitet von
   Schnitzer Ignaz. Musik: Müller Adolf.
Goldschmied. Statue. Gloß Ludwig.
Goldteufel, Der. Roman. Bermann Moritz.
Goluchowski bis Taaffe. Kohn Gustav.
Gosau-See. Bild. Rieger Albert.
Götter, O, diese. Operettentext. Léon Victor.
Gottlieb, ein Stilleben. Idylle. Cerri Cajetan
Govinda. Drama. Oberleitner Karl.
Grabe, Frau aus dem. Roman. Moßbrugger Franz.
Graben-Hof. Thienemann Otto.
Gräberfeld bei Hallstadt. Bild. Haich Karl.
— bei St. Lucia. Bild. Hlaváček Anton.
Grablegung Christi. Deckenbild. Schmid Julius.
Graf aus dem Buche, Der. Lustspiel. Schlesinger Sigmund.
— Bucquoy. Statue. Kundmann Karl.
— Degenhart Bruno. Roman. Grotthuß, E. von.
— Douglas, Palais des. Richter Ludwig.
— Gleichen, Von. Operette. Musik: Hellmesberger Josef jun.   Text:
   Bukofzer Adolf.
— Horn. Drama. Weilen, Josef von.
— Morzin. Portrait. Griepenkerl Christian.
— Pálffy. Marmorstatue. Preleuthner Hanns.
— Pejacsevics auf der Parforcejagd. Bild. Ajbukiewicz Thaddäus.
— von Remplin, Der. Erzählung. Wickenburg-Almásy, Gräfin.
— Rudolf von Basel. Poetisches Werk. Buschmann Gotthard.
— Starhemberg. Reiterstatuette. Seib Wilhelm.
— Stockau, Palais des. Siedek Victor.
— Wrints, Palais des. Richter Ludwig.
Grafenegg, Schloß. Ernst Hugo.
Gräfin Aranka. Roman. Groller Balduin.
— Aurora. Lustspiel. Mautner Eduard.
— Dubarry. Operette. Millöcker Karl.
— Eva. Dichtung. Najmajer, Marie von.
— Judith. Drama. Müller-Guttenbrunn Adam.
— Olga. Schauspiel. Stieglitz Nikolaus.
— von Wildström, Die. Schauspiel. Stieglitz Nikolaus.
Grammatik für Gymnasien, Deutsche. Tumlirz Karl.

Granitbruch bei Mauthhausen. Bild. Lichteufels, Peithner Eduard von.
Grafel, Moderne. Posse. Torn Eduard.
Grasteufel. Posse. Lindau Karl.
Graue Haus, Das. Roman. Bermann Moriz.
Grazer Rathhaus. Wielemanns, Alexander von.
Gregor, Heiliger. Altarbild. Eisenmenger August.
Grenze, An der. Schauspiel. Weilen, Josef von.
— An der. Dramatischer Scherz. Ibekauer, Conrad von.
Gretchen und Faust. Zwickelfiguren. Weyr Rudolf.
- Wunderhold, Vom. Epos. Pawel Jaro.
Griechische Dichterinnen. Poestion J. C.
— Philosophinnen. Poestion J. C.
Griechischen Sagen, Die schönsten. Aus dem Alterthum. Mehl Hermann.
Grillparzer. Büste. Tilgner Victor.
— =Monument, Architekturen zu dem. Hasenauer, K. Fr. von.
— Portrait. Axmann Ferdinand.
— Statue. Kundmann Karl.
Grimm's ausgewählte deutsche Volksmärchen. In's Volapük übersetzt.
    Lederer Siegfried.
Größenwahn. Broschüre. Wengraf Edmund.
Großer Bauern=Kalender. Schlinkert Franz.
— Fischsee in der Tatra. Bild. Lichtenfels, Peithner Eduard von.
Großes Gesangbuch in acht Abtheilungen. Musikpädagogisches Werk.
    Weinwurm Rudolf.
— Retaloch. Bild. Lichtenfels, Peithner Eduard von.
Großjährig. Lustspiel. Bauernfeld, Eduard von.
Grotte, Die Adelsberger. Panorama. Burghardt Hermann.
— von Capri, Die. Panorama. Burghardt Hermann.
Grün=Denkmal in Graz. Kundmann Karl.
Grüß' Dich. Skizzen. Teuber Oscar Karl.
Gruft Arco zu Ebreichsdorf. Wächtler Ludwig.
Grundzüge der natürlichen Weltanschauung. Ettel Conrad.
G'spassiger Kerl, Ein. Posse. Mestrozi Paul.
Guerillakrieg. Politische Gedichte. Zimmermann Robert.
Gulden. Der letzte. Lustspiel. Kölgen Ferdinand.
Guldenzettel, Ein. Bühnenwerk. Gründorf Karl.
„Güldene Waldschnepfe", Gasthaus zur. Avanzo Dominik und Lange Paul.
Günstling, Der. Schauspiel. Noung Gustav.
Günther Christ. J. Kalbeck Max.
Gurret=ül=Eyn. Ein Bild aus Persiens Neuzeit. Najmajer, Marie von.
Gusle. Uebersetzung. Frankl, Ludwig August von.
Gustave Flombert und die Naturalisten. Schwarz, E. von.
Gustel von Blasewitz, Die. Lustspiel. Schlesinger Sigmund.
Gute, alte Herr, Der. Lustspiel. Kölgen Ferdinand.
— Partie, Eine. Posse. Wagner Franz.
Guter Mensch, Ein. Lustspiel. Oldenburg, Elimar von.
Gutes Geschäft, oder Profitängsten, Ein. Bühnenwerk = Bearbeitung.
    Eirich Oscar Fried.
Gutes Haus, Ein. Schauspiel. Granichstätten Emil.
Gutmann in Baden, Villa des W. Ritter v. —Wielemans, Alexander von.

Hauschronik im Blumen= und Dichterschmuck. Silberstein August.
Hause der Citate, Im. Lustspiel. Young Gustav.
Hauses Fourchambault, Ende des. Müller=Guttenbrunn Adam.
Hausherr, Moderner. Nesbeda Josef.
Häusler Franz, Der. Ptibul Leo.
Häuslichen Herd, Am. Lustspiel. Wolff Franz und Wolff Karl.
Hausmannskost. Gedichte. Schadek Moriz.
Hausse und Baisse. Lustspiel. Held Ludwig.
Hausmütterchen, Das. Bild. Müller L. K.
Hausspion, Der. Lustspiel. Schlesinger Sigmund.
Hawaiische Idyllen. Gedichte. Velolawek Morgan Camillo.
Haydn=Denkmal. Natter Heinrich.
— Reliefbild. König Otto.
Hazard. Lustspiel. Hemjen Theodor.
Hebbel. Büste. Tilgner Victor.
— =Denkmal. Seeböck Ferdinand.
Heidelberg, Schloß. Bild. Ruß Robert.
Heilige Ambrosius, Der. Statue. Preleuthner Johann.
— Benedict, Der. Deckenbild. Schmid Julius.
— Hieronymus, Der. Statue. Preleuthner Johann.
Heiligenkreuz, Neuer Altar zu. Szily A.
— Stiftskirche zu. Restaurierung. Lange Paul und Avanzo Dominik.
Heimat und Fremde, Aus. Novelle. Ganghofer Ludwig.
Heimatklänge aus Oesterreich. Gedichte. Proschko Hermine C.
Heimatlos. Roman. Kapri, Mathilde von.
Heimatsklänge. Dichtung. Steinbach Josef.
Heimg'funden. Bühnenstück. Anzengruber Ludwig.
Heimkehr. Neue Gedichte. Ganghofer Ludwig.
— des Schützenkönigs. Figurengruppe. Sterrer K.
— Jacob's. Bild. Blaas, Karl von.
Heimkehrende Kreuzfahrer, um Gastfreundschaft in einem Kloster
     bittend. Bild. Till J.
Heimliche Leidenschaft, Eine Charakterbild. Thalboth Heinrich.
Heimweg von der Weltausstellung, Auf dem. Bild. Schaeffer August.
Heini von Steyer. Oper. Bachrich Sigmund.
Heinrich, Der arme. Bühnenwerk. Pöhnl Hanns.
— der Goldschmied. Müller Adolf.
— I., Herzog. Standbild. Beyer Josef.
— der Löwe. Hist. Schauspiel. Nissel F. aug.
— Heine. Singspiel. Wald Alexander.
— Heine. Liederspiel. Weinberger Alois.
— von der Aue. Schauspiel. Weilen, Josef von.
Heinrichshof. Hansen, Theophil Freiherr von.
Heinzelmännchen. Männerchor. Reutwich Josef.
Heiratsvermittler, Der. Posse. Schweitzer Josef.
Held, Ein bürgerlicher. Bühnenwerk. Mai Fritz.
— Janos. Ungarisches Volksmärchen. Aus dem Ungarischen be=
     arbeitet. Schnitzer Ignaz.
— Michael. Oper. Sulzer Julius.
— Pálffy. Aus dem Ungarischen bearbeitet. Schnitzer Ignaz.

Helbenberg, Der. Kaudelsdorfer Karl.
Helbenbilder und Sagen. Rollet Hermann.
Helden- und Lieberbuch, Das. Frankl, L. A. von.
Helden von heut'. Bühnenstück. Krenn Leopold und Wolff Karl.
Heldenthaten unserer Vorfahren. Culturg. Werk. Groner Auguste.
Helena, Falsche. Bühnenwerk. Lichtblau Adolf.
Helene. Drama. Bauernfeld, Eduard von.
— Die schöne. Schauspiel. Herdlicka Theodor.
— Grandpré. Roman. Grotthuß, E. von.
Heleta. Figur. Schmidgruber Anton.
Helianthus. Musikdrama. Goldschmidt, Adalbert von.
Heliogabalus. Libretto. List Guido.
Helios. Colossalfigur. Benk Johannes.
Hellas, Rom und Thule, Aus. Poeston J. C.
Henriette. Vors, August Baron von (Pseudonym Vorsob.)
Hephaistos. Figur. Silbernagl J.
Herbstausflug nach Siebenbürgen, Ein. Lauser Wilhelm.
Herbstblüthen aus Wien. Meynert Hermann.
Herbstmanöver. Posse. Heidrich Franz.
Herkules. Statue. Wagner A. P.
— Schwach. Roman. Silberstein August.
Herkulesbad, Bauten in. Doderer, Wilhelm von.
Hermann. Epos. Grazie, Maria delle.
Hermann. Jugendschrift. Pape Paul.
Herr Abbé, Der. Lustspiel. Léon Victor.
— Administrator, Der. Lustspiel. Koritz K. L.
Herr Hofschauspieler, Der. Schwank. Nötel Louis.
— Nigerl und lauter solche Sachen. Pölzl Eduard.
— Secretär, Der. Lebensbild. Täncer Mathias.
— Thaddäus (Mickiewicz). Uebersetzung. Lipiner Siegfried.
— von Lohengrin. Lustspiel. Oldenburg, Elimar von.
— von Oben, Der. (Sünden der Väter). Roman. Ganghofer Ludwig.
Herren der Schöpfung, Die. Lustspiel. Singer Fritz.
Herrenrecht, Das. Novelle Spitzer Daniel.
Herrgottschnitzer von Oberammergau, Der. Volksschauspiel. Ganghofer Ludwig.
Herrn Walther's jungen Tagen, Aus. Hist. Roman. Wobiczka Victor.
Herrschen oder dienen. Roman. Kautzky Minna.
Herz für's Volk, Ein. Bühnenstück. Gärtner Karl.
's Herz von an echten Weana. Walzer und Lied. Schrammel Johann.
Herzen, Aus österreichischen. Lieberbuch. Barach Rosa.
Herzensgeschichten. Bühnenwerk. Mai Fritz.
Herzklopfen. Gesangspolka. Kremser Eduard.
Herzog befiehlt, Der. Lustspiel. Chon Moriz S.
— Der kleine. Operettentext. Wittmann Hugo.
— Heinrich I. Standbild. Beyer Josei.
— Leopold der Glorreiche. Marmorstatue. Preleuthner Johann.
— Leopold des Glorreichen Einzug in Wien. Bild. Trenkwald J.
— Leopold VI. Standbild. Beyer Josef.
— von Nassau, Palais des. Wurm Alois.

Herzogin von der Liebe Gnaden, Die. Dittmarsch Karl.
Hesperuspolka. Strauß Johann.
Heute und gestern. Groß Ferdinand.
Herenmeister, Der. Lustspiel. Triesch Friedrich Gustav.
— Ein moderner. Bühnenwerk. Mai Fritz.
Hieronymus, Der heilige. Statue. Preleuthner Johann.
High life. Roman. Suttner, Bertha von.
Hilda. Drama. Wasserburger Lina.
Himmel, Der. Orchesterwerk. Mögele Franz.
Himmel und Hölle. Theaterstück. Schneeberger Franz Julius.
Himmelau. Gedichte. Formey Alfred.
Himmelsschlüssel. Bühnenwerk. Costa Karl.
Hiob. Oratorium. Weinzierl, Max von.
— Der deutsche. Brunner Sebastian.
Hirngespinnste. Lustspiel. Lindau Karl.
Hirschkorn, Causa. Bühnenstück. Herzl Theodor.
Historische Bibliothek für die Jugend. Pennersdorfer Ignaz.
Hoamat, Aus der. Matosch Anton.
Hoch Habsburg. Marsch. Kral J. N.
Hoch hinauf. Posse. Buforefter Adolf.
Hochlandsgeschichten. Silberstein August.
— Deutsche. Silberstein August.
Hoch oben. Novellen. Dery Julie.
Hochzeit, Ländliche. Symphonie. Goldmark Karl.
Hochzeitstag, Der verhängnißvolle. Posse. Mandlick Hugo.
Höher Peter. Roman. Hafner Adalbert.
Höhere Gesichtspunkte. Preislustspiel. Triesch F. G.
Hof des Jagellon-Colleg. in Krakau. Bild. Alt Rudolf.
Hof im Castell zu Trient. Bild. Alt Rudolf.
Hof- und Adelsgeschichten. Novellen. Bermann Moriz.
Hofburgtheater, Neues. Hafenauer, Karl Freih. von.
Hofer, Andreas. Denkmal in Innsbruck. Natter Heinrich.
— Andreas. Marmorstatue. Preleuthner Johann.
Hoferkäthchen, Das. Erzählung. Rank Josef.
Hofoper. Innerer Ausbau. Storck Josef.
Hofnarr, Der. Operette. Musik: Müller Adolf. Text: Bauer Julius
    und Wittmann Hugo.
Hoheit, Seine. Lustspiel. Herzl Theodor.
Hohe Lose. Roman. Wirth Bettina.
Hohenhof auf dem Kahlenberg. Villa. Schachner Friedrich.
Hoher Gast, Ein. Uebersetzung. Förster Aug. st.
Höll' auf Erden, Die. Bühnenwerk. Wimmer Josef.
Hölle, Die. Orchesterwerk. Mögele Franz.
Höllenmaschine, Die. Roman. Proschko Franz Isidor.
Holzer. Portrait. Blaas, Karl von.
Holzplastik. Plastisch-allegorische Figur. Klotz Hermann.
Homer. Statue. Tilgner Victor.
Hopfenrat's Erben. Radler, Fried. von.
Hospiz in Rovigno, See-. Stiaßny Wilhelm.
Hôtel Austria in Gmunden. Schachner Friedrich.

Hôtel Britannia (jetzt Oberster Gerichtshof). Claus Heinrich.
— Donau. Claus Heinrich.
— Goldene Ente. Tischler Ludwig.
— Grand. Claus Heinrich.
— Imperial. Adam Heinrich.
— Kummer. Tischler Ludwig.
— Metropole. Tischler Ludwig.
— Tegetthoff. Tischler Ludwig.
Hugo, Der arme. Lustspiel. Oldenburg, Climar von.
Huldigungs-Adresse des Wiener Gemeinderathes, anläßlich der Feier
  der silbernen Hochzeit Ihrer Majestäten. Storck Josef.
Humboldt, A. von. Statue. Tilgner Victor.
Humor Shakespeare's, Der. Ehrlich Josef R.
— Wiener. Humoristisches Sammelwerk. Herausgegeben von Friese C. A.
Humoristicon. Zeitschrift. Fockt K. Th.
Humoristische Theatergeschichten. Waldstein Max.
Humoristischer Almanach. Weyl Josef.
Hundert Jahre Kunstgeschichte Wiens. Bodenstein Cyriak.
Hünengrab, Nordisches. Bild. Lichtenfels, Peithner Eduard von.
Hüpfende Freier Der. Ballett. Thieme Otto.
Hüttenbesitzer, Der. Uebersetzung. Mautner Eduard.
Hut von Witzmann, Ein. Lustspiel. Koritz K. L.
Hydrauling Goldmining. Bild. Bernatzik Wilhelm.
Hygiene. Plast. Figur. Kalmsteiner Hanns.
Hyksosherrschaft unserer Zeit, Die literarische. Tambour Rudolf.
Ibn Jemin's Bruchstücke. Aus dem Persischen bearbeitet. Schlechta-
  Wssehrd, Ottokar von.
Ich oder Du. Schauspiel. Reitler Marcellin Adalbert.
Idealbild aus der Steinkohlenzeit. Bild. Hoffmann Josef.
— aus der Steinzeit. Tarnaut Hugo.
— aus der Trias. Bild. Hoffmann Josef.
— des Laibacher Beckens. Grösz August.
— der oberen Kreide. Bild. Hoffmann Josef
Ideale und Idole. Ettel Conrad.
Iduna. Oper. Musik: Gotthard Josef Paul. Text: Bohrmann Heinrich.
— Gedichte. Schuldes Julius.
Idyll auf dem Kahlenberge, Das. Episches Gedicht. Mertens, Ludwig
  Ritter von.
Iffland. Portraitstatue. Lax Josef.
Ihr Corporal. Bühnenwerk. Costa Karl.
— Mittel. Lustspiel. Reitler Marcellin Adalbert.
Il n'y a personne. Roman. Piesling Theophil.
Illusionen des Don Faustino, Die. Lauser Lili.
Illustrirte Geschichte der k. k. Armee. Bermann Moriz.
— Geschichte des orientalischen Krieges 1876—1878. Bermann Moriz.
— Geschichte des österr.-preuß. Krieges. Huybensz Max.
— Plaudereien. Schlesinger Ferdinand.
Illustrirter Führer durch Wien und Umgebung. Bermann Moriz.
Im Atelier. Novelle. Kapri, Mathilde von.
— Augarten. Scenischer Prolog. Mautner Eduard.

Johanna von Neapel. Oper. Sulzer Julius.
Johannes Nordmann. Portraitbüste. Schöck H.
Johannisfeuer. Dichtung. Najmajer, Marie von.
John Norbi. Trauerspiel. Steinebach Friedrich.
Jonel Fortunat. Roman. Brociner Marco.
Josef II., Denkmal. Kauffungen Richard.
— — Denkmal in Aussig. Pönninger Franz.
— — Denkmal in Tramenau. Pönninger Franz.
— — Biographie. Korn Arthur.
— — Erste Kaiserstunde. Theaterstück. Zaritz Karl E.
— Heiliger. Altarbild. Nowak E.
— Lanner. Volksstück. Text: Radler, Friedrich von. Musik: Gothov=
    Grünecke Ludwig.
Josefscapelle, Die. Poetische Erzählung. Germonik Ludwig.
Josefskirche in Mödling. Sehnal E.
Josef Speckbacher. Jugendschrift. Näckler, Alois von.
— Straub, der Kronenwirth von Hall. Historisches Drama. Domanig Karl.
Josi, der Findling. Bürger Michael.
Journalisten, Die neuen. Lustspiel. Groß Ferdinand.
Jubiläum des Kaiser Franz Josef I., Gedenkblatt an das. Holzschnitt.
    Bader J. W.
Jubiläumsgabe des n.-ö. Gewerbevereines an unseren Kaiser. Tafel=
    aufsatz in Gold und Silber. Weyr R.
Jubiläums=Gewerbe=Ausstellung, Plakat der. Zeichnung. Petrovits.
— Kunst=Ausstellungs=Zeitung. Gegründet von Scherer Franz K. E.
— Medaille der Königin von England. Emptmeyer Clemens.
Jucunde. Erzählung. Rollet Hermann.
Judas. Bild. Mayer L.
Jude, Der letzte. Roman. Edler Karl.
Jüdische Mythos, Der. Phil. Studie. Wald Alexander.
Jüdischen Volksleben, Geschichten aus dem. Kulke Eduard.
Jugendfreund, Der oberösterreichische. Proschko Franz Isidor.
Jugendheimat. Jahrbuch. Proschko Hermine C.
Jugendleben, Aus dem militärischen. Teuber Oscar Karl.
Jugendliebe. Bild. Angeli.
Jugendträume. Cappilleri Hermine.
Julchen. Couplet. Rentwich Josef.
Jung Wien. Pözl Eduard.
Junge Blüthen. Gedichte. Grünau, Hanns von.
— Leute — von heute. Bühnenstück. Krenn Leopold und Wolff Karl.
— Reiser. Christel Franz.
— Wien, Das. Anthologie. Mür Josef.
Junger Drahrer, Ein. Bühnenstück. Zappert Bruno.
Junges Blut. Geschichten. Groller Balduin.
Jungfernbründl bei Sievering, Das. Volksstück. Mandlick Hugo.
's Jungferngift. Komödie. Anzengruber Ludwig.
Jungfrau von Belleville, Die. Operette. Musik: Millöcker Karl. Text:
    Walzel Camillo.
Junggeselle, Ein alter. Posse. Text: Krenn Leopold, Musik. Mestrozi
    Paul.

Kinder, Wiener. Roman. Karlweis C.
— Wiener. Operette. Musik: Ziehrer C. M. Text: Krenn Leopold und
Wolff Karl.
Kindereien. Lebensbild. Dorn Eduard.
Kindergarten im II. Bezirk. Stiaßny W.
Kinderportrait. Felix Eugen.
Kindesmörderin, Die. Roman. Wald Alexander
Kindsfrau, Die. Bühnenwerk. Walzel Camillo.
Kirche zu Bergamo. Bild. Brioschi Carlo.
— in Czernowitz, Kathol.-armen. Hlávka Josef.
— der Dominikaner. Restaurierung. Eckhardt Gustav Adolf.
— in der Dorotheergasse, Protestantische. Umbau. Sowinski J.
— zu Friedek. Ausbau. Schaden K.
— zu Fünfhaus. Schmidt, Fr. Freiherr von.
— zu Goisern, Protestantische. Reconstruction. Wilt F.
— der nichtunirt. Griechen. Hansen, Theophil Fr. v.
— zu Graz, Gothische. Schmidt, Fr. Freiherr von.
— zu Gumpendorf, Evangelische. Hansen, Theophil Fr. v.
— zu Kremsier. Lippert J. E.
— der Lazzaristen. Schmidt, Fr. Freiherr von.
— zu Maria am Gestade. Restaurierung. Luntz Victor.
— der Mechitaristen. Sitte Camillo.
— zu Meran. Innen-Decorationen. Weber A.
— zu Mödling. Sct. Josefs-. Sehnal E.
— zu Olmütz. Lippert J. E.
— zu Ottakring. Rudolfs-. Wielemans, A. von.
— zu Preßburg. Krönungs-. Restaurierung. Lippert J. E.
— zu Preßburg-Blumenthal. Breßler E.
— zu Raab. Dom-. Restaurierung. Lippert J. E.
— zu den Schotten. Restaurierung. Niedzielski.
— zu Spalato. Dom-. Restaurierung. Hauser Alois.
— zu Stefanau. Wächtler L.
— und Karner zu D.-Altenburg. Bild. Alt R.
Kirchengeschichte. Plastisch-allegorische Figur. David W.
Kirchenrecht. Plastisch-allegorische Figur. David W.
Kirchenväter, Die. Fresken-Cyclus. Trenkwald J.
Kirchhof und Kirchenruine. Bild. Nowopacki Johann.
Kiste, Die schwarze. Posse. Schier Benjamin.
Kitsch-Neger, Dorf der. Fischer L. H.
Kleine Blumen, kleine Blätter. Lyrische Dichtungen. Belolawek M. C.
— Cur, Eine. Groß Karl.
— Erzählungen. Novellensammlung. Mautner Eduard.
— Gefälligkeiten. Bühnenwerk. Groller Balduin.
— Geschichte, Eine. Hardt-Stummer, Amalie von.
— Geschichten. Wimmer Adolf.
Kleine Münze. Groß Ferdinand.
— Prinz, Der. Operette. Musik: Müller Adolf. Text: Wittmann Hugo.
Kleiner Markt. Erzählungen und Gedichte. Anzengruber Ludwig.
Kleinigkeit, Eine. Posse. Thalboth Heinrich.
Kleinigkeiten. Prosaschrift. Czedik Emil.

19*

Kleinleben der Großstadt, Aus dem. Chiavacci Vincenz.
Kletzinsky. Marmorbüste. Mailler A.
Klio. Figur. Schmidgruber Anton.
Klosterglocken. Sittengemälde. Plowitz Erwin.
Klosterhof, Im. Roman. Rank Josef.
Klosterneuburg. Bild. Alt Rudolf.
Klythia. Marmor= und Bronce=Statue. Benk Johannes.
Knopflochschmerzen. Bühnenwerk. Eirich Oscar Fried.
Kohlenprinzessin, Die. Nötel Louis.
Kolin. Scene aus der Schlacht bei. Bild. L'Allemand.
— Schlacht bei. Bild. L'Allemand.
— Schlacht bei. Stich. Klaus J.
Koller, Freiherr von. Portrait. L'Allemand.
Kollonitz, Fürst. Marmorstatue. Pilz B.
Komische Oper in Wien. Förster, Emil von.
Komödianten in Oesterreich zu Shakespeare's Zeiten, Die englischen.
    Meißner Johannes.
König Arthur. Oper   Text und Musik von Kafka Heinrich.
— Erich. Trauerspiel. Weilen, Josef von.
— Erik. Trauerspiel. Pawel Jaro.
— Helge. Oehlschläger's Uebersetzung. Leimburg Gottfried.
— Jeröme. Operette. Ziehrer C. M.
— Koloman. Trauerspiel. Frei nach Jokai bearbeitet. Groß Karl.
— Ragnar's Hort. Poetisches Werk. Buschmann Gotthard.
— Rodger. Schmitt's Uebersetzung. Leimburg Gottfried.
— Wenzel in Wien. Schauspiel. Rabler, Friedrich von.
— Wenzel und Susanne. Epische Dichtung. Zimmermann Robert.
Könige, Galante. Lustspiel. Granichstätten Emil.
— Tragische. Epische Gesänge. Frankl, Ludwig August von.
— Zug der heiligen drei. Bild. Wörnble, August von.
Königin von Arreja, Die. Operette. Musik: Zamara Alfred. Text:
    Léon O.
— Marietta. Oper. Brüll Ignaz.
— von Saba, Die. Oper. Goldmark Karl.
— der Wiener Lieder, Die. Rabler Friedrich von.
Königs Beichtvater, Des. Histor. Roman. Hemsen Theodor.
Königsbraut, Die. Oper. Musik: Fuchs Robert. Text: Schnitzer
    Ignaz.
Königspage, Der. Operette. Musik: Sonlup Franz. Text: Ginguo Karl.
Königstraum, Ein. Loewe Theodor.
Königswarter, Palais. Worel Karl.
Korah. Tragödie. Kulke Eduard.
Korbe, Im. Operettentext. Ginguo Karl.
Kornblumen. Dichtung. Germonik Ludwig.
Kosmische Lieder, Neruda's. Uebersetzung. Pawikowski Gustav.
Kosmos Alexandrinus. Statue   Weigl R.
Krachpolka. Oser Johann.
Kraft, Aus eigener. Novelle. Barach Rosa.
Krankenhaus, Allgemeines. Pathologische Anstalt desselben. Zettl
    Ludwig.

Krankenhaus, Rudolfinerhaus in Döbling. Gruber Fr.
— Rudolfs-Stiftung. Horky J.
Kranner's Waarenhaus. Fellner & Helmer.
Kremser, Realschule. Kaiser Eduard.
Kreutzenstein, Schloß. Restaurierung. Kayser Karl Gangolf.
Kreuz, Das goldene. Oper. Musik: Brüll Ignaz. Textübersetzung:
    Eisner Justus.
Kreuz und Quer. Erzählungen. Lauser Wilhelm.
Kreuzelschreiber, Die. Komödie. Anzengruber Ludwig.
Kreuzfahrer, um Gastfreundschaft in einem Kloster bittend, Heimkehrende.
    Bild. Till J.
Kreuzlein, Das rothe. Novelle. Edler Karl.
Krieg, Der akademische. Posse. Wald Alexander.
— Der lustige. Operette. Musik: Strauß Johann. Text: Walzel
    Camillo.
— mit Marokko. Jordan Eduard.
Krieg oder Friede. Preißler Heinrich.
Krieger, Ein deutscher. Schauspiel. Bauernfeld, Eduard von.
— Sterbender. Gipsstatue. Scherpe J.
Kriegsgott, Mexico. Bild. Ruß Robert.
Kriegsmedaille, Oesterreichische. Tautenhayn J.
Kriegs= und Friedensfahrten. Jdekauer Konrad.
Kriminalhumoresken. Pötzl Eduard.
Krisen. Drama. Bauernfeld, Eduard von.
Kritische Alter, Das. Lustspiel. Löbel Moriz.
Kritischer Führer durch die Jugendliteratur. Panholzer Johann.
Krönungskirche in Preßburg. Restaurierung. Lippert, J. Em. R. v.
Kronprinz Rudolf's Lebensbild. Proschko Hermine C.
— Rudolf auf dem Todtenbette. Bild. Angeli H.
— Rudolf. Portrait. Klaus J.
— Rudolf's Krankenhaus. Horky J.
— Rudolf. Todtenmaske. Ajdukiewicz Thaddäus.
Krupp A. in Essen, Schloß. Klassen L.
Kugel, Haus zur goldenen. Tischler L.
Kühe im Wasser. Bild. Huber C. R.
Kulturgeschichtlichen Forschungen und ihre Literatur, Die. Huybensz M.
Kummer. Hotel. Tischler L.
Kunst, Classische. Standbild. Hofmann C.
— Romantische. Standbild. Hofmann C.
— und Wissenschaft. Statue. Düll Alois Franz Xaver.
Kunstausstellung, Die dritte internationale. Königstein Josef.
Kunsthistorisches Museum. Hasenauer, Karl Freih. v.
Kunstindustrie. Plastisch-alleg. Figur. Kundmann K.
Künstler und Fürstenkind. Novelle. Wirth Bettina.
— und die Genossenschaft, Unsere. Broschüre. Ilg Albert.
Künstlergeschichten aus drei Jahrhunderten. Keiter Ernst.
Künstlerhaus, Wiener. Umbau. Schachner F.
— Wiener. Um= und Erweiterungs-Bau. Deininger J.
Kunstliebhaberei, Moderne. Broschüre. Ilg Albert.
Kunstpflege, Unsere. Broschüre. Deininger J.

Kunst-Renaissance, Wiener. Studien. Vincenti, Karl von.
Kunstwerke der k. k. Schatzkammer. Radierungen. Kozeluch E.
Kunterbunt. Jagdbl. Humoreske. Hülgerth Heribert.
Kunz von Kaufungen. Drama. Anschütz Roderich.
Kurfürst, Der große. Operette. Hellmesberger Josef jun.
— Der schöne. Operettentext. Bohrmann Heinrich.
Kuriose Buch, Das. Schlögl Friedrich.
Kurzweiliges. Weyl Josef.
Küste von Istrien. Bild. Lichtenfels, Eduard Peithner R. v.
Kuß, Der. Bühnenwerk. Dóczi, Ludwig von.
— Der geraubte. Oper. Leschen Chr. F.
Laboratorium für Untersuchung von Nahrungsmitteln. Wiedenfeld H.
Lachende Paris, Das. Humoristisches. Osten Heinrich.
Lachende Wien, Das. Bühnenstück. Zappert Bruno und Rosen Julius.
La Christiana. Wohlmuth Eugenie.
Lady Esther. Schauspiel. Bohrmann Heinrich.
— Rhoda Boughton. Schauspiel. Liebenwein J. R.
Längst verwischter Zeit, Aus. Dichtung. Vogelsinger Gustav E.
Lager der Sioux-Indianer. Bild. Blaas, Julius von.
Lainzer Schloß. Hasenauer, Karl Freih. von.
Lama. Novelle. Wurzbach Alfred.
La Marchesa d'Amaõgni. Lustspiel. Bahr Erich.
Land und Leute im Raßwald. Silberstein August.
Lande, Am. Erzählung. Mosbrugger Franz.
Landen, Aus sonnigen. Novellen. Lederer Siegfried.
Länderbank. Admin.-Gebäude. Wagner O.
Landes-Gallerie in Budapest, Ungarische. Radierungen. Woernle
    Wilhelm.
Landfriede, Der. Oper. Brüll Ignaz.
Landfrieden, Der. Schauspiel. Bauernfeld, Eduard von.
Landhaus in Brünn, Das neue. Hefft Anton.
Landläufige Geschichten. Silberstein August.
Ländliche Hochzeit. Symphonie. Goldmark Karl.
Landpomeranze, Die. Bühnenwerk. Bukovics Adolf.
Landschaft. Bild. Lichtenfels, Eduard Peithner von.
— Bild. Reinhold F.
Landschaft. Bild. Ruß Robert.
Lanner-Denkmal in Budweis. Pönninger Franz.
Lanner Josef. Bühnenwerk. Nadler, Friedrich von. Musik: Gothov-
    Grünecke Ludwig.
Lappländische Märchen. Poestion J. C.
Larisch. Palais. Morel Karl.
Laroche. Portraitbüste. Natter.
L'assonance dans la poésie norraine. Poestion J. C.
La Tsigane. Operette. Strauß Johann.
Laube. Portraitstatue. Natter.
Laudon, der Soldatenvater. Biogr. Werk. Janko, Wilhelm von.
— zu Pferd, Feldmarschall. Bild. L'Allemand Sigmund.
Laudon's Leben. Erzählung. Janko, Wilhelm von.
Laune, Buch der. Novellen. Hevesi Ludwig.

Letzte Orientkrieg, Der. Winter Karl.
— Pappenheimer, Der. Festspiel. Ganghofer Ludwig.
— Profet, Der. Bühnenwerk. Dóczi, Ludwig von.
— der Rosenberge, Der. Proschko Franz Isidor.
— Tagesmühe. Bild. Müller Leopold Karl.
– Zopf, Der. Theaterstück. Berla Alois.
Letzten Hasmonäer, Die. Tragödie. Heller Seligmann.
— Messenier, Die. Tragödie. Mosing Guido C.
— Mohikaner, Die. Operette. Genée Richard.
— Tage des ungarischen Aufstandes, Die. Schlesinger Ferdinand.
— Tage von Carthago, Die. Historisches Trauerspiel. Feßler Sigismund.
Leuchtkäferchen. Proschko Franz Isidor.
Leuten, Unter fahrenden. Culturgesch. Erzählungen. Groner Auguste.
Lexikon, Biographisches österreichisches. Bermann Moriz.
Libanon. Ein poetisches Familienbuch. Frankl, Ludwig August von.
Liberaler Candidat, Ein. Lustspiel. Schlesinger Sigmund.
Liberalismus. Deckert Josef.
Licht und Schatten. Gedichte. Leutner Ferdinand.
Lichte der Wahrheit, Im. Drama. Conimor.
Liebe Augustin, Der. Operette. Musik: Brandl Johann. Text: Klein
    Hugo.
— Augustin, Der. Bühnenspiel. Pöhnl Hanns.
— aus Bewunderung. Lustspiel. March Richard.
— Glühende. Gedichte. Cerri Cajetan.
— Die letzte. Bühnenwerk. Dóczi, Ludwig von.
— war Schuld daran, Die. Bühnenstück. Krenn Leopold und Wolff Karl.
Lieben Schwiegereltern, Die. Bühnenwerk. Wimmer Josef.
Liebenberg. Gedenktafel. Widter K.
Lieber Mensch, Ein. Lustspiel. Singer Fritz.
Liebesbrief, Der. Lied. Musik: Ziehrer C. M. Text: Wagner Franz.
Liebesbrunnen, Der. Romantisch-komische Oper. Mestrozi Paul.
Liebesgaben. Poesie und Novellen=Album. Naaff Anton J.
Liebesgeheimniß. Marmorgruppe. König Otto.
Liebeshof, Der. Operette. Musik: Müller Adolf. Text: Wittmann
    Hugo.
Liebeslegenden. Hardt=Stummer, Amalie von.
Liebeslieder, Politische. Cerri Cajetan.
Liebesopfer. Barach Rosa.
Liebesphasen. Novellen. Groner Auguste.
Liebesprotokoll, Das. Lustspiel. Bauernfeld, Eduard von.
Liebespulver. Posse. Kohlhofer Josef.
Liebestraum, Der. Bühnenwerk. Steinebach Friedrich.
Liechtenstein bei Mödling, Schloß. Restaurierung. Breßler Emil.
Liechtenstein, Burg. Restaurierung. Kayser Karl Gangolf.
— Fürst W. Portraitbüste. Swoboda Emerich.
— Palais. Renovierung. Kayser Karl Gangolf.
Lied, Das gestohlene. Bühnenstück. Schram Karl.
— vom Herzog Friedel und Sänger Osly. Poetisches Werk. Buich=
    mann Gotthard.
Lieder an eine Frau. Wurzbach Alfred.

Los und ledig. („Von Tisch und Bett" oder: „Frei will er sein".) Posse. Kohlhofer Josef.
Lose Blätter für Herz und Haus. Weißenthurn, Mar von.
Lose, Hohe. Roman. Wirth Bettina.
Löß. Bild. Darnaut Hugo.
Lottoziehung, Nach der. Bild. Frieblaender Friedrich.
London, siehe Laudon.
Löwe, Der verliebte. Uebersetzung. Förster August.
Löwen vor dem Justizpalast, Die beiden. Beudl Emanuel.
— Erwachen Des. Operette. Musik: Brandl Johann. Text: Doppler Josef
Löwenritt, Ein. Lustspiel. Bohrmann Heinrich.
Luft, Wiener. Bühnenwerk. Mai Fritz.
— Wiener. Schlögl Friedrich.
— Wiener. Zeitschrift. Gegründet von Waldheim, Rudolf von.
Luftschlösser. Lustspiel. Scherer Franz K. E.
Lully. Lyrisch-komische Oper. Hofmann Karl. (Text: Weyl Josef.)
Lumpenball, Der. Posse. Text: Schier Benjamin. Musik: Mestrozi Paul.
Lunettenbilder im k. k. Hofburgtheater. Ruß Robert.
Lunettenbilder im Stiegenhaus des naturhistor. Museums. Stauffer Victor.
Luschan in Millstadt, Villa. Niemann G.
Lustige Krieg, Der. Operette. Musik: Strauß Johann. Text: Walzel Camillo.
Lustigen Binder, Die. Operette. Millöcker Karl.
— Weiber von Wien, Die. Charakterbild. Thalboth Heinrich.
Lustiger Theaterzeit, Aus Wien's. Waldstein Max.
Lustschloß Laxenburg, Ansichten des. Radierungen. Schaeffer August.
Lustspiel in 5 Acten, Ein. Groß Karl.
Lutherlieder. Loesche Georg.
Luther Martin. Bearbeitung. Förster August.
Lützow, Palais des Grafen. Hasenauer, Karl Freiherr von.
Luzern, Straße in. Bild. Alt Rudolf.
Lyrik auf stilleren Stätten. Gedichte. Hembo Apollonius.
— der Gegenwart, Die deutsche. Lemmermayer Fritz.
— der Gegenwart, Die Deutsche. Anthologie. Lemmermayer Fritz.
Lyrische Blätter. Rollet Hermann.
Lyrisches und Episches. Paoli Betti.
Lysipp. Statue. Düll Alois Franz Xaver.
Macht der Naturwissenschaft, Die. Preißler Heinrich.
Macht des gesunden Menschenverstandes, Die. Preißler Heinrich.
Madame Ackermann. Werwart Karl.
— Roland. Drama. Kantzky Minna.
Mädchen, Alte. Bühnenwerk. Schütz Friedrich.
Mädchenrache. Lustspiel. Bauernfeld, Eduard von.
Mad'ln, Weaner. Tanzstück. Ziehrer C. M.
Madonna. Romantisches Gedicht. Léon Victor.
Maffa. Decorationen. Brioschi Anton.
Magelone schöne, Die. Bühnenspiel. Pöbul Hanns.

Magnetiseur, Der. Lustspiel. Grotthuß, Elisabeth von.
Magyarenkönig, Ein. Frankl, Ludwig August von.
Mailänder=Dom. Bild. Alt Rudolf.
Majestät. Lustspiel. Bohrmann. Heinrich.
Makart. Grab=Denkmal. Hellmer Edmund.
Makkabäer. Decorationen. Brioschi Anton.
Malgré tont. Roman. Aus dem Französischen von Weinzierl Antonie.
Mammuth. Bild. Otto H.
Mammuth=Baum. Bild. Otto H.
Manlius Torquatus. Statue. Lax Josef.
Man muß sich nur zu helfen wissen. Schwank. Steininger Emil Maria.
Man soll nichts verschwören. Bühnenwerk. Aus dem Spanischen über=
setzt von Lauser Lili.
Mann zweier Frauen, Der. Barber Ida.
— der den Muth verliert, Ein. Sittenbild. Ostland J. P.
— der Oeffentlichkeit, Ein. Bühnenwerk. Costa Karl.
— Der schwarze. Broschko Franz Isidor.
— für Alles, Ein. Bühnenstück. Krenn Leopold und Wolff Karl.
Männer der Loge. Roman. Grotthuß, Elisabeth von.
— Tugendhafte. Lustspiel. Wolff Franz.
— vom Schwerte. Epos. Weilen, Josef von.
Männerchor=Gesangschule. Bauer Michael.
Manoli. Epische Dichtung. Forstenheim Anna.
Manöver in Galizien. Bild. Ajdukiewicz Thabbäus.
Mantel des Confucius, Der. Posse. Horn Eduard.
Manuscript, Ein. Roman. Suttner, Bertha von.
Mappe des alten Fabulisten, Aus der. Satirische Dichtung. Bauern=
feld, Eduard von.
Marcellin. Bürger Michael.
Marche persanne. Strauß Johann.
Marchesa d'Amaügni, La. Lustspiel. Bahr Erich Herm.
Märchen aus dem Weichselthale. Uhl Friedrich.
— aus der Champagne. Ballett. Musik: Brüll Ignaz, Libretto: Willner
Alfred M., Decorationen. Brioschi Anton.
— Dramatische. Wodiczka Victor.
— Isländische. Poestion J. C.
— Lappländische. Poestion J. C.
— Moderne. Schlosser, Julius von.
— vom Untersberg. Decorationen. Brioschi Anton.
Märchenkranz, Neuer. Jugendschrift. Pichler, Theodor von.
Margarethen, Steinbruch von. Bild. Hlaváček Anton.
Margarethenhof. Fellner und Helmer.
Margot. Ballett. Frappart Louis.
Maria Antoinette. Drama. Schönwald Alfred.
— von Burgund. Statue. Erler Franz.
— Stuart. Drama. Ebner=Eschenbach, Marie von.
— Stuart in Schottland. Trauerspiel. Wartenegg, Wilhelm von.
— Theresia. Radierung. Groß Jakob.
— Theresia=Denkmal. Zumbusch, Kaspar K. v.
— Theresien=Denkmal in Klagenfurt. Pönninger Franz.

Mazzi, Die beiden. Operette. Hellmesberger Josef jun., Text: Buch=
binder B.

Mechaniker. Statue. Lax Josef.

Mechitaristen=Kirche. Sitte Camillo.

Medaille der Königin von England, Jubiläums=. Emptmeyer Clemens.
— Oesterreichische Kriegs=. Tautenhayn J.
— „Dem Fortschritt", Wiener Weltausstellungs=. Tautenhayn J.
— „Für Kunst", Wiener Weltausstellungs=. Tautenhayn J.

Medea. Figur. Wagner A. P.
— und Jason. Zwickelfiguren. Weyr Rudolf.

Medicin. Figurengruppe. Weyr Rudolf.
— Interne und externe. Plast. Figuren. Kalmsteiner Hauns.

Meer, Auf dem. Novelle. Liebenwein J. K.

Mehlbörse. König Karl.

Meier Ezofowicz. Uebersetzung. Brix Laura.

Mein Debut. Novellen. Ziegler Ernst.
— erster Tag. Humoristisches. Jordan Eduard.
— Herz in Liedern. Silberstein August.
— Lieblingspaar. Gedichte. Hörmann Leopold.
— Sohn. Lustspiel. Schlesinger Sigmund.
— Vaterstadt in Lied und Wort. Liefernngswerk. Wiesberg Wil=
helm.
— Wien. Humoristische Sammlung. Wagner Franz.

Meine einzige Freud' ist mein Bua. Couplet. Ertl Dominik.

Meineidbauer, Der. Volksstück. Anzengruber Ludwig.

Meisterschuß, Der. Proschko Franz Isidor.

Meister Potier. Lustspiel. Tyrolt Rudolf.

Meixner. Portraitbüste. Natter.

Melisande. Oper. Kaska Heinrich, Text: Lohr Otto.

Melpomene. Plastische Figur. Kundmann Karl.

Melusine. Symphonie. Zellner Julius.
— Die schöne. Musikalische Illustration. Wurmbrand=Stuppach Stefanie.
— Die schöne. Zu Schwind's Aquarellencyclus. Forstenheim Anna.

Mensch ist kein Krowat, Der. Couplet. Ertl Dominik.
— ein guter. Lustspiel. Oldenburg, Elimar von.
— oder die Nanni, Ein häßlicher. Bühnenstück. Krenn Leopold und
Wolff Karl.
— Ein lieber. Lustspiel. Singer Fritz.
— Ein schlechter. Roman. Suttner, Bertha von.

Meraner Pfarrkirche. Innen=Decorationen. Weber A.

Mercedes. Operndichtung. Weinberger Alois.

Mercur. Plastische Figur. Koch Franz.

Merlin. Romantische Oper. Musik: Goldmark Karl. Text: Lipiner
Siegfried.

Messenhauser. Drama. Dorn Eduard.

Messenier, Die letzten. Tragödie. Mosing Guido C.

Messias und seine Profeten, Der neue. Dittmarsch Karl.

Methodik des elementaren Gesangunterrichtes. Musikpädagogisches
Werk. Weinwurm Rudolf.

Metropole, Hotel. Tischler L.

Metropoliten, Residenz des Griechisch-orientalischen. Hlávka Josef.
Meyerbeer. Porträitbüste. Silbernagel Johann.
Mexico, oder Republik und Kaiserreich. Roman. Schneeberger Franz J.
Michael Obrenowitsch. Trauerspiel. Jaritz Karl E.
Michel Angelo. Colossalstatue. Wagner A. P.
— Der deutsche. Schauspiel. Nötel Louis.
Michel's Versucher. Satirische Zeitkomödie. Thaler, Karl von.
Mickiewicz's Herr Thaddäus. Uebersetzung. Lipiner Siegfried.
Mignon und der Harfner. Bild. Tscherne G.
Milian. Harbt-Stummer, Amalie von.
Militär-Conversations-Lexikon, Oesterr. Meynert Hermann.
— -Curhaus in Marienbad. Wurm Alois.
Militärischen Jugendleben, Aus dem. Teuber Oscar Karl.
Militärische Spaziergänge. Winter Karl.
Millig'schichten. Theaterstück. Haffner Adalbert.
Million, Eine. Posse. Dorn Eduard.
Millionenbraut. Schwarz, E. von.
Minister in der Kutte, Ein. Novelle. Bermann Moriz.
— Kalnoky. Porträit. Stauffer Victor.
Ministerium des Auswärtigen und des kaiserl. Hauses. Gebäude.
  Zettl, Ludwig von.
— des Inneren. Restaurirung. Eckhardt Gustav Adolf.
Ministers Sündenbuch, Des. Hemjen Theodor.
Minna von Barnhelm und Tellheim. Zwickelfiguren. Weyr Rudolf.
Minnehof. Roman. Foglar Ludwig St.
Minnesänger, Deutsche. Stichwerk. Lüttich, Eduard von Lüttichheim.
Minne Sinnen. Gedichte. Lippert, Josefine von.
Mirabeau's erste Liebe. Schwarz, E. von.
Mirolan. Operettenlibretto. Heine-Geldern, Max von.
Mirza Schaffy, Die Lieder des. Roth Louis.
Mission des Herrn Lazar, Die. Schauspiel. Nötel Louis.
Miß Susanne. Uebersetzung. Förster August.
Mit dem Bleistift. Groß Ferdinand.
— der Feder. Lustspiel. Schlesinger Siegmund.
— der Tonsur. Novellen. Mataja Emilie.
— dunklem Hintergrunde. Roman. Wagner, Camillo von.
— flüchtiger Feder. Prosaschrift. Czedik Emil.
Miterlebtes. Ebner-Eschenbach, Marie von.
Mittel, Ihr. Lustspiel. Reitler Marcellin Adalb.
Mittelalterliche Monumentalbauten Oesterreichs. Architekt. Buchwerk.
  Lippert, Josef von Granberg.
Mittelalterliches Mysteriumspiel. Deckenbild. Matsch Fr.
Mnemosyne. Figur. Schmidgruber Anton.
Modelle, Literarische. Groß Ferdinand.
— und Wassercuren. Gründorf Karl.
Moderne Ehe, Eine. Suttner, Gundacker von.
— Faustrecht, Das. Broschüre. Carneri Bartholomäus.
— Gesellschaft, Die. Episches Gedicht. Mertens, Ludwig von.
— Glücksritter. Schwarz, E. von.
— Grasel. Bühnenstück. Lichtblau Adolf.

Moderne Grasel. Bühnenstück. Dorn Eduard.
— Jugend. Schauspiel. Bauernfeld, Eduard von.
— Kunstliebhaberei. Broschüre. Jlg Albert.
— Märchen. Schlosser, Julius von.
— Oper, Die. Kritiken und Studien. Hanslick Eduard.
— Theater=Scene. Bild Karger Karl.
— Vornehmheit. Broschüre. Jlg Albert.
— Weiber. Possenmusik. Gothov=Grünecke Ludwig.
Moderner Hausherr. Nesbeda Josef.
— Herenmeister, Ein. Bühnenwerk. Mai Fritz.
Modernes Geheimniß, Ein. Lustspiel. Wasserburger Lina.
Mohikaner, Die letzten. Operette. Genée Richard.
Molcho Salomo. Zemlinsky, Adolf von.
Molière. Büste. Tilgner Victor.
— Statue. Wagner A. P.
Momente, Musikalische. Wittmann Hugo.
Monarchie in Wort und Bild, Oesterreichisch= ungarische. Kronprinz
    Rudolf.
Moniteur musical. Kastner Emmerich.
Monographie über Laxenburg. Radierung. Koželuch Eduard.
— über Schönbrunn. Radierung. Koželuch Eduard.
Monsieur et Madame Cardinal. Uebersetzung aus dem Französischen.
    Müller Richard H.
Monte Carlo. Roman. Ziegler Ernst.
Monument. Siehe Denkmal.
Monumentalbauten Oesterreichs, Mittelalterliche. Arch. Buchwerk.
    Lippert, Josef von Grauberg.
— Wiener. Architektonisches Sammelwerk. Lützow, K. von, Tischler L.
Moordorf. Bild. Schönn Alois Hanns.
Moral. Allegorische Figur. Düll Alois Franz Xaver.
Mord in der Judenstadt Der. Wiesinger Albert.
Morgenblätter. Walzer. Strauß Johann.
Morgenstimmung am Altan=See. Bild. Schaeffer August.
Morgenwolken. Gedichtsammlung. Povinelli A. H.
Moriz und Mitzi. Bühnenwerk. Pöhnl Hanns.
Morondanya. Novellen. Dittmarsch Karl.
Mormonen, Die. Operette. Brandl Johann.
Mormonin, Die Lieder der. Grünwald Zerkowitz Sidonie.
Morzin, Graf. Portrait. Griepenkerl Christian.
Moses. Statue. Düll Alois Franz Xaver.
— I. 2, 18. Lustspiel. Nötel Louis.
— Mendelssohn. Schauspiel. Stieglitz Nikolaus.
Motiv aus dem alten Prater. Bild. Schaeffer August.
— aus Eisenerz. Bild. Ruß Robert.
— von der Küste von Istrien. Bild. Lichtenfels, Eduard von.
Mozart. Reliefbild. König Otto.
— zur Säcularfeier seiner Geburt. Stich. Schmidt Leopold.
Muckerl, der Taubennarr. Dorfgeschichte. Rank Josef.
Mückerl Jeremias. Humoristisches Epos. Naaff Anton J.
Mühle im Walde. Bild. Ruß Robert.

Neues von der Venus. Novelletten. Herzl Theodor.
Neujahrsblätter, Badener. Rollet Hermann.
Neunzehnten Jahrhundert, Im. Preisluſtſpiel. Triesch F. G.
Newton. Statue. Tilgner Victor.
Nibelungen. Muſikwerk. Bach Otto.
— Ring des. Skizzen für Decorationen und Coſtüme. Hoffmann Josef.
Nicht ſchön. Luſtſpiel. Schlesinger Siegmund.
— um eine Krone. Dichtung. Altſchul Jacob.
Nichtig und flüchtig. Groß Ferdinand.
Nichts Neues unter der Sonne. Luſtſpiel. Oldenburg, Elimar von.
Niclas Salm. Statue. Erler Franz
Niederöſterreich. Allegoriſche Figur. Probſt Josef.
Nihilist, Ein. Bühnenwerk. Gründorf Karl.
Nihilisten, Die. Poſſe. Plowitz Erwin.
Niniche. Bühnenwerk. Walzel Camillo.
Ninicherl. Parodie. Zappert Bruno.
Ninon. Operettentext. Lindau Karl.
Niſida. Operette. Genée Richard.
Nitetis. Dramatiſches Gedicht. Stieglitz Nikolaus.
Nix für unguat. Schnadahüpfeln. Grasberger Hanns.
Nixe, Die. Luſtſpiel. Triesch Friedrich Guſtav.
Noah. Oratorium. Preyer Gottfried.
— Statue. Tüll Alois Franz Xaver.
Noblesse oblige. Bühnenwerk. Gründorf Karl.
Nonnentempel von Chlichenitza. Bild. Ruß Robert.
Nordböhmiſche Volkssagen. Schulbes Julius.
Norden, Auf nach. Poetiſches Werk. Buschmann Gotthard.
Nordiſches Hünengrab. Bild. Lichtenfels, Eduard Peithner von.
Nordlicht von Kaſau, Das. Oper. Pfeffer Karl.
Nordlichter. Meynert Hermann.
Nordmann Johannes. Portraitbüſte. Schörk Hanns.
Noth bricht Eisen. Luſtſpiel. Plowitz Erwin.
Nothhelfer, Die vierzehn. Singſpiel. Perger, Richard von.
Nôtre Dame des flots. Novelle. Edler Karl.
Novellen aus Oeſterreich. Saar, Ferdinand von.
— des Allarcon. Aus dem Spaniſchen überſetzt Lanier Lili.
— Wiener. Blechner Heinrich.
Novellenkranz. Bauernfeld, Eduard von.
's Mullerl. Gedicht. Hörmann Leopold.
Numa Pompilius. Statue. Lax Josef.
Nur für Natur. Gesangswalzer. Strauß Johann. Text: Wagner Franz.
— nicht öſterreichiſch. Broschüre. Jlg Albert.
Nymphe, dem Echo lauschend. Gipsgruppe. Swoboda Emerich.
Nymphidia. Nachdichtung aus dem Engliſchen. Wickenburg-Almáſy,
    Gräfin.
Oben und unten. Roman. Hnybensz M.
Oberammergauer Paſſionsbriefe. Groß Ferdinand.
— Paſſionsſpiel. Bild. Karger Karl.
Oberöſterreich. Allegoriſche Figur. Probſt J.
Oberöſterreichiſche Jugendfreund, Der. Proschko Franz Iſidor.

20*

Orestes am Altare der Athene zusammensinkend, von einer Furie
geplagt. Gipsgruppe. Hofmann, Edmund von Aspernburg.
Orientalische Trachten und Sitten. Dewald, Friedrich Vincenz von.
Orientalischen Krieges 1876-1878, Illustrirte Geschichte des.
   Bermann Moriz.
Orientkrieg, Der letzte. Winter Karl.
Orientreise, Eine. Kronprinz Rudolf.
Orpheus. Plast. Figur. Wagner A. P.
— Plast. Figur. Lax Josef.
Ortes Jakobo. Tragödie. Ehrlich Josef N.
Ostaralied. Kralik, Richard von.
Osten. Zeitschrift. Bresnitz Heinrich.
Osterinsel, Stat von der. Bild. Fischer Ludwig Hanns.
Ostindisches Charakterbild. Bild. Hoffmann Josef.
Ostrar-Lande, Aus dem. Novellen. List Guido.
O Susi. Posse. Doppler Josef.
Othello, Decorationen zu. Brioschi Anton.
Otto, der Schütz. Oper. Musik: Beer Max Josef. Text: Peitl Paul.
Paganini, Der weise. Lustspiel. Weiß Otto.
Page Fritz. Operette. Straßer Alfred und Weinzierl, Max von. Text:
   Landesberg Alexander.
Pagenstreiche. Operette. Musik: Weinberger Karl Rudolf. Text: Witt-
   mann Hugo.
Palais Douglas. Richter L.
— der Equitable. Streit A.
— Erlanger. Schachner J.
— Haas. Schachner J.
— Königswarter. Worel K.
— Larisch. Worel K.
— Leitenberger. Zettl L.
— Linzer. Schlierholz G.
— Miller von Aichholz. Streit A.
— Nako. Schachner J.
— Nassau. Wurm A.
— Prantner. Schachner J.
— Schey. Worel K.
— Stockau. Siedek Victor.
— Brints. Richter L.
— Wehli. Zettl L.
— Wodianer in Budapest. Wielemans A.
Palfy, Graf. Marmorstatue. Preleuthner Johann.
Pallas Athene. Plast. Colossalfigur. Benk Johannes.
Panzerschiff, Das. Schwank. Nötel Louis.
Paoli Betti. Portrait. Müller Marie.
Papas Frau. Bühnenwerk. Walzel Camillo.
Papierthurm der Schlögelmühle in der Rotunde. Roth F.
Pappenheimer, Der letzte. Festspiel. Ganghofer Ludwig.
Papst Pius IX. Biographie. Deckert Josef.
Papuakönig, Der. Operette. Raimann Rudolf.

Parabeln des Morgen= und Abendlandes, Die schönsten. Mehl Her=
mann.
§ 92. Lustspiel. Schütz Friedrich.
Paris, Das lachende. Humoristisches. Osten Heinrich.
Pariser Commune, Unter der. Lauser Wilhelm.
Parlamentsgebäude. Hansen Theophil Freiherr von.
Parlamentarisches Jahrbuch. Kohn Gustav.
Parnaß, Wiener. Zeitschrift. Helfert.
Parsival, Wagner's. Kalbeck Max.
— =Cyclus. Wörndle A. A.
Parthenia und Ingomar. Zwickelfiguren. Weyr Rudolf.
Partei, Eine ruhige. Bühnenwerk. Wimmer Josef.
Parteien, Die beiden. Schauspiel. Dorn Eduard.
Partie am Canal grande in Venedig. Bild. Alt Franz.
— Eine gute. Posse. Wagner Franz.
Pascha von Pobiebrad, Der. Posse. Horst Julius.
Passifloren des Jahres 1848. Weyl Josef.
Passionen. Schwank. Heidrich Franz.
Passionirter Raucher, Ein. Lustspiel. Oldenburg, Elimar von.
Passionsspiel, Oberammergauer. Bild. Karger Karl.
Pasterze und Franz Josefshöhe. Bild. Lichtenfels, Peithner Eduard von.
Pastor Freimann. Roman. Grotthuß, Elisabeth von.
Pastoral. Plastisch=allegorische Figur. Düll Alois Franz Xaver.
Pathologische Anstalt des Allgemeinen Krankenhauses. Zettl L.
Patient, Der gefährliche. Schwank. Bukorester Adolf.
Patriotische Anklänge. Gedichte. Bürger Michael.
Paul de Kock. Lustspiel. Karlweis C.
Paulus. Statue. Preleuthner Johann.
— Aeginetes. Statue. Probst J.
Pavillon der Jubiläums-Gewerbeausstellung, Restaurations=. Weber A.
Pechvögel, Die. Posse. Text: Horst Julius. Musik: Mestrozi Paul.
Peire de Cinqfors. Novelle. Edler Karl.
Pejacsevics auf der Parforcejagd, Graf. Bild. Ajdutiewicz Thaddäus.
Penthesilea. Concertouverture. Goldmark Karl.
Perečnik im Urathale. Bild. Lichtenfels, Peithner Eduard von.
Perez. Tragödie. Kulke Eduard.
Perikles. Drama. Oberleitner Karl.
Perseus von Macedonien. Trauerspiel. Nissel Franz.
Personenporto und Verstaatlichung. Ortony Alexander.
Persönlichen Verkehr mit Franz Grillparzer, Aus dem. Littrow=
Bischoff Auguste.
Pessimist, Der. Nationaloperette. Promberger Johann.
Peter Bloch. Kinderkomödie. Wiesberg Wilhelm.
Peter Zapfl. Posse. Lindau Karl.
Petersfriedhof in Salzburg. Bild. Alt Rudolf.
Petrus. Statue. Preleuthner Johann.
Pfaff vom Kahlenberg, Der. Roman. Flamm Theodor.
Pfahlbauten von Neu-Guinea. Bild. Tarnaut Hugo.
Pfarrer von Kirchfeld, Der. Volksstück. Anzengruber Ludwig.
Pfarrkirche zu Friedeck. Ausbau. Schaden K.

Pfarrkirche zu Fünfhaus. Schmidt, Friedrich Freiherr von.
— zu Meran. Innen=Decorationen. Weber Anton.
Pfeiferkönig, Der. Oper. Beer M. J.
Pferdemarkt, Ungarischer. Bild. Verres, Josef von Perez.
Pfingsten in Florenz. Operette. Czibulka Alfons.
— in Wien. Posse. Horst Julius.
— oder Herr Göd und Jungfer Gobl. Bühnenwerk. Gottsleben Ludwig.
Pflug und Schwert. Sonette. Carneri Bartholomäus.
Pforte der Unsterblichkeit, An der. Dramatisches Gedicht. Weilen,
    Josef von.
Phädra. Nischengruppe. Tilgner Victor.
Phantasien und Lieder. Weilen, Josef von
Phidias. Statue. Tilgner Victor.
Philippine Welser und Ferdinand I. Bild Müller Leopold Karl.
Philologie. Plastische Figur. Hofmann, Ed. von Aspernburg.
Philosophie. Figurengruppe. Hellmer Edmund.
Philosophinnen, Griechische. Poestion J. C.
Philosophische Dialoge und Fragmente. Uebersetzung. Zdekauer
    Conrad.
Phryne. Operntext. Léon Victor. Musik: Triebel.
Physik. Plastische Figur. Hofmann, Ed. von Aspernburg.
Physiognomien, Literarische. Goldbaum Wilhelm.
Pietà. Stich. Michalek L.
— Gipsgruppe. Pendl Emanuel.
Pikante Enthüllungen. Schauspiel. Reitler Marcellin Adalbert.
Piraten, Die. Operette. Genée Richard.
Pischinger's, Fabriksgebäude. Jelinek Wilhelm
Pitaval, Neuer. Mayer Gotthelf Karl.
Plakat der Jubiläums=Gewerbe=Ausstellung. Zeichnung. Petrovits.
Plantagenet Johanna. Drama. Oberleitner Karl.
Plastik. Steingruppe. Benk Johannes.
Platon. Statue. Lax Josef.
Plaudereien, Florentiner. Lauser Wilhelm.
— Illustrirte. Schlesinger Ferdinand.
Plodersam, geistli'n G'schichten. Mundartliche Dichtungen. Gras=
    berger Hanns.
Plöckenstein=See. Bild. Obermüllner.
Poesiegestalten. Cappilleri Hermine.
Poetisches Tagebuch. Bauernfeld, Eduard von.
Politische Liebeslieder. Cerri Cajetan.
Polizeigebäude. Fränkel Wilhelm.
Polizeiweib, Ein. Roman. Buchbinder Bernhard.
Pompilius N. Statue. Lax Josef.
Portrait. Bild. Griepenkerl Christian.
— Bild. Rumpler J.
— Prinzessin Cantacuzene. Pastellbild. Fröschl Karl.
Poseidon. Figur. Silbernagl Johann.
Postillon d'amour. Lustspiel. Léon Victor.
Postillon, Der. Roman. Fockt K. Th.
Pozia, Schloß in Kärnten. Bild. Alt Rudolf.

Prager Elegien. Herzl S.
— Moldaubrücke, Die. Bild. Alt Rudolf.
— Theaters, Geschichte des. Teuber Oscar Karl.
Pranter. Palais. Schachner J.
Prätendent, Der. Drama. Aus dem Ungarischen bearbeitet. Schnitzer Ignaz.
Prater, Der. Wimmer Josef.
— Motiv aus dem. Bild. Schaeffer August.
Prato, S. b. Statue. Wagner A. P.
Prebischthor. Bild. Lichtenfels, Pithner Ed. von.
Preislustspiel, Das. Lustspiel. Maurner Eduard.
Presse. Administrations= und Redactions=Gebäude der. Breßler Emil.
Priestergebäude in Czernowitz, Griechisch-orientalisches. Hláska Josef.
Primator, Der. Frankl, Ludwig August von.
Prinz Cron zu Pferd. Bild. Ajdukiewicz Thabbäus.
— Eugen. Statue. Kundmann Karl.
— Eugen und der Geisterseher. Roman. Bermann Moriz.
— Eugen von Savoyen. Lebensbild. Huyhbentz Max.
— Der kleine. Operette. Musik: Müller Adolf. Text: Wittman Hugo.
— Klotz. Novelle. Groller Balduin.
— und Maurer. Operette. Musik: Oehlschlegel Alfred. Text: Giugno Karl.
— Methusalem. Operette. Strauß Johann.
Prinzessin von Ahlden, Die. Roman. Hemsen Th.
— von Ahlden, Die. Drama. Bauernfeld, Eduard von.
— von Banalien, Die. Dramatisches Märchen. Ebner-Eschenbach, Marie v.
— Cantacuzene. Portrait. Fröschl Karl.
Prinzgemal, Der. Operette. Musik: Engländer L. Text: Bohrmann Heinrich.
Probe, Die. Volksstück. Pollak Ignaz.
Proceß. Plast.=alleg. Figur. Beyer Josef.
Proceßhansl, Der. Volksschauspiel. Ganghofer Ludwig.
Profane Bilder auf geweihter Leinwand. Königstein Josef.
Professor Bambach's Ehrentag. Lustspiel. Reitler Marcellin Adalbert.
Prophet, Der letzte. Bühnenwerk. Dóczi, Ludwig von.
Prolegomena zu Plautus=Trinummus. Petterich Karl Hugo.
Prolog für das neue Burgtheater. Weilen, Josef von.
Prometheus. Figur. Silbernagl Johann.
— Der entfesselte. Dichtung. Lipiner Siegfried.
— Götter=Bildnis, Des. Dram. Gedicht aus dem Spanischen übersetzt. Pasch Conrad.
Protestantische Kirche in der Dorotheergasse. Umbau. Sowinski Ignaz.
Propheten, Die vier. Statuen. Schmidgruber Anton.
Prosit Neujahr. Komischer Kalender. Weyl Josef.
Protectionskind, Ein. Drama. Pfeiffer, Karl von.
Psyche und Amor. Figurengruppe. König Otto.
Pugazew. Roman. Proschko Franz Isidor.
Puppenfee, Die. Ballett. Haßreiter und Gaul. Musik: Bayer Josef.
Puppenspiele. Deutsche. Kralik, Richard von.
— Deutsche. Winter Josef.

Puppentheater im Kloster. Bild. Blaas Julius.
Pusztalande, Im. Novelle. Klein Hugo.
Quellen des Decameron, Die. Landau Marcus.
Querfeldein. Walter Julius.
Qu. Roscius. Statue. Costenoble Karl.
Rache A. Dimitrowna's, Die. Roman. Grotthuß, Elisabeth von.
Rache der Verschmähten, Die. Roman. Mosbrugger Franz.
Rachel-Felix. Statue. Kauffungen Richard.
Rächer, Der. Lustspiel. Karlweis C.
Rab, Das fünfte. Bühnenstück. Zappert Bruno.
Radegundis. Tramat. Gedicht. Wickenburg Almásy, Gräfin.
Rafael. Statue. Wagner A. P.
Rahl. Portrait. Mayer-George A.
— Erinnerungen an Karl. Literatische Skizzen. Mayer-George A.
Rainerhof in Klagenfurt. Schachner F.
Rakoczy Franz. Trau a. Hülserth Heribert.
Rathhaus, Eisgruber. Wächtler A.
— Fünfhauser. Matthies G.
— Grazer. Reuter Th. und Wielemans A.
— Meidlinger. Sehnal Eugen.
— Reichenberger. Renmann, Franz Ritter von.
-- Sechshauser. Sehnal Eugen.
— Wiener. Schmidt, Friedrich Freiherr von.
-- Wiener. Stich. Bültemeyer Heinrich.
Rattenfänger von Hameln Der. Bühnenmusik. Hellmesberger Josef jun.
Rattenfängerlieder. Weinzierl, Max von.
Raubbau. Broschüre. Schwarzkopf Gustav.
Raubvögel von Wien, Die. Roman. Haffner Adalbert.
Rauch C. Statue. Tilgner Victor.
Raucher, Ein passionirter. Oldenburg, Elimar von.
Rauscher, Cardinal. Statue. Erler Franz.
Rauschgold Lustspiel. Aus dem Ungarischen bearbeitet. Schnitzer Ignaz.
Rautenblätter. Meynert Hermann.
Rax. Auf der. Posse. Herdlicka.
R. Brabage. Statue. Costenoble Karl.
Realschule in Krems. Kaiser Eduard.
Recht ein angenehmer Herr. Bühnenwerk. Mai Fritz.
Recrut und Dichter. Lustspiel. Hollpein Heinrich.
Recruten, Die weiblichen. Posse. Cappilleri Wilhelm.
Redoute in Oedenburg. Gebäude. Wächtler L.
— Von der. Lustspiel. Schütz Friedrich.
Redouten-Gebäude zu Innsbruck. Umbau. Wielemans, A. v.
Reformen des XVIII. Jahrhunderts, Literarische. Pawel Jaro.
Regimentstambour, Der. Operette Millöcker Karl.
Reichenauer Kaltwasseranstalt. Hefft Anton.
— Thal, Das. Bild. Geyer Georg.
Reichsrathsgebäude. Hansen, Theophil Freiherr von.
Reif, Der goldene. Drama. Conimor.
Reime und Rhythmen. Bauernfeld, Eduard von.
Reimfibel und Kinderlieder. Mohl Hermann.

Reine Hände. Lustspiel. Oeribauer Mathias.
Reise durch den neuen Orient. Löwy Julius.
— in den Mond. Bühnenwerk. Walzel Camillo.
— nach Sumatra, Die. Lustspiel. Weiß Otto.
Reisegesellschaft, Unliebsame. Bild. Müller Leopold Karl.
Reisemomente. Skizzen. Jaeger Jacques.
Reiterfigur Kaiser Franz Josef I. Reliefsculptur. Zumbusch, K. K. v.
Reiterstatuetten, Typen der österreichischen Armee. Rathausky.
Reitschule im IX. Bezirk, Central=. Schlierholz Gustav.
Rekaloch, Großes. Bild. Lichtenfels, Eb. Peithner Ritter von.
Reliquien eines Honved. Foglar Ludwig St.
Renaissance=Möbel. Architektonisches Buch=Werk. Hofmann Wilhelm.
Renatus. Dichtung. Lipiner Siegfried.
Rendezvous. Das. Bild. Pettenkofen.
— in Monaco, Das. Lustspiel. Klein Hugo.
Republik der Thiere, Die. Drama. Bauernfeld, Eduard von.
Republikanisches Liederbuch. Rollet Hermann.
Republiken, Die centralamerikanischen. Winter Karl.
Requiem, Ein deutsches. Chorwerk. Brahms Johannes.
Reservist, Der. Bühnenwerk. Costa Karl.
Residenz des griechisch = orientalischen Metropoliten in Czernowitz.
    Hávka Josef.
Residenzgeschichten. Roman. Pollak Heinrich.
Restaurations=Pavillon in der Jubiläums = Gewerbe = Ausstellung.
    Weber A.
Reste des Heiligthumes der Venus. Bild. Hoffmann Josef.
Rheinpfalz, Aus der. Bild. Hlaváček Anton.
Rheintöchter, Die. Schwank. Léon Victor und Waldberg, Heinrich von.
Richard Solingen. Schauspiel. Reitler Marcellin Abalbert.
— Wagner's Nibelungen. Kalbeck Max.
— Wagner und die deutsche Kunst. Schrift. Sitte Camillo.
— Wagner=Kalender. Kastner Emmerich.
— Wagner-Katalog, Erster chronologischer. Kastner Emmerich.
— Wagner und das deutsche Volk. Ortony Alexander.
Richter Hanns im Cottage=Vertel, Villa. Siedek Victor.
Riesen=Cactus. Bild. Otto H.
Riesendamm von Irland. Bild. Schaeffer August.
Riesenvögel von Neuseeland. Bild. Otto H.
Rigistan=Moschee. Bild. Schönn Alois.
Rikiki. Operette. Hellmesberger J. jun.
Rime di Michel Angelo Buonarroti, Le. In Nachdichtungen. Gras=
    berger Hanns.
Ring des Nibelungen. Skizzen für Decorationen und Costüme. Hoff=
    mann Josef.
Ringtheater in Wien. Förster, Emil von.
— Denkmal für die in demselben Verunglückten. Weyr Rudolf.
Ristori. Statue. Kauffungen Richard
Ritt durch Wien, Ein. Conimor.
Ritter Toggenburg. Bühnenwerk. Vögele Franz.
— von starkem Geiste. Roman. Pollak Heinrich.

Ritterorden. Lieferungswerk. Eckstein Adolf.
Rococo. Gedichte. Ganghofer Ludwig.
Robitschek & Co., Waarenhaus von. Richter L.
Robemann, Familie. Lustspiel. Reitler Marcellin Adalbert.
Roggenberg, Freiherr von. Statue. Zakoul Rudolf.
Rohitscher Brunnen=Cur. Gedichte. Pachler Faust.
Roland's Knappen. Kinderkomödie. Wiesberg Wilhelm.
Rolla. Uebersetzung. Ganghofer Ludwig.
Rom, Wien und Neapel während des spanischen Erbfolgekrieges. Landau
      Marcus.
Roman. Gedichte. Kralik, Richard von.
— bei dem man sich langweilt, Der. Broschüre.   Schwarzkopf Gustw.
— eines Gefolterten, Der. Vincenti, Karl F. von.
— eines Vagabunden. Lustspiel. Radler, Friedrich von.
Romancero. Epische Gedichte. Paoli Betti.
Romanischer Thurm im Dorfe Tirol. Ansbau. Weber A.
Romantiker auf dem Throne. Schwarz, E. von.
Romantische Kunst. Standbild. Hofmann, Edmund von Aspernburg.
Romeo und Julie, Decorationen zu. Hoffmann Josef.
— Decorationen zu. Brioschi Anton.
Römerbogen bei Petronell. Bild. Alt Rudolf.
Römische Winzer. Bild. Schörn Alois.
Römischen Gesellschaft, Bilder aus der. Frischauer Emil.
Römisches Bad. Claus K. und Groß J.
Ronacher, Etablissement. Fellner & Helmer.
Rosamunde. Tragödie. Wartenegg, Wilhelm von.
— Dramatische Dichtung. Weilen, Josef von.
Rosaura und Sigismund. Zwickelfiguren. Weyr Rudolf
Rose vom Königssee, Die. Sokol Josef.
— Die. Schauspiel. Herzog Jakob.
Rosegg, Tumuli von. Bild. Seelos Gottfried.
Rosel. Operettentext. Band Moriz.
Rosenhof. Erzählung. Schleicher Wilhelm.
Rosenzauberin, Die. Erzählende Gedichte. Silberstein August.
Rosina. Operette. Genée Richard.
Rosine und Harpazon. Zwickelfiguren. Weyr Rudolf.
Roßau. Statue. Gloß Ludwig
Rothberger, Waarenhaus. Fellner & Helmer.
Rothe Kreuzkin, Das. Novelle. Edler Karl
— Nelken. Polka. Metternich, Fürst von.
Rothschild=Spital in Smyrna. Stiaßny Wilhelm.
Rotomahama. Bild. Schaeffer August.
Rotunde. Hasenauer, Karl Freiherr von.
Rózsafakor. Erzählungen. Darvas Aládár.
Rubens. Statue. Tilgner Victor.
— Statue. Wagner A. O.
— Der neue. Roman. Fuchs Isidor.
Rüdiger von Starhemberg. Statue. Erler Franz.
Rudolf, Kronprinz von Oesterreich, Erzherzog. Jugendschrift. Näckler,
      Alois von.

Rudolf auf dem Todtenbette, Kronprinz. Bild. Angeli, Heinrich von.
-- Kronprinz. Todtenmaske. Ajdukiewicz Thaddäus.
— Kronprinz. Portrait. Klaus Johann.
-- der Stifter. Colossalfigur. Schwerzek Karl.
— der Stifter. Statue. Wagner A. P.
— der Stifter. Statue. Gasser, Josef R. von Valhorn.
— II. Bild. Eichler Hermann.
— von Habsburg. Reliefsculptur. Kundmann Karl.
— Kaiser. Statue. Kundmann Karl.
Rudolf's letzter Ritt, Kaiser. Bild. Lüttich von Lüttichheim.
Rudolfiner=Haus in Döbling. Gruber, Franz von.
Rudolfskirche zu Ottakring. Wielemans. A. von.
Rudolfsstiftung. K. k. Krankenhaus. Horky Josef.
Ruhige Partei, Eine. Bühnenwerk. Wimmer Josef.
Ruine von Böröboedoer. Bild. Fischer Ludwig Hanns.
— Hartenstein. Bild. Ruß Robert.
Ruinen von Pachacamac. Bild. Ruß Robert.
Rumänien. Bergner Rudolf.
Rund um den Stefansthurm. Pötzl Eduard.
Rundeisengitter der Renaissance, Ueber die. Buch. Sitte Camillo.
Runenstein Am. Oper. Genée Richard.
Runnenthal, Die Familie. Roman. Grotthuß, Elisabeth von.
Runkelstein, Fresken=Cyclus auf Schloß. Seelos Gottfried.
Russische Mysterien. Barber Jda.
Sabina. Oper. Kühle Gustav.
Säcularfeier der Geburt Mozart's, Zur. Stich. Schmidt L.
Sage von Hrasu'ell Freysgod, Die. Lenk Heinrich.
Sagen aus dem Morgenlande. Frankl, Ludwig August von.
— und Geschichten von der Mosel. Dittmarsch Karl.
— und Märchen der Südslaven. Kraus Friedrich S.
Sänger von Palermo. Operette. Musik: Zamara Alfred. Text:
Buchbinder Bernhard.
Sängerlust. Polka. Strauß Johann.
Sakuntala. Ballettmusik. Bachrich S.
— Ouverture. Goldmark Karl.
Salm Nclas. Statue. Erler Franz.
Salomo Molcho. Zemlinsky Adolf von.
Salon, Der literarische. Lustspiel. Bauernfeld, Eduard von.
Salonbilder aus der vornehmen Welt. Steinebach Friedrich.
Salonzigeuner, Der. Posse. Wald Alexander.
Salzbergwerk von Wieliczka. Bild. Charlemont H.
Salzburg, Ansicht vom Mönchsberg. Bild. Alt R.
Salzburger Petersfriedhof Bild. Alt R.
Samaritanerin. Bild. Mayer L.
Sammlung der bedeutendsten Reden des österreichischen Parlamentes.
Breitenstein Max.
S. Augustini libri duo. Egger Berthold Anton.
Sanct Gilgner=See, Der. Bild. Schaeffer A.
-- Gilgner=See, von Lueg aus gesehen, Der. Bild. Schaeffer A.
— Josefskirche in Mödling. Sehnal Eugen.

Sanct Peter-Weiher in Salzburg. Bild. Schoeffer A.
Sanders Ernestine. Schauspiel. Nötel Louis.
Sanduhr, Die. Schauspiel. Mautner Eduard.
Sandwich-Insulaner. Bild. Fischer L. H.
Sandwirth Hofer. Epische Dichtung. Wagner, Camillo von.
Sanetty Karoline und Peter. Portraits. Rumpler J.
Santa Lucia, Gräberfeld bei. Bild. Hlaváček.
Sarah, Die schöne. Gesangsposse. Täncer Matthias.
Sarbanapal. Oper. Bach Otto.
Satan. Lustspiel. Spitzer Rudolf.
Saul. Tragödie. Grazie, Marie Eugenie delle.
Sauter Ferdinand. Schlögl Friedrich.
Savoyarde, Der. Léon Victor.
Scene aus der Schlacht bei Kolin. Bild. L'Allemand.
— aus Molière's „Der eingebildete Kranke". Deckenbild. Klimt E.
Schach dem König. Lustspiel. Uebersetzung. Dóczi, Ludwig von.
Schachmatt. Lustspiel. Koritz K. L.
Schack's Wo'nhaus, Freiherr von. Hügel H.
Schafe. Bild. Schröbl .
Schandfleck, Der. Dorfroman. Anzengruber Ludwig.
Schatten. Christen Ada.
— der Vergangenheit, Die. Roman. Steininger Emil Maria.
Schattenspiele. Roman. Wagner, Camillo von.
Schatz, Der zweite. Schauspiel. Ganghofer Ludwig.
Schatz des Rampsinit, Der. Oper. Kauders Al'ert.
Schatzkammer, Kunstwerke der k. k. Radierungen. Koželuch E.
Schauspiele, Verworfene. Foglar Ludwig St.
Schauspielerei. Bühnenwerk. Müller-Guttenbrunn Adam.
Schelm von Bergen. Operette. Musik: Dehlschlegel Alfred. Text:
    Lindau Karl.
Scherzraketen. Humoristische Vorlesungen. Merta von Mährentreu,
    Adalbert.
Schey. Palais. Worel K.
Schicksale. Saar, Ferdinand von.
Schiller. Büste. Tilgner Victor.
— -Legenden. Foglar Ludwig St.
— -Zeit, Bilder aus der. Speidel Ludwig. Wittmann Hugo
Schlacht bei Aspern, Die. Gedichte. Vogel Hilarius.
— bei Custozza. Bild. L'Allemand.
— bei Custozza, Die. Gedichte. Vogel Hilarius.
— bei Kolin. Stich. Klaus J.
— bei Kolin, Scene aus der. Bild. L'Allemand.
Schlafrock, Der türkische. Erzählung. Young G. stav.
Schlankeln, Die beiden. Posse. Riedl Willibald.
Schlechter Mensch, Ein. Roman. Suttner, Bertha von
Schlern mit den Erdpyramiden, Der. Bild. Lichtenfels, Eduard
    Peithner von.
Schloß Grünwald. Filtsch Charlotte.
— Heidelberg. Bild. Ruß R.
— in Lainz, K. k. Hasenauer, K. Freih. v.

Schulgebäude in Fünfhaus. Matthies G.
— in Heiligenstadt. Matthies G.
— in Preßbaum. Matthies G.
Schulmeister von Haselwang, Der. Dorfgeschichte. Ott Adalbert.
Schuß in's Schwarze, Ein. Lustspiel. Nötel Louis.
Schutt und Epheu. Bürger Michael.
Schutzengel=Brunnen vor der Paulaner Kirche, Der. Preleuthner.
Schützenkönig Heimkehr, Des. Figuren=Gruppe. Sterrer K
Schwaben, Die sieben. Operette. Musik: Millöcker Karl. Text: Bauer
    Julius, Wittmann Hugo.
Schwalben. Novellen=Sammlung. Groß Karl.
Schwarze Bibliothek. Criminalnovellen. Pfundheller Josef.
— Cabinet, Das. Roman. Bermann Moriz.
— Junker, Der. Historische Erzählung, Wodiczka Victor.
— Kiste, Die. Posse. Schier Benjamin.
- Mann, Der. Proschko Franz Isidor.
Schwarzenberg'sche Häusergruppe. Wurm A.
Schwarzer Erde, Von. Deutsche Volksgeschichte. Naaff Anton J.
Schwedenkönigin, Eine. Historischer Roman. Najmajer, Marie von.
Schwedisch=norwegische Bauernstand, Der. Fachschrift. Tuvóra Mau=
    rice J.
Schweine=Sextett, Das. Musikalischer Scherz. Wald Alexander.
Schweiz, Die böhmische. Schuldes Julius.
Schwere Zeit — leichte Leut'. Bühnenstück. Krenn Leopold und Wolff
    Karl.
Schwester, Die ältere. Gesangsposse. Siebenlist Josef.
— Eine. Drama. Rollet Hermann.
— Eine unbarmherzige. Bühnenwerk. Mai Fritz.
Schwester Lori. Bühnenstück. Krenn Leopold und Wolff Franz.
— Therese. Theaterstück. Schneeberger Franz J.
Schwestern der Nacht, Die. Roman. Haffner Adalbert.
— von Rudolfstadt, Die. Schauspiel. Schlesinger Sigmund.
Schwiegereltern. Die lieben. Bühnenwerk. Wimmer Josef.
Schwind M. Statue. Tilgner B.
Schwindel. Lebensbild. Pollak Ignaz.
Schwingen, Auf buuten. Christel Franz.
Sclavin des Khalifen, Die. Komödie. Königstein Josef.
Sechs Monate in Bidijo. Schlesinger Ferdinand.
Seecadett, Der. Operette. Musik: Genée Richard. Text: Walzel
    Camillo.
Seehospitz in Rovigno. Stiaßny W.
Seelenfänger, Der. Lustspiel. Bohrmann Heinrich.
— Der. Roman. Rank Josef.
Seerecht. Plastisch=allegorische Figur. Lax J.
Seerosen. Proschko Hermine C.
Sein Fehltritt. Lustspiel. Reitler Marcellin Adalbert.
— Gnadenbild. Nascher Eduard.
— Spezi. Bühnenstück. Zappert Bruno.
Seine Hoheit. Bühnenwerk. Herzl Theodor.
Selbstquäler, Der. Drama. Bauernfeld, Eduard von.

Seminar und Priester=Gebäude in Czernowitz, Griechisch = orientalisches. Hlávka Josef.

Senectus. Schauspiel. Reitler Marcellin Abalbert.

Senior und Junior. Posse. Vorß, August Baron von.

Sens Wilhelm v. Statue. Dorn A.

Serbischen Volks= und Familienleben, Bilder aus dem. Scherer Franz R. E.

Servus, Herr Stutzerl. Posse. Giugno Karl.

Seybelmann. Portraitstatue. Fritsch J.

Shakespeare. Büste. Tilgner V.

Shakespeare's, Der Humor. Ehrlich Josef R.

— „Sturm", Untersuchungen über. Meißner Johannes Fr. Ludwig.

— Vorspiel zu der Widerspänstigen Zähmung. Weilen, Alexander von.

Siamesischen Brüder, Die. Drama. Pfeiffer, Karl von.

Sie. Bühnenstück. Krenn Leopold und Wolff Karl.

— ist es. Roman=Uebersetzung. Krücken, Oscar von.

— sollen ihn nicht haben. Hevesi Ludwig.

Sieben Schwaben, Die. Operette. Musik: Millöcker Karl. Text: Bauer Julius und Wittmann Hugo.

— Todsünden der Wiener. Gründorf Karl. Musik: Kuhn Leopold.

— Todsünden, Die. Oratorium. Goldschmidt, Abalbert von.

Sieg bei Zenta. Bild. Engerth.

— des österreichischen Armee=Corps unter Jos. Coburg über die Türken. Bild. L'Allemand.

Siegesdenkmal in Augsburg. Zumbusch, Kaspar Ritter v.

Siegfried und Chriemhilde. Zwickelfiguren. Wehr R.

Sigismund und Rosaura. Zwickelfiguren. Wehr R.

Signor Formica. Oper. Perger, Richard von.

Silberkönig, Der. Roman. Lindau Karl.

Simon in Hietzing, Villa. Niemann G.

Simplicius. Operette. Musik: Strauß Johann. Text: Léon Victor.

Simson. Königstein Josef.

Singen und Sagen. Grasberger Hanns.

Sinne, Die fünf. Märchen. Maublick Hugo

Skizzen aus dem Gerichtssaale, Wiener. Pötzl Eduard.

Skizzenbuch, Musikalisches. Hanslick Eduard.

Sklavenhändler, Der. Operette. Musik: Soulup Franz. Text: Bohrmann Heinrich.

Slavische Tänze. Ondricek Franz.

Smaragdgruben im Habachthale. Bild. Hasch.

Sofienbrücke. Köstlin A.

Sohn der Schrift. Novelle. Thenen Julie.

— des Staatskanzlers, Der. Politisch=histor. Roman. Blechner Heinrich.

— seiner Zeit, Ein. Schauspiel. Bohrmann Heinrich.

Söhne des Conte, Die. Lustspiel. Liebenwein J. R.

Soldatenfritz. Novelle. Barach Rosa.

Soldatenjux, Ein. Possenmusik. Gothov=Grünecke Ludwig.

Soldatenleben, Aus meinem. Cyclus. Young Gustav.

Soldatentypen aus der österr. Armee. Reiterstatuetten. Rathausky.

Solfatare auf Java. Bild. Schaeffer A.

Strahlen und Schatten. Gedichte. Foglar Ludwig St.
Strandbild von Ialuit. Bild. Fischer L. H.
Strandgut des Herzens. Gedichte. Formey Alfred.
Straßenräuber wider Willen, Der. Bühnenwerk. Mai Fritz.
Straub Josef, der Kronenwirth von Hall. Historisches Drama. Domanig Karl.
Strauß, Ein. Gedichte. Schwarzbauer Hanns.
— Johann. Portrait. Eisenmenger.
Streifzüge auf dem Gebiete des Culturlebens. Cappilleri Hermine.
— im Gebiete der Geschichte und der Sage des Landes Oesterreich ob der Enns. Proschko Franz Isidor.
Strike der Schmiede. Uebersetzung. Mautner Eduard.
Strohfeuer. Lustspiel. Collins Eduard.
Strohhut, Ein Florentiner. Posse. Giugno Karl.
Strom der Zeit, Im. Philipp Peter.
Stube, Aus einsamer. Dichtung. Cerri Cajetan.
Stubenkätzchen, Das. Erzählung. Young Gustav.
Stück Leben, Ein. Gedichte. Foglar Ludwig St.
— Zeitungsgeschichte, Ein. Friedjung Heinrich.
Student, Ein böhmischer. Roman. Proschko Franz Isidor.
Studenten am Rhein. Komische Oper. Goldstein Josef.
Studien und Skizzen. Scharf Ludwig.
Stumme Bettler, Der. Roman. Bermann Moriz.
Stündchen nach dem Theater, Ein. Bühnenwerk. Gärtner Karl.
Stütze der Hausfrau, Die. Krenn Hanns.
Sturm im Frühling. Novelle. Wodiczka Victor.
— und Frieden, In. Aphorismen. Plowitz Erwin.
— und Rosenblatt. Dramatische Dichtung. Cerri Cajetan.
Sturmeszeiten, Aus. Pilcz Moriz Eugen.
Sturmvögel. Politische Sonetten. Thaler, Karl von.
St. Velociped. Satire. Foglar Ludwig St.
Südbahnhof in Graz, Kufstein, Triest, Wien. Flattich, W. v.
Südliche Alpen von Neuseeland. Bild. Obermüllner.
Südslavische Herensagen. Krauss Friedrich S.
— Pestsagen. Krauss Friedrich S.
Sühnhaus. Schmidt, Fr. Freiherr von.
— Ausmalung der Capelle. Jobst J
Sünden der Väter, Die. Roman. Ganghofer Ludwig.
— In. Schauspiel. Dorn Eduard.
Sündenbuch des Ministers. Roman. Hemsen Th.
Sünder, Ein alter. Faschingsposse. Täncer Mathias.
Sündflut, Die. Dramat. M. Dorn Eduard.
— Vor der. Satir. Drama. Dorn Eduard.
Suite. Aufsätze über Musik und Musiker. Hanslick Eduard.
Susi ihr Gspusi, Der. Bühnenstück. Zappert Bruno.
Süß Oppenheimer. Schauspiel. Schwarz, E. von.
Sylvestergedanken eines Tirolers. Gedichtesammlung. Povinelli A. H.
Synagoge im II. Bezirke. Hansen, Theoph. Freih. v.
— in Budapest. Wagner O.
— in Malaczka. Stiaßny W.

System der Nationalökonomie. Dewald, Friedrich Vincenz von.
Systematisch. Lustspiel. Schütz Friedrich.
Tabakblätter. Huschak Wilhelm.
Tabsch bei Agra. Bild. Fischer L. H.
Tafelberg am Cap. Bild. Schindler E.
Tage des ungarischen Aufstandes, Die letzten. Schlesinger Ferdinand.
— von Carthago, Die letzten. Historisches Trauerspiel. Fetzler Sigismund.
Tagen, Aus alten. Epische Dichtungen. Thaler, Karl von.
— Aus ungleichen. Gedichte. Singer Fritz.
— Aus unseren. Novellen. Langauer Franz.
Tageblätter, Wiener. Gesammelte Feuilletons. Schlesinger Siegmund.
Tagebuch eines alten Komödianten, Aus dem. Wimmer Adolf.
— Das. Lustspiel. Bauernfeld, Eduard von.
— eines Wildtödters. Dombrowski, Raoul von.
— Poetisches. Bauernfeld, Eduard von.
Tagesmühe, Die letzte. Bild. Müller L. K.
Taktfeste Geiger, Der. Dreistimmige Uebungen. Bauer Michael.
Talbot und Jeanne d'Arc. Zwickelfiguren. Wehr R.
Talma. Marmorstatue. Kalmsteiner H.
Tantaliden. Lustspiel. Spitzer Rudolf.
Tänze, Slavische. Ondricek Franz.
Taufers, Ansicht von. Bild. Alt R.
Täuschung auf Täuschung. Schauspiel. Schütz Friedrich.
Tanzsaal, Im. Lustspiel. Epstein Moritz.
Tapfere Schneiderlein, Das. Kinder-Komödie. Wiesberg Wilhelm.
Tarautella. Ondricek Franz.
Taschenfahrplan für Oesterreich-Ungarn. Reimann Anton.
Tausend und eine Nacht. Tanzstück. Strauß Johann.
Tausender und Guldenzettel. Bühnenwerk. Wimmer Josef und Seitz Jacob Josef.
Tegetthoff. Hôtel. Tischler L
— auf der Commandobrücke des Admiralschiffes bei Lissa. Bild. Romako A.
— -Brücke. Köstlin A.
— -Monument in Pola. Kundmann K.
— -Monument in Wien. Kundmann K.
— -Monument in Wien, Architekturen zu dem. Hasenauer, Freih. v.
Telegraph, Ein optischer. Bühnenstück. Wolff Karl.
Telegraphische Depeschen. Lustspiel. Hollpein Heinrich.
Tellheim und Minna von Barnhelm. Zwickelfiguren. Wehr R.
Tellschuß, Der. Rank Josef.
Tempel im VI. und IX. Wiener Bezirk, Israelitischer. Fleischer M.
— Türkisch-israelitischer. Wiedenfeld H.
Tempelritter und Aristokraten des alten Wien, Die. Wiesinger Albert.
Tempelruinen von Angkor-Wat. Bild. Schindler E.
— von Mahamalaipur Bild. Schindler E.
— von Thylae. Bild. Fischer L. H.
Tempelstürmer Hocharabiens, Die. Roman. Vincenti, Karl F. von.
Temperamente, Die vier. Bild. Friebländer F.
Tempesta. Trauerspiel Saar, Ferdinand von.
Tenor und Liebe. Schwank. Schweitzer Josef.

21*

Terno, Ein. Bühnenwerk. Bukorester Adolf.
Testament des Freimaurers, Das. Roman. Bermann Moriz.
Teufel auf Erden, Der. Operette. Musik: Suppé, Fr v. Text: Giugno
    Karl.
— im Herzen, Der. Bühnenwerk. Flamm Theob. und Wimmer Josef.
Teufels Zopf, Des. Posse. Giugno Karl.
Thalia. Plastische Figur. Koch Fr.
— Plastische Figur. Kundmann K.
Thassilo. Trauerspiel. Saar, Ferdinand von.
Thauperlen. Gedichte. Cappilleri Wilhelm.
Theater, Hofburg=. Hasenauer, Karl Freih. v.
— in Brünn. Fellner und Helmer.
— Deutsches Volks=. Figuralischer Giebelschmuck an der Vorderfaçade.
    Vogl F.
— in Bukarest, National=. Hefft A.
— in Karlsbad. Fellner und Helmer.
— in London, Globes=. Deckenbild. Klimt G.
— in Odessa. Fellner und Helmer.
— in Prag. Fellner und Helmer.
— in Szathmar. Hinträger K.
— in Taormina. Deckenbild. Klimt G.
— in Totis. Fellner und Helmer.
— in Wien, Teutsches Volks=. Fellner und Helmer.
— Eine Frau vom. Schauspiel. Rötel Louis.
Theaterdêpot in der Dreihufeisengasse, Großes. Hasenauer, K. Fr. v.
Theatergeschichten. Waldstein Max.
— Humoristische. Waldstein Max.
Theaterprinzessin, Die. Roman. Klopfer C. E.
— Die. Roman. Uhl Friedrich.
Theater=Scene, Moderne. Bild. Karger K.
Theaterwelt, Aus der. Tyrolt Rudolf.
Theaterzeit, Aus Wien's lustiger. Waldstein Max.
Theinkirche in Prag, Die. Bild. Alt R.
Theiß, An der. Uhl Friedrich
Theoberich. Trauerspiel. Wolff Franz.
Theodora. Tragödie. Edler Karl.
Theologie. Figurengruppe. Hellmer Edmund.
Theophrastus. Statue. Schröbel L.
Therese. Schauspiel. Glücksmann Heinrich.
Theresien=Hof, Maria. Tischler L.
Thespis. Statue. Costenoble.
— =Karren. Deckenbild. Klimt G.
Thomasnacht, Die. Liederspiel. Zeller Karl.
Thonethaus in Wien. Fellner und Helmer.
Thoroddsens Jüngling und Mädchen. Aus dem Reu=Isländischen.
    Poestion J. C.
Thurm im Dorfe Tirol, Romantischer. Ausbau. Weber A.
— zu Maria Trost. Ausbau. Weber A.
Thylae, Tempelruinen von. Bild. Fischer L. H.
Tiefe, Aus der. Cappilleri Hermine.

Tiefe, Aus der. Lyrische Sammlung. Christen Ada.
Tiefes Geheimniß, Ein. Roman. Steinebach Friedrich.
Tieflande, Aus dem ungarischen. Novellensammlung. Krücken, Oscar von.
Tirol, Schloß. Bild. Wörndle A. A.
Tischler. Statue. Lax J.
Tischrücken. Das. Bühnenwerk. Grünborf Karl.
Tochter Antonelli's. Schwarz, E. von.
— des Buchenmüllers, Die. Sokol Josef.
— des Nazareners, Die. Novelle. Edler Karl.
— des Wucherers, Die. Schauspiel. Anzengruber Ludwig.
— Einzige. Lustspiel. Rosen Alexander.
Töchter des Dionysios. Komische Oper. Musik: Brandl Johann. Text: Waldstein Mar.
— des Komödianten, Die. Roman. Scheiblein, Cäsar von.
Tod Alphart's. Epos. Schroer Karl Julius.
— Der geistliche. Erzählung. Mataja Emilie.
Todescandidaten, Die. Schwank. Korn Arthur.
Todsünden der Wiener, Die sieben. Volksstück. Text: Grünborf Karl. Musik: Kuhn Leopold.
— Die sieben. Oratorium. Goldschmidt, Adalbert von.
Todte Fisch, Der. Lustspiel. Pollak Ignaz.
— Gast, Der. Operette. Millöcker Karl.
Todtengräber, Der. Roman. Buchbinder Bernhard.
Todtes Federwild. Bild. Brenner A.
Toggenburg, Ritter. Bühnenwerk. Mögele Franz.
Torquato Tasso, Decorationen zu. Brioschi A.
Torquatus M. Statue. Lax J.
Touristen-Liederbuch. Wimmer Abolf.
Tournefort. Statue. Costenoble.
Trachten und Sitten, Orientalische. Dewald Friedrich, Vincenz von.
Trachtenbilder nach Zeichnungen Dürer's. Holzschnitt. Baber F. W.
Tragische Könige. Epische Gesänge. Frankl, L. A. Ritter von.
Tragischen Affecte Mitleid und Furcht nach Aristoteles, Die. Tumlirz Karl.
Tragödie des Menschen, Die. Dramatisches Gedicht. Uebersetzung aus dem Ungarischen. Siebenlist Josef.
Trau, Bürgermeister. Statue. Benk J.
— schau, wem. Bühnenwerk. Grünborf Karl.
Traualtar, Am. Novelle. Kapri, Mathilde von.
Trauerspiel des Kindes, Das. Schauspiel. Schlesinger Siegmund.
Träume sind Schäume. Lustspiel. Triesch F. G.
Träumereien. Novelle. Suttner, Bertha von.
Traun-Abensberg, Graf Otto von. Statue. Silbernagl J.
— -See. Bild. Rieger A.
Traunviertel, Geschichten aus dem. Novellen. Groner Auguste.
Trente et quarante. Roman. Suttner, Bertha von.
Trient Bild. Alt R.
— Hof im Castell zu. Bild. Alt R.
Tristan. Trauerspiel. Weilen, Josef von.

Triton mit der Nymphe. Figurengruppe. Tilgner V.

Triumph Hannibal's. Jugendschrift. Pape Paul.

Triumphlied. Chorwerk. Brahms Johannes.

Triumphpforten in Fünfhaus. Anläßlich des Einzuges der Prinzessin Stefanie. Hinträger M.

— in Meidling. Anläßlich des Einzuges der Prinzessin Stefanie. Hinträger M.

Trompeter von Säkkingen, Decorationen zu. Brioschi A.

Tropen und Figuren. Tumlirz Karl.

Trophäen an dem Palais Erzherzog Wilhelm. Stein=. Hutterer J.

Troppmann. Charakterbild. Thalboth Heinrich.

Trostburg, Die. Roman. Hertzka Fr.

Trottelthum von Neu=Jerusalem, Das. Preißler Heinrich.

Truhe, Die alte. Novelle. Edler Karl.

Trutzige, Die. Komödie. Anzengruber Ludwig.

Trutznachtigall. Lieder. Silberstein August.

Tschau. Skizzen. Tenber Oscar Karl.

Tuchmacher. Allegorische Figur. Probst J.

Tugendhafte Männer. Lustspiel. Wolff Franz.

Tumuli von Rosegg. Bld. Seelos G.

Tumulus in D.=Altenburg. Bild. Ruß R.

Türk, Monument des Dr. Pilz V.

Türken vor Wien, Die. Bühnenwerk. Text: Costa Karl. Musik: Mestrozi Paul.

-- vor Wien, Die. Festspiel. Kralik, Richard von.

— =Franzl, Der. Operette. Veran Arnold, Blau Max und Loew Edmund.

— =Monument. Hellmer Edmund.

— Sieg der österreichischen Armeecorps über die T. unter J. Coburg, Bild. L'Allemand.

Türkische Schlafrock, Der. Erzählung. Young Gustav.

Türkischen Gemeinde in Wien, Geschichte der. Zemlinsky, Adolf von.

Türkischer Bazar. Bild. Schönn A.

Tyrfingschwert, Das. Poestion J. C.

Uchatius, General. Portrait. L'Allemand.

Ueber Bach's „wohltemperirtes Clavier". Debrois van Bruyck, Karl.

-- Berg und Thal. Pichler, Theodor von.

— Reclame. Pettersch Karl Hugo.

Ueber's Grab hinaus noch lieben. Dramatisches Gedicht aus dem Spanischen übersetzt. Pasch Conrad.

Uebergabe von Calais, Die. Stich. Sonnenleiter J.

Ueberlieferung, Mündliche. Plastisch=Allegorische Figur. David W.

Uhl, Bürgermeister. Portrait. Stauffer V.

Ulrich von Hutten. Dramatisches Gemälde. Tenber Oscar Karl.

Ultimo. Schwank. Cappilleri Wilhelm.

Umg'lehrte Freit', Die. Bühnenstück. Anzengruber Ludwig.

Umkehr. Uebersetzung. Förster August.

Unbarmherzige Schwester, Eine. Bühnenwerk. Mai Fritz.

Unfried, Der. Roman. Ganghofer Ludwig.

Ungarische Landes=Gallerie, Radierungen. Woerule W.

Ungarischen Tieflande, Aus dem. Novellensammlnng. Krücken,
   Oscar von.
Ungarischer Pferdema kt. Bild.
   Wald. Bild. Schaeffer A.
Ungarn. Bergner Rudolf.
Ungleichen Tagen, Aus. Gedichte. Singer Fritz.
Univerität, Die. Gedicht. Frankl, Ludwig August Ritter von.
Univerfitäts-Gebäude. Ferftel, M. von.
Unliebfame Reifegefellfchaft. Bild. Müller L. K.
Unrecht Gut. Roman. Flamm Theodor.
Uns haben's b'halten. Bühnenftück. Woller Rudolf.
Unfchuldig verurtheilt. Roman. Steinebach Friedrich.
Unfer Kronprinz. Feftfchrift. Peanersdorfer Ignaz.
— Schwiegerfohn. Buchbinder Bernhard.
Unfere Künftler und die Genoffenfchaft. Brofchüre. Ilg Albert.
— Kunftpflege. Brofchüre. Deininger J.
— Nachbarin. Skizzen. Chriften Ada.
Unter der Parifer Commune. Laufer Wilhelm.
— fahrenden Leuten. Culturgefchichtliches Werk. Groner Augufte.
— Schleier und Maske. Orient. Roman. Vincenti, Karl F. von.
— Tannen nnd Palmen. Profchko Hermine C.
— uns. Luftfpiel. Lederer Siegfried.
Unterrichts-Anftalten in der Schwarzenbergftraße, K. k. Avanzo
   und Lange.
Unterfuchungen über Shakefpeare's „Sturm." Meißner Johannes.
Unverftandene auf dem Dorfe, Die. Ebner-Efchenbach, Marie
   Baronin von.
Unzufriedenen, Die. Roman. Mataja Emilie.
— Die. Volksftück. Weiß Otto.
Urabelig. Roman. Kapri, Mathilde von.
Urania. Alleg. Figur. Silbernagl J.
Urbild der Angot. Schwarz, E. von.
Urfinia. Novelle. Edler Karl.
Urtheil der Welt, Das. Roman. Panftingl Friedrich.
Urwald, Brafilianifcher. Bild. Blaas, J. von.
-- Brafilianifcher. Bild. Nuß R.
Urwienerin, Die. Operette. Noth Louis,
— Die. Singfpiel. Herbli ka.
Va banque. Bild. Swoboda Eduard.
— banque. Roman. Kapri, Mathilde von.
Vagabund, Der. Operette. Mufik: Zeller Karl. Text: Held Ludw.
— Der. Zemlinsky, Adolf von.
Vagabunden, Die. Operettentext. Lindau Karl.
Van Dyck Müller Adolf.
— Eyk. Statue. Zafouk N.
Varro. Statue. Tilgner Victor.
Vater Deak, Bühnenftück. Buchbinder Bernhard.
   Der. Luftfpiel. Bauernfeld, Eduard von.
— der Debutantin oder Ballettprobe, Der. Ballettmufik. Willner
   Alfred M.

Vater der Medea. Schwant. Reitler Marcellin Adalbert.
— Rabetzly. Drama. Dorn Eduard.
Väter und Söhne. Roman. Buchbinder Bernhard.
Vaterfreuden. Posse. Herblička.
— Müller's. Posse. Doppler Josef.
Veilchen, Die. Lustspiel. Ebner-Eschenbach, Marie von.
Veilchenstrauß, Ein. Novellen. Grünau, Hanns von.
Veile, Gefecht bei. Bild. L'Allemand.
Velociped St. Satire. Foglar Ludwig St.
Venezianer, Der. Spieloper. Zois, Hanns von.
Venus und Amor. Figurengruppe. König O.
— in Versailles. Lustspiel. Hemjen Th.
Venusfest. Stich. Sonnenleiter J.
Verdienste, Geheime. Theaterstück Schneeberger Franz J.
Vereins-Humorist, Der. Gesammelte Humoristika. Schier Benjamin.
Verfassung, Kaiser Franz Josef I. verleiht die. Giebelgruppe.
　　Hellmer Edmund.
Verfassungspartei und das Ministerium Hohenwarth, Die. Broschüre.
　　Bresnitz Heinrich.
Verfluchte. Der. Zemlinsky, Adolf von.
Verfluchten Brüder, Die. Roman. Eisner Justus.
Vergessene, Eine. Schwarz, E. von.
Vergessener, Ein. Roman. Buchbinder Bernhard.
Vergißmeinnicht. Gedichte. Nessel Gustav Andr.
Verhängniß, Ein dunkles. Roman. Pollak Heinrich.
Verhängnißvolle Hochzeitstag, Der. Posse. Mandlick Hugo.
Verkanntes Genie, Ein. Theaterstück. Schneeberger Franz J.
Verkaufte Frauen. Barber Ida.
— Leibrente, Die. Dramatisirte Novelle. Anister M.
Verkehre mit Franz Grillparzer. Aus dem persönlichen. Littrow-
　　Bischoff Auguste.
Verkehrsbank, Administrationsgebäude der Allgemeinen. Schachner F.
Verkettungen. Roman. Suttner, Bertha von.
Verlassenen, Die. Lustspiel. Bauernfeld, Eduard von.
Verliebte Löwe, Der. Uebersetzung. Förster August.
— Wagnerianer. Spitzer Daniel.
Verlobung bei Pignerols. Lustspiel. Dern Julie.
Verlorene Ehre. Schauspiel. Bohrmann Heinrich.
Vermächtniß der Amazone, Das. Roman. Groch Roman.
— Ein. Drama. Steininger Emil Maria.
Vermälten, Die. Drama. Pfeiffer, Karl von.
Verräther, Der. Roman. Steinebach Friedrich.
Verrufen. Schram Karl.
Versailles, Aus. Bauernfeld, Eduard von.
Versäumtes Glück. Novelle Kapri, Mathilde von.
Verschlungene Wege. Novelle. Scherer Franz K. E.
Verschwörer auf dem Throne, Die. Roman. Schreyer Hanns.
Versenktes Eden, Ein. Erzählung. Wasserburger Lina.
Versinkende Welt Eine. Dram. Dichtung. Philipp Peter.
Versöhnt. Barber Ida.

Während der Börse. Lustspiel. Mautner Eduard.
Wahrer Demokrat, Ein. Charakterbild. Thalboth Heinrich.
Wahrheit. Marmorfigur. Benk J.
Waisnix, Kaltwasser-Heilanstalt in Reichenau. Hefft A.
Wald und Wogen, Aus. Gedichte Form y Alfred.
— Ungarischer. Bild. Schaeffer A.
Waldfräulein. 24 Kohlezeichnungen. Schindler E.
Waldheim, R. v. Villa in Millstadt. Mayreder.
Waldheim's illustr. Blätter. Zeitschrift. Gegründet von Waldheim Rudolf.
— illustr. Zeitung. Zeitschrift. Gegründet von Waldheim Rudolf.
Waldlandschaft. Bild. Seelos G.
Waldlilie im Grazer Stadtpark. Brandstetter H.
Waldmärchen aus unserer Zeit, Ein. Rollet Hermann.
Waldmeister's Brautfahrt. Müller Adolf.
Waldschnepfe, Güldene. Gasthaus. Lange und Avanzo.
Waldveilchen. Schauspiel. Belolawel M. K.
Walküre, Decorationen zur. Hoffmann J.
— und das Rheingold in Wien. Oesterlein Nicolaus.
Wallenstein=Palast in Prag, Halle in dem. Bild. Alt R.
Walter von der Vogelweide. Standbild. Natter.
Walzerkönig, Der. Bühnenstück. Jappert Bruno mit Costa und Mannstädt.
Walzer, Wiener. Ballett Bayer Josef. Frappart und Gaul.
Wanderbuch eines Wiener Poeten. Rollet Hermann.
Wanderungen durch Olmütz. March Richard.
Wappenbüchlein. Hrachowina.
Waarenhaus Robitschek & Cie. Richter L.
Was Ihr wollt. Decorationen zu. Brioschi A.
Warum sie weint. Novelle. Eckstein Julius.
Was mir blieb. Gedichte. Czedit Emil.
— Moidl erzählt. Wohlmuth Eugenie.
Waselbua. Lied. Lorenz Karl.
Wasserweib, Das. Bühnenwerk. Nögele Franz.
Wau=wau, Der. Lustspiel. Forstenheim Anna.
Weaner Madln. Tanzstück. Ziehrer K. M.
— sein Schan. Musikstück. Schild Th. F.
Weg meines Lebens, Der. Ehrlich Josef N.
Wege des Herzens. Schauspiel. Ganghofer Ludwig.
— Verschlungene. Novelle. Scherer Franz K. E.
— zur Ehe. Lustspiel. Epstein Moriz.
Wehli, Palais. Zettl L.
Weiber von Wien, Die lustigen. Charakterbild. Thalboth Heinrich.
Weiberfeind, Der. Erzählung. Steininger Emil Maria.
Weiber, Moderne. Possenmusik. Gothov-Grünecke Ludwig.
Weiblichen Rekruten, Die. Posse. Cappilleri Wilhelm.
Weihgeschenk des Genius, Das. Lustspiel. Weltner Albert Josef.
Weihnachtsbaum, Der. Ausstattungsstück. Text: Groß Karl.
    Musik: Roth Louis.
Wein und Wasser. Figurengruppe. König O.

Wein Weib und Gesang. Walzer. Strauß Johann.
Weise Paganini, Der. Lustspiel. Weiß Otto.
Weisheit. Marmorfigur. Benk J.
Welcher von Beiden? Künstlernovelle. Wartenegg, Wilhelm von.
Welser Philippine und Ferdinand I. Bild. Müller L. K.
Welt, ein Epos, Die. Brunner Sebastian.
— Eine versinkende. Dramatische Dichtung. Philipp Peter.
— Die gebildete. Broschüre. Wengraf Edmund.
— in Waffen, Die. Roman. Schneeberger Franz J.
— und mein Auge, Die. Erzählungen. Paoli Betti.
Weltausstellungsbauten 1873. Hasenauer, Karl Freih. v.
Weltausstellungsmedaillen „Für Kunst", „Dem Fortschritt",
   Wiener. Tautenhayn J.
Weltgeschichte f. Freunde d. Wahrheit, Ein Buch der. Doll Franz.
Weltliche Dinge. Neue Geschichten. Groller Balduin.
Welton, Miß Flora. Posse. Herbliska.
Wenn man nicht tanzt. Lustspiel. Schlesinger Siegmund.
Wenzel, Die beiden. Posse. Text: Lindau Karl, Musik: Mestrozi Paul.
— Hocke. Posse. Doppler Josef.
Wer bezahlt? Schwank. Pulvermacher Auguste
— war's? Schwank. Reitler Marcellin Adalbert.
Wergotsch bei Aussig. Bild. Lichtenfels, Ed. Peithner R. v.
Werkstatt der Kunst, Aus der. (L'oeuvre). Ziegler Ernst.
Werner A. G. Marmorstatue. Zumbusch, K. R. v.
Wesely, Grabdenkmal der Hofschauspielerin. Bohrn H.
Wettfahrt slovakischer Bauern Bild. Blaas, J. von.
Wie die Gutendorfer reich wurden. Pribyl Leo.
— Du willst. Lustspiel. Singer Fritz.
— gefällt Ihnen Clara? Lustspiel. Grotthuß, Elisabeth von.
— gefällt Ihnen meine Frau? Novelle. Conimor.
— ich mein Wörterbuch der französischen Sprache zu Stande gebracht habe.
   Bettelheim Anton.
— man Socialist wird. Tendenzschrift. Wengraf Edmund.
— wir wirthschaften. Broschüre. Wengraf Edmund.
Widerspänstige, Die. Decorationen zu. Brioschi A.
Wiegengeheimniß, Ein. Epos. Wasserburger Lina.
Wieliczka, Salzbergwerk von. Bild. Charlemont H.
Wien. Skizzenbuch. Pötzl Eduard.
— Ansicht aus dem Jahre 1873. Holzschnitt. Bader F. W.
— Ansicht von. Lithographie. Rieger A.
— bleibt Wien. Posse. Krenn Hanns.
— bleibt Wien. Marsch. Schrammel Johann.
— Das belagerte. Episches Gedicht. Mertens, Ludwig Ritter von.
— Das gemüthliche. Broschüre. Karlweis C.
— Das lachende. Bühnenstück. Zappert Bruno und Rosen Julius.
— die Kaiserstadt a. d. Donau. Bild. Hlavaček.
— durch hundert Jahre. Lustspiel. Koritz K. L.
— Illustrirte Städtebilder. Schlögl Friedrich.
— und die Wiener aus der Spottvogel-Perspective. Masaidek Franz.
— war eine Theaterstadt. Broschüre. Müller-Guttenbrunn Adam.

Wien's luftiger Theaterzeit, Aus. Walbstein Max.
— flotter Geist. Posse. Lorens Karl.
— guter Geist. Bühnenwerk. Gärtner Karl.
Wiener Bauhütte. Grünbung. Wurm A.
— Bauten. Ranzoni Emerich.
— Blut. Schlögl Friedrich.
— Blut. Walzer. Strauß Johann.
— Bomben. Lustiges vom Donaustrande. Nessel Gust. Anbr.
— Briefträger, Ein. Charakterbild. Thalboth Heinrich.
— Bürgerkinder. Lustspiel. Koritz K. L.
— Bürgerstochter, Eine. Bühnenwerk. Seitz Jacob Josef.
— Bürgerzeitung. Klebinder Ferdinand.
— Camelienbaume, Eine. Bühnenwerk. Mai Fritz.
— Carnevalsabenteuer. Schwank. Oeribauer Mathias.
— Couplets. Herausgegeben von Rosner Leopold.
— Ein- und Ausfälle. Humoristisches. Bauernfeld, Eduard von.
— Festzug, Der. Charakterbild. Thalboth Heinrich.
— Freiwillige, 1809 und 1848. Figuren. Schmidgruber Anton.
— Freiwilliger. Statue. Gloß L.
— Hannswurst. Nischengruppe. Tilgner Victor.
— Humor. Humoristisches Sammelwerk, herausg. von Friese K. A.
— Kinder. Roman. Karlweis C.
— Kinder. Operette. Musik: Zierer K. M. Text: Krenn Leopold und Wolff Karl.
— Künstleralbum. Eckstein Adolf.
— Künstlerhaus. Umbau. Schachner F.
— Kunst-Renaissance. Studien. Vicenti, Karl F. von.
— Leben. Culturstudien vom Donaustrande. Nessel Gustav Anbr.
— Luft. Bühnenwerk. Mai Fritz.
— Luft. Zeitschrift. Gegründet von Waldheim Rudolf.
— Monumentalbauten. Architekt. Sammelwerk. Lützow, K. v. Tischler L.
— Nachtfalter. Bühnenwerk. Gottsleben Ludwig.
— Neubauten. Architekt. Sammelwerk. Lützow, K. v. Tischler L.
— Novellen. Blechner Heinrich.
— Opernabende. Kalbeck Max.
— Parnaß. Zeitschrift. Helfert, Jr. v.
— Rathhaus. Schmidt, Jr. Freiherr von.
— Rathhaus. Stich. Bültemeyer H.
— Schnipfer. Bühnenwerk. Gottsleben Ludwig.
— Skizzen aus dem Gerichtssaal. Pötzl Eduard.
— Spaziergänge. Gesammelte Feuilletons. Spitzer Daniel.
— Tagesblätter. Ges. Feuilletons. Schlesinger Siegmund.
— Volksmuse, Die. Broschüre. Scheiblein, Cäsar von.
— vom Grund. Ges. Feuilletons. Chiavacci Vincenz.
— Walzer. Ballett. Frappart und Gaul. Musik: Bayer Josef.
— Weiß und Frauen Preis. Ettel Conrad.
— Weltausstellungs-Medaillen „Für Kunst", „Dem Fortschritt". Tautenhayn J.
— Zitherschule. Umlauf Karl J. F.

Wienerin, in luftig gemüthlichen Reimlein, Ein Buch von einer. Bauernfeld, Eduard von.

Wienerisches. Schlögl Friedrich.

Wienern, Ein Buch von uns. Bauernfeld, Eduard von.

Wienerstadt, Geschichten aus der. Löwy Julius.

— in Wort und Bild, Die. Bühnenwerk. Bauer Julius u. Fuchs Isidor. und Vorstädte, Geschichte der. Bermann Moriz.

Wienerwald, Geschichten aus dem. Walzer. Stranß Johann.

Wildbach. Bild. Ruß R.

Wilde Jäger, Der. Operntext. Peitl Paul.

Wildniß, In der. Lustspiel. Kautzky Minna.

Wilfried. Novelle. Edler Karl.

Wilhelm, Erzherzog. Portrait. Ajdukiewicz Thaddäus.

— in Baden, Villa des Erzherzogs. Neumann, F. R. von.

-- der Eroberer. Lustspiel. Schütz Friedrich.

-- Hort. Roman. Grotthuß, Elisabeth von

Willkommener, Ein Lustspiel. Tuvóra Maurice J.

Windischgrätz, Fürst. Portrait. Ebert A.

Wintergrün. Dichtungen. Kalbeck Max.

Winterkönig, Der. Trauerspiel. Krastel Friedrich.

Winzer, Römische. Bild. Schönn A.

Wir Bulgaren. Schwank. Léon Victor und Waldberg, Heinrich von.

Wirthschaft im Walde, Die. Rank Josef.

Wirthschafterin, Seine. Posse. Herdlička.

Wirthstochter von Abian Die. Schnürer Franz.

Wissenschaft und Wahnsinn. Roman. Jodt K. Th.

Witwe, Die schöne. Operette. Wagner Franz.

— Die indische. Operette. Geiringer Gustav.

— Scarron. Lustspiel. Granichstätten Emil.

Witwensitz, Der. Lustspiel. Moritz K. L.

Wochenchronik, Die. Preislustspiel. Triesch J. G.

Wodianer, Baron. Palais. Wiesemans, A. von.

Wohlthat, Eine. Drama. Saar, Ferdinand von.

Wohlthäter, Ein. Schauspiel. Nissel Franz.

Wohlthätigkeits-Vorstellung. Eine. Schwank. Pulvermacher Auguste.

Wolken und Sonn'schein. Erzählungen. Anzengruber.

Wolter Charlotte als tragische Muse. Bild. Fux J.

· Charlotte. Broschüre. Scheiblein, Cäsar von.

— Charlotte. Büste. Tilgner B.

— Charlotte. Statuette. Jähnl K.

Charlotte. Eine Künstlerlaufbahn. Ehrenfeld Moriz.

Wollzeile 47. Bühnenstück. Zappert Bruno.

Worte, Deutsche. Anthologie. Gruß A.

Wörthersee, Am. Liederspiel. Koschat Thomas.

Wunderbare Heilung, Die. Novellen. Grotthuß, Elisabeth von.

Wunderdoctor, Ein. Bühnenwerk. Gründorf Karl.

Wundergeschichten der Liebe. Vincenti, Karl von.

Wunderkur, Die. Lustspiel. Bahr E. H.

Wunder-Rabbi, Der. Roman. Thenen Julie.

Wunderthäter von Kork und Plotk, Die. Thenen Julie.

Es wird beabsichtigt, dem nächsten Jahrgange (1890) als Anhang ein vollständiges Verzeichnis sämmtlicher in Wien erscheinenden Zeitungen und Zeitschriften, mit Angabe der im Redactions-Verbande der betreffenden Journale stehenden Mitarbeiter, sowie eine nach Disciplinen geordnete alphabetische Namns-Zusammenstellung aller in dem Buche erwähnten Künstler und Schriftsteller beizugeben.

In Vorbereitung:

Das geistige Wien

(II. Band)

Gelehrte, Fachschriftsteller und Fachzeitungen

von

Ludw. Eisenberg und Richard Groner.

Das kunstgewerbliche Wien

(der Serie III. Band)

von

Ludw. Eisenberg und Richard Groner.

Wiener Denkmäler und Bauten

von

Ludw. Eisenberg und Richard Groner.

Demnächst erscheint:

Kalender

für

Das geistige Wien

Notiztaschenbuch für 1890.

Dieser Kalender, bestimmt für den täglichen Gebrauch, enthält außer dem vollständigen Kalendarium und den üblichen Mittheilungen über Post, Telegraph, Stempel= scalen u. s. w., ein Notizbuch mit praktischer Tagesein= theilung, ein Verzeichnis aller im „Geistigen Wien" aufgeführten Namen und Adressen, Nachrichten über aus= geschriebene Concurrenzen, Preisfragen, Stipendien, Per= sonalnachrichten des verflossenen Jahres u. s. w. u. s. w.

12°. Preis eleg. geb. fl. 1.20.

An das P. T. clavierspielende Publicum.

Die mit 1. Jänner 1888 in Kraft getretene Erhöhung des Einfuhr-Zolles auf Musik-Instrumente von 10 auf 40 Goldgulden österr. Währ. per Metercentner, hat das Bedürfniß wachgerufen, in unserem Vaterlande ein Aequivalent für jene Claviere vollkommenster Qualität zu schaffen, welche bisher theils aus Deutschland von **Bechstein** in Berlin, **Blüthner** in Leipzig, **Schiedmayer** in Stuttgart und anderen hervorragenden Firmen, theils direct aus Amerika von dem „**Könige der Clavierbauer**" **Steinway Sons in New-York** bezogen worden sind.

Diese letztgenannte Firma, welche seit mehr als einem Vierteljahr-hundert **ausschließlich** und **international** die Führung des **modernen** Clavier-baues in Handen hält, hat dieses System nach ihrem Namen und Domizil „**System Steinway**" oder „**amerikanisches System**" genannt; ihre Claviere erreichen das denkbar Vollkommenste in Bezug auf Dauerhaftigkeit, Stimmhaltbarkeit und Präcision in der Spielart einerseits, wie auch hin-sichtlich der Schönheit, Füll-, Poesie und überraschender Modulations-fähigkeit des Tones andererseits.

Es ist daher nicht Wunder zu nehmen, daß die Clavierbauer aller Länder sich ernstlich bemühten, diesen Ideal-Instrumenten durch eigene Erzeugnisse nachzustreben, wenn sie keine Zeit und Mühe gescheut haben, in die Geheimnisse der Steinway-Pianos einzudringen und man muß gestehen, daß es einigen Auserwählten auch wirklich gelungen ist, eine dem Original Steinway nahekommende Imitation mit gutem Erfolge zu schaffen. — Selbstredend fehlte es dabei nicht an speculativen Köpfen, welche den Ruf des Steinway-Systems blos dazu ausnützen, um ihre Erzeugnisse möglichst günstig an den Mann zu bringen, und welche von Unbeginn schon gar nicht die Absicht hatten, in das Wesen dieser Bauart überhaupt näher einzudringen. Vor diesen sei hiemit nachdrücklich gewarnt!

Ich hatte die Ehre, meine Wanderjahre unter **Th. Steinway's** und **Bechstein's** persönlicher Leitung zu vollenden und wurde mir nach meiner 1881 in Wien erfolgten Etablirung von Seite **Hans v. Bülow's** das schmeichelhafteste Zeugniß über die ausgezeichnet praktische Verwendung des Steinway-Systems ausgesprochen.

Wenn in meinem 1881 bei R. Lechner in Wien erschienenen Büchlein: „**Rathgeber in Clavierangelegenheiten**", Winke für das clavierspielende Publi-cum in Bezug auf das Instrument als solches gegeben wurden, so erbiete ich mich durch die heutige Notiz zu jeder gewünschten fachmännischen Erläuterung des Steinway-Systems, welches heute das **Erste der Welt** und **das einzige System eines modernen Pianos** ist und welches nach den Original-Intentionen der Erfinder an meinen Flügeln und Pianinos Anwendung findet.

Wien, im October 1888.   *Ganz ergebenst*

Rudolf Wilh. Kurka

Clavier-Erzeuger

Erfinder der praktischen Anordnung der

Jankó-Claviatur

für Flügel und Pianinos.

Gefl. Zuschriften beliebe man nach **Wien, V. Wienstraße 45** zu richten

Atelier für

Heliogravure und Sinkographie

J. BLECHINGER
Wien
IV. Theresianumgasse. 5.

ATELIER für PHOTOGRAFIE
UND
KUNST-VERLAG
VICTOR ANGERER
WIEN
IV., THERESIANUMGASSE Nr. 4.

357

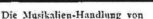

363

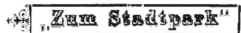

Ausgezeichnet mit der Kunst- und Verdienst-
Medaille Weltausstellung Wien 1873, Paris 1878
— Gewerbe-Ausstellung 1880 ersten Preis, Diplom
vom k. k. Kunst-Museum für die Einbände Sr.
Hoheit des Kronprinzen Rudolf.

Bibliotheks-
Buchbinderei

und

Einbanddecken-Fabrik

von

F. KRITZ.

WIEN
III., RASUMOFSKYGASSE
No. 21.

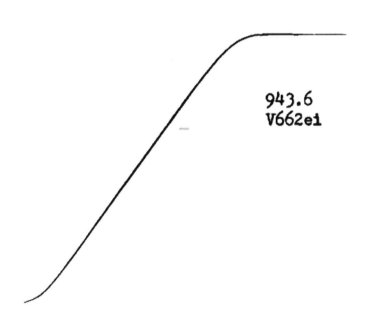

943.6
V662e1

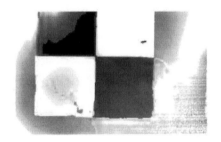

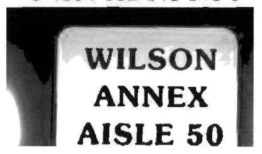

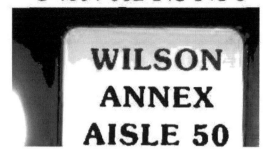
374

Druck:
Customized Business Services GmbH
im Auftrag der KNV-Gruppe
Ferdinand-Jühlke-Str. 7
99095 Erfurt